*A biografia de*
# NOVAK DJOKOVIC

BLAZA POPOVIC

*A biografia de*
# NOVAK DJOKOVIC

generale

**Presidente**
Henrique José Branco Brazão Farinha

**Publisher**
Eduardo Viegas Meirelles Villela

**Editora**
Cláudia Elissa Rondelli Ramos

**Projeto Gráfico e Editoração**
S4 Editorial

**Capa**
Listo Comunicação

**Foto de capa**
Cynthia Lum

**Tradução**
Jovica Djukic

**Revisão técnica**
Chiquinho Leite Moreira

**Revisão**
All-Type Produção Editorial

**Impressão**
Assahí Gráfica

Copyright © 2013 *by* Editora Évora Ltda.

Todos os direitos desta edição são reservados à Editora Évora.

Rua Sergipe, 401 – Cj. 1310 – Consolação
São Paulo – SP – CEP 01243-906
Telefone: (11) 3562-7814/3562-7815
Site: http://www.editoraevora.com.br
E-mail: contato@editoraevora.com.br

DADOS INTERNACIONAIS DE CATALOGAÇÃO NA PUBLICAÇÃO (CIP)
JOSE CARLOS DOS SANTOS MACEDO - BIBLIOTECÁRIO CRB7 N.3575

P865b

Popovic, Blaza
  A biografia de Novak Djokovic / Blaza Popovic ; [tradução: Jovica Djukic]. – São Paulo :
Évora, 2013.
  xxii, 568 p. ; 16 x 23 cm.

  ISBN 978-85-63993-54-0

  1. Djokovic, Novak, 1971-   . 2. Tenistas – Sérvia - Biografia. I. Título.

CDD- 927.96342

# APRESENTAÇÃO

Em tempos em que jogadores se tornaram cada vez mais sérios, carrancudos e de pouca ou nenhuma expressão, apareceu um jogador diferente. Um jogador verdadeiro.

Parecia que o circuito esperava por Novak Djokovic, um jogador que encanta em quadra e mostra que ser bom ou top não o obriga a ser chato e esnobe ou a ter poucos amigos. Novak conseguiu o mais difícil no circuito: encantar as pessoas pelas suas jogadas incríveis, por suas imitações engraçadas e, mais que tudo isso, por sua vitalidade e inteligência nos jogos.

Quando tento analisá-lo, percebo simplesmente que, mesmo sendo eu um ex-atleta e tendo velocidade em quadra, não chego aos pés dele quanto a sua movimentação, agilidade e recuperação em cada bola. Ele consegue jogar intensamente em todos os pontos e por muito tempo, e seu jogo é simples. Pode não encantar os que exaltam o que chamam de "puro talento", mas, para mim, talento é ter coisas diferentes, e esse sérvio carismático tem uma lista enorme.

Novak Djokovic é aquele jogador que, se precisamos enfrentá-lo e vamos conversar com o técnico, não chegamos a nenhuma conclusão definitiva de como vencê-lo. Ele tem uma grande direita, uma esquerda impecável, saca muito bem, voleia o suficiente para definir os pontos, se mexe maravilhosamente bem e, para o desespero de seus adversários, aguenta pressão o tempo todo. Ele só não é imbatível, porque esse termo não existe no esporte.

Devo confidenciar a todos que, se eu escrevesse este texto quando ele era o número três do mundo, dificilmente diria que ele seria o melhor do mundo e que dominaria o circuito com tanta maestria. Sua evolução impressionou a todos, e seu crescimento físico e técnico é assunto em rodas de atletas e exemplo para os mais jovens.

O que me faz ser fã dele é sua obsessão por mais. Ele não quer apenas ser o melhor do mundo, não se contenta em ganhar jogos; quer dominar o circuito e da maneira que eu mais admiro em um atleta: sem passar por cima dos outros. Ele quer melhorar técnica e taticamente todos os dias.

Novak Djokovic, para mim, é a salvação da velha geração que não aguenta mais ver atletas mascarados e sem alma, e o exemplo que nossos novos meninos precisam para se espelharem. Um atleta "do bem" que ganha na quadra e vive a vida com um sorriso no rosto.

FERNANDO MELIGENI

*Tenista vencedor de 3 títulos da ATP Tour e medalha de ouro nos Jogos Pan-Americanos da República Dominicana, em 2003.*

*Foi um de nossos melhores tenistas de todos os tempos, atingindo a 25ª posição do ranking da ATP.*

*Brasileiro por verdadeiro amor à pátria, é um símbolo de empenho e garra dentro da quadra e uma inspiração para todos, como mostrou em suas inúmeras participações na Copa Davis e nas vitórias sobre os maiores jogadores do mundo.*

*É comentarista e apresentador dos canais ESPN e ESPN Brasil.*

*Apresenta o programa "Segredos do esporte" na ESPN.*

# PREFÁCIO

Em qualquer esporte, mas principalmente no tênis, são nítidos dois tipos de atletas: os de talento e os de esforço. Os que nascem com a reconhecida habilidade natural costumam viver pequenos períodos de sucesso; os que batalham para melhorar cada aspecto do tênis, na maioria das vezes, alcançam títulos expressivos.

Mas existem aqueles que conseguem unir um excepcional talento com a determinação do trabalho penoso, diário, repetitivo, decididos que estão a abdicar de privilégios e movidos sempre pela fantasia. Esses poucos costumamos chamar de fenômenos.

Novak Djokovic é um atleta excepcional na expressão mais estrita da palavra. A facilidade com que sempre bateu na bola, a aptidão física e o poder de concentração o levaram a patamares bem altos do dificílimo circuito profissional masculino, com títulos de importância e milhões de dólares na conta bancária.

Mas isso não era o bastante.

Nole (apelido de Novak) procurou caminhos. Arriscou mudanças, inclusive de técnico e de equipamento; tentou novos processos de treinamento e de preparo físico, aceitou a receita de um nutricionista desconhecido. Mais ainda, trabalhou na parte mental. Deixou de ser brincalhão sem perder o bom humor, e deixou de ser reclamão sem perder a gana da vitória.

Com paciência e dedicação, costurou sua trajetória até chegar a ser o número 1; passou por campanhas até então impensáveis sobre as quadras de saibro e de grama e, principalmente, cavou seu lugar na história.

O mais incrível: conseguiu tudo isso dividindo espaço, dentro e fora da quadra, com Roger Federer e Rafael Nadal.

Ao conhecer aqui neste livro tantos detalhes sobre o verdadeiro Novak, é de se imaginar que esta espetacular história ainda esteja longe de terminar.

JOSÉ NILTON DALCIM
*Jornalista especializado em esporte há mais de 30 anos.*
*Acompanha o circuito desde 1980.*
*É diretor editorial de TenisBrasil.*

# INTRODUÇÃO

Nasci em Belgrado, dia 19 de fevereiro de 1971, e cresci no bairro de Karaburma, uma parte da cidade com muitas crianças e áreas verdes, onde o esporte significa bem mais do que uma simples perseguição de bola. Parece-me que toda a vida social foi desenvolvida na frente dos campos de basquete e futsal. Em nossas cabeças esses lugares eram os pontos de referência e algo perceptível.

Karaburma é uma parte de Belgrado, um território urbano específico e uma estranha mistura de tudo. Para começar, as pessoas são de várias nacionalidades, religiões, e possuem variados *status* sociais. Com tantas diferenças, talvez o esporte era a única coisa que nos unia. Quando você é moleque, não é preciso mais do que isso!

Futebol sempre estava em primeiro lugar – jogávamos em todos os espaços – e depois veio o basquete, que a maioria de nós treinava no clube local. Interessávamo-nos por tênis de mesa, natação, bilhar e, evidente, artes marciais. Até treinávamos aiquidô, mas isso foi apenas por pouco tempo. Gostávamos também de esqui, hóquei, handebol. Enfim, o que importava era que fosse esporte! Quando olho dessa perspectiva, realmente era bom.

Gostávamos também de tênis, mas não existiam quadras nem equipamentos. Frequentemente não os tínhamos também para os outros esportes, embora fossem mais fáceis de se conseguir. Mas uma coisa era importante: nos diversos outros esportes sempre existia pelo menos alguém do nosso país que figurava entre os melhores do mundo ou da Europa, o que fazia com que esses esportes fossem muito mais presentes também na televisão. O tênis simplesmente não existia. Sabíamos sobre ele, mas não assistíamos, muito menos ao vivo.

Normalmente o tênis era praticado pelas crianças que tinham pais com melhor situação econômica, que podiam pagar pelas aulas nas quadras do Estrela Vermelha e do Partizan, ou alguma outra quadra verdadeira de tênis. Ali acontecia um tipo de treino em grupos de dez alunos com um instrutor.

Para muitos de nós, não era apenas inacessível, mas também totalmente inaceitável. Não queríamos ser parte disso, e agora, depois de tantos anos, diria que estávamos com medo de (auto)disciplina e organização.

Mostrávamos atitude e nossa "resposta" no campo de concreto com pequenas pedras, onde jogávamos futebol. Desenhávamos com giz a quadra de tênis e, no lugar da rede, esticávamos no meio a corda e prendíamos ambos os lados nas árvores. Depois de cada ponto jogado, tínhamos que procurar a bola por no mínimo dez minutos, porque ela ia parar na vegetação próxima. Era um pesadelo, mas jogávamos tênis, e isso era mais importante.

O equipamento que tínhamos também era modesto, composto pelas velhas raquetes de madeira e pelas bolas desgastadas, mas nem sei como conseguimos tudo isso. Agora tudo me parece tão inocente, mas também infinitamente distante.

Pelo menos no que dizia respeito à Sérvia, o tênis foi por muito tempo o entretenimento da elite da sociedade e frequentemente ligado a esnobismo – quase um tipo de exibição pessoal da prática do esporte, eu diria.

Em meados dos anos 1980, as coisas começaram a mudar. Apareceu Slobodan Zivojinovic, o Boba, um dos melhores tenistas da região e, com certeza, o primeiro a conquistar muita popularidade. Ele também tem origem em Karaburma e conseguiu tocar as estrelas.

*

Nunca tive um ídolo na minha vida, nem mesmo na juventude, mas a aparência de Boba tinha um efeito realmente poderoso. Jogava tênis de forma excelente, de vez em quando ganhava algum título, como o Aberto da Austrália. Era bem-sucedido e relaxado, e irradiava carisma.

Lembro-me de que ele passava no "café" do clube de tênis Estrela Vermelha, em Karaburma, e comprava sanduíches e coca-cola para a meninada. Lembro-me das agitações e dos rumores quando passava ao lado das quadras e saudava a equipe local dos amadores. Essas quadras tinham sido seu primeiro lar, ele havia crescido nelas. Ali, seu pai, que atuava na preservação das quadras, lhe ensinara os primeiros passos do tênis.

Nesse mesmo "café", na época, trabalhava também Nenad Zimonjic, onde ganhava uns trocados. Hoje, Nenad é um dos melhores jogadores de duplas e membro permanente da seleção da Sérvia.

Tudo era muito excitante. São momentos que ficam na memória e sem os quais, tenho certeza, eu seria uma pessoa diferente.

*

Naquela época, não se transmitiam muitas partidas de tênis pela televisão. Wimbledon, Roland Garros e mais algum torneio em que Boba talvez pudesse fazer alguma surpresa.

Mas, de repente, surgiu Monika Seles, Pequena Mo. Ela era totalmente inacreditável! Ela nem era maior de idade e já derrotava Steffi Graf, Kris Evert e Martina Navratilova sem nenhum problema! Monika era a verdadeira sensação, absolutamente a primeira, com seu forte e reconhecido backhand, com o qual arrancava as raquetes das mãos das adversárias. Infelizmente, sua carreira acabou muito rápido, mas sua beleza e personalidade marcaram para sempre nossa adolescência.

No início da década de 1990, juntamente com minha família, mudei-me para o outro lado da cidade, perto de Kosutnjak, uma floresta na margem de Belgrado, cheia de ginásios para esportes de diversos tipos – com piscinas, trilhas para corrida na natureza, campos para esportes de equipe, até pistas para esqui. Foi nas quadras de Kosutnjak que, pela primeira vez, comecei a jogar tênis seriamente.

Lembro-me ainda da primeira raquete que comprei, uma Yonex, da companhia japonesa que também oferecia as raquetes para Monika e, posteriormente, para Ana Ivanovic.

Em setembro de 1992, fui prestar o serviço militar obrigatório, treinamento para as unidades especiais. O país já estava em guerra – direta, ou "somente" indiretamente. Era um tempo horrível.

Nasci no país que se chamava República Socialista Federativa da Iugoslávia, ou apenas Iugoslávia. Quando começaram as guerras, nosso país diminuiu e passamos a viver na República Federativa da Iugoslávia, o que durou até o início do século XXI, quando tudo mudou novamente. Vivemos também na SMG (Sérvia e Montenegro) para, no final, estarmos na Sérvia. No mesmo lugar, mas quatro países adiante.

Como também acontece com as milhares de pessoas jovens, naqueles anos da guerra minha atenção voltou-se para a saída da Sérvia, para o exterior. Queria estudar, mas também tinha algo em mente: queria sair. E, então, em 1995, recebi o visto estudantil para os Estados Unidos e, no início de fevereiro de 1996, fui para Michigan, onde logo comecei a estudar e a trabalhar.

Comigo levei também minha paixão pelo tênis. Sempre que tinha tempo livre, entre a escola e o trabalho, ia para as quadras no parque mais próximo, momentos esses raros.

Diferente da Sérvia, onde quase todas as quadras eram de saibro, nos Estados Unidos não havia nem rastros de "terra", apenas concreto.

Aqueles poucos anos nos na terra do Tio Sam me trouxeram também muita experiência e conhecimento. Estudei Microbiologia no departamento de estudos de Ciências Naturais e Matemática da Universidade de Michigan.

No final do século XX, a Sérvia atravessava a pior e mais terrível fase da sua história contemporânea. Na primavera de 1999, mais precisamente em março, começou o bombardeio da Otan. Os aviões sobrevoavam meu país e minha cidade, e durante três meses soltaram bombas em cima de nós! Digo "nós" porque me sentia unido ao meu país, mesmo estando nos Estados Unidos quando o bombardeio começou. Decidi abandonar tudo e voltar para a Sérvia.

Confirmou-se que os estudos de Ciências Naturais foram de muita ajuda para mim. Na escola internacional ISB, em Belgrado, que seguia os padrões norte-americanos e com aulas em inglês, trabalhei como substituto dos professores titulares, com crianças do primeiro até o quarto ano do ensino médio. No princípio, substituía nas aulas de Matemática e Biologia e, quando era necessário, era também titular e dava aulas particulares aos alunos cujos pais pediam o meu serviço, normalmente na matéria de Física. Mas existiam também as atividades extraescolares: xadrez com os novatos e basquete com as crianças um pouco mais velhas.

Tendo em vista o que acontecia na época no palco político da Sérvia, devastada pela guerra e pelos bombardeios, empobrecida e levada às últimas fronteiras da resistência – até a loucura –, a prática do tênis não era algo que me interessava, pelo menos não na mesma medida de antigamente. Mas, depois de alguns anos, isso também mudou. A poeira baixou um pouco, e me adaptei finalmente ao novo velho ambiente.

Comprei algumas raquetes e tudo o que era preciso para uma séria prática de tênis, e comecei a jogar com certa regularidade, algumas vezes por semana, normalmente com a minha então namorada e com o pai dela, e de novo na Karaburma, onde tudo começou.

Mais ou menos na mesma época, em meados da primeira década do século XXI, surgiu Novak Djokovic. Ele ainda não era conhecido na Sérvia, muito menos no mundo.

Além dos raros canais de TV a cabo, as transmissões dos jogos do tênis não eram frequentes. Literalmente fervíamos de vontade de assistir e torcer, principalmente para Novak, que já na época tinha excelentes resultados.

Mesmo estando no 78º lugar na lista da ATP no final de 2005, a Sérvia não prestava muita atenção nele, nem no restante dos tenistas. Mas nós éramos muito interessados por Djokovic, principalmente porque já há muito tempo adorávamos o tênis e o assistíamos. Esperávamos com esse esporte ganhar o primeiro lugar do mundo. De certa forma, esperávamos que ele "limpasse nossa cara", nos devolvendo nossa autoconfiança. Depois de tudo que sofremos como país e como povo, era disso que precisávamos.

E ainda surgiram Ana Ivanovic e Jelena Jankovic, e com elas já atuavam Nenad Zimonjic, Janko Tipsarevic, Viktor Troicki.

Assistir ao tênis ao vivo começou a me motivar, gostava desse esporte, mas sua cobertura na mídia era fraca. Queria fazer e mudar algo, mas não sabia exatamente o quê. De alguma maneira, tudo ainda era inatingível, quer dizer, irreal, e ir a algum grande torneio, Wimbledon ou Roland Garros, para mim era o mesmo como uma criança imaginando a Disneylândia.

*

O desfecho desta história teve início na primavera de 2006. Minha namorada e eu assistíamos concentrados – literalmente – ao jogo de Djokovic em Miami e, alta hora da noite, em razão do fuso horário, tivemos a ideia de acompanhar algum verdadeiro torneio de tênis.

Quatro meses mais tarde, em julho de 2006, fomos para Umag por conta própria. Credenciei-me como convidado do torneio, apesar de ainda não atuar como jornalista. Umag fica na Croácia, bem perto, e o torneio já tinha tradição. Naquele tempo, a cidade era popular pelo grande número de jogadores mais bem ranqueados. Hoje não é mais o caso.

Durante os quatro meses anteriores ao torneio, Djokovic obteve grande sucesso: as quartas de final de Roland Garros, a passagem para os 16 melhores em Wimbledon e o primeiro título ATP em Amersfort. Naquela ocasião, conheci-o pessoalmente. Estava contente por seus fãs terem vindo da Sérvia e, mais ainda, por quererem conhecê-lo. Mas, para os jornalistas sérvios, era como se não existissem. Ele era o 28º na lista da ATP, sendo que, quatro meses antes, era o 67º. Até o fim daquele mesmo ano ocupou o 16º lugar, e foi somente questão do tempo para chegar ao topo.

No período entre 2007 e 2009, em várias ocasiões fui novamente para Umag, mas credenciado como jornalista, porque trabalhava para um site esportivo. Cobria um grande número dos trabalhos de jornalista, gravava com câmera, fazia entrevistas, escrevia e fazia anotações e, claro, torcia e me divertia o tempo todo com o tênis.

Da mesma forma, acompanhava as partidas da Copa Davis que a Sérvia disputava em Belgrado, fui para o desafio em Belgrado, e estive no primeiro Aberto da Sérvia. Para essa ocasião, me esforcei ainda mais, filmei tudo, com a câmera manual mesmo, acompanhei os trabalhos preparatórios antes do início do torneio, a construção da infraestrutura etc.

Mais ou menos na mesma época, em meados de 2009, comecei meu engajamento para ganhar as credenciais para os maiores torneios,

Masters e Grand Slams. Porém, a maioria desses torneios não oferece credenciais para os jornalistas que atuam em portais da web, principalmente para aqueles que vinham da Sérvia ou não tinham tradição nem maior influência. Então, decidi visitar a RTS (Rádio TV da Sérvia), a televisão nacional sérvia. Antes da reunião com o diretor da redação esportiva e o produtor do programa eu criei, com a ajuda de alguns amigos de montagem, dois videoclipes, como uma sinopse do que havia feito: um sobre o Aberto da Sérvia e outro sobre Umag. O material gravado causou uma boa impressão neles, e aceitaram me liberar as credenciais para o Masters em Paris, depois do que fui para Londres também, na Copa Masters.

Todas as entrevistas que enviei de Paris e de Londres foram transmitidas por vários dias na sequência no jornal nacional. Fiquei muito orgulhoso, mas a cooperação terminou de forma inglória. O acordo interno fracassou pela postura incorreta do lado deles em relação ao meu trabalho.

No ano seguinte, iniciei a cooperação com uma televisão especializada, Sport Club. No começo, minha felicidade era infinita, tinha um monte de ideias construtivas e projetos em potencial. Mas as decepções continuaram.

No jornalismo, assim como na vida, notei que as pessoas frequentemente prometem coisas que depois deixam de ter interesse. Nessas condições, a cooperação e o trabalho não somente ficam difíceis, como se tornam praticamente impossíveis. No final, entendi. Se quisesse algo, tinha de fazer sozinho, pois esperar e depender da boa vontade de alguém é o pior que pode acontecer.

Sinceramente, não me lembro do exato momento em que decidi acompanhar os mais importantes torneios do tênis moderno. Parece-me que essa decisão veio por si só, natural, simples e leve.

Em 2010, visitei Miami, Roma e Madri, Roland Garros e Wimbledon, Toronto, Cincinnati e o Aberto dos Estados Unidos e, no final do ano, novamente Paris e Londres. No ano seguinte, comecei com o Masters em Monte Carlo, e novamente fui para Wimbledon e Roland Garros.

Torneio após torneio, o jogo de Djokovic se tornava cada vez mais forte, mais rápido e superior. Estava evidente que entrava no ritmo da vitória. E como eu me sentia contente em acompanhar seu sucesso mundial!

Obviamente, sentia também satisfação profissional, porque gravei um acervo de alta qualidade, com entrevistas, vídeos, anotações das partidas decisivas e dos pontos mais importantes dos maiores torneios do mundo. O material seria de grande utilidade para as muitas estações de TV, mas, naquele momento, não consegui uma cooperação séria com nenhuma delas.

Posso dizer que a mídia sofria de falta de visão, daí seu desinteresse. Continuei em frente, apesar de estar confuso. Para onde ir depois de todas as confusões que tinha enfrentado com a mídia sérvia, das promessas não cumpridas, da procura de patrocinadores para viagens e dos problemas com vistos para que pudesse viajar? No entanto, quis continuar, ir mais longe, mas, após perceber como funcionavam as coisas fundamentalmente importantes, fiquei seriamente preocupado. Era revoltante.

A mídia com a qual tentei a cooperação, antes de tudo, não entendeu qual era o tamanho da importância de Novak Djokovic para a Sérvia, e também para o tênis em geral. Na verdade, nem queria entender, até o momento em que ele literalmente se tornou o melhor do mundo.

Em 2011, chegaram a Wimbledon algumas estações de TV sérvias e um pouco mais de jornalistas, como se Djokovic de repente tivesse se tornado importante e se, somente agora, fosse essencial enviar imagens, entrevistas e informações para a Sérvia. Para a nossa mídia era como se não fosse suficientemente interessante, mesmo permanecendo por alguns anos entre os primeiros vinte, e subindo constantemente até alcançar o 3º lugar do mundo.

Comecei a perder o entusiasmo, e ali decidi desistir. O que vi e vivi na época me pareceu hipocrisia e popularismo político. Quando alguém alcança o sucesso, de repente é o melhor e o mais importante, e todo mundo o ama, ao passo que nos momentos em que lutava pela glória e precisava de apoio, não aparecia ninguém.

Aliás, esses foram apenas alguns dos problemas. Viver na Sérvia realmente não é fácil, mas é ainda mais difícil quando você vai ao mundo moderno, entusiasmado com o sucesso e a riqueza. O sistema dos valores e as regras com frequência são baseados nos mais elementares preconceitos.

Os maiores problemas que tive foram com os ingleses, tanto com os organizadores dos torneios da série Masters, quanto com a embaixada em Belgrado. Por exemplo, por dois anos seguidos demoraram tanto para a emissão do visto, que em ambas as ocasiões perdi as passagens já compradas. No primeiro ano, comprei nova passagem e cheguei na metade de Wimbledon, enquanto no ano seguinte, pelo mesmo motivo, não viajei, apesar de estar credenciado. Meu passaporte ficou preso na embaixada britânica quase duas semanas. Estava chocado com esse comportamento desumano.

\*

Logo recebi a informação de que alguém, apesar de tudo, notara meu trabalho e minhas ideias. Em novembro de 2011 chegou a mim uma oferta para escrever! A ideia era escrever a história da vida da então primeira raquete do mundo, mas observada pelos olhos de um conterrâneo, que acompanhava sua carreira desde o início. Aceitei a oferta com todo prazer, sentindo-me honrado.

A história de Novak Djokovic é tão específica e diferente, que realmente merece um livro. Realmente, é raro que um esportista de topo tenha enfrentado tantos problemas e obstáculos quanto ele.

Aliás, os maiores opositores do seu sucesso sempre estavam fora das quadras, com as cabeças profundamente afundadas na textura da burocracia do tênis, insulados e sentindo inveja.

Mas Djokovic continuava em frente. Altos e baixos, altos e baixos... Sua habilidade de se transformar por inteiro e sair como vencedor das partidas praticamente perdidas se tornou lenda. Esse é o cerne desta história aqui contada.

Neste livro, tentei ir além de apenas uma narrativa, citando diretrizes básicas e fatos sobre sua vida. Tentei procurar a resposta da questão de como consegue ser tão bem-sucedido. Como consegue se levantar quando cai? Como consegue criar a vitória de uma derrota? De onde vem a força? De onde vem tanto foco?

Apesar de tudo, a história de Djokovic é normal, uma história humana, comum; e uma parte das respostas às perguntas vem sozinha.

Se quiser realizar seus sonhos, deve acreditar neles. Creio que não é um clichê quando se diz isso, e diria que Djokovic é exatamente isso.

O menino em que raramente acreditavam, ninguém além dele e dos seus mais próximos.

Evidentemente, ele é também muito mais do que isso: aquele que conseguiu, apesar de tudo!

Para mim, pessoalmente, este livro traz tudo o que não conquistei durante os anos enquanto lutei com garra para divulgar as entrevistas com nossos tenistas de topo, enquanto filmava nos torneios ao redor do planeta numa das estações de TV sérvia. As pessoas que as lideravam não tinham compreensão nem motivação, mas terminei por receber a honra de ser o autor da biografia de Novak Djokovic. Acho que, de certo modo, mereci também, e nisso se encontra todo o desfecho.

*

De acordo com a boa educação e tradição, vou aproveitar a ocasião para agradecer Gorana Savic, que muita influência teve na minha carreira de jornalista e no meu relacionamento com o tênis. Para realização deste projeto, encontrei muito apoio também em Snezana Penev, Ivan, Medisinmen Jovanoic, Sloba, Mile e muitos outros que podem ser reconhecidos (ou se reconhecer) nas páginas deste livro.

Agradeço também a todas as pessoas de boa vontade, de todos os meridianos do mundo. Elas também são parte deste livro, porque a mensagem que estamos transmitindo, por meio do exemplo da personagem principal, narra e ressalta que a vitória é importante, mas não a qualquer preço! Estamos falando de processo e aprendizagem da vitória e do sucesso, com cooperação e mútuo respeito. Que sempre vença o melhor, mas que o jogo seja mais importante do que a vitória. Quando sabemos jogar, todos somos os vencedores!

BLAZA POPOVIC
*Belgrado, Sérvia, setembro de 2012.*

# Sumário

1. UM SONHO COMUM ............................................................ 1

2. NA COMPANHIA DA DAMA DO TÊNIS........................... 15

3. ENCIJAN ............................................................................. 25

4. NO GRANDE CLUBE ......................................................... 33

5. DEMOCRACIA TOMAHAWK ........................................... 49

6. AS PREPARAÇÕES PARA MUNIQUE .............................. 57

7. COM A LENDA ................................................................... 65

8. O PREDILETO DE NIKI PILIC.......................................... 73

9. SANGUE, SUOR, LÁGRIMAS E BOLAS DE TÊNIS ........... 85

10. DE MENINO A JOGADOR................................................ 97

11. PARA O SONHO É PRECISO *TIMMING* ....................... 111

12. OS PRIMEIROS TREZENTOS ......................................... 121

13. OS CEM DA ELITE .......................................................... 131

14. SEM LIMITE .................................................................... 157

15. O DESEJO ANTES DA VITÓRIA...................................... 173

16. NO CAMINHO ABERTO .................................................. 183

17. O HOMEM CHAMADO VAJDA........................................ 193

18. O EPISÓDIO P1................................................................ 209

19. DJOKOVIC E AS AULAS DE TÊNIS................................. 225

20. A CAMISETA AMARELA ................................................. 241

21. O CURINGA E A FORTUNA .......................................... 261

22. 3, 2, 1 – NOVAK .......................................................... 279

23. ENCONTRO DAS ÁGUIAS ........................................... 299

24. OS ETERNOS RIVAIS .................................................. 313

25. A PARTICIPAÇÃO DE BRONZE .................................. 329

26. NOVA RAQUETE/VELHA RAQUETE ......................... 347

27. A QUESTÃO DO ESPÍRITO É ALGO *COOL* ................. 369

28. CALMO-SALVO ........................................................... 395

29. CORTE DE CABELO NO ESTILO COPA DAVIS ........... 415

30. A QUESTÃO DO CORAÇÃO ........................................ 441

31. O TÊNIS É O SONHO ................................................... 463

32. O TÊNIS TOTAL .......................................................... 489

33. A ODISSEIA CONTINUA ............................................. 511

NOVAK DJOKOVIC – NOLE ............................................. 535

LINHA DO TEMPO .......................................................... 537

# 1. UM SONHO COMUM

Não é segredo que grande parte do sucesso de Djokovic se deve, principalmente, à sua família. Ele mesmo, sempre que tem oportunidade, ressalta que a harmonia da família é o que o torna forte, que lhe oferece energia e estímulo, e o leva à frente. E o apoio que recebe dos mais próximos não é – e nunca foi – insignificante, assim como, na verdade, não são poucas as pessoas que fazem parte da sua família.

Os amantes do tênis ao redor do mundo tiveram muitas oportunidades de, durante vários torneios, ver algumas pessoas que são o espírito do estímulo de Djokovic. Em primeiro lugar, seus pais, Srdjan e Dijana; depois, os dois irmãos mais novos, Marko e Djordje, e seu tio Goran, com quem, em 1999, chegou a Munique na academia do celebrado ás Niki Pilic. Recentemente, os fás de Djokovic conheceram também sua namorada de longa data, Jelena Ristic.

Mas nem os admiradores ao redor do mundo e nem os apreciadores do tênis sérvio – que também não tiveram mais oportunidade de conhecê-los – tiveram a chance de saber algo a mais sobre o restante da família Djokovic. Não porque eles sejam intocáveis, mas porque, apesar de todo o sucesso de Djokovic, eles levam uma vida bem comum, e isso não é apenas uma desculpa.

Quando Djokovic joga, sua família – tanto os mais próximos quanto os mais distantes –, diferentemente de todas as outras pessoas, não assiste somente ao tênis, um evento esportivo de qualidade. Sua família enxerga o que as pessoas nas arquibancadas não veem, e nele reconhece o que o público à frente da televisão não percebe. Eles sentem como Novak se sente quando ganha ou quando perde, sabem quando tem autoconfiança e quando está em dúvida, ficam preocupados quando percebem que está esgotado depois de uma partida de cinco *sets* e entendem o olhar que Djokovic lhes lança quando, depois de cada ponto, perdido ou vencido, vira para o seu camarote.

Então, quando se fala de Novak Djokovic, sua família está frequentemente preocupada, não importando se a partida está para ser decidida a favor dele ou contra. Se você ama, fica preocupado, é assim mesmo.

Os especialistas no cenário da Sérvia durante a última década do século XX provavelmente não perceberiam a "preocupação" como algum estresse exagerado, porque, naquele país onde Djokovic nasceu e cresceu, a preocupação era cotidiana – e em boa parte é ainda hoje.

\*

Novak Djokovic nasceu em 22 de maio de 1987, em Belgrado, a capital do país que na época se chamava República Federativa Socialista da Iugoslávia (RFSI).

A Iugoslávia, o nome mais comum, era composta por seis Estados iguais e duas províncias dentro da Sérvia, um dos Estados, e foi assim desde a Segunda Guerra Mundial até os anos 1990, quando foi destruída depois de confrontos sangrentos. Mas, oficialmente, a Iugoslávia foi constituída, após a Primeira Guerra Mundial, como o reino liderado pela dinastia sérvia Karadjordjevic.

Uma particularidade especial da Iugoslávia, desde o início, era que, dentro de um mesmo país, sob o mesmo teto, viviam membros de diversos povos e de diversas religiões. E, pelo menos no papel, todos eram iguais. Ao longo da Segunda Guerra Mundial, durante a luta que os povos da Iugoslávia e a força conjunta comandaram contra o fascismo e o invasor, e também uns contra os outros, foi implementada a revolução socialista. Depois da guerra, o rei foi derrubado, e o Partido Comunista assumiu o poder, liderado pelo famoso e celebrado (em todo o território) Josip Broz Tito. E, assim, foi criada a RFSI.

Nela viveram croatas, eslovenos, sérvios, montenegrinos e macedônios, como povos constitutivos (que se juntaram para formar a Iugoslávia), originados dos eslavos do sul, enquanto na Bósnia-Herzegovina, um dos Estados, vivia um grande número de muçulmanos, população local que, na época da "Iugoslávia de Tito", era também a identidade nacional (hoje, eles se veem como bosníacos ou bósnios).

Todos os povos da ex-Iugoslávia possuem uma identidade nacional própria, têm suas particularidades e são diferentes uns dos outros. Por exemplo, os sérvios, os montenegrinos e os macedônios praticam a religião ortodoxa, ao passo que os croatas e os eslovenos, a católica. Mas, apesar das diferenças, esses povos têm muita coisa em comum. Além da história no espaço onde vivem e da herança cultural semelhante, dividem também a mesma origem dos eslavos do sul e, também, a mesma língua falada (as línguas croata, sérvia, bósnia e montenegrina, na verdade, são o mesmo idioma, e somente as eslovena e macedônia são diferentes, apesar de pertencerem ao grupo das línguas eslavas).

Cada povo era maioria em um dos Estados (croatas na Croácia, ou sérvios na Sérvia, por exemplo), mas em todos os Estados viviam membros de todos os outros povos. E na Iugoslávia, consideradas as minorias étnicas, mas oficialmente iguais, vivia um grande número de albaneses, húngaros, eslovacos, russos, entre outros. Sim, esse era um país muito específico.

Em razão da sua posição geográfica, ao sul da Europa, a península dos Bálcãs desde sempre foi um dos mais movimentados cruzamentos da Europa e do mundo. Para o Ocidente, a RSFI, praticamente o maior país dos Bálcãs, era o Oriente, e vice-versa. Os Bálcãs realmente unem muita coisa: a Europa com a Ásia, o Ocidente com o Oriente, o islã com o cristianismo.

Como república, a Iugoslávia se equilibrava com êxito dentro das mais ou menos tensas relações entre as grandes potências, os Estados Unidos e a antiga União Soviética (atual Rússia). Foi também uma das fundadoras do "Movimento dos Não Alinhados" (1961). Esse jogo diplomático, que durante sua vida sustentava o então presidente vitalício Josip Broz Tito, foi atuante por mais de uma década após sua morte, em 1980. Mas, depois disso, a corda dos não alinhados, pela qual a Iugoslávia andava, abaixo da crise da Guerra Fria, simplesmente rompeu. Primeiro, a ideia dos eslavos do sul (Iugoslávia, etimologicamente, significa pátria, comunidade dos eslavos do sul), incorporada no país onde viviam juntos tantos povos, desmoronou como se fosse uma torre de cartas. Em virtude disso, hoje, depois das guerras que marcaram os anos 1990, do começo ao fim, não é estranho que as pessoas dessa região costumem dizer: "Se sentem falta da Iugoslávia, então vocês não têm coração. Mas se a desejam de volta, não têm dois gramas de cérebro".

*

Quando, na primavera de 1991, começaram os primeiros conflitos da guerra, que oficialmente anunciou sua desagregação, a RFSI tinha quase 24 milhões de habitantes. Incluindo dados anteriores, existia há 73 anos e ocupava um território de 255.804 quilômetros quadrados.

Nessa primavera, Djokovic tinha apenas 4 anos. Do que era bom na Iugoslávia, provavelmente ele não se lembra. Por outro lado, seus pais, Srdjan e Dijana, seguramente se recordam das qualidades que o então país possuía, mas também, é óbvio, que se lembram do quanto foi difícil o tempo após seu desaparecimento – o tempo em que lutavam para criar seus três filhos, Novak, Marko e Djordje.

*

Srdjan Djokovic nasceu em 1961, em Kosovska Mitrovica (província do sul da Sérvia, Kosovo e Metohia), onde terminou o primeiro e o segundo graus. Cresceu em Zvecan, para onde seu pai foi levado em razão do trabalho. Era uma família grande e unida. Como ele próprio diz: "Levei tudo o que aprendi de melhor na vida". Quando o pai de Srdjan, graças à empresa para qual trabalhava, recebeu um apartamento em Belgrado, no bairro chamado Banjica, mudou-se para a capital juntamente com a esposa e os três filhos.

Grande parte do que Novak Djokovic é hoje é resultado do mérito da educação de casa, onde está a origem da sua postura positiva diante da vida, que supõe que se pode considerar perdido somente aquilo que você dispensou e que qualquer coisa é possível. Para eles, é melhor ficar em silêncio do que dizer palavras vazias, porque, onde existe muito papo, o trabalho é pouco.

Srdjan Djokovic, em uma de suas entrevistas, disse: "Minha mãe, que já faz muito tempo não está entre os vivos, criou em mim essa relação específica sobre a família e seus valores, que transferi para minha família. Reconheci a mesma coisa em minha esposa, e foi por isso que me casei com ela".

A irmã de Srdjan, Jelena, lembra-se dos tempos quando Dijana entrou em sua família. "Sempre dizia para mamãe: 'Por que não me deu pelo menos uma irmã? Tenho dois irmãos mais velhos e não consigo lidar com eles'. Mas, finalmente, ela apareceu e estabelecemos um ótimo relacionamento".

Dijana Djokovic (sobrenome de solteira Zagar) nasceu em 1964, em Belgrado, onde passou a primeira parte da sua vida; depois, como filha de militar que muda com frequência, por alguns anos se deslocou para o sul da Sérvia, na cidade de Nis. Depois de quatro anos, voltou para sua cidade natal, onde terminou o segundo grau e ingressou na faculdade de Educação Física: "Meu pai praticava esporte, então, minha irmã e eu sempre fomos direcionadas para uma vida saudável. De acordo com o jeito e raciocínio sérvios, aprende-se a enxergar os próprios erros, a ser modesto, e, se você tiver objetivo, achará o caminho. Por outro lado, meu marido também vem de uma família esportista. Ele, assim como seu irmão e sua irmã, praticava esqui. Srdjan também jogava futebol, e eu, na época, treinava vôlei, mas esqui definitivamente era o amor da minha vida. Todo o dinheiro que podia guardar usava para poder ir, num fim de semana, praticá-lo ou comprar novas botas para esqui".

Assim, parece que em Novak Djokovic foram idealmente misturadas as duas genéticas esportivas. Por isso, não é estranho que ele, bem como seus irmãos mais novos, seja grande apreciador de esportes, principalmente esqui. Aliás, esse esporte foi decisivo no caso dos seus pais, porque Srdjan e Dijana se encontraram pela primeira vez esquiando em uma das pistas do mais conhecido centro sérvio para esqui, a montanha Kopaonik.

Kopaonik, conhecida também como montanha prateada, é a maior cordilheira da Sérvia, estendendo-se de noroeste a sudeste por uma extensão de 75 quilômetros. Ganhou esse nome por sua grande riqueza mineral (Kopaonik, de kop, lugar de onde é tirado minério), explorada desde a Idade Média. Uma parte dela é área protegida como parque nacional, rica em florestas de coníferas, faias e carvalhos, e no lado mais alto, a 2.017 metros acima do nível do mar, encontra-se o topo de Pancic, com o mausoléu do conhecido cientista e naturalista sérvio Josif Pancic, assim homenageado. Nas áreas de Kopaonik há muitas fontes termais e minerais, com muitos *spas*, além de uma série de monumentos históricos (igrejas, mosteiros e fortalezas) do período compreendido entre o século XII e o XV.

Além disso, Kopaonik possui também um esplêndido potencial natural, com cerca de duzentos dias de sol por ano (motivo pelo qual merece mais um nome: a montanha ensolarada), porque sua posição, altura e abertura do terreno impedem a permanência de nuvens acima da cordilheira. O ar frio envolve as planícies e baías vizinhas, o que resulta em temperaturas de inverno não extremamente baixas, e a neve que começa a cair no fim de novembro permanece até maio, o que significa quase 160 dias por ano sob um cobertor de neve.

Por tudo isso, em Kopaonik surgiu um dos mais belos centros de esqui dessa parte da Europa, e por decisão da Federação Internacional de Esqui (FIS), desde 1981 a montanha tem *status* de centro internacional de esqui. Ou seja, a famosa Kop possui tudo que um centro moderno de esqui deve ter: uma rede de hotéis com equipamentos sofisticados e grande capacidade de hospedagem, numerosas pistas para esqui de qualidade (55 km para esqui alpino e 12 km para nórdico) para profissionais, iniciantes, competições etc.; vários teleféricos, elevadores de esqui, parque para *snowboard*, iluminação para esqui noturno, canhões para neve artificial, além de escolas, creches, centros de *fitness*, restaurantes, clubes noturnos entre outras atrações.

E foi exatamente em uma das pistas de esqui da Kopaonik que, em 1986, Srdjan e Dijana Djokovic se conheceram. Naquela época, ele era um experiente instrutor de esqui, e ela vinha com colegas da universidade participar de um curso de esqui.

"Eu me apaixonei nessa pista de esqui, mas não me casei lá, porque primeiro verifiquei tudo muito bem antes de chegar ao casamento", diz Srdjan Djokovic, sorrindo com a lembrança.

Sua esposa, Dijana, acrescenta: "Simplesmente foi um dedo do destino. Na vida, você nunca sabe o que lhe pode acontecer. E quando você se apaixona, é isso. Srdjan e eu namoramos por pouco tempo, e no fim do mesmo ano já nos casamos".

Seu filho mais velho, Novak, conclui sorrindo: "Meu pai foi muito esperto quando, como instrutor de esqui, aproveitou a oportunidade de conhecer e depois se casar com minha mãe.".

*

Hoje, praticamente não existe uma pessoa na Sérvia que acompanhe o tênis e não tenha ouvido essa história sobre Kopaonik, decisiva para a família Djokovic. Após se conhecerem e mais tarde se casarem, Srdjan e Dijana decidiram continuar a vida comum onde se conheceram. Dentro do complexo de apartamentos chamado Konaci (alojamentos), que fica perto das pistas de esqui, abriram o restaurante Red Bull, que logo se tornaria famoso pela cozinha italiana e pelas panquecas.

"O restaurante funcionou por uns bons vinte anos, e sobreviveu porque nele investimos muito trabalho e esforço, mas também porque tínhamos ajuda de fora, da minha mãe, dos pais de Srdjan, irmãos, irmãs, da família mais próxima. Tudo girava em torno do meio familiar", afirma Dijana Djokovic. Em meados da primavera de 1987, a família de Srdjan e Dijana Djokovic aumentou, com o nascimento do primeiro filho, Novak Djokovic.

"Meus filhos cresceram no restaurante", lembra-se Dijana. "Às vezes, os clientes me avisavam que meu filho havia acordado, e Nole (apelido de Novak desde os primeiros dias) não era um bebê chorão. Normalmente, apenas abria os olhos e levantava a cabeça como se fosse uma pequena tartaruga; depois, algum cliente o pegava no colo e me entregava. Trabalhávamos cerca de onze horas por dia, até o fechamento, geralmente por volta da meia-noite. Eu adorava fazer pizzas e panquecas, trabalhar no bar, e, quando meus filhos cresceram um pouco, também ajudavam. Levavam os pratos, atendiam os clientes, sempre estavam por ali. Lembro-me de que o caçula, Djordje, numa ocasião fez o melhor cappuccino que já tomei em toda a minha vida, e ele tinha apenas 5 ou 6 anos."

Naquela época, no fim dos anos 1980, a situação na RSFI ainda era parcialmente estável, mas, aos poucos, começaram a surgir os primeiros sinais de nacionalismo que, com o tempo, levaram a uma verdadeira guerra civil. Enquanto em 1989 caía o Muro de Berlim e os países europeus cada vez mais se uniam dentro da União Europeia, na RFSI acontecia o contrário. Por exemplo, em 1990, em uma partida de futebol entre o clube croata Dínamo e o sérvio Estrela Vermelha, aconteceu, por conta do nacionalismo, uma briga geral entre os torcedores (e também alguns jogadores) de ambos os clubes. A polícia interveio, e mais de cem pessoas ficaram feridas. Para alguns, pode parecer um vandalismo esportivo comum, mas os acontecimentos do ano seguinte mostraram que as intolerâncias nacionais cobrariam um preço alto e sangrento.

Mas, para Srdjan e Dijana Djokovic, 1991 significou algo totalmente diferente. Ganharam seu segundo filho, Marko. As condições socioeconômicas nas quais foram pais pela segunda vez eram tudo, menos boas e felizes. Primeiro, Belgrado (mas também a Sérvia inteira) foi sacudida pelas demonstrações em massa de 9 de março contra o regime do então presidente, Slobodan Milosevic. Duas pessoas morreram na ocasião e dezenas ficaram feridas, e, no fim do mesmo dia, depois de a polícia se confrontar brutalmente com manifestantes, nas ruas de Belgrado saíram os tanques de guerra. Logo depois, no início da primavera, começaram os primeiros confrontos na Croácia, e quando, em agosto, nasceu Marko Djokovic, lá estourara uma verdadeira guerra. Um ano mais tarde, a guerra começou na Bósnia-Herzegovina. Na Croácia, combateram os sérvios e os croatas, enquanto na Bósnia, os sérvios, os croatas e os atuais bósnios. Todos contra todos. Naquele momento, Srdjan e Dijana Djokovic fizeram o que quaisquer pais fariam, deram tudo de si para que seus filhos não sentissem nada do que estava acontecendo ao seu redor.

"Graças a isso, posso dizer hoje que tive uma juventude que nada pode substituir. A juventude que nenhum dinheiro poderia comprar, com muita felicidade e alegria. Morávamos na Kopaonik, numa montanha belíssima, sem nenhuma preocupação, como se a guerra não estivesse acontecendo. Eu nem sentia Belgrado, onde nasci, como a minha casa. Kopaonik era e ficou sendo meu lar", relembra Marko Djokovic.

"Não me recordo de nada de ruim da minha infância", acrescenta Novak. "Nossos pais são um par harmonioso e concentrado. Ambos carregavam um peso enorme nas costas e sempre se esforçavam para que tivéssemos tudo de que necessitávamos, e que nada da realidade que se vivia então chegasse até nós. Não somente nós, como família, mas também sobre as dificuldades que o povo sérvio passava durante a guerra."

\*

Durante sua infância na Kopaonik, Novak descobriu seu amor pelo tênis: "Eu tinha o desejo de me tornar o melhor, e estava pronto a fazer muita coisa para que pudesse me dedicar por completo a este objetivo. E meus pais me atenderam, permitiram e forneceram a realização do que eu desejava".

Quando comenta a decisão da família, que envolvia grandes sacrifícios, e naquele momento foi mais do que arriscada, o pai de Novak diz: "Sobre a sua carreira no tênis foram tomados todos os cuidados desde o início. Sobre cada detalhe. O que comia, quando e quanto dormia, o que faria no dia seguinte, no próximo mês, no ano seguinte, e também cuidamos para que frequentasse a escola. Assim fizemos porque fomos levados a uma convicção, antes de tudo da senhora Jelena Gencic, a primeira mentora de tênis de Novak, que nos disse que ele se tornaria um grande campeão ainda com 17 anos. Ela era otimista, mas não errou, Novak tinha 19 quando conseguiu ingressar entre os primeiros dez jogadores do mundo".

Quando não passava o tempo na Kopaonik, Novak estava em Belgrado, onde frequentava a escola primária. "Novak passava muito tempo comigo, enquanto Srdjan e Dijana trabalhavam. Lembro-me de uma situação quando estava no primeiro ano do primário, preparando-se para uma prova escrita da matéria Natureza e Sociedade. Eu lhe perguntei: 'Estudou tudo?', e ele respondeu: 'Sim, não se preocupe'. Sei que algumas perguntas eram: como se chama o filhote da ovelha, ele respondeu cabrito, e como se chama o filhote da cabra, e sua resposta foi cabritinho. Na prova, foi preciso explicar também como são os animais selvagens, ao que ele respondeu: 'Os animais selvagens são mal-educados'", diz, rindo, a tia de Novak, Jelena.

O avô de Novak, Vladimir Djokovic, o levava com frequência para os treinos de tênis: "Desde pequeno tinha talento para o tênis, e não tenho a mínima ideia de onde veio isso, pois ninguém na família é um esportista extraordinário. Meus filhos, Srdjan e Goran, foram apaixonados por esqui, mas como recreação. Mas Novak importava-se muito com o tênis, e todo santo dia eu o levava para o treino. Não era difícil para mim. Eu era um apoio para ele em tudo, e ele não se esqueceu disso, haja vista que hoje mais do que me recompensa por tudo. Quando vence, festejamos juntos. Quando perde, eu o encorajo. Digo-lhe que é ainda novo e que virão muitas vitórias mais".

Então a família Djokovic ficou maior. No verão de 1995, nasceu o irmão mais novo de Novak e Marko, Djordje. Alguns meses após seu nascimento, na base militar dos Estados Unidos, perto de Dayton (Estado de Ohio), foi assinado o acordo de paz, encerrando assim a guerra da Bósnia-Herzegovina, e que, depois de quatro anos e meio, pôs fim à guerra no território da ex-RFSI. Mas isso não significou que a situação econômica tenha melhorado automaticamente. A Sérvia ficou sob as sanções da ONU, aplicadas em 1992 contra a República Federativa da Iugoslávia (RSI, herdeira da RFSI, composta pela Sérvia e Montenegro) em virtude da interferência na guerra da Bósnia.

No território da Sérvia, na primeira metade dos anos 1990, não havia efeitos da guerra, mas o país sofreu grandes perdas de pessoas e bens materiais, e passou por uma grave crise nos níveis moral, cultural e econômico, principalmente durante a inflação sem precedentes de 1992 e 1993. A Sérvia empobreceu, a economia parou e os salários eram miseráveis, o que provocou um aumento no contrabando e na economia paralela. As lojas, em um determinado momento, estavam totalmente desabastecidas, e cigarros, chocolate, óleo e farinha eram comprados dos contrabandistas na rua. Gasolina era vendida à margem das estradas, mas não nos postos, e também por contrabandistas, em garrafas de plástico de meio litro ou de um litro e meio. Os cidadãos da Sérvia, na maioria das vezes, podiam comprar somente esse tanto.

O restaurante da família Djokovic funcionava bem, mas longe de poder fornecer bastante dinheiro para o desenvolvimento da carreira de Novak.

Srdjan relembra esse período: "Nunca passamos necessidade, mas o negócio que tínhamos trazia menos recursos do que era preciso para que Novak pudesse se desenvolver na direção certa. Nós nos virávamos de diversas maneiras, inclusive com altos empréstimos. Sobre tudo isso, não falávamos nem na frente dos filhos, nem entre nós, não podíamos e também não queríamos, porque qualquer conversa sobre esse tema deixaria todos ainda mais preocupados. Conosco não existia nenhum tipo de egoísmo. Antes de tudo, pensávamos como nossos filhos iriam progredir e o que fariam de suas vidas, e, quando decidiram seus caminhos, estávamos por perto a fim de, tanto quanto pudéssemos, lhes possibilitar a escolha. Por isso, sempre estivemos ali, perto. Com certeza, o mais difícil foi que, no início, nos sentíamos sem raiz em todos os lugares e não tínhamos ninguém para nos ajudar. Tudo era difícil, e não apenas a vida no isolamento e as dificuldades com os vistos para que Novak pudesse viajar aos torneios. O tratamento que recebíamos como sérvios era horrível; eles nos olhavam como se fôssemos o pior povo do mundo. Mas, com a ajuda de Novak e de outros tenistas masculinos e femininos sérvios, a imagem da Sérvia mudou nos últimos anos. Agora, os sérvios são tratados como membros iguais da comunidade mundial, mas essa não era a situação quando Novak começou a praticar tênis".

"Na verdade, qualquer trabalho é um risco", acrescenta a esposa de Srdjan, Dijana. "Ninguém podia garantir que Novak se tornaria o número um. Isso não existe. Existem, sim, a possibilidade, o talento e o trabalho, mas é preciso que todos os quadradinhos se encaixem para se chegar ao objetivo. Todos nós, a família inteira, acreditávamos em Novak, principalmente meu marido, que tinha a visão, uma imagem na mente que não era um simples sonho. É evidente que, no início, eu era um pouco cética. Por exemplo, eu me lembro de quando Novak teve de viajar para disputar como júnior em Roland Garros e tivemos de emprestar dinheiro; eu fiquei com duas crianças pequenas e sem nenhuma renda. Então, naquela primavera, fiz as malas com meu filho mais novo, que ainda não frequentava a escola, e viajei para Kopaonik para trabalhar. Era baixa temporada, quando não há tantos hóspedes, e funciona apenas a colônia das férias para receber excursões, mas, era necessário ganhar algo. Que fosse uma quantia mínima, não importava. Para mim, já significava algo. E a assertividade do meu marido era mais forte do que qualquer coisa, pois ele nos enchia a todos de esperança. Enquanto estávamos na Kopaonik, ele frequentemente ficava fora do restaurante, nas quadras de tênis, onde Novak treinava, e algumas vezes lhe perguntei: 'O que mais você está fazendo lá, enquanto fico me desdobrando com tanto trabalho, filhos, cozinha, abastecimento, todo o serviço que acompanha um restaurante?'. Ele me respondia que tinha de estar presente porque, enquanto estava lá, os treinos eram sérios, mas, quando se afastava, logo passavam a jogar em duplas ou os treinadores simplesmente não prestavam suficiente atenção. Srdjan era aquele que empurrava para a frente, que tomava as decisões-chave nos momentos em que era preciso. Hoje, todos batem no seu ombro, mas, naqueles momentos, ninguém acreditava, exceto a família".

Hoje, quando Srdjan fala sobre o que é necessário para criar um campeão, é inequívoco: "Recomendo aos pais ouvir o conselho de alguém como nós, porque passamos pelo inferno. Não tínhamos ninguém para nos ensinar, e eles têm. Raramente algum pai quer ouvir, e acho que essa irrealidade é o maior problema, porque leva à discórdia dentro da família. Isso acontece porque os pais, principalmente eles, não querem ouvir a verdade. Fogem da verdade que lhes apresentam os especialistas ou nem levam as crianças até eles, porque acham que seus filhos são os mais talentosos. Acho que esse é o maior problema. Eles devem procurar os especialistas, levar os filhos aos maiores centros do mundo para pedir uma avaliação. Os pais não podem dar opinião sobre as qualidades dos seus filhos, e apenas aqueles que objetivamente enxergam as possibilidades do seu filho é que talvez possam alcançar o sucesso".

*

Com o tempo, o sonho de Novak Djokovic se tornou o sonho da família inteira. Seus dois irmãos também começaram a praticar tênis. E lidar com quatro tenistas em casa não é nada fácil para uma mulher.

"Alguns dizem que tinha trabalho com cinco, porque costumo parecer dois jogadores, de tão difícil", diz Srdjan Djokovic, brincando. "Às vezes, eu pensava que era homem também, assim como todos em casa", acrescenta Dijana. "Sem brincadeira, realmente não era fácil. Imaginem só como era quando os três, ou, melhor dizendo, quatro, porque Srdjan começou a jogar tênis por recreação, voltavam para casa com todas aquelas meias sujas de saibro e uma montanha de camisetas, shorts, trajes esportivos e toalhas, quantos quilos de roupa tinha que lavar. Às vezes, ficava brava e dizia: 'Chega!'. E, para piorar ainda mais, todos jogavam em diferentes horários do dia. Mais tarde, em alguns casos, jogavam também no mesmo horário. Assim, Novak jogava em Paris, enquanto Marko estava no Future, na Turquia; então, eu assistia à partida de Novak na TV, e no laptop, pelo site oficial, no mesmo momento acompanhava Marko. Agora há dias em que todos os três jogam".

"Nossa mãe é uma mulher forte e corajosa, sem falar que é muito emotiva. O que ela conseguiu, poucos poderiam", diz Marko Djokovic. "É preciso ter força psíquica para aguentar tudo isso, mas para ela pouco importa quanto pode aguentar, porque o mais importante é que nos sintamos bem, e ela sabe que ficamos mais felizes quando vencemos e quando conseguimos bons resultados."

"E qualquer que fosse a situação, se chorasse ou estivesse magoada ou ferida com alguma coisa, ela sempre sabia achar uma maneira para se recuperar rápido e, com a cabeça erguida, seguir em frente. Nisso se encontra sua força", acrescenta Novak.

A mãe, Dijana, completa a história: "Tinha de ter força, porque essa era a única maneira, mas depois paguei por tudo isso. Existe um período na vida em que você pode aguentar tudo o que acontece, acha até que pode arrancar rabo de boi. Mas, quando vem alguma situação um pouco mais calma, algum relaxamento, certas coisas vêm à tona. Então, cheguei ao ponto em que fiquei doente e tive de fazer algumas cirurgias. Tudo tem seu preço. Eu me lembro, por exemplo, de uma partida difícil que Novak jogou não muito tempo atrás no Aberto dos Estados Unidos contra Viktor Troicki. Todos nós tentávamos lhe transmitir energia positiva para ajudar a sair daquela pesada situação e vencer, e ele conseguiu. Depois, recebi uma bela mensagem sua que dizia: Mamãe, muito obrigado pelo apoio, foi muito bem-vindo. Esse apoio é algo que lhe dá energia para seguir em frente".

Hoje, Srdjan e Dijana têm mais tempo para eles. Seus três filhos cresceram, e cada um seguiu seu caminho. O mais velho, Novak, se tornou superestrela do tênis, cujo nome é um dos mais reconhecidos sinônimos da Sérvia moderna.

# 2. NA COMPANHIA DA DAMA DO TÊNIS

Kopaonik – "pulmões da Sérvia", como é habitualmente chamado – é o maior e mais conhecido centro de esqui da Sérvia e oferece o ano inteiro condições ideais para recreação e a prática do esporte. Os pais de Novak Djokovic se conheceram nessa pista. Depois de casados, adquiriram uma pizzaria na montanha, e a família passava o inverno e dois meses do verão administrando o negócio, treinando e esquiando.

Não por acaso, Novak, atualmente, e com frequência, cita em entrevistas que, além do tênis e do futebol, o esqui é um dos seus esportes preferidos, pois, apesar de uma modalidade individual, foi a alavanca para sua paixão por esportes em geral e pela profissão que hoje exerce.

Como ele mesmo afirma em um tom de reminiscência, como que relembrando o rumo dos acontecimentos que marcaram boa parte de sua vida: "Kopaonik é a montanha onde tudo começou para nós. Lá, meu irmão e eu demos os primeiros passos em direção ao tênis Essa montanha tem um significado muito especial para nós e nossas carreiras, para nossas vidas".

"Naquele tempo (anos 1990- 1991), a uns 50, 100 metros à frente do nosso restaurante teve início a construção das quadras de tênis", lembra Dijana, mãe de Novak. "Novak observava como os profissionais trabalhavam e começou a mostrar certo interesse. Ajudava-os, levava-lhes refresco, brincava com eles e, quando a construção chegou ao fim, as quadras começaram a receber seus primeiros frequentadores. Ele tinha 4 anos e manifestou vontade de tentar". A quadra de tênis, à época, era dirigida por Jelena Gencic que, de diferentes maneiras, esteve presente no esporte da Iugoslávia, e posteriormente da Sérvia, por mais de seis décadas. É praticamente a partir do seu nome que começa a lenda do tênis ligada a Novak Djokovic.

É preciso ressaltar, antes de tudo, que, quando falamos de Jelena Gencic, referimo-nos a uma pessoa ímpar, no mais amplo significado da palavra. Natural de Belgrado, foi campeã de tênis da Iugoslávia por 32 vezes, em todas as categorias, e, como capitã de todas as seleções femininas da Iugoslávia, conquistou o quarto lugar na Fed Cup, realizada em São Paulo, no Clube Pinheiros, em 1984. Foi presidente da Associação de Tênis da Iugoslávia e do clube de tênis Partizan e, hoje, é presidente do Clube Real de Tênis, sob os auspícios do príncipe Aleksandar Karadjordjevic. Além de tênis, Jelena também praticou handebol. Foi goleira da seleção da Iugoslávia e, no mundial de 1957, realizado na Iugoslávia, ganhou a medalha de bronze. Concluiu o ensino médio em Música, com especialização em Piano; formou-se em História das Artes e trabalhou na televisão de Belgrado desde a sua inauguração como assistente de direção e diretora de vários programas, de jornalismo diário a documentários.

Interessante notar que, ao longo da sua carreira na televisão, chegou a atuar na equipe de programas escolares (mas nunca em esportivos), e, em um deles, levou ao estúdio um menino que estava treinando na época. Quando lhe foi perguntado se tinha tempo para brincar, respondeu que brincava à noite e, durante o dia, frequentava a escola e os treinos. Para ele, o tênis era brincadeira ou obrigação? Obrigação. E qual era seu objetivo em relação ao tênis: "Tornar-me campeão". O nome do menino, obviamente, era Novak Djokovic.

Em parte da entrevista que Novak deu ao jornal britânico *The Guardian*, em janeiro de 2008, depois do seu primeiro triunfo no torneio Aberto da Austrália, pode-se ter uma noção de quanto Jelena foi importante ao seu desenvolvimento como tenista: "A maior influência na minha carreira, sem dúvida, foi Jelena Gencic. Ninguém na minha família jogava tênis, ela me passou o enorme amor por esse esporte e me ensinou os primeiros golpes. Posso dizer que ela é a minha mãe tenista".

Jelena merece mérito não apenas pelo reconhecimento do talento de Novak Djokovic. Além de técnica, essa dama é também uma educadora esportiva, possivelmente a única no mundo que teve oportunidade de treinar cinco tenistas cuja característica em comum é o fato de, em um determinado momento de suas carreiras, terem sido campeões de torneios Grand Slam. Antes de Novak Djokovic, ela colaborou, com sucesso, com o campeão Goran Ivanisevic, Monica Seles, vencedora por nove vezes desses torneios, e também com duas campeãs de Roland Garros, Mima Jausovec e Iva Majoli.

Vale lembrar aqui um fato impressionante. Na época em que Novak Djokovic e Jelena Gencic se encontraram pela primeira vez como aluno e técnica, Monica Seles (que naquele tempo ainda atuava sob a bandeira da República Socialista da Iugoslávia) foi forçada a se retirar do tênis depois de ser agredida a facadas, em um torneio em Hamburgo em 1993, por um fã obcecado por Steffi Graf.[1] Com relação a esses dois tenistas, reconhecidamente talentosos desde a infância, sua primeira treinadora é inequívoca: "Em Novak e em Monica, imediatamente desde o primeiro treino, enxerguei que seriam jogadores para o topo do mundo". Ela lembra ainda que, também comum entre Seles e Djokovic, era o fato de que, além do dom natural, ambos possuíam vontade e motivação sobre-humanas ao sucesso, além de disciplina, esforço e concentração.

Na última década do século XX, quando Djokovic conheceu Jelena, o panorama não era dos melhores. A Sérvia, demolida pelas guerras civis e sob o regime de Milosevic, encontrava-se em uma péssima situação econômica e política, e, graças às sanções das Nações Unidas, totalmente isolada do resto do mundo.

Por conta do negócio da família, Djokovic passava longas temporadas em Kopaonik. Aos 6 anos, dispunha de muito tempo livre e ficava,

---

1 No intervalo do jogo, Seles foi agredida a facadas por um torcedor alemão que estava indignado com o fato da alemã Steffi Graf ter perdido a liderança para a tenista sérvia. A partir deste episódio, exige-se a presença de seguranças em quadras. (Nota do R.T.)

diariamente, diante da cerca das quadras de tênis. Enquanto as outras crianças treinavam, ele ficava sozinho do lado de fora, observando-as.

Os dias foram passando, até que Jelena Gencic percebeu a atenção com que o menino ouvia tudo o que falava aos alunos. Então, certo dia aproximou-se e lhe perguntou seu nome e se sabia de que esporte se tratava. Ele disse o nome a ela e respondeu que o esporte era tênis; disse ainda que sabia disso porque já havia pegado em uma raquete. Jelena então lhe perguntou se gostaria de se juntar aos seus alunos e treinar no dia seguinte, ao que Djokovic respondeu: "Estava esperando que a senhora me convidasse".

No dia seguinte, Novak chegou meia hora antes do início da aula. Jelena o viu da janela do seu quarto esperando os outros aparecerem, e o fato de não estar sentado mostrava claramente quão impaciente estava para começar o treino. Quando se juntou a ele e comentou que havia chegado um pouco mais cedo, Novak respondeu que não, mas, quando ela olhou secretamente dentro da sua bolsa, ficou surpresa, tudo ali dentro encontrava-se alinhado "com perfeição", raquete, toalha, munhequeira, banana, garrafinha de água. Arrumadíssimo. De imediato, pensou que a mãe o teria ajudado (o que Novak, mais tarde, confessou ser em parte verdadeiro), mas, naquele dia, ele respondeu: "Por que mamãe arrumaria minha bolsa? Eu quero ser tenista, não ela". Então, Jelena quis saber onde aprendera a fazer aquilo, e, como resposta, ouviu: "É assim que Sampras e Agassi fazem, assisti na televisão".

Apenas com algumas sessões de treino Jenela Gencic reconheceu o grande talento de Djokovic – sua concentração excepcional, reações instantâneas, excelente mobilidade e o alto grau daquilo que é o mais difícil, porém de extrema importância, a visualização. Quando ela disse que o bom jogador deve antecipadamente programar como vai realizar seu ponto, Novak simplesmente perguntou: "Jeco[2], a senhora se refere ao espaço vazio?". Jelena respondeu que sim.]

"Naquele instante, sabia que ele era realmente um dos meus. Desde o primeiro momento absorvia cada palavra minha como se dela depen-

---

2 Apelido carinhoso pelo qual muitos se referem a Jelena Gencic.

desse sua vida. Por tudo o que possuía, principalmente por sua decisão, vi que carregava o dom divino."

Pouco tempo depois, Jelena foi conhecer os pais de Novak, e a primeira coisa que lhes disse foi o mesmo que havia dito aos pais de Monica Seles: "Façam tudo para dar ao seu filho um bom desenvolvimento, porque em algum momento ele vai se tornar o melhor tenista do mundo". Ela ainda se lembra da leve descrença no rosto deles, mas também de que passaram a confiar nela totalmente quando descobriram que tinha grande mérito na formação de Monica Seles. E, mais vivamente, recorda-se de que Novak estava presente naquela conversa. Enquanto falava com Srdjan e Dijana, ele se aproximava com passos curtos e, quando ouviu que figuraria entre os primeiros dez tenistas do mundo, agarrou-se a ela totalmente. Naquele momento, o gesto foi quase imperceptível, mas, hoje, é a prova da ligação profissional e emotiva entre o aluno e a treinadora.

O futuro tenista Novak Djokovic sentiu que podia confiar na tenista sênior Jelena Gencic. Pressentiu que com ela poderia desenvolver seu talento e, sem dúvida, essa confiança foi uma grande alavanca. Por outro lado, Jelena ganhou uma criança ímpar, com a qual pôde trabalhar de forma admirável: "Sabemos que o modo como uma criança joga tênis com 6 ou 7 anos de idade é como jogará a vida inteira. Obviamente, a técnica será desenvolvida com o tempo, mas a compreensão essencial do tênis permanece sempre a mesma".

Para a prática profissional de um esporte, é indispensável que tudo fique esclarecido desde o início, e uma das coisas mais importantes – senão a mais importante – no esporte é a cooperação dos pais do potencial campeão. Jelena Gencic era uma das técnicas que permitia a presença deles nos treinos, mas não a interferência nos acontecimentos. "Sempre sugiro aos pais: se sentirem que sua presença representa um peso e incomoda seu filho, vamos juntos detectar as razões. Há crianças que jogam mais facilmente se alguém da família estiver presente durante o treino, e para mim isso é maravilhoso. A princípio, gosto quando os pais estão presentes, porque assim podem ver o que seu filho faz na quadra, como se desenvolve e do que ainda necessita". Mas quando os pais são mais ambiciosos que os filhos, isso é um obstáculo intransponível. Gencic, como treinadora, enfatiza exatamente esse tipo de problema: "Vocês nem sabem quantas crianças frustradas há, que não vão sozinhas aos treinos, e, muitas vezes, nem querem ir, mas acabam sendo levadas pelos pais".

"Quando esses pais vêm a mim, minha primeira pergunta é o que esperam do seu filho. Alguns dizem que desejam que ele jogue no torneio de Wimbledon em dois ou três anos. Respondo que isso é um grande equívoco, que essa possibilidade simplesmente não existe, porque somente depois de 12 ou 13 anos de idade é que se pode pensar sobre isso. Então, eles me indagam se sou normal, ao que respondo: 'eu sou, mas a questão é se vocês são'".

A história do tênis, e também de muitos outros esportes, mostra o nível e o tipo de influência dos pais no desenvolvimento dos jovens jogadores. Por vezes, isso vai tão longe que depende praticamente deles se o filho será um profissional de sucesso ou um bom recreador. Nesse sentido, Jelena Gencic lembra-se muito bem de seus principiantes que mais tarde alcançaram o topo do tênis.

"Goran Ivanisevic ficou famoso pela imagem de menino bravo, mas nunca tive problemas com ele. De imediato, percebi que era carente, que era preciso lhe dar carinho e nunca dizer palavras rudes – esse é o meu princípio. Sempre digo 'isto está bom, mas precisamos trabalhar um pouco mais naquele outro ponto'. Lembro-me de que disse aos seus pais: 'Vocês têm uma criança maravilhosa, mas precisam ficar de lado e deixá-la em paz'. Ele tinha muito medo do pai, militar, de olhar severo e cruel".

No caso de Iva Majoli, campeã de Roland Garros em 1997, a situação era diferente. "Notei Iva Majoli num torneio na Istra[3]; treinava com o irmão e a irmã, e era a mais nova. Disse aos seus pais que prestassem atenção nela, pois era a mais talentosa. Tempos depois, seu pai, que era taxista, me ligou de Zagreb. Ele me explicou que não tinha mais dinheiro e queria saber se eu poderia ajudar em algo. Liguei para Nick

---

3 Península na Croácia. (Nota do R.T.)

Bollettieri, que gratuitamente hospedou Iva, sua mãe e seus irmãos em sua academia na Flórida".

O terceiro e provavelmente mais interessante exemplo da cooperação na relação família-jogador-treinador foi o caso de Monica Seles e seu pai, Karolj Seles, que, como Gencic se recorda, vinte anos atrás implementou "métodos científicos" no trabalho com sua filha.

"Certa noite, à uma e meia da madrugada, ele me ligou. A princípio, fiquei preocupada, pensando que algo pudesse ter acontecido. Ele me disse: 'Pegue caneta e papel'. Em seguida, começou a me dizer a altura de Monica na quadra quando joga da linha base, sua altura acima da rede, seu peso, a envergadura de suas mãos com e sem a raquete, e pediu que eu encontrasse, com a ajuda de alguns professores, quais seriam o ângulo e o momento ideais para os golpes de Monica a fim de que gastasse menos energia.

Preparei isso e, numa ocasião, quando os visitei em Novi Sad[4], testemunhei algo que duvido se algum treinador do mundo já tenha visto: Karolj subiu numa escada e marcou a altura ideal para Monica aplicar melhor os golpes; ele tinha umas 150 bolas, que haviam sido coladas em uma corda, e Monica batia nessa altura ideal". Hoje, essa imagem pode parecer um tanto estranha, mas este tipo de entusiasmo, combinado com um trabalho colossal, no fim deu excelente resultado.

A família Djokovic nunca procurou atalhos no caminho de Novak em direção ao topo do esporte. Para que fosse possível conquistar um troféu de Wimbledon ou qualquer outro era preciso fazer muito, investir e treinar, e Srdjan, Dijana e Novak tinham consciência disso.

Pedja Nedeljkovic, um dos tenistas que, com Jelena Gencic, tiveram oportunidade de acompanhar o desenvolvimento de Novak, lembra-se de que ele sempre fazia as melhores partidas quando estava sob pressão: "Acho que essa é sua arma mais poderosa. Por exemplo, tinha a audácia de jogar paralelas arriscadas nos momentos de maior importância. Imediatamente ficou claro que seria difícil vencê-lo, pois ele carregava em si o 'gene da vitória', enorme talento, mas, antes de

---

4 Cidade onde Monica Seles nasceu. (Nota do R.T.)

tudo, era um grande trabalhador. Acredito que, nesse aspecto, a família foi muito importante, por apoiá-lo cem por cento e por encorajá-lo sempre. De certa forma, toda essa trajetória não deixa de ser uma pressão, mas é inestimável quando ao seu lado você tem não apenas os pais, mas a família inteira".

A confiança absoluta devotada a Djokovic valeu a pena completamente. A melhor confirmação disso talvez se encontre em sua declaração após ganhar o título de Wimbledon, quando disse que trabalhara vinte anos só para aquele momento de glória. O indiscutível dom e a constante dedicação criaram o vencedor Novak Djokovic. Jelena Gencic lembra-se de que, no início, ele não segurava bem a raquete, mas isso não a preocupava muito.

"Explicávamos a cada aluno como deviam segurar a raquete (há várias maneiras: continental, *eastern*, *western*, *semi-western*), mas eu sempre dizia aos treinadores para não impor às crianças sua visão sobre como precisavam fazer isso e sim, deixar que cada uma decidisse sozinha o que lhe convinha. Novak experimentou tudo, e tudo deu certo. Disse-lhe que treinaríamos as diversas alternativas, até que, sozinho, percebesse se a mão direita seria guia e a esquerda o apoio, pois isso é uma coisa individual. As dez primeiras aulas na escola de tênis são as mais importantes, e o que se aprende nesse momento fica para a vida toda. Desde o primeiro dia praticávamos todos os golpes, sua cabeça estava cheia de tudo, mas trabalhávamos devagar e sistematicamente. Gosto de deixar aparecer naturalmente os desejos individuais de cada jovem jogador, embora os meninos gostem de imitar tenistas adultos e frequentemente não apliquem os golpes como seria desejável".

Novak Djokovic logo mostrou suas características esportivas. Além de excelente concentração, disciplina e dedicação, Jelena rapidamente entendeu que ele tinha capacidade de prever os passos seguintes do adversário, precisamente a habilidade que distingue os melhores jogadores. E mais: tinha magnífica percepção da bola, ou seja, do tempo que transcorre desde o momento de captar onde ela está até a reação dos músculos em sua direção. Acima de tudo, Novak ajustou-se perfeitamente a uma especificidade da abordagem de treinamento da sua treinadora, na qual ela insistiu. Além dos usuais conselhos que dava a seus iniciantes, sempre sugeria que era preciso escutar a bola. Enquanto os outros alunos ficavam surpresos, perguntando-se o que aquilo significava, Novak logo entendeu. "Ele sabia, porque escutava como um obcecado. Naquela época, não fazia ideia do que era golpe *slice* ou *spin*, mas entendeu o som", diz Jelena.

Atualmente, Novak Djokovic tem a melhor devolução de saque com esquerda de duas mãos e *backhand*, que não jogava sempre com as duas mãos. Ainda menino, no início conseguiu dominar com apenas uma das mãos, mas, um dia, aproximou-se da treinadora perguntando se poderia tentar com as duas mãos. Quando ela quis saber por que, ele simplesmente respondeu: "Porque minhas bolas ficam mais fortes". Experimentaram. E foi um sucesso. "À medida que o ensinava, a tarefa se tornava mais fácil para mim, porque ele participava o tempo todo e me ajudava muito. Trabalhávamos bastante o movimento, e ele conseguia manobras de pernas muito boas. Lembro-me de lhe dizer que, se conseguíssemos trabalhar bem esse segmento, se quiséssemos que fosse fenomenal, então deveríamos trabalhar mais ainda sobre ele, em vez dos golpes. Acho que hoje isso está evidente em sua agilidade, na rápida reação em todos os passos do seu jogo."

Não é de surpreender que Novak Djokovic tenha alcançado a liderança no *ranking* da Association of Tennis Professionals (Associação dos Tenistas Profissionais – ATP), porque, quando precisava aprender, aprendia; quando algo se tornava difícil, ele não demonstrava de maneira nenhuma. Quando não entendia alguma coisa, não tinha vergonha de perguntar, e se achava que algo precisava ser feito de outra maneira, sugeria. "Novak não queria perder nenhum minuto do treino, desejava aproveitar tudo que viesse em benefício de sua aprendizagem. Depois, podia-se conversar com ele sobre qualquer coisa, pois era muito curioso, mas somente depois do treino, porque, conversando, ele descansava", diz Jelena Gencic.

Certa ocasião, o tenista norte-americano Arthur Ashe descreveu como se reconhece um verdadeiro campeão: "Apenas um jogador inteligente pode se tornar campeão, enquanto todos os outros podem surpreender uma única vez porque tiveram um dia bastante bom. E isso é tudo". Jelena Gencic percebeu a verdade dessas palavras desde o início da cooperação com Novak Djokovic. Ele realmente não era apenas um menino comum que gostava de tênis. Tinha vontade e desejo para o sucesso, mas também sabedoria e inteligência suficientes para chegar à realização dos seus sonhos.

# 3. ENCIJAN

Por considerar o talento mais do que extraordinário de Djokovic, Jelena, voltando de Kopaonik para Belgrado, dirigiu-se ao clube esportivo Partizan e sugeriu que prestassem atenção nele. "Disse que o pequeno era sensacional e que dali a oito anos estaria entre os cinco primeiros do mundo. No primeiro momento, todos me olharam com estranheza; depois, disseram: 'Escute, Jelena, quem vai esperar oito anos?!'". Entendendo que nenhum deles estava interessado em se arriscar seriamente, ela decidiu continuar com os treinos individuais de Djokovic, e elaborou um cronograma de atividades, enquanto ele, com sua ajuda, partia para a descoberta do tênis e progredia dia após dia.

Ao contrário da maioria de seus colegas, que no trabalho com crianças insistem apenas nos elementos esportivos, ela dava muita atenção ao desenvolvimento completo da personalidade dos esportistas mais jovens. E assim foi com Novak Djokovic. Seus encontros cotidianos incluíam o trabalho com o tênis e muito mais, pois, quando o assunto era tênis, ele demonstrava uma análise atípica para um rapaz da sua idade. Com base nas gravações assistidas das competições de astros do tênis da época, Novak dizia que gostaria de um dia ter as paralelas de Sampras, o *forehand* agressivo de Agassi e o saque e o voleio de Edberg. "Acho que suas imitações da forma de jogo de outros tenistas, que o público tanto gosta, têm raízes exatamente naquele período", diz Jelena, lembrando-se de quanto se empenhava para que Novak desse um passo a mais e enquanto lhe ensinava o jogo que dominaria no futuro (o que não significa simplesmente saques e voleios).

"Obrigava-o a entrar meio metro na quadra sob o pretexto de que ainda era pequeno, mas, na verdade, praticava isso considerando que, no futuro, quando começasse a jogar profissionalmente, o tênis estaria muito mais agressivo do que naquela época. E tive razão, porque o tênis de hoje é, sobretudo, ofensivo."

Além de todos os segredos iniciais do tênis aos quais Djokovic era apresentado, pode-se dizer que Jelena incutiu nele o espírito cosmopolita que o caracteriza. Sua abordagem incluía conversas sobre os mais variados assuntos, mas sem obrigatoriedade. Orientava-o a ler o máximo possível, ensinava-lhe que o dinheiro nunca pode ser o motivo para jogar tênis, e treinava com ele como levantar a primeira taça do Grand Slam, como se comportar em torneios ou como inclinar-se em Wimbledon. "Novak é muito interessado, sempre foi assim. Em cada momento livre, entre os treinos ou depois do almoço, aproveitava para vir até mim para que falássemos sobre a vida ou sobre qualquer coisa. Eu acredito que é necessário aprender sobre os diferentes temas, e dizia-lhe: 'Sabe, Novak, você vai ganhar troféus, e sempre deverá dizer algo, porque lhe serão feitas perguntas, e você vai precisar falar bonito; não pode dizer algo sem sentido'".

Como admiradora de música clássica, Jelena tinha em seu quarto colocava punha para tocar algumas dessas obras; quando ele perguntava o nome da música, ela, feliz, respondia e explicava, por exemplo, que aquela era ótima para acalmar a mente e, assim, meditar. Imediatamente ele perguntava o que era meditar. "Senti que ele era uma criança sábia e inteligente, e naquela época já era genial. Então, precisava me preparar para as suas perguntas, porque é preciso cuidado para falar com crianças de 6 ou 9 anos, pois nessa idade elas já sabem tudo, e a educação de Novak estava em plena expansão. Acho que tive êxito em sua educação. Meu alvo sempre foi não deixá-lo cansado ou entediado, para que não me tomasse por chata". Também usando a música, ela procurava fortalecer nele o poder da visualização. "Com Moldava

(Vltava), de Bedrich Smetana, eu lhe dizia: 'Agora, descanse, enquanto lhe falo o que vejo e sinto'; depois, era a vez dele. Repetíamos isso por dias, sempre com músicas diferentes".

Enquanto Djokovic crescia, a música que escutava obviamente mudava, mas uma passagem durante o período de seu treinamento inicial talvez seja a melhor testemunha do quanto a música clássica significou para a criança e ainda significa para o jogador profissional. Em uma ocasião, Jelena colocou "Abertura 1812", de Tchaikovsky, uma composição forte que transmite uma intensa motivação ao ouvinte. Durante sua apresentação, Novak confessou que ficara todo arrepiado. "Disse a ele para gravar aquela sensação e dela se lembrar cada vez que sua adrenalina estivesse a mil durante um jogo, quer fosse perto do triunfo ou da derrota. Tempos depois, li numa entrevista que ele declarou gostar de música clássica, e hoje sei muito bem a que se referiu quando disse isso".

Normalmente, Novak correspondia a cada novo ensinamento de Jelena, ratificando que tinha nas mãos um aluno extraordinário. Quando, fingindo ser acidental, ela derrubava a cesta com as bolas para o treino, a fim de verificar o grau de interesse em seus alunos, Novak, em quem sempre notava grande entusiasmo e energia, nunca estava no lado daqueles que eram "folgados", deixando que os outros recolhessem as bolas. Quando conversava com os alunos, Novak nunca estava entre as crianças que, depois de alguns momentos, desviavam o olhar e ficavam desatentas; pelo contrário, sempre olhava direto nos olhos sem piscar.

Em vez de levar seus alunos para correr, a treinadora normalmente os conduzia a passeios de duas horas em Kopaonik, nem tanto para treinar a resistência, mas sim em busca da socialização com tudo o que viam durante essas excursões. Naquele tempo, Jelena, como ela mesma confessou, não sabia muito sobre flores e plantas, mas conhecia pessoas que sabiam, e sempre as visitava para ouvir tudo o que fosse interessante sobre a flora e a fauna de Kopaonik, para que, depois, pudesse passar aos alunos. Novak apreciava os passeios com seus colegas, escutava bastante, fazia perguntas e descobertas. "Novak gostava muito de flores. Quando sinto que a criança gosta de algo, mas não fala muito, começo a lhe perguntar. Então, certa vez disse-lhe: 'Ah... como se chama mesmo essa flor? Acho que começa com e...' E ele respondeu: 'Como não sabe?', respondi que tinha me esquecido, e ele continuou: 'Nossa Jeco, genciana!'. Perguntei depois como sabia, e ele respondeu que tinha ouvido de mim. Trata-se da última flor que floresce antes da neve em Kopaonik, e ele sempre a colhia" .

Desse período, Jelena ainda se lembra de outra passagem. Certo dia, enquanto passeavam pela montanha Kopaonik, Novak ia colhendo flores. Insistia que as flores para o seu arranjo fossem as mais variadas possíveis e, sem parar, pedia a todos que o avisasse se achassem alguma que ainda não tinha nas mãos. Jelena não perguntou nada, mas percebeu, quando o passeio terminou, que ele carregava um arranjo muito bonito. Em um tom curioso, perguntou-lhe se pretendia, voltando para casa ou para o restaurante dos pais, colocá-lo em um vaso. Novak olhou para ela e respondeu que aquele arranjo era para sua mãe, pois, naquele dia, era seu aniversário. "Atencioso. Lembro-me dele assim. Uma criança emotiva, que não gostava de se expor, seja com palavras ou gestos. E Novak assim se comportava tanto com pessoas quanto com animais. Onde ficávamos, havia muitos cachorros vira-latas, que não nos atrapalhavam; vinham, inclusive, aos treinos, mas não entravam na quadra. Uma noite, por volta das nove e meia, alguém bateu à minha porta e ouvi: 'Jeco! Depressa! Sida (assim chamávamos uma das cadelas) está sangrando'. Era Nole[1]. Abri a porta, pedi que esperasse, peguei uma bandagem e um remédio para desinfecção, e saí para ver do que se tratava. Era verdade, chegamos até a cadela, e vi que estava deitada com um grande corte na cabeça. Fiquei com um pouco de medo, porque não sabia como ela reagiria. Perguntei a Novak como se sentia, e ele disse que também estava com um pouco de medo, mas que precisávamos ajudá-la. Enquanto ele fazia carinho na cabeça da cadela, eu limpava a ferida. Depois, por uns dois ou três dias, eu ou ele levávamos água e comida, cuidávamos dela, e assim a salvamos."

Apenas um problema esteve presente na relação entre treinadora e aluno. A alimentação e a resistência de Novak em aceitar comida.

---

1 Apelido carinhoso que Jelena Gencic deu a Novak Djokovic.

"Trabalhávamos muito, e ele precisava de força, mas não mostrava nenhuma vontade de comer. Era muito magro, e eu não o deixava fazer fortalecimento muscular com pesos, porque, lhe expliquei, se fizesse isso antes de terminar a fase da puberdade, atrasaria seu crescimento, tampouco permitia que ele fizesse musculação, porque aumentaria o volume dos músculos, mas diminuiria a velocidade e a elasticidade. O fato de hoje ele ser alto, esguio e rápido mostra que eu tinha razão". Mas o apetite não melhorava. A mãe de Novak, Dijana, constantemente chamava Jelena e queixava-se de que Novak não gostava de carne, que comia um pouco de outras coisas, mas não era o suficiente para aguentar os treinos forçados. Mãe e treinadora insistiam que, se Novak pretendia praticar o esporte seriamente, precisava ingerir mais proteínas e carboidratos, mas nem isso deu o resultado esperado. Embora ele fosse uma criança inteligente, e difícil de iludir com algum truque tópico do mundo dos adultos, Jelena encontrou algo que poderia ser a solução. Sugeriu à mãe de Novak que escolhesse um bife grande, de mais ou menos 300 gramas, o cozinhasse e colocasse no liquidificador para triturar, para que Novak bebesse. E o conselho foi certeiro.

Jelena e Novak treinavam duas vezes ao dia, de duas a quatro horas. "Eu insistia que, independentemente das condições do clima, ele jogasse em quadra aberta, porque precisava conhecer as condições". O objetivo dela era que, juntos, soubessem até onde tinham alcançado e o que ainda mais era preciso e deveria ser feito. Passaram sobre a rede mil bolas, praticaram literalmente tudo. Desde os movimentos básicos até os golpes mais pesados, Jelena lhe ensinou como raciocinar sobre cada ação. Por isso, hoje, Djokovic dispõe de tão variada e imprevisível gama de golpes.

Dias livres quase não existiam, apenas um por semana. O tempo de Novak era calculado até nos mínimos detalhes, porque, por vezes, para os jogadores que têm capacidade nem um planejamento de cinco anos é suficiente. E, nesse sentido, no início de sua carreira ele não poderia ter encontrado melhor técnica do que Jelena, que não fazia nada sem uma boa organização. "Todos têm de elaborar um programa para seu aluno, porque devem saber com precisão quanto tempo vão dedicar à técnica, quanto é preciso para dominar o golpe em relação às capacidades psicofísicas e biomecânicas de cada jogador".

O planejamento previsto para Novak nesse período preparatório agregava também o trabalho paralelo de tática, e não apenas o aperfeiçoamento dos movimentos. O foco estava na base mental, muito importante para a futura conquista de pontos. Tudo isso exigia muito tempo, o que determinava a definição, dentro do plano anual, de planos mensal, semanal e diário. "Nunca contestava aquilo que ele fazia bem, mas sempre o incentivava a ficar ainda melhor, o melhor possível. E pelo fato de ambos sermos perfeccionistas por natureza, essa abordagem teve sucesso" .

Atualmente, no *YouTube* pode-se assistir a gravações dos primeiros treinos de Novak que Jelena registrou com sua câmera, que representam pérolas arquivadas da infância de uma estrela do esporte. Quando foram filmadas, tinham como objetivo construir a melhor imagem possível sobre tudo o que se tinha adquirido nos treinos do dia, e analisadas ao final deles, o que Novak sempre gostava de fazer. "Ele entendia o que mais precisava treinar e adotava minhas sugestões, porque sentia que estava progredindo. Foi fácil trabalhar com ele, mas também complexo. Todos zombavam de mim, porque, aos 6 anos, Novak tinha quase todos os movimentos de um jogador de 10 anos de idade. Praticávamos *forehand, backhand,* bolas de fundo e ligávamos com passadas em cruzadas curtas (*passing shots*). Estas sempre foram as combinações, e para o fim do treino deixávamos o saque. Ele tinha em torno de 300 bolas para treinar o serviço". Jelena ainda se recorda das inúmeras repetições, cujo alvo era a automatização dos golpes de Novak, e também das incalculáveis explicações das situações nas quais era preciso aproveitar determinadas variações dos golpes. "A disciplina é muito importante, principalmente no que diz respeito à concentração, mas também para que nos entendêssemos em nossas conversas. Não gostava quando outros vinham ao treino para conversar, sobretudo com o jogador. Nole sabia disso, e também era assim, aproveitava para repetir o máximo possível os golpes. Trabalhávamos muito a flexibilidade, pois tênis se joga com cabeça e pernas. No primeiro instante você enxerga a bola, e o cérebro lhe diz como golpeá-la, mas é preciso se posicionar e ter bom balanço (transferência do peso da perna traseira para a dianteira). Quando conseguimos dominar tudo isso, passamos alguns elementos ao exercício das 40 bolas

Entre as principais características dessa fase no desenvolvimento da carreira de Djokovic estiveram também presente o trabalho sobre a força mental e a abordagem espiritual, elementos que, em determinado momento, se tornam os mais importantes no jogo. Depois de dominar todos os elementos básicos do tênis, tinha chegado a hora de ele participar de torneios. Os primeiros jogos o esperavam na categoria juvenil. De lá as apostas poderiam aumentar proporcionalmente à idade. Isto, claro, se conseguisse sucesso, e ele estava mais do que preparado para experimentar os desafios.

# 4. NO GRANDE CLUBE

Quando se tratava de torneios para atletas mais jovens, a opinião de Jelena era de que Novak não deveria participar enquanto não dominasse 80 % do jogo e o comportamento do tênis. A razão era simples: a motivação de cada criança, enquanto não adquire a experiência do que significa vencer, é treinar. É evidente que cada pequeno tenista vive para o momento em que participará de alguma competição, mas a abordagem do treinador e dos pais sobre essa questão é de extrema importância. É preciso preparar a criança para o jogo, e ela precisa competir com serenidade, livre, com consciência sobre *fair play* (jogo limpo, jogo leal), mas também consciente de que as vitórias e as derrotas fazem parte de cada partida. Nikola Bubnic que, assim como Djokovic, cresceu em Kopaonik, onde seu pai era o diretor da escola de esqui em que Srdjan Djokovic trabalhava como treinador antes de abrir a pizzaria da família, lembra-se dele desde aquela época: "Quando a quadra de tênis foi inaugurada, nós, moleques, que morávamos em Kopaonik, começamos a treinar. Mas ele era especial. Sempre treinava o dobro de todos nós, conseguia ficar na quadra até duas horas a mais depois do treino. Enquanto os outros enxergavam o tênis como um tipo de brincadeira, ele o considerava trabalho, e já naquela época era inacreditavelmente sério e maduro. Lembro-me de que, uma vez, eu estava na quadra enquanto ele trabalhava com Jelena. Ela tirava as bolas do cesto para repetir várias vezes um mesmo golpe, e isso demorava, demorava... Ela falava, sem parar, que não estava bom. Percebi que ele estava chorando, mas não parava de bater, e recusava-se a parar. Queria vencer a si próprio. Em minha opinião, ele sempre foi incrível".

Quando Novak venceu os seus primeiros torneios tornou-se evidente para Jelena que ele estava preparado para competições em uma faixa etária acima da sua idade. Então, fez uma pausa tática, observando o princípio da educação tenista norte-americana: se a criança venceu duas competições e a distância da residência até a terceira não é grande, ela pode participar da terceira. Mas, se perdeu na segunda, não pode continuar, porque, em primeiro lugar, deve-se definir o motivo da derrota.

É diante de uma situação assim que se vê o grau de importância do treinador. Ele deve ter amor e entusiasmo por aquilo que pratica, e também conhecer a psicologia esportiva. Para Jelena, nenhuma dessas características lhes eram estranhas, mas sua qualidade, e também de Novak, era a tenacidade. Ao chegar à conclusão de que uma criança de 7, 8 anos de idade tem realmente talento, é necessário passar um tempo igual à idade da criança ou um ano a mais para que, com relativa segurança, se evidencie que será profissional e nela se invista mais. Jelena diz que Novak não se expunha muito; por isso, naqueles primeiros dias de competição não estava tão segura quanto às suas ambições em relação à vitória nos torneios, mas se lembra muito bem da sua felicidade depois de vencer, dizendo-lhe: "Jeco, nós fizemos isto!".

Apesar de Novak ter atendido às suas expectativas desde os primeiros passos competitivos e de ela ter se convencido de que se tornaria um jogador de topo, sempre lhe respondia: "Fizemos, sim, mas devemos fazer muito mais". Nos campos, nas quadras ou academias em que trabalhava todas as sextas-feiras, e também aos sábados e domingos, eram organizados torneios, nos quais Jelena ensinava as crianças a se tornarem juízes de linha, boleiros ou juiz principal em torneios como o de Wimbledon. Com essas aulas, ela imaginava que estavam em uma semifinal ou final de algum grande torneio, e foi assim que Novak adquiriu uma grande experiência de visão de jogo.

Dajana Savovic, uma das melhores iniciantes das quadras de Kopaonik e, hoje, treinadora de tênis para crianças entre 5 e 16 anos, lembra-se dos tempos em que conheceu Novak Djokovic: "Antes de tudo é preciso dizer que aquelas academias eram realmente muito bem organizadas, e eu particularmente não encontrei nada semelhante nem antes nem depois. Enorme seriedade, profissionalismo e sistemática. Com Jelena, trabalhávamos também a preparação física, mas não tínhamos um preparador físico particular. Naquele tempo, esse tipo de organização era adequada ao meu perfil, e também ao de Novak, embora eu fosse três ou quatro anos mais velha que ele. Em razão dessa diferença de idade, era natural derrotá-lo de vez em quando, o que sempre o deixava muito nervoso. Hoje, brincando, sempre digo que tenho com ele um resultado, em retrospecto, (*head to head*) positivo".

Pelo fato de Jelena não ter grupos por faixa etária ou por qualidade, Novak não jogava com sua geração. Aos 6 ou 7 anos de idade, enfrentava adversários com 13 ou 14. Por isso, não parece estranho que naquele período só conseguisse chegar às semifinais, o que o pequeno Novak tratava como derrota. Logo ficou evidente quanto cada ponto significava para ele, que havia superado as primeiras derrotas muito emotivo, às vezes à beira das lágrimas. Mas o fato de ser mais novo do que alguns de seus adversários não significava nada.

"Nas gravações é possível ver que estava insatisfeito quando recebia o diploma. Estava sério e magoado, mas não podia conseguir mais, eram crianças mais velhas", diz Jelena, referindo-se às primeiras incursões de Novak. "Tivemos uma academia de treinos por nove semanas, o que significava que a cada fim de semana se realizavam os torneios (de sexta-feira a domingo). Nunca vou me esquecer de uma grande final, quando Novak atuava contra uma menina de 13 anos que jogava tênis perfeitamente, e era alta, mais até do que eu. Primeiro, foi surpreendente que ele tivesse chegado até a final, tão baixinho, com 7 anos de idade. Fiquei curiosa em ver como se comportaria quando começasse a perder, mas, de repente, ele jogou feito louco, com inteligência e visão, enquanto sua adversária 'morreu' de medo. Ela tinha me ouvido dizer que ele se tornaria um campeão, o primeiro do mundo, e começou a chorar, enquanto Novak se sentia todo-poderoso, com o peito estufado.

Depois da vitória, seus pais lhe perguntaram o que desejava de presente pela conquista, ao que ele respondeu: 'Panquecas'".

Uma das virtudes demonstrada por Novak em suas primeiras partidas foi não somente a aplicação de tudo o que tinha aprendido, mas também, dependendo das jogadas dos seus adversários, conseguir distinguir qual golpe era bom ou não, se corria bem ou não. Jelena recorda-se da partida de Novak Djokovic contra Ivan Djurdjevic, ex-parceiro de treinamento (rebatedor) de Jelena Jankovic, que ainda hoje quando a encontra, brinca: "Jeco, por que você apareceu? Não fosse isso, eu seria Novak, e ele, eu".

Jelena chegou atrasada nessa partida, e todos lhe falaram com malícia: "Você quer Novak, mas ele está perdendo por 4 a 1 no segundo *set*". No entanto, com a sua chegada, a situação na partida começou a mudar. "Novak, perdendo por 4 a 1, ficava parado uns três ou quatro metros atrás do fundo de quadra, e eu lhe havia ensinado a sempre ficar dentro da quadra. Quando trocaram de lado, gritei: 'Novak, entre na quadra'. Ele olhou para mim, acenou com a cabeça, e, de 4 a 1, ganhou o *set* por 6 a 4. Atualmente, Ivan Djurdjevic e eu treinamos um ao lado do outro, e ele sempre me diz: 'Jeco, bem que você podia ter chegado dez minutos mais tarde', ao que respondo: 'Ivan, isso é destino'".

Quando chegou o momento de Novak começar mais seriamente sua prática profissional no tênis, surgiram três problemas. Primeiro, ele teve de interromper sua frequência às aulas da escola fundamental Bora Stankovic, porque não havia mais como conciliar com os treinos. Para sua família, já estava bem claro que essa frequência cada vez se tornava mais difícil quando havia a disposição em transformar um jogador jovem em um profissional. Com a ajuda de Jelena, seus pais conseguiram encontrar uma solução, negociada com a diretora da escola, que permitiu que ele fizesse as provas em época diferente da turma normal.

Depois, veio um problema muito mais sério. Em razão da péssima situação socioeconômica da Sérvia naquela época, sem falar das circunstâncias políticas, que foram tudo de ruim, não existia a menor possibilidade financeira de mandar Djokovic aos torneios organizados fora do país. Sobre patrocínios e doações quase nem se falava, e o que mais magoava Novak, sua família e Jelena Gencic era o fato de que as pessoas não acreditavam no seu potencial. "Até mesmo quando se tornou campeão europeu na categoria 14 anos ninguém sabia o seu nome, e também não havia ninguém com poder e vontade de investir nele. Mas, quando surgiram os primeiros patrocinadores, aconselhei o pai de Novak a recusar as ofertas, porque elas se resumiriam a poucas roupas e algumas raquetes. Disse-lhe para esperar o momento em que Novak, por si só, determinaria as condições do patrocínio", lembra-se Jelena Gencic.

O jogo de Novak acabou se tornando o terceiro problema. O trabalho diário, de várias horas, de Jelena Gencic com Novak durou até seus 13 anos, quando ela percebeu que ele, na Sérvia, não mais poderia progredir. Não conseguia mais lhe arrumar um *sparring* adequado, e seus golpes vigorosos, como em várias ocasiões mencionou, muitas vezes literalmente arrancavam a raquete da mão do adversário. Nos treinos, Novak vencia todos os seus adversários, e ninguém, nem os mais velhos, queria jogar contra ele. O trabalho técnico e tático podia continuar, mas Novak simplesmente não tinha com quem jogar. Ele treinava em Belgrado, no clube de tênis Partizan e jogava torneios por equipes (geralmente contra o rival eterno, o clube Estrela Vermelha), mas se tornou evidente que não tinha mais o que fazer nas condições do então tênis sérvio.

Foi quando Jelena se lembrou do seu velho amigo Niki Pilic[1], com quem, no passado, jogava em mistas para a seleção da Iugoslávia. "Liguei para Niki e lhe disse que tinha um pequeno, um milagre de criança. Ele não ficou muito empolgado, porque em sua academia[2] na Alemanha não havia crianças. Convenci-o, dando-lhe minha palavra de que o mandaria somente para avaliação. Se não gostasse, poderia tranquilamente mandá-lo de volta para Belgrado. Ele me ligou depois de três dias de receber Novak e disse brincando: 'Nossa, por que não o mandou antes? Não me lembro de quando vi tão grande talento. Ele será o melhor jogador do mundo'. Respondi, em tom de brincadeira também: 'Não o mandei antes para você não dizer depois que criou Novak Djokovic'".

---

1 Foi treinador do alemão Boris Becker. (Nota do R.T.)

2 Niki Pilic Tennis Academy. (Nota do R.T.)

Hoje, observando quanto Novak Djokovic é assertivo e eloquente durante as apresentações nas quadras e também nas mídias e diante do público, parece que a fé que algumas pessoas tinham nele foi crucial para o sucesso que alcançou. Suas palavras por ocasião do recebimento do prêmio "Laureus" como o melhor esportista do mundo são muito indicativas nesse sentido: "Consegui tudo isso graças ao grande amor que recebi e à minha família".

Mas a família de Novak não se resumia a seus pais e irmãos e aos parentes próximos e distantes. E seu pai, Srdjan, assim confirma ao se lembrar do começo da carreira do filho: "Sempre tínhamos a tremenda sorte de encontrar no momento certo as pessoas certas, que foram realmente mais do que formidáveis para nossa família e nosso filho. Todas elas agora são membros da nossa família e também parte da história e da lenda sobre Novak. Jelena Gencic é uma fanática do tênis, assim como Niki Pilic. Ela é uma grande pessoa tenista, o maior ser humano do tênis na Sérvia. Quando digo pessoa tenista, penso em jogador, treinador, admirador e adorador. Seja como for, ela é de longe a primeira, assim como Niki Pilic, que é o maior homem da história do tênis. Jelena e Novak tiveram mais de duas mil e quinhentas horas individuais de trabalho, mas ela nunca nos cobrou um tostão. É uma pessoa fascinante em todos os sentidos. Na verdade, ela descobriu Novak e seu talento excepcional".

A mulher que hoje conhece tudo sobre as virtudes e os defeitos de Djokovic nos últimos dezessete anos continua jogando com a mesma raquete, antiga, malconservada e em alguns pontos danificada. Mas, apesar do estado em que se encontra sua raquete, Gencic se recusa a trocá-la, simplesmente porque foi com ela que treinava e se exercitava com Novak Djokovic, um símbolo do vínculo singular que existe entre uma pedagoga e um campeão do esporte. E ela se manifesta sobre isso: "Com Novak, trabalhei com total consciência de que um dia seria aquilo que hoje é, e do que espero que seja amanhã. Novak apenas chegou ao topo, e somente começou a realizar seus sonhos. E, junto, como sonhávamos, e tão longe. À sua frente há um longo e brilhante futuro, porque ele tem motivo e conhecimento para tanto, porque desde sempre soube seu objetivo".

O início da carreira de Novak Djokovic estava pintado nas cores do Partizan[3] – clube no qual começou a desenvolver sua carreira e para onde sempre ia quando deixava o convívio com seus pais em Kapaonik, o que confirmaria em uma de suas entrevistas, em 2011:

"É o clube onde cresci, onde dei meus primeiros passos no tênis. Nele vivi momentos bons e ruins, nele festejava meus aniversários, chorava, ria, ficava feliz e triste. Todas aquelas coisas que um homem pode viver eu vivi no Partizan".

Uma das curiosidades sobre esse clube é sempre lembrada quando alguém se refere à chegada de Djokovic. A maior rivalidade que existe entre os clubes de Belgrado é entre Partizan e Estrela Vermelha, e isso em todos os níveis – futebol, basquete ou tênis. Na verdade, qualquer um que aprecia esporte quase certamente torce ou para os jogadores com camisas pretas e brancas (Partizan) ou para aqueles com camisas vermelhas e brancas (Estrela Vermelha). Até aqueles que moram fora de Belgrado e que têm seus clubes esportivos locais sempre, além de torcer para estes, torcem também ou para o Estrela Vermelha ou para o Partizan. Torcedores rivais moram juntos, trabalham juntos, e frequentemente são da mesma família. Para eles, é mais importante ganhar contra o eterno rival do que o próprio título de campeão. Evidente que sempre há cutucadas e zombarias, apelidos e piadas sobre os clubes e jogadores, e, infelizmente, não são raras brigas sérias quando o tema é "quem é o melhor". Acontecia até de chegar a graves confrontos, quando a polícia ou os bombeiros tinham de intervir. Apesar de tudo isso, a base dessa eterna rivalidade reside no fato de que sem um forte Estrela Vermelha não existe um forte Partizan. E vice-versa.

E nesse panorama o caso de Djokovic é muito específico. Desde pequeno, ele era um torcedor leal do Estrela Vermelha, enquanto no campo de tênis defendia as cores do Partizan. E, apesar das diferenças entre os torcedores desses clubes rivais, Novak Djokovic conseguiu unir ambos os lados. Hoje, quando ele joga, torna-se absolutamente insignificante quem torce para qual clube. Sejam simpatizantes do Partizan ou

---

3 Famoso clube de tênis que em sua vida ocupa um lugar especial. (Nota do R.T.)

do Estrela Vermelha, todos torcem em harmonia para Novak Djokovic e para o tênis sérvio.

Em setembro de 1994, três meses depois de seu primeiro acampamento em Kopaonik, Djokovic voltou para Belgrado. Ali se juntou ao programa do clube de tênis Partizan, onde, além dos treinos individuais com Jelena Gencic, conheceu também muitos outros especialistas de tênis com os quais começou uma cooperação. Dusan Grujic, que foi por muitos anos presidente do TK Partizan, ressalta com orgulho que, na época da sua administração, o clube lançou alguns jogadores excepcionais, como Ana Ivanovic, Janko Tipsarevic, entre outros, mas também Novak Djokovic, que é, sem dúvida, o maior esportista nascido do Partizan:

"Novak teve algumas fases com o nosso clube. Permaneceu no Partizan dos seus 7 até os 12 anos de idade; depois, foi para a academia de Niki Pilic e, finalmente, voltou para nós. Sabe, é fácil pegar alguém que se está entre os dez primeiros, mas é preciso chegar entre esses dez. No que diz respeito ao seu desenvolvimento, foi a família que o ajudou mais, e depois o nosso clube. Mas, para ele, o Partizan foi somente a estação de partida, porque nós, infelizmente, não podíamos ajudá-lo o quanto era necessário. Mas é essencial dizer sobre a época que permaneceu no Partizan: nosso time tinha uma equipe sênior muito boa, que posteriormente lhe serviu de maneira generosa, tendo em vista que, cada dia, havia alguém para *sparring* e treino".

Os primeiros tenistas do clube com os quais Djokovic se encontrou foram Miroslav Gordic e Aleksandar Bolic. Ambos, de imediato, perceberam o tamanho do potencial que tinham à sua frente. Era evidente que Novak Djokovic possuía talento e forte desejo, grandes chances de chegar, pelo trabalho, até seu objetivo, e também um apoio da família indiscutível.

"Na época, quando eu trabalhava com ele, a cada dia tinha treinos de duas horas de duração e, ainda, em paralelo, trabalhava individualmente com Jelena Gencic. Lembro-me de um inverno. Nevava e fazia muito frio. Seu avô Vladimir, com um pequeno chapéu na cabeça, carregava a mochila com os equipamentos, enquanto Novak ia atrás, sem se importar com a temperatura. Seu avô sentava-se no restaurante, tomando café ou chá, sem se incomodar quanto tempo duraria o treino, sempre esperando pacientemente. Naquele tempo, os pais de Novak trabalhavam em Kopaonik, e Novak nunca perdeu nenhum treino. Quando seu pai, Srdjan, estava em Belgrado, sempre o levava e o incentivava. Srdjan sempre acreditou que o filho se tornaria aquilo que é hoje, e família inteira confiava nisso", disse Miroslav Gordic.

Gordic também viajou com Djokovic para todos os torneios disputados naquele período na Sérvia, e foi uma das testemunhas mais diretas do domínio de Novak: "Para ele não havia concorrência, principalmente na sua idade. Houve uma situação em que combinei com seu pai de ele fazer uma pequena pausa, não disputar os torneios, porque já tinha jogado três em apenas num mês. Fui passar férias, voltei, e descobri que durante as nove semanas jogou todos os torneios, e ganhou todos. Para ele, nada era difícil se estivesse ligado ao tênis, nem quando ainda era novo nem depois. Quando precisava juntar as bolas e todos tentavam fugir, ele fazia isso sem dificuldade, porque queria começar o jogo o mais rápido possível. Simplesmente adorava jogar, e curtia isso".

Djokovic começou a disputar seus primeiros torneios aos 8 anos de idade, e jogava contra adversários que eram três ou quatro anos mais velhos do que ele.

"Quando estava em nosso clube, geralmente jogava contra a geração mais velha nos torneios locais, e vencia com regularidade. Esses meninos e meninas contra os quais jogava ou fazia *sparring* não perdiam nada disputando contra alguém mais novo. Pelo contrário. Novak sempre era um rival benévolo. A família Djokovic nunca fazia nada contra os outros jogadores, mas sempre, e apenas, o que era melhor para Novak. Pedia que tudo o que precisasse ser feito para Novak, o fosse de maneira profissional, e dos pais com os quais eu cooperava nessa parte de trabalho, eles eram os mais corretos. Sempre iam um passo adiante, e sempre era um passo de qualidade. Novak esteve e permaneceu em uma relação correta com todos com quem trabalhou. E hoje é assim", conta Aleksandar Bolic.

Na época em que treinava com Bolic, uma das parceiras de *sparring* era Ljiljana Nanusevic, o mais novo membro da equipe da seleção sérvia da Fed Cup, que, além disso, foi por doze vezes campeã nacional em todas as categorias. Ela teve a oportunidade de testar sua força nos campeonatos europeus e mundiais na categoria juvenil contra as tenistas mais bem colocadas da sua geração (como Svetlana Kuznetsova, Justine Henin ou Kim Clijsters), e também de ganhar delas.

"Como eu procurava alguém no *sparring* que me motivasse a ser melhor, de igual forma Novak pretendia alguém que o forçasse, para superar algumas das suas limitações. Nesse sentido, eu treinava somente com homens e Novak, com pessoas mais velhas que ele. Sou uns cinco anos mais velha do que ele, e nas raras partidas que jogávamos, porque frequentemente nos desencontrávamos por termos treinadores diferentes, eu conseguia ganhar. Se naqueles momentos soubesse o que seria hoje, teria lhe pedido para assinar a bola e escrever que tinha ganhado a partida", diz Nanusevic, brincando. "Mas hoje, para mim, outra coisa é mais importante, e que diz bastante sobre ele. São raros os momentos em que o encontro, talvez uma vez por ano, mas, quando isso acontece, sempre me surpreende sua naturalidade. Quando nos conhecemos, era o moleque que apenas estava começando, e eu era a tenista importante da Sérvia. Agora, as personagens mudaram, mas ele permanece o mesmo. É agora o campeão, alcançou uma conquista incrível. Alguns outros também conseguiram, e isso os modificou, mas não Djokovic. Genuinidade: essa é sua maior qualidade".

Marko Nesic, o então chefe da equipe técnica do Partizan, também tem boas lembranças dos dias iniciais de Novak Djokovic: "Tinha uma concentração inacreditável e podia não errar uma cruzada por quinze minutos. Como no passado eu tinha jogado em época semelhante com o depois famoso tenista croata Goran Ivanisevic, ex-campeão de Wimbledon, o pai de Novak sempre me perguntava se Ivanisevic no começo também ganhava contra jogadores mais velhos. Para ele, isso era uma referência. Devo confessar que, naquele tempo, não conseguia prever quão longe Novak chegaria. Como treinador, não tive uma criança semelhante antes dele. Mas, de imediato, vi que era muito sério, um grande profissional e que, para ele, estava evidente o que queria, e isso faz toda a diferença do mundo".

Para entender o grau da seriedade de Djokovic, um pouco atípico para uma criança, talvez ajude recorrer às lembranças de Marko Nesic, treinador do clube com quem posteriormente os irmãos mais novos de Novak, Dordje e Marko treinariam: "Lembro-me de um dos torneios no Partizan. Ele passava pelo caminho que ia para as quadras, e perguntei-lhe quando jogaria; recebi como resposta que tinha acabado de sair para a partida. Encontrei-o no clube meia hora mais tarde, no máximo, e lhe perguntei o que havia acontecido, ao que me respondeu: 'terminou'. Perguntei como, mas ele me disse que não tinha tempo, precisava sair porque tinha de estudar, alongar e que, se quisesse conseguir fazer todas as suas obrigações diárias, tinha de jogar rápido. Mas ele não era sério demais para sua idade. Sabia relaxar, fazer amizade e sair com amigos da mesma geração, porém, quando se tratava de tênis, desde pequeno mostrou que tinha algo de especial."

"Talvez Djokovic fosse o mais novo na equipe, e zombássemos mais dele. Por exemplo, na luta com as toalhas ele perdia mais do que os outros, mas, ao contrário, no campo era perigoso", conta Dejan Petrovic, um dos tenistas com quem Djokovic treinava naquele período: "Nas partidas que joguei contra ele, do que mais me lembro é como, desde a época de garoto, tinha uma inacreditável movimentação, devolvia as bolas de fundo e ganhava, apesar de eu ser mais velho do que ele. Sofria muito com ele, que, diferente de todos nós, sempre fazia tudo certo. Aquecimento obrigatório. Alongamento obrigatório. Captava todas as informações acerca dos jogos ou alguns dos rituais do tênis, do tipo: quando se perde um ponto, não se deve ficar nervoso, é preciso arrumar as cordas da raquete e se preparar para o próximo ponto etc. Lembro-me do exercício que se chama espelho – o treinador me joga, da cesta, as bolas que golpeio, enquanto Novak faz o mesmo atrás de mim, mas no vazio. Para muitos de nós esse exercício logo ficava tedioso, mas ele fazia com regularidade. Do início ao fim, respeitava cada passo, e não tinha preguiça. Simplesmente não perdia um segundo do treino".

Branislav Pralica, um dos mais próximos amigos de Novak, que atua como jornalista esportivo e, com frequência, comenta suas partidas, também o conheceu no clube de tênis Partizan. Pralica, naquele ano de 1995, era iniciante, enquanto Djokovic já praticava sérios treinos que duravam até duas horas: "Não começamos a amizade de imediato, somente quando nossos caminhos no tênis se cruzaram nos torneios que aconteciam a cada fim de semana. Novak era o melhor e ganhava todos. Dava para ver que trabalhava pesado. Sua dedicação ao tênis era integral. Agora, quando penso nesse período, vejo que foi algo estranho e milagroso, um garoto de 8 anos de idade absolutamente orientado ao tênis. Tudo que era trabalhado no treino ele conseguia transferir para a partida, e por esse motivo era o melhor".

O Partizan era, e ainda é hoje, um grande clube com muitas crianças que passam ali o dia inteiro. Após o treino da manhã, seguia o intervalo para alimentação e para repouso dos jovens tenistas; depois, novamente treino e, no fim, exercícios físicos. Os dias no Partizan começam às oito horas da manhã e terminam por volta das oito horas da noite.

"Durante o inverno, jogávamos no balão, mas dentro também ficava gelado. Quando o tempo melhorava, jogávamos do lado de fora. Mas eu me lembro de que, para nós, meninos, por alguma razão na época, era mais interessante na primavera, quando é muito mais agradável jogar lá fora e quando o balão formalmente precisa ser retirado. Treinar e jogar exatamente onde estava o balão era quente demais", lembra-se Pralica da época de juventude que passou com Djokovic no clube de tênis Partizan. "Quanto à dedicação de Novak... Sei que numa ocasião joguei uma partida contra um adversário inferior a mim e consegui ganhar, mas passei na quadra muito mais tempo do que precisava. Simplesmente não estava focado o suficiente. Novak assistiu à partida, e sei que disse aos meus pais que 'não é importante quem é o adversário, ainda que seja um bebê, a abordagem tem que ser sempre séria'. Ele era maduro e avançado em todos os sentidos, mas também uma criança como qualquer outra. Não se diferenciava de nós. Era muito orientado ao tênis, como também sua família, mas, quando brincávamos, era como os outros meninos. Lembro-me de um inverno quando se atrasou para o treino. Ele nunca se atrasava. Quando apareceu, vinte minutos após o começo do treino, estava todo vermelho e as calças molhadas de neve até os joelhos. Óbvio que pediu desculpas ao nosso treinador Miroslav Gordic e tudo ficou bem. O treinador lhe disse que podia se trocar e começar a trabalhar. Enquanto se trocava, Novak confessou: 'Não fala para ninguém, joguei futebol depois da aula, não pude resistir. Queria muito jogar'. Tudo isso é normal. Quantos jogos de escola perdemos por causa do tênis. As aulas terminavam às 13 horas, e o treino começava já às 14. Todos continuam jogando futebol no campo da escola, e todos vão correndo para casa se preparar e ir direto para o treino."

A paixão de Djokovic pelo futebol hoje não é desconhecida. Para que alguém goste de futebol tanto quanto Novak, é preciso que essa paixão exista desde o início da juventude.

"Para mim é interessante, e ainda hoje me recordo de que quase todos nós que jogávamos para o Partizan éramos torcedores do Estrela Vermelha, mas nos respeitávamos e nos gostávamos. Todos os anos, durante o verão, eram disputados campeonatos de equipes dos quais participavam muitos clubes, mas, na maioria dos casos, na final enfrentavam-se Partizan e Estrela Vermelha, e quem tinha um melhor desenvolvimento, considerando ambos os times, sempre era Novak. Ano após ano estava mais perto de ser o melhor, e no final se tornou o principal jogador do Partizan. Quando éramos mais jovens, nosso clube era o melhor; para nós, jogavam Nenad Zimonjic e Dusan Vemic, mas, mais tarde, o Estrela Vermelha melhorou. Quando depois o dinheiro começou a entrar seriamente nessa história, tudo perdeu a graça", lembra-se Dejan Petrovic.

Quanto à questão da paixão de torcedor, as coisas eram claras. Novak Djokovic torcia para o Estrela Vermelha, mas, quando se tratava de tênis, participava 100 % do Partizan. A oportunidade de Djokovic e de seu irmão Marko de vestir a camisa vermelha e branca e de jogar para as cores do seu clube de paixão surgiu pela primeira vez apenas em setembro de 2011, dentro das atividades programadas para a ação humanitária "Batalha pelos bebês". Nessa ocasião, ao lado de Djokovic, participou também o atual treinador do clube de futebol Estrela Vermelha, Robert Prosinecki, então membro do famoso esquadrão desse clube que, em 1991, na final da Copa dos Campeões da Europa, venceu o francês Olympique de Marselha, e se tornou o melhor time do velho continente.

O objetivo dessa ação humanitária era a coleta de verba para a compra de novas incubadoras para as maternidades na Sérvia, e a partida foi disputada no estádio do Estrela Vermelha, o maior da Sérvia, que também se chama Maracanã, como o carinhoso apelido dado ao estádio do Rio de Janeiro. Essa ação foi apenas uma de muitas de que Novak Djokovic participou. Além de posteriormente dizer que "toda a vida jogou para o Partizan e torceu para o Estrela Vermelha", e que exatamente com a camisa vermelha e branca alcançou o seu desejo da juventude de marcar um gol no Maracanã, Novak Djokovic mostrou que é campeão principalmente no aspecto humanitário, doando dinheiro para a compra de cinco incubadoras no valor de aproximadamente 60 mil euros.

Para que toda a história sobre os times rivais seja mais interessante, é preciso dizer que Viktor Troicki tinha um "problema" semelhante ao de Novak, pois ele era um fanático torcedor do Partizan, mas jogava para o clube de tênis do Estrela Vermelha.

Bogdan Obradovic, o treinador de tênis e posteriormente técnico da equipe nacional da Sérvia, que sob sua atuação, alcançou seu maior sucesso, a conquista da Copa Davis, lembra-se de que a ida de Djokovic para o Partizan foi um tipo de inevitabilidade: "Ele devia ser registrado como membro de algum clube para que pudesse jogar os torneios juvenis na Sérvia, ser ranqueado e depois inscrito para os torneios na faixa etária de 14, 16 ou 18 anos. Para mim, era engraçado ver um torcedor fanático do Estrela Vermelha jogar para o Partizan. Lembro-me de que, naquela época, o Partizan provocava o Estrela Vermelha, insistindo que todos os tenistas deviam jogar com camisa preta e branca. Guardei uma foto de jornal de Novak com camisa alvinegra. Como também sou torcedor do Estrela Vermelha, brincava com Novak, perguntando-lhe: 'Desculpe, isso é uma foto em preto e branco ou você é realmente torcedor do Partizan?'. Em todo caso, enquanto Novak jogava para o Partizan, eu era o único treinador de fora que tinha permissão de usar suas quadras e trabalhar com ele. Obviamente por causa dele".

É preciso dizer que a cooperação entre eles desde o início foi bem-sucedida. Bogdan é um técnico de tênis com experiência profissional respeitável, com o qual Novak pôde aprender muito. Natural de Belgrado, deu seus primeiros passos no tênis em 1978, no clube Estrela Vermelha. Em 1986, começou a trabalhar como treinador, e, em razão da desintegração da Iugoslávia e da péssima situação econômica, ao longo de sua carreira trabalhou em vários clubes de tênis da Sérvia, como Kikinda, 3D e Mamil. Na função de treinador viajante, Obradovic cooperava também com Nenad Zimonjic, que, durante essa cooperação, conseguiu dar um grande salto na carreira em duplas e simples. A vasta experiência como treinador de Obradovic foi conquistada em Wimbledon, no Aberto dos Estados Unidos, no Aberto da Austrália, em Roland Garros e também nos torneios Masters 1000 ou da categoria ATP 500 e 250. Teve também o privilégio de conhecer o trabalho de muitos nomes famosos do tênis, como Niki Pilic, Bob Brett, Brad Gilbert e Nick Bollettieri, enquanto na quadra, como jogador, atuou contra Goran Ivanisevic, Gustavo Kuerten, Tod Martin, Tomas Enqvist e muitos outros.

"Quando conheci Novak nas quadras do clube de tênis Balasevic, ele já era um excelente pequeno profissional. Naquele dia, deixou a mochila e começou logo com o aquecimento, e depois do treino foi para o alongamento. Dava para perceber que não fazia isso sob nenhuma pressão, mas por vontade própria. Era da sua própria natureza", lembra-se Obradovic. "Nunca precisava chamar sua atenção, o que não é típico para meninos da sua idade. E mais, ao seu redor existia uma enorme quantidade de energia positiva irradiada por seu pai, Srdjan. Sempre o incentivava, reanimava-o e o encorajava. Evidente que se encontrava ali também sua mãe Dijana, o pilar da família Djokovic, que desde sempre apreciou a atmosfera esportiva e os princípios de vida que hoje fazem de Novak um campeão".

Quando começaram a trabalhar juntos, o jovem Novak Djokovic estava mais do que interessado em que Bogdan Obradovic, naquele momento já "polido" como treinador, lhe transmitisse as experiências obtidas no trabalho feito com jogadores do topo e os eminentes treinadores de tênis que conheceu durante a sua carreira.

"Para ele, isso significava muito, porque sabia que minhas histórias estavam frescas, não era algo que pertencesse a algum passado distante. Naquele momento, eu já havia decidido que não mais viajaria, tinha resolvido permanecer na Sérvia e formar família, mas estava presente para ele sempre quando precisava. E tudo que tinha preservado em mim de algum jeito repassei para Novak. No momento certo, no lugar certo. Na minha opinião, esse foi um daqueles instantes cósmicos que não pode ser desenhado de outro jeito", diz Obradovic.

# 5. DEMOCRACIA TOMAHAWK

Não existiam muitos momentos cósmicos semelhantes na Sérvia durante os anos 1990, principalmente durante 1999, quando, em 24 de março, começou o bombardeio da Otan. Essa operação, conhecida como "O anjo da misericórdia", foi executada sem a permissão do Conselho de Segurança da ONU, em virtude da acusação de que as Forças Armadas da Sérvia, chefiadas por Slobodan Milosevic, praticavam crimes e realizavam limpeza étnica sobre a população albanesa da província do sul, Kosovo e Metohija. A ação completa da mais poderosa aliança do mundo era inédita por vários motivos. E se desprezarmos o fato de que o manifesto da ONU foi ignorado, uma das principais características dessa ação militar era a perceptível desigualdade em relação às forças. Além disso, a intervenção da Otan parecia muito menos uma guerra comum e muito mais uma caçada, uma demonstração de desfile de tecnologia de alto nível de destruição e a possibilidade de matança certeira de uma distância segura, cujo alvo não tinha a menor chance de salvação ou de defesa.

Os sombrios avisos de uma possível agressão aérea foram lançados pela mídia, mas a população da Sérvia os ouvia com descrédito. Uma imagem que pode bem mostrar esta falta de confiança aconteceu quando, no dia 24 de março, os aviões da força da Otan decolaram da base italiana, enquanto na Sérvia tudo funcionava normalmente. Em um dos famosos teatros de Belgrado, o público estava sentado na sala lotada esperando o início da apresentação. O atraso e o denso silêncio que permeava o ar não pareciam nada bons. De repente, apareceu no palco, saindo da escuridão, o ator principal do espetáculo, pedindo ao público que, sem tumulto nem pânico, deixasse o teatro, porque havia começado o bombardeio. Ninguém se moveu. Ninguém reagiu. Ninguém se levantou. "Ou eu sou um mau ator, ou vocês são um povo muito corajoso", ele retrucou. Em seguida, depois de insistir em seu pedido, todos, em silêncio, abandonaram o prédio.

Seguiram-se 78 dias e noites sob sirenes que alertavam o perigo que vinha do céu (o bombardeio durou de 24 de março até 10 de junho de 1999).

Ao som das primeiras sirenes, o pânico se instalou entre a população. Era preciso ir para o abrigo. Mas onde se abrigar? Para onde levar as crianças? Será que existia um lugar seguro? E à mente das pessoas vinham as imagens de cidades inteiras destruídas durante a Segunda Guerra.

O cotidiano sérvio transformou-se em destruições de estradas, pontes, aeroportos, linhas de transmissão de energia elétrica, transmissores, fábricas, escolas, hospitais, prédio da televisão nacional, edifícios residenciais, monastérios etc. E foram muitas as vítimas, que a Otan, na mídia, chamava de "perda colateral". Expostas permanentemente ao medo e à necessidade de sobreviver, no início as pessoas se tornaram nervosas, agressivas, desorientadas e demonstraram certo desânimo com relação a tudo. Ninguém sabia o resultado dos bombardeios.

Contudo, em vez de se afundar em desespero, o povo escolheu a vida. Surgiu então a rara, mas preciosa virtude que os sérvios possuem: encontrar algo bom até nas circunstâncias mais adversas. Qualquer um que observasse o povo na Sérvia durante a intervenção da Otan perceberia que ali se instalara a disciplina, a paciência e a solidariedade, e também a necessidade de todos passarem juntos o máximo de tempo possível para poder assim dividir a preocupação que os atormentava. Isso tudo enquanto as bombas continuavam a cair, os vidros das janelas se estilhaçavam, enfim, com detonações ocorrendo em toda parte.

Ao final, as pessoas se acostumaram, e a vida seguiu em frente. Essa era a única maneira de mostrar como um pequeno país pode ser uma grande nação, ou como seus cidadãos são imprevisíveis e melhores quando tudo é mais difícil.

Após os primeiros dias de bombardeio, a família Djokovic decidiu que não mais iria para os úmidos e escuros abrigos, e permaneceria em seu apartamento.

"Voltamos às atividades cotidianas, dissemos a nós mesmos que, fosse como fosse, o que viesse a seguir seria o desígnio do destino. E, para nossa família, o cotidiano significava a volta ao tênis", diz o tio de Novak, Goran Djokovic.

Logo a família se acostumou com o risco, e Novak, sempre acompanhado pelo tio, continuou indo para os treinos.

"Não existia a mínima chance de ficarmos em casa, sentados, chorando", diz Dijana Djokovic. "Ficávamos na quadra de tênis das dez da manhã até a hora do crepúsculo. Nossos outros dois filhos treinavam durante o bombardeio – e o faziam ouvindo as sirenes, essa era a única solução possível. Procurávamos um meio para relaxar de algum modo".

Postura semelhante diante da vida em condições de guerra também tinham alguns jogadores do Partizan. Um dos tenistas com quem Djokovic treinava todos os dias durante os bombardeios da Otan era Borislav Borovic-Vlajic, mais conhecido entre os colegas pelo apelido de Borce: "É evidente que também havia aqueles que iam para casa quando soavam as sirenes, mas nós não. Permanecíamos no treino. Acho que realizamos alguns com Jelena Gencic, mas sem nenhuma programação, porque poucos trabalhavam naquelas condições. Naquele tempo, como também antes e depois, para mim sempre foi totalmente incrível o traço do caráter de Djokovic, aquele tipo de meia loucura quando se trata do tênis. Inacreditavelmente persistente. Surpreendentemente concentrado. Ele não dá o ponto. Ele não dá o *game*. A única chance de vencê-lo era jogar *winners*".

Impressões semelhantes também tem Fililp Novakovic, um dos tenistas com quem Djokovic viajava nos seus primeiros torneios no exterior: "Nós treinamos durante a guerra como possuídos. Tudo estava deserto, e passávamos dias inteiros nas quadras. Isso era realidade. Éramos garotos mais felizes quando estávamos no Partizan, quando jogávamos tênis. As sirenes "uivavam" ao nosso redor, reinava um pânico geral, enquanto nas quadras nos sentíamos protegidos e nada nos atingia".

Como Srdjan e Dijana viviam em Kopaonik, foi preciso encontrar uma maneira de Novak não faltar aos treinos, ou, alguém que seria responsável por levá-lo e buscá-lo no Partizan durante o período de crise. O escolhido foi Dragan Ivanovic Duka, amigo da família: "Lembro-me desse período dos bombardeios, as sirenes urrando horrivelmente. Um dia, aproximou-se de mim o pai de Novak, que me fez um pedido. Como a vida deles na época era focada em Kopaonik e no trabalho no restaurante, precisavam de alguém que, de vez em quando, levasse e buscasse Novak nos treinos e que também pudesse acompanhá-lo nos torneios locais. Respondi que eles podiam contar comigo e acreditar cem por cento em mim. Disse-lhe que não tinha filhos, mas, se os tivesse, cuidaria deles como cuidaria do seu Novak. E assim foi. Às vezes o levava para duas horas de treino de manhã e mais duas de tarde, e também às sessões de preparação física. E, assim, acontecia de Novak assumir algumas das minhas sugestões que tratavam de coisas pequenas, mas importantes. Eu dizia: 'hoje você está muito cansado, precisa diminuir a tensão', e ele me obedecia. Até mesmo quando lhe dizia para prestar atenção porque sua meia estava dobrada e faria calo, o que lhe daria problema nos próximos três meses. Outro fato é que, nesse período de crescimento, existe entre os jogadores um tipo de resmungo com o adversário, e eu sempre lhe sugeria que não fizesse isso. O mesmo dizia para Viktor Troicki, com quem trabalhava igualmente: 'Viktor, se fizer mais uma vez o mesmo gesto vai a pé para casa'. E ele também me obedecia".

Hoje, Novak raramente fala sobre política, mas, a época dos bombardeios para ele não era política, e sim um assunto pessoal diretamente ligado ao seu crescimento.

"Lembro-me de que, no dia do meu aniversário, todo mundo cantava 'Parabéns a você', enquanto eu olhava o avião que voava acima de nós. Aquele foi um período muito emotivo para o meu país, mas sempre tento enxergar o lado melhor. Qualquer um de nós que passou pelo bombardeio saiu de tudo muito mais forte de espírito, e agora realmente todos sabemos apreciar o valor da vida", declarou Djokovic em uma de suas entrevistas ao falar de sua infância.

Como seria possível explicar que exatamente o tênis, durante uma situação de guerra, fosse a única coisa que mantinha a mente saudável dentro de uma família? Como é possível descrever a impotência que, sem dúvida, sente um garoto de 12 anos quando soam as sirenes enquanto as explosões arrasam sua cidade? Talvez seja suficiente apenas continuar em frente na vida e dizer: aconteceu, para que não seja repetido, com ninguém, nunca mais. Porque realmente foi isso o que a família Djokovic fez.

Um mês após o bombardeio da Otan, Novak teve a oportunidade de sair do seu país pela primeira vez e participar de torneios na Áustria e na Alemanha, integrando uma equipe de jovens tenistas sérvios, composta também por Filip Novakovic, Borislav Borovic-Vlajic e Branko Kuzmanovic e guiada por Borislav Bolic, treinador que antigamente trabalhava no Partizan, mais conhecido como Doja. Mas, sair da Sérvia em razão da situação sociopolítica da época não foi nem um pouco fácil.

"Os problemas, inicialmente, foram os vistos. Não sabíamos nem se os conseguiríamos, mas a situação foi resolvida bem no último instante. Toda aquela viagem era no mínimo estranha. Eu carregava um monte de dinheiro vivo, acho que algo em torno de 10 mil marcos alemães e os guardava em meu bolso. Naquele tempo, no país não existiam cartões de crédito ou câmbio, e devo confessar que tive medo que fôssemos roubados. Quando entramos na cabine do trem, o oficial literalmente me deu uma corrente e um cadeado para que pudéssemos nos trancar", lembra-se Bolic.

Diferentemente de Doja Bolic, que tinha de se preocupar com os problemas que afligem os adultos, os jovens jogadores sérvios lembram-se dessa viagem de outra perspectiva. Filip Novakovic conta:

"Para mim, era a primeira saída do país, e para Novak também. Para todos nós foi uma euforia total viajar para o exterior, ainda mais para um torneio! Apareceram vários problemas quando da concessão dos documentos necessários para a viagem, mas, quando nos sentamos no trem, não pensávamos em mais nada. Dessa viagem permaneceu na minha memória uma situação na qual Borce e eu mostrávamos a Novak como encordoar uma raquete. Naquela época, isso era caro, e levávamos a máquina para encordoamento conosco. Como somos dois anos mais velhos do que ele, lhe demos a raquete para colocar as cordas, sob a nossa supervisão. Medimos a corda e, em vez de apenas um encordoamento, cortamos a corda para dois encordoamentos e meio. Os fios estavam muito mais compridos do que o exigido para se encordoar uma raquete, e nem nós mesmos faríamos tudo certo. No fim, Doja teve de nos ajudar. Jogamos os três torneios, dois na Áustria e um na Alemanha, na categoria 14 anos. Novak conseguiu o melhor resultado de todos nós, somando mais pontos, apesar de ter apenas 12 anos. Naquela viagem, eu acho, trocamos de trem umas 11 vezes. Lembro-me de que houve uma enchente nos trilhos e de que perdemos o trem em Munique. Mas tudo acontecia muito rápido. Em uma ocasião, nosso amigo de equipe, Branko Kuzmanovic, corria para entrar; a porta estava quase fechando e ele tentava jogar a bagagem para dentro. Novak, que já estava no trem, virou para o nosso lado, perguntando: 'Esperem, querem que a gente volte para pegá-lo?'. Meu coração parou. Olhava para Branko, e Novak consciente, totalmente frio". Filip ri das lembranças. "Lembro-me também de um treino com *sparring* que tivemos durante essa turnê Áustria-Alemanha. Havia uma grande quadra de handebol onde ficamos hospedados, , com piso de tartã[1]; no meio ficava a quadra de tênis. Estava chuviscando, não havia chance de completar um ponto sequer, mas por duas horas e meia jogamos um *set*. Doja Bolic nos chamava para voltar para o hotel, estava nublado, todos nós estávamos faminos e cansados, mas Novak não queria desistir. Devo confessar que eu sim. Todos falávamos que estava na hora de ir embora e descansar, mas Novak se recusou a abandonar a quadra. Não queria falar com ninguém, apenas lutar pelo resultado. Então, por causa do piso, ou da chuva, no ponto do *set* ele recebeu uma bola curta, começou a se preparar para o *forehand*, quando, de repente, Borce gritou: Nole! Ele errou, e eu ganhei o *set*. Novak ficou muito bravo, e não falou conosco por dois dias", lembra-se Filip, citando o início de Novak Djokovic no tênis.

"Para deixar claro, Novak sempre foi correto, tanto na quadra como fora dela, e sempre foi sincero ao máximo. Nunca olhava seu lado somente, mas sempre queria ajudar e socorrer. Era um jogador

---

1     Uma superfície sintética. (Nota do R.T.)

de equipe que sabia como é necessário incentivar os companheiros", acrescenta Borce.

Estava evidente, nos torneios no país e no exterior, que, pelo humor de Novak Djokovic, podia-se ver que se tornaria um verdadeiro profissional. Se alguém é assim logo no início, não existe razão para que seja diferente no futuro.

"Apesar de esses torneios na Áustria e na Alemanha terem sido a primeira saída do país, acho que os meninos se viraram muito bem. Para conseguir poupar dinheiro, eu encordoava suas raquetes e eles lavavam a própria roupa. No que diz respeito a Novak, já estava presente sua inteligência de tenista, dava para perceber sua sabedoria e sua autoconfiança. E ele era dois anos mais novo do que a maioria das crianças", diz Bolic. "Lembro-me da partida que jogou em um dos torneios da Áustria, em Salzburgo e Furstenfeld. Seu adversário foi um jogador da Polônia, então cabeça de chave número 5 ou 6. Novak ganhou por dois a zero em *sets* em menos de uma hora. Depois disso, se aproximou o diretor do torneio de Kufstein, da European Tournaments Association (ETA), um torneio muito importante da terceira categoria, porque lá muitos campeões do tênis conquistaram o título durante a época de juvenis, inclusive Monica Seles. Ele me perguntou se eu era o treinador de Novak, ao que respondi que sim, apesar de não ser realmente, mas me interessava o que ele tinha a dizer. Ele me convidou para que levasse ao seu torneio tantas crianças quanto quisesse, pessoas, treinadores e jogadores, com uma única condição: que Novak também fosse. Na época, ele não tinha muita experiência, mas, durante as fases do *qualifying* pelas quais passava nos torneios, e também nas chaves principais, comportava-se em quadra de maneira absolutamente fascinante. Fazia tudo que os profissionais faziam, desde o aquecimento até o alongamento, o que muitos outros jogadores não praticavam, nem os garotos que viajavam como parte da nossa equipe, nem os austríacos, nem os alemães. Mas, no fim, não fomos, porque as condições econômicas estavam muito ruins e o processo para obtenção dos vistos era muito complicado. Essa boa oportunidade não foi aproveitada, e foi uma grande pena".

# 6. AS PREPARAÇÕES PARA MUNIQUE

As consequências da devastação da Otan ainda não tinham sido analisadas nem reparadas quando, no outono de 1999, chegou o momento de Novak Djokovic partir para a academia de Niki Pilic. "Foi preciso deixar o menino de 12 anos e meio ir sozinho para o exterior, e eu nem sabia para onde tinha ido. Obviamente que sabia quem era Niki Pilic, mas nunca o tinha visto. Naquela época, não nos conhecíamos", diz a mãe de Novak, Dijana.

Como era muito novo, Novak, naquele tempo, não podia ter consciência das inúmeras preocupações que seus pais tiveram de enfrentar. "Agora, nessa idade, entendo o quanto deve ser difícil quando seu filho sai de casa tão novo", diz Novak Djokovic.

O outro grande problema que torturava os pais de Djokovic naquele momento era o dinheiro necessário para pagar os estudos dele em Munique. É verdade que "todos os talentos nascem às escondidas enquanto a carreira desponta em público", mas, para que chegue até uma carreira bem-sucedida, todos os talentos precisam de dinheiro. A família Djokovic, no aspecto financeiro, percorreu um caminho longo e doloroso. Um dos ditos populares dos anos 1990 (ainda hoje lembrado como uma referência daqueles tempos difíceis) é: dinheiro não é problema, porque não existe. Como na Sérvia a última década do século XX foi marcada por guerras civis, uma grande crise econômica e bombardeios, isso não é nem um pouco estranho. Se alguém teve oportunidade de enfrentar diretamente esse fato, com certeza foi a família Djokovic, que, em meio a tantas turbulências sociopolíticas, tentava fazer algo que parecia impossível: recolher as verbas necessárias para a carreira de tenista de Novak.

Para se ter uma ideia das condições econômicas na época da juventude de Djokovic, com base nos dados estatísticos, a inflação na Sérvia (então República Federativa da Iugoslávia) durante os anos 1992/1993 era de 19.810,20 %, o recorde mundial, e nem um pouco glamouroso, no período pós-Segunda Guerra. Os preços dos produtos subiam muito rápido, mais de 300 % no intervalo de apenas algumas horas, e com frequência acontecia que a moeda nacional durante o dia se tornava simplesmente um papel sem valor, com muitos zeros. Deixando de lado as teorias e os fatos, a verdadeira imagem do padrão de vida da Sérvia da época em que Djokovic ainda começava a jogar tênis era: se o café, pela manhã, custava 1 milhão de dinares, até a noite esse preço aumentava para 2 milhões. Nesse sentido não deve surpreender que, para muitos – e a maioria naquele tempo literalmente lutava pela sobrevivência –, a simples menção às palavras "anos noventa", com toda razão, deixa os cabelos absolutamente arrepiados.

Naquela época, o tênis era, e ainda é hoje, sem dúvida, um esporte caro, e sobre isso nem é preciso falar. Fazendo-se alguns cálculos aproximados, hoje os gastos anuais na Sérvia para esse esporte podem se aproximar de 100 mil euros, até o fim da categoria juvenil, o estágio júnior, ou até o começo nos torneios profissionais. Enquanto a criança está em um grupo de algum clube de tênis, os "pequenos" gastos (para raquetes, tênis, roupa, suplementos alimentares, complementos para a rápida recuperação do corpo, consultas médicas e de fisioterapia) podem ser considerados suportáveis. Os pais começam a ficar seriamente preocupados quando se iniciam as primeiras competições (na faixa dos 10 anos de idade), as primeiras viagens, hospedagens em hotéis etc.

Mas, nos tempos em que Djokovic começava a se engajar no tênis, o abismo entre os altos gastos que requer a prática do esporte branco e a escassez geral e cotidiana era enorme, quase no nível da ficção científica. Podemos então dizer que os tenistas femininos e masculinos, que são o orgulho da Sérvia contemporânea (Djokovic, Tipsarevic, Troicki, Jankovic, Ivanovic), cresceram por conta própria. Seus pais "pisaram em muitas soleiras" pedindo ajuda para os filhos, arriscaram praticamente tudo andando por um caminho desconhecido com um fim incerto. Uma combinação de decisões táticas e circunstâncias de sorte levou ao reconhecimento do talento de seus filhos, e cada um deles, em um momento das suas vidas, recebeu um vento favorável nas suas velas.

Srdjan Djokovic confirma a veracidade dessas palavras: "Nós simplesmente entendemos que estávamos sozinhos, que não tínhamos conosco nem Estado, nem cidade, ninguém, além de alguns indivíduos, nossos amigos e conhecidos, que nos ajudaram naquele tempo. Todos os outros estavam totalmente desinteressados".

"Passaram a nos ligar apenas quando Novak conseguiu grandes conquistas, e assim começaram os 'amigáveis' tapinhas nas costas", Dijana Djokovic continua a história do seu marido. "Vem um gosto amargo na boca quando hoje ouvimos várias pessoas afirmando que desde sempre sabiam que Novak seria o número um. Muitos dizem, mas na época em que ele crescia não queriam nem vê-lo. Havia momentos que era preciso mandar Novak a alguma viagem, mas simplesmente não existia dinheiro. Tínhamos promessas de diversos lados, e, depois, essas mesmas pessoas, quando chegava o momento da partida, simplesmente nos diziam: 'Não tenho dinheiro'. Naquele tempo, Srdjan emprestava dinheiro, que depois precisava devolver com altos juros. Os juros eram de 10 % ou 12 % ao mês, e ele tinha de arrumar dinheiro, porque Novak não poderia parar. Seu objetivo de um dia ganhar Wimbledon era um estímulo para a nossa família, pelo qual valia a pena lutar. Queríamos fazer tudo para nosso filho" .

Tendo em vista que hoje a Sérvia é possivelmente o único país do mundo onde, com 1 euro, é possível comprar antigas notas de 500 bilhões de dinares, como suvenir da época da inflação, parece quase irreal o que uma família, durante os anos 1990, fez e tentou fazer para que uma provável estrela do tênis pudesse se transformar em um tenista campeão como hoje é Novak Djokovic.

O tio de Novak, Goran Djokovic, em uma das entrevistas disse: "Insistíamos para que fosse oferecido tudo de melhor para Novak. Dinheiro não existia, e toda a família sofria. Mas não deixávamos de lhe fornecer tudo que fosse necessário, pois ele era a prioridade das prioridades. Os investimentos eram muito altos, e a Associação de Tênis da Sérvia não podia ajudar materialmente. Srdjan percorreu todos os lados tentando convencer as pessoas a investir, mas ninguém se importava, e os torneios juvenis chegavam e iam embora sem Novak".

Quando foi preciso que a família Djokovic pagasse a ida de Novak para a academia de Niki Pilic, o que foi muito caro, apareceu a possibilidade de que os gastos com os estudos, como forma de patrocínio, fossem cobertos pelo famoso empresário sérvio Filip Cepter. Niki Pilic falou com ele, e parecia que o acordo estava quase fechado. Considerando que o dinheiro do patrocínio não era pouco, Cepter continuou a se informar sobre as qualidades de Novak. Um dos intermediadores foi o celebrado astro do tênis Slobodan Zivojinovic, (conhecido como Boba) à época a primeira atração mundial do tênis da Sérvia, e que, em 1987, quando nasceu Novak, ocupava a posição de 19º do mundo. Além dos seus sucessos esportivos, Boba era lembrado também pelos seus romances e por seu casamento, em 1991, com a maior estrela da música dos Bálcás, Lepa Brena. Além do fato de ambos estarem no topo de suas carreiras, perseguidos por jornalistas do modo como hoje fazem com as estrelas de Hollywood, o "casamento da década", como era chamada a união naquele momento de total histeria das mídias, ficou lembrado também porque o padrinho de Boba foi o famoso especialista do tênis Ion Tiriac, enquanto o campeão alemão de tênis Boris Becker é lembrado pelo mais impressionante presente do casamento: o último modelo da Mercedes embrulhado em celofane com um enorme laço. Depois, Zivojinovic foi presidente da Associação de Tênis da Sérvia no período de 2002 até 2011, quando foi substituído pelo então ministro das Relações Exteriores (2007-2012) e presidente da 67ª sessão da Assembleia Geral das Nações Unidas em setembro de 2012, Vuk Jeremic, ex-aluno da escola primária Bora Stankovic, que Novak também frequentou.

Zivojinovic era um jogador de diferentes aptidões. Desenvolveu seu estilo específico de jogo saque-voleio, uma maneira de jogar tênis bem particular para os meados dos anos 1980 e o início dos 1990. Tinha um primeiro saque devastador, e o segundo, no sentido técnico, extremamente bem elaborado. Algumas vezes, jornalistas da Sérvia, durante a guerra civil dos anos 1990, criticaram o jogador croata Goran Ivanisevic por ter "roubado o segundo saque de Boba Zivojinovic". Evidente que isso não era verdade, pois Ivanisevic era, de fato, um fenômeno como jogador, e tais comentários não faziam sentido.

Quando se trata de Boba, ao entrar nas quadras não era possível saber se estava a fim de jogar, e parece que nem ele próprio sabia até que a partida tivesse início. Podia ganhar contra qualquer um, assim como, a qualquer momento, perder para um jogador de nível muito mais baixo – pelo menos assim parecia. Sua abordagem de jogo era bastante diferente da de Novak, e ele aparentemente, entrava no ponto sem pensar muito, baseando seu jogo na improvisação e na comunicação com o público, espalhando o charme de um menino mau dos Bálcãs. Dos muitos jogos que Zivojinovic disputou durante sua carreira (vencedor dos torneios ATP em Houston e Sidney, semifinalista do Aberto da Austrália e Wimbledon, então jogador número um de duplas e vencedor do Aberto dos Estados Unidos em duplas em 1986), aquele que provavelmente ficou mais na lembrança foi o das quartas de final do Aberto da Austrália, em 1985, que, naquela época, ainda estava sendo disputado na grama, em Kooyong Park, Melbourne. Seu adversário era John McEnroe, terror número um do tênis e então estrela mundial. No início do quarto *set*, enquanto McEnroe discutia com o juiz sobre um dos vários pontos duvidosos, tentando, com as frequentes reclamações, influenciar no ritmo do jogo do adversário, Zivojinovic conseguiu, com aprovação geral do público, um sanduíche! Chegou até o camarote que estava no nível da quadra e se sentou, dando sinal para McEnroe de que podia continuar tranquilamente a bater boca com os juízes enquanto ele rapidinho comia um sanduíche, tomava suco e conversava um pouco com o público sobre o tempo. McEnroe estava fora de si de tão furioso, e, no final, Zivojinovic triunfou por 3-2 (ainda com o placar 6 0 no último *set*). Essa vitória talvez não tenha sido o maior sucesso de Zivojinovic, mas, com certeza, é ainda hoje considerada antológica.

Fosse como fosse, quando foram procurados patrocinadores para o jovem Novak, Zivojinovic, que não acompanhava com atenção a cena dos juvenis, não sabia o suficiente sobre ele. Por isso, foi tirar suas dúvidas com seus colegas do mundo do tênis.

"E eles lhe disseram que Novak era um 'cachimbo já fumado', que não daria nada, que tinha o coração fraco, o calcanhar doente e um pai não muito bom em cooperação. E a partir desse momento tudo foi por água abaixo", lembra-se a mãe de Novak.

Assim, a cooperação com Filip Cepter acabou antes de começar. "Eu me lembro do quanto Srdjan estava bravo quando chegou o fax comunicando-o de que o financiamento de Novak era de muito alto risco", diz Bogdan Obradovic. Hoje, Zivojinovic nega que tenha dito algo contra Novak para Cepter, mas também não fez nada para ajudá-lo. Conhecia pessoas poderosas do mundo do tênis, como por exemplo, o magnata romeno do tênis Ion Tiriac, então dono do torneio de Stuttgart e atual do Masters em Madri, na Caja Magica. "Se quisesse, poderia ter ajudado, ainda que não fosse com Cepter, poderia ser com algum outro", ressalta Obradovic.

O mais conciliador em toda essa história sobre o financiamento é o próprio Novak Djokovic: "Não tínhamos condições de crescer como tenistas na Sérvia. Não culpo ninguém. Não culpo o Estado, nem a cidade, nem a associação de tênis. Ninguém. Apenas digo que essa era a situação real. Tais indivíduos possivelmente tinham alguns problemas pessoais, e sentido de sobrevivência no qual deviam se apoiar. Eram tempos muito difíceis, e tínhamos de procurar socorro em todos os lados".

Além do aborrecimento com o dinheiro, quando Djokovic precisava ir para a academia em Munique, também surgiram dificuldades para conseguir os vistos, pois, naquele período de isolamento, em alguns casos era preciso esperar na fila por até dois dias para entregar os documentos necessários, e para adquiri-los, dependendo da embaixada, demorava até algumas semanas.

Tendo em vista que o rigoroso regime de vistos para a Sérvia foi revogado apenas no fim de 2009, é evidente o quanto foi difícil para a família Djokovic, no final dos anos 1990, obter todas as cartas de garantia e outros documentos necessários, até porque não importavam os resultados obtidos, Novak sempre precisava prorrogar seu visto.

"Os gastos aumentavam sem parar, e Srdjan precisava trabalhar em diversos lugares simultaneamente, tanto em Belgrado como em

Kopaonik. Além disso, a situação econômica na Sérvia era tão ruim, que nem isso era suficiente.

Pegava empréstimos até com agiotas e procurava alguém para patrocinar Novak, dispondo-se a assinar contrato, que, para o investidor em potencial, daria uma porcentagem dos torneios, mas ninguém lhe dava atenção", diz Vladimir Cvetkovic, amigo da família Djokovic.

Apesar de todas as dificuldades, o casal Djokovic não desistiu. No fim das contas, nas mais desagradáveis situações sempre é possível encontrar algo de útil e bom, mas, como em tudo que é bonito, às vezes aparece um pedacinho de algo que é ruim. Nos piores momentos, durante os não brilhantes anos 1990, Srdjan e Dijana Djokovic tinham em quem podiam se apoiar – seus pais, irmãos, irmãs e amigos – mas também havia aqueles por quem precisavam lutar como um leão, seus três filhos pequenos, Novak, Marko e Djordje.

# 7. COM A LENDA

Os anos da adolescência de Novak Djokovic estão, indissoluvelmente, associados ao nome de Niki Pilic, ex-tenista iugoslavo de origem croata, uma lenda do tênis que dispensa apresentações. Nascido em uma família da região da Dalmácia, que havia quatro séculos vivia na cidade de Split, Pilic começou a jogar tênis relativamente tarde e chegou a ficar em dúvida se desejava mesmo se entregar por completo ao engajamento profissional do esporte branco[1]. Seu primeiro contato com o tênis foi, no mínimo, singular.

Pilic tinha 13 anos quando seu pai lhe deu de presente uma velha e bamba bicicleta. Certo dia, como sempre fazia, ele pedalava pela cidade quando viu um dos seus amigos da escola tentando, com uma raquete, passar a bola sobre a rede em uma das duas quadras de tênis que, naquele tempo, existiam em Split. O amigo reclamou que estava cansado daquele jogo e pergun-

---

1 Apesar das muitas controvérsias sobre quando e onde surgiu o tênis (século XII, na França, de onde vem a origem do nome em francês antigo tenez – pegar –, ou, ainda, na Grécia antiga), a fama pertence ao major inglês Walter Clopton Wingfield. Tendo em vista que atendeu a pedidos de senhoras inglesas para criar o esporte quando prestava o serviço na Índia, não soa estranho que o tênis tenha recebido o nome de "esporte branco", pois a cor da roupa que mais se adaptava ao clima quente da terra de Mahatma Gandhi para a prática desse esporte era a branca. (Nota do R.T.)

tou se Pilic queria tentar em troca de algumas voltas com a bicicleta. "Aceitei, e fiz a melhor troca da minha vida. No momento em que pisei na quadra, senti a energia que nunca mais me abandonou. Seis meses depois, passei a tirar, todos os dias, um pouco de dinheiro da carteira da minha mãe para comprar uma boa raquete, de marca italiana, com onze anos de uso. Quando mamãe finalmente entendeu o que fiz, me perdoou, porque viu a raquete encostada na minha cama enquanto eu dormia", relembra Pilic.

Tal escolha resultou nos inúmeros sucessos que conseguiu em sua carreira como tenista. Hoje, Pilic é lembrado como o jogador que tinha um saque extremamente forte, o mestre de voleios que conseguia derrotar os maiores nomes esportivos da sua época (Bjorn Borg, Jimmy Connors, Guillermo Vilas). Por três vezes foi escolhido, pelo *Sportske Novosti* (jornal de esporte), o melhor esportista do ano na Croácia (1962, 1964 e 1967), participou de mais de 300 partidas profissionais e ganhou três torneios (Avilés, Essen, Estocolmo). Sua melhor posição foi conquistada em 1973, quando ocupou o 12º lugar do mundo.

Na história do tênis destacam-se alguns acontecimentos ligados ao seu nome. O mais dramático, sem dúvida, foi o boicote de Wimbledon, em 1972. De fato, nesse ano, a Associação de Tênis da Iugoslávia, alegando que Pilic se recusara a jogar pela equipe da Copa Davis, divulgou a decisão de suspendê-lo de todas as competições. Para complicar ainda mais, a então Organização Mundial de Tênis a aceitou e, por esse motivo, ele não pôde jogar nos grandes torneios internacionais, inclusive Wimbledon (no qual cinco anos antes conquistara vaga entre os quatro melhores tenistas). Solidários a Pilic, 81 dos maiores tenistas do mundo se recusaram a competir nesse ano em Londres, entre os quais 13 dos 16 mais bem colocados daquele tempo. "Estava em uma forma fenomenal, e julguei ser mais importante para minha carreira jogar o maior número possível de torneios naquele ano. Em um cronograma como esse, não havia espaço para obrigações com a seleção da SFJR na competição da Copa Davis", lembra-se Pilic, falando sobre o acontecimento de Wimbledon, que em muito marcou sua carreira.

Outra de suas pérolas do tênis, evidentemente, é a qualificação na final de Roland Garros, em 1973, quando tinha 34 anos. Em seu caminho em direção à glória estava o famoso romeno Ilie Nastase. "Fiquei parado atrás da janela no quarto do hotel em Paris olhando a chuva torrencial que caía implacavelmente durante três dias seguidos. Quando, depois de sessenta horas de espera, fomos para a quadra jogar a final, Ilie Nastase e eu apenas nos entreolhamos. O saibro estava tão ensopado, que mais escorregávamos do que corríamos. Perdi essa final, e cada vez que voltava àquela cidade, primeiro olhava o céu, com os mesmos pensamentos na cabeça: por que exatamente naquele momento decidiu me castigar?"

Além disso, Pilic também é dono de seis títulos de duplas, dos quais provavelmente o mais significativo seja o do Aberto dos Estados Unidos de 1970, quando, com o tenista francês Pier Baratese (naquela época, todos os tenistas costumavam jogar duplas nos torneios de Grand Slam), derrotou a dupla australiana Roy Emerson e Rod Laver, na época primeiro e segundo melhores jogadores do mundo. Na história do esporte entrou também como membro da primeira turma profissional "oito formosos", criada pelo norte-americano Lamar Hunt. O grupo dos oito jovens se apresentou no primeiro *tour* profissionalmente mais sério em termos de organização, fundo de prêmios, patrocínio e condições em geral, também fundado por Hunt, chamado World Championship Tennis (WCT). Na verdade, antes do começo da era aberta, em 1968, aos tenistas profissionais era proibido participar de todos os torneios que disputam hoje, inclusive Grand Slams. Foi precisamente esse primeiro "verdadeiro" *tour* profissional liderado pelos "oito formosos", assim como a transição de muitos jogadores de qualidade do amador ao profissional, que transformaram o curso da história do tênis, iniciando a era aberta[2].

Por ter começado a jogar tarde, Pilic se aposentou mais tarde também, em 1978, quase aos 40 anos. Mas sua aposentadoria não significou o afastamento definitivo do esporte branco. Pelo contrário. O período que se seguiu abriu novos capítulos que resultaram em inú-

---

2 A era aberta começou em 1968 e permitiu a participação de profissionais em todos os torneios do Grand Slam. (Nota do R.T.).

meros sucessos. Antes de tudo, é preciso dizer que existem poucos que podem se vangloriar do fato de conquistar, com seu trabalho de seleção e consultoria, cinco títulos vitoriosos na disputa da Copa Davis, e Niki Pilic é um deles. Por três vezes triunfou com a seleção da Alemanha (1988, 1989 e 1993), sendo capitão da equipe. Venceu uma com a equipe da Croácia em 2005 (foi a primeira vez na história que uma seleção que não foi cabeça de chave levou a vitória), e, finalmente em 2010, como consultor profissional do técnico sérvio Bogdan Obradovic, quando repetiu o mesmo sucesso com a seleção da Sérvia, que na final derrotou a da França por 3-2.

Tendo em vista a experiência de tenista e seu conhecimento, o empenho esportivo e a habilidade de avaliação, não é de se admirar que o nome de Niki Pilic já esteja há décadas ligado ao trabalho de treinador e pedagogo na academia que fundou em Oberschleissheim, próximo a Munique. Ali foram educados muitos dos grandes nomes do tênis mundial, como Boris Becker, Michael Stich e Goran Ivanisevic. O depoimento de um dos ex-campeões, Michael Stich, ilustra bem essa empreitada de sucesso: "Ninguém irá superar Niki Pilic, porque ele vive para o tênis e seus jogadores 365 dias por ano, 24 horas por dia".

Essa é, com certeza, uma das razões pelas quais Jelena Gencic ligou exatamente para Pilic quando alguém precisava assumir o trabalho com o jovem Novak Djokovic. "Novak tinha 13 anos incompletos quando o conheci. Chegou até mim acompanhado pelo tio Goran. Era outono de 1999, depois do bombardeio da Otan na Sérvia. Chegaram muito cedo, antes de mim, e olha que chego às 8h30! Não sei como entraram, acho que pularam a cerca. Conversamos um pouco, sugeri que Novak descansasse da viagem, e, em seguida, nos mostrasse o que sabia. Em Munique, naqueles dias fazia frio, e eu me lembro de que minha esposa, Mija, encontrou uma jaqueta para agasalhá-lo".

A esposa de Pilic, Mija Davidovic, é natural de Novi Sad, a segunda maior cidade em número de habitantes na Sérvia, ficando atrás somente de Belgrado. Na época em que era solteira foi uma famosa atriz sérvia e interpretou diversas e eminentes personagens no teatro, na televisão e em filmes. Mas, após seu casamento, em 1970, Mija abandonou os holofotes, e nos anos seguintes assumiu outro papel importante, o cuidado com os jovens tenistas que chegavam à sua academia. Assim foi no caso de Novak Djokovic. "Eu sempre estava aqui para ajudar as crianças em relação aos seus sentimentos e à sua adaptação, e elas sempre podiam se dirigir a mim se tivessem algum problema. Mas Novak, para mim, era diferente. Era a primeira criança da Sérvia que chegava até nós depois de todos aqueles infelizes anos de guerra, e por isso cuidava dele com um interesse particular. Vi nele uma criança muito bonita, postura reta, e quando Nikola explicava algo na quadra, acompanhava tudo com muita atenção. Lembro-me de que a minha primeira impressão foi: 'muito bom, é inteligente'. Além disso, Novak era um menino muito bem-educado, ponderado e focado, que tinha objetivo; era daqueles garotos que desde muito cedo sabem o que querem conquistar. Existem, claro, crianças que percebem isso alguns anos mais tarde e se tornam bem-sucedidas, mas Novak pertencia ao grupo dos escolhidos que, desde muito cedo, sabem por qual caminho querem seguir. Lembro-me de, em uma oportunidade, ele chegar com sua foto, parecida com aquelas que se entregam para os fãs, com uma dedicatória muito bem escrita. Tinha somente 13 anos. Então, tínhamos à nossa frente uma criança boa, inteligente e, antes de tudo, muito comunicativa. E tudo com ele andava praticamente em linha reta. Não existiam turbulências. Lembro-me de que Nikola passava muito tempo com ele na quadra, e Novak, como se diz no mundo dos atores, 'roubava o conhecimento' de Nikola. Simplesmente tinha esse talento", recorda-se Mija Pilic.

Um dos problemas mais comuns com relação à adaptação dos jovens esportistas, por conta da separação da família e sua permanência nos diversos campos esportivos, é a saudade. Mas Djokovic, que sempre foi intimamente ligado à família, revelou-se inesperadamente forte para superar isso. É bem provável que sentisse medo da incerteza, até porque tudo o que acontecia era completamente novo para ele, e porque, acima de tudo, à sua frente estava Niki Pilic, nome famoso do tênis mundial. Mas Mija Pilic lembra-se de que Novak não sofria de nostalgia: "Ou eu não chamaria de nostalgia. Porque esse estado configura-se quando a pessoa se fecha e pouco se comunica, mas Novak era bem-humorado, uma criança feliz, que sempre estava cem por cento preparada e mal podia esperar pelos treinos. Além disso, ia para Belgrado e sempre voltava para nós. Passou na academia em torno de três meses antes de ir visitar a família. Depois disso, eles o visitavam, e mantinham permanente contato por telefone. Era evidente que lhe faziam falta, mas acho que isso, para ele, ficou em segundo plano. Novak almejava se tornar jogador. Sabe, existe algo nesses pequenos esportistas que creem naquilo que desejam. Normalmente, fala-se, nas narrativas de suas vidas, sobre a dedicação e o sacrifício, e sem dúvida isso existe, mas a maioria, em princípio, não sentiu falta de viver ou se divertir como seus amigos de antes. Neles, me parece, o maior presente é a felicidade de saber que Deus lhes concedeu um talento muito particular".

Quando se trata de talento, Niki Pilic concorda com sua esposa: "Novak, além de tudo, era o aluno que merecia minha dedicação. Naqueles momentos, não podia saber aonde chegaria e que altura alcançaria. Não passa de mero equívoco quando se diz 'com certeza será o primeiro, o campeão'. É impossível enxergar logo no começo, e até por muito tempo. Disso só sabe aquele que reside nas alturas, acima de nós. O que nos resta é o orgulho de termos participado dos anos mais importantes da formação de Novak".

Algumas características do futuro campeão não passaram despercebidas. Todos os pedagogos esportivos e treinadores que trabalharam com Djokovic sempre ressaltam que, no relacionamento entre eles, as perguntas feitas no lugar e no momento certo tinham importante papel. O que mais mostrava confiança de que tudo estava andando bem eram as respostas claras de Novak. "Em uma ocasião, vi Novak indo para as quadras com uns vinte minutos de antecedência, preparadíssimo", Mija recorda. "Eu lhe disse: 'Novak, você teve problemas com dores nas costas. Lembra-se que o fisioterapeuta lhe recomendou que, sem falta, deve fazer alongamento antes do treino?'. Sabe, algumas crianças se esquecem de alongar, outras até mentem que já fizeram, mas com ele não era assim. Frio como gelo, ele simplesmente me respondeu: 'Claro, vou fazer exatamente isso! Eu não arriscaria minha carreira!'".

Além da dedicação profissional, o casal Pilic, que com frequência passava um tempo depois do almoço com Novak, se recorda de como com ele, ainda na adolescência, era fácil a comunicação, e como fluíam bem as conversas sobre análises detalhadas das partidas e dos pontos jogados. "Uma vez, ele ficou empolgado em saber como o tenista sérvio Filip Paroci provocava problemas, descrevendo cada situação como uma pessoa adulta que tem o esporte no sangue", lembra-se Pilic. "Minha esposa se virou para mim e disse: 'Escute, Nikola, este já fala como você'. Era totalmente surpreendente para um garoto tão jovem".

É lógico que Novak, no início, devia ter muitos medos e receios em virtude de tudo o que estava começando a acontecer, mas isso não o impedia de trabalhar, e havia muito a fazer. "Tinha um *forehand* fechado, seu voleio precisava ser aprimorado, simplesmente não tinha a técnica, precisava, duramente, praticar todos os elementos, e isso é impossível da noite para o dia. O que Novak obviamente tinha era a vontade de progredir, um bom caráter e força psicológica. Sabia o que queria da vida, aprendia, gostava de aprender, sonhando mais tarde aplicar tudo no seu jogo. E realmente era concentrado no trabalho. Após cada treino, eu ia para o escritório, e ele ainda ficava batendo bola no paredão".

Com a chegada à Academia de Pilic, Novak deu um dos primeiros grandes passos na sua carreira, mas isso não significava automaticamente que o topo do tênis estava mais perto. Seriam necessários ainda treze anos desde o primeiro encontro com Pilic até que o mundo inteiro se rendesse ao jogo de Djokovic.

# 8. O PREDILETO DE NIKI PILIC

Novak Djokovic permanecia no acampamento de Niki Pilic por alguns meses e, em seguida, por curto tempo, ia para Belgrado visitar a família, e então voltava para a Alemanha.

"Ele praticamente aprendeu o ofício comigo. Tudo que chegou depois foi a melhora de um moço talentoso que se tornava fisicamente cada vez mais forte, que aprendia como se aquece, como se constrói um ponto, como nasce o jogo de um tenista que pretende se tornar o número um do mundo", ressalta Pilic.

Quando o assunto é a melhora do tênis de Djokovic, papel importante exerceu também Bogdan Obradovic, com quem Novak treinava frequentemente quando voltava de Munique para Belgrado.

"Passava para mim tudo o que trabalhava com Pilic, o que o satisfazia ou não, e, então, eu tinha uma imagem clara sobre o desenvolvimento das coisas. É importante destacar o quanto Novak era aberto para a cooperação nesse período de juvenil", diz Obradovic. "Falava sobre tudo, não escondia nada, e se lhe desse alguma sugestão, nunca reclamava. De imediato, queria experimentar de tudo na quadra. Tenho certeza de que isso tem estreita ligação com o tipo de educação aberta que Novak trouxe de casa. Cresceu com os dois irmãos, e com ele tudo foi transparente, tudo se colocava 'na mesa'. E sabia-se quem devia fazer o quê. E quando você, na quadra, recebe uma criança educada desse modo, o trabalho com ela se torna muito mais fácil. Eu recebia as informações de Novak sobre o trabalho desenvolvido com Pilic, e assim sabia o que naquele exato momento era necessário para a continuação do progresso. Simplesmente tudo estava se encaixando".

Durante a temporada em Munique, Novak não podia frequentar a escola apesar de haver um colégio internacional perto da quadra. As aulas eram das nove da manhã até as quatro horas da tarde, e praticamente não teria tempo para o treino. Todos os dias havia dois treinos, às vezes dentro, outras fora (dependendo das condições do clima); por vezes, preparava-se para os torneios e, em outras, somente exercitava os golpes. Mas sempre eram dois treinos, das dez da manhã até o meiodia, em seguida uma pausa, e depois de novo das 14 às 16 horas, ou das 15 às 17. Quanto à importância do treino, Niki Pilic é inequívoco: "Aquele que treina apenas uma vez por dia pode tranquilamente esquecer a carreira profissional de tênis. Treinávamos na trilha do remo, uma área verde com um milhão de quilômetros quadrados, ideal para fazer *cooper*. E era obrigação treinar duas vezes por dia, como é preciso trabalhar ainda hoje. A concorrência é grande, e o dinheiro que está em jogo, também".

Além de absorver seu engenho do tênis, Djokovic também encontrou em Pilic um companheiro para um dos seus esportes preferidos, o futebol. O que Pilic notava nos momentos livres de Djokovic, que passava praticando outro esporte, era sua dedicação e capacidade de antecipação. "Naquela época eu estava ainda com bom condicionamento, tinha idade para aguentar, e passávamos bastante tempo chutando bola, às vezes até entrando em contato físico para disputar. Ele era fininho, podem imaginar como sabia voar?", afirma Pilic, rindo. "Mas o que para mim sempre foi fascinante nele é sua agilidade; onde estava a bola, ele estava também".

Em geral, Pilic era fascinado pela dedicação com que Djokovic treinava, sua percepção e o desejo de assimilar as informações. "Rapidamente entendia o que era dito, e isso se percebia nos seus olhos. Não precisava repetir mil vezes, mas aceitava quando algo tinha de ser repetido vinte mil vezes para que jogasse como é preciso. Trabalhávamos muito no voleio, que ele não tinha, e também no *backhand*, que estava razoável, mas maior atenção era dedicada ao saque. Implementei nele o hábito de sacar, porque tinha o punho para isso. No movimento do punho começa a técnica de saque e sua velocidade. No primeiro ano, por causa do punho duro, eu o chamava de 'Gesso'. Não ficava incomodado com esse apelido. De propósito, o provocava, porque vi que isso o motivava para melhorar o saque. Um treinador também precisa ser esperto. Às vezes era duro, mas isso pode ser feito apenas com pessoas inteligentes. , pois com os bobos é contraprodutivo. E ele melhorava. Todos os dias fazia paredão. Torturei-o muito nesse período da adolescência. Quando jogávamos, normalmente eu era aquele que tinha força e controle na partida, mas depois chegava o momento em que ele percebia que minhas pernas não estavam mais tão boas para aguentar o ritmo. Lembro-me de que uma vez jogávamos, e ele, pela primeira vez, ganhou três onzes em seguida[1]. Devo confessar que fiquei furioso e lhe disse: 'Essas bolas não valem nada', e saí para pegar as bolas rápidas que trouxera de Wimbledon, da marca Slazenger. Depois disso ganhei, obviamente, duas onzes em seguida, e lhe perguntei: 'E aí, o que vai dizer agora?'", lembra-se Pilic com um sorriso. "Na verdade, foi meu canto do cisne, os últimos momentos nos quais podia vencê-lo".

Pilic se recorda também de um dos seus então alunos, o tenista croata Goran Ivanisevic, campeão de Wimbledon em 2001, que com frequência tinha a tarefa de trabalhar com Djokovic (que venceria Wimbledon dez anos mais tarde). "Dizia a ele para cuidar do pequeno por cinco minutos até terminar algum telefonema. Depois desses seus minitreinos, que duravam vinte minutos ou mais, Goran, todo feliz, vinha me relatar: 'Tio Niko, dou minha palavra que o garoto não errou nenhuma bola'".

Graças ao fato de que também conhecia Goran Ivanisevic de longa data, Bogdan Obradovic reconhecia com rapidez e facilidade tudo o que Novak fazia com Pilic: "Esse é um tipo de ligação secreta sobre a

---

1 Partida em que se disputa até onze, objetivando ganhar o máximo possível de pontos em curto prazo de tempo.

estadia de Novak com Pilic, porque Ivanisevic também era aluno da escola dele, e eu era muito bem versado no seu estilo de jogar. Quando digo isso, não penso apenas naquelas coisas cruciais, como a técnica de desenvolvimento da velocidade de bola ou o *spin*, mas, antes de tudo, que nesse período de evolução existe algo que se chama não faça nada que possa comprometer a qualidade de competição de um jovem jogador. É importante manter a qualidade, o que significa que não se pode exagerar com o trabalho em uma técnica excêntrica enquanto se perde no resultado. Isso é algo que pode ser notado de imediato, ainda no primeiro nível. Se Novak e eu trabalhávamos algo durante o período da manhã, o efeito teria de ser notado ainda durante a tarde, no mesmo dia; com o resultado do que havíamos trabalhado, Novak logo poderia juntar ao seu jogo competitivo como uma característica adotada e positiva. Por esse motivo, durante o treino sempre fazíamos autoadvertências. Simplesmente não podíamos sair do molde que representa o controle da qualidade – isso não podia ser deteriorado. Com tal postura concordava também Niki Pilic. É errado forçar apenas alguns golpes, só direitas ou só esquerdas, no caso de crianças talentosas, pois elas têm a capacidade de bater diversos tipos de bolas, variando os golpes. Uma insistência dessas – usadas em treinos específicos para jogadores já formados – poderá limitar esses jovens talentos em uma época em que ainda nem sequer sabem bem como se movimentar em quadra, mas já mostram extrema habilidade no controle dos golpes com a raquete".

A estada na academia de Niki Pilic claramente fez bem para o talento de Novak Djokovic. Lá havia dois ginásios grandes, com três quadras cada um e oito fora, e com todos os tipos de superfícies nas quais o tênis é disputado. Dos tenistas com os quais Djokovic jogava na época, o mais conhecido foi o letão Ernest Gulbis. Ele chegou à academia depois de Djokovic, era apenas alguns meses mais novo, e Pilic trabalhava muito com ele.

"Existiam ali mais jogadores com quem Novak treinava, como Sanjin Golic, um croata canhoto quatro anos mais velho que ele. Lembro-me de uma partida durante o torneio que organizei na academia, em que o pai de Novak também estava presente. Sanjin tinha vantagem de 4-2 no terceiro *set*, mas Novak, que na época estava com 15 anos e meio, conseguiu uma virada no jogo e ganhou o terceiro *set* por

7-5. Estava lá ainda Vladimir Chikaladze, da Geórgia, que tinha um tremendo saque e que agora mora aqui em Munique e pesa uns 115 quilos. Depois, chegou Gulbi que, durante o treino era tão bo quanto Novak, e mostrou logo que podia jogar conosco. Por exemplo, de dez partidas, Novak podia vencê-lo em seis sem problemas, porque sabia o que estava fazendo, e isso é muito importante, enquanto Gulbis tinha mil ideias na cabeça".

Gulbis também confirma as palavras de Pilic: "Novak sempre estava cheio de autoconfiança. Sempre acreditava que chegaria ao topo. Não existia nenhuma arrogância, e desde aquela época de adolescência comportava-se como um profissional pleno. Eu, com 16 anos, estava longe disso. Quando me comparo com ele, digo que não treinava nada. Ele fazia tudo".

O tenista letão ficou na academia por seis anos e meio; Djokovic, pouco menos de quatro. Na verdade, depois da sua saída, Djokovic às vezes voltava para Pilic, mas, praticamente desde o momento em que começou a fazer pontos na ATP, suas vindas a Munique eram cada vez mais raras. Mas uma coisa era certa para Djokovic: desde o começo, se a intenção for construir uma carreira bem-sucedida, deve-se eternamente pensar no tênis.

Quando se olha a trajetória do tênis de Novak Djokovic, em um primeiro momento parece que entre 2000 – quando participou como *luckyloser*[2] pela primeira vez em um torneio International Tennis Federation (ITF), a aproximadamente vinte quilômetros de Belgrado, na cidadezinha de Pancevo, e perdeu nas quartas de final (o que significa um enorme sucesso, considerando-se que ele tinha então apenas 13 anos e jogou na classe dos 18 anos) – e 2002 – quando, em um ritmo furioso chegou ao triunfo no mesmo torneio (vencendo todos os adversários por dois *sets* a zero) – existe um período em que não jogou nos torneios ITF. Mas exatamente nesse tempo, vivendo na rota Munique-Belgrado, Djokovic conquistou resultados fenomenais nos torneios juvenis

---

2 Ocorre quando um tenista perde na última rodada do qualifying e consegue vaga na chave principal, graças a desistência de outro jogador. (Nota do R.T.)

ETA, disputados em toda a Europa. Em abril de 2000, ele conseguiu classificação em dois torneios ETA – da primeira categoria na Itália –, primeiro em Gênova e logo depois em Arezzo. No mesmo período trabalhava ativamente com Niki Pilic. "Era importante manter o nível do seu jogo. No ano de 2000, não jogou muitos torneios porque não é preciso participar de muitos eventos se não tiver suficiente qualidade. Exemplo disso é Gulbis, com quem errei, porque o deixei muito cedo participar de alguns torneios, e ele se perdeu. Diferente dele, com Novak acertei o momento exato, quando estava preparado".

Como ao longo do ano de 2001 acabou se confirmando, Djokovic deu alguns importantes passos na sua carreira, principalmente quanto à participação em torneios ETA, mas também na questão da troca de clube, que seria uma parte da base de Belgrado, clube onde treinava quando vinha da Academia de Pilic para sua cidade natal. No fim de 2000, Djokovic deixou o clube de tênis Partizan, pois o recém-aberto Gemax ofereceu-lhe melhores condições para trabalhar. Uma das facilidades era também a cooperação com um famoso preparador físico, o sérvio Zoran Grbovic – que iniciou como preparador físico em outro grande esporte, a ginástica –, o primeiro na Sérvia a trabalhar profissionalmente a preparação para o tênis em nível de competição. Ele transmitiu as experiências que adquiriu como preparador físico de ginastas aos jogadores de tênis com os quais cooperava e, além disso, Grbovic era também o primeiro preparador físico dessa região que, acompanhando o tenista sérvio Nenad Zimonjic, viajou por muitos torneios no mundo inteiro, inclusive o circuito juvenil Cosat, na América do Sul, o Orange Bowl, nos Estados Unidos, e o Edie Herr (International Tennis Tournamente da IMG), também nos Estados Unidos. Grbovic e Zimonjic, em 1993, conseguiram o patrocínio do então presidente da Associação de Tênis na Sérvia, Misa Radulovic, e assim, durante o ano seguinte, moraram na Flórida, onde Grbovic teve a oportunidade de, na famosa academia de Harry Hopman, um dos principais centros de tênis dos Estados Unidos, juntar as valiosas experiências profissionais cooperando com os maiores nomes do mundo do tênis.

Grbovic conhecia a família Djokovic antes mesmo do nascimento de Novak. A mãe de Novak, Dijana, era amiga de seus pais, e o irmão de

Grbovic foi professor dela na Faculdade de Educação Física e Esporte, onde Zoran Grbovic se formou em 1984. Como Grbovic é amante dos esportes de inverno, a equipe da faculdade, na qual também estava Dijana, frequentemente ia esquiar. "Nas trilhas de esqui ela conheceu Srdjan. Eles casaram-se, tiveram Novak, começaram a morar e trabalhar em Kopaonik, e ali vi Novak pela primeira vez. Lá eu conduzia a escola de verão de basquete de Jabuk, um campo internacional famoso onde, entre outros, treinava o hoje celebrado astro de basquete Vladimir Radmanovic, enquanto Novak já trabalhava nas quadras de tênis com Jelena Gencic. Como seu pai e eu já éramos amigos, Srdjan me pediu que contasse minhas experiências das viagens que fiz com Zimonjic, mas também que prestasse atenção em Novak e começasse a trabalhar um pouco com ele".

A cooperação entre Djokovic e Zoran Grbovic significava a plena preparação para o que mais tarde se tornaria a profissão de Novak. "Devo confessar que não o poupava. Coloquei-o no mesmo sistema do grupo inteiro, trabalhávamos treinos apropriados para cada estação do ano, específicos apenas para o tênis, e para esse tipo de trabalho ele mostrava um tremendo ritmo, além de uma monstruosa vontade", recorda-se Grbovic.

Durante esses treinos, estava presente também Bogdan Obradovic. Uma das primeiras observações sobre o jogo de Novak, sobre a qual Grbovic e Obradovic logo concordaram, foi que ele sabia com muita habilidade "ler" as jogadas dos seus adversários.

"Com 13 anos de idade, ele já pensava como um jogador de xadrez. Cada golpe seu supunha uma análise. Sabia unir os *patterns*, como dizem os norte-americanos, reconhecia os padrões que aconteciam na quadra. Sabia exatamente onde, o quê e como era preciso jogar, e no momento em que descobria quais eram os pontos fracos do adversário golpeava somente nesses lugares. Zoran Grbovic e eu frequentemente falamos quão grande pode ser a diferença entre assistir a um jogador durante o treino e vê-lo durante uma competição, que é o melhor lugar para se perceber tal nota específica de campeão, ou seja, a habilidade de pôr em prática ao máximo o conhecimento adquirido no treino, onde você, como treinador, ensina tudo ao jogador, mas ele tem de saber aplicar esse conhecimento na hora em que vem a carga emocional que surge durante o jogo. É ali que se começa a trabalhar a terceira dimensão, pressupondo um grau psicológico estável. Neste sentido, Novak era especialmente dotado e trabalhava muito acima disso. Sempre mantinha as rédeas do jogo em suas mãos durante a partida. Hoje, quando o vejo até quando está perdendo, entendo por que está sendo derrotado", diz Bogdan Obradovic

No período de desenvolvimento, um lado do corpo surge como dominante; por exemplo, o tenista que é destro, se não for observado atentamente pelo treinador, pode descuidar do lado esquerdo (que posteriormente pode causar grandes problemas). Assim, um dos objetivos de Zoran Grbovic era também conseguir a harmonia em Novak entre o seu lado esquerdo e o direito.

"Hoje, todos gostam de dizer 'eu sabia que Novak seria campeão', mas eu tinha certeza mesmo, sinceramente, percebi logo isto nele", diz Grbovic. "Porque, no que se trata da minha parte do trabalho, ele tinha predisposições maravilhosas. Absolutamente belas. Movimentação, flexibilidade, motricidade, genética, resistência, tudo o que forma alguém que pode chegar longe. E, acima de tudo, era um menino com charme, esforçado e sempre pronto a animar todos ao seu redor."

Além da aquisição de equilíbrio no jogo de Djokovic, foi trabalhada com intensidade a força física, que teria, em primeiro lugar, de ajudá-lo na proteção contra eventuais lesões, e também para que seu estado físico ficasse melhor. Bogdan Obradovic ressalta que tudo isso tem bastante ligação com as contradições próprias do tênis: "É preciso desenvolver num jogador sua resistência física, mas também a velocidade. E o sistema de treino é bastante complicado porque, ainda no tênis juvenil, em quase onze meses por ano existem competições, entre as quais é preciso fazer a assim chamada periodização num espaço de manobra muito estreito".

Além da técnica e da tática de Novak, Bogdan Obradovic aponta mais uma característica que o qualifica hoje: a paciência. "Com ele sempre foi uma paz total. Harmonia plena. Cada vez tinha a impressão de que nosso treino tinha durado cinco minutos, apesar de saber que durava duas, às vezes três horas. É impressionante como nós dois,

A BIOGRAFIA DE NOVAK DJOKOVIC

durante o trabalho conjunto — na idade em que os jovens esportistas não acertam *backhand* (esquerda) ou *forehand* (direita) ou saque, ou quando têm problema com *return* –, nunca chegamos perto de algo que poderia ser chamado de conflito. Nunca, nos treinos, a temperatura subiu tanto a ponto de levar à discussão, nunca pegou fogo quando eu tentava lhe explicar algo que ele não pudesse entender. Com outros jogadores isso aconteceu, mas, com ele, nunca. Óbvio, pode ser que nossas personalidades tivessem uma ligação adequada. Com Novak tudo sempre fluía como água da montanha".

Zoran Grbovic conclui esta parte da história: "Novak estava no momento final de crescimento físico nos garotos. Tudo depois é uma construção em cima disso, sob a forma de atividade de locomoção. Trabalhei muito com ele na movimentação e nas coisas que foram interessantes para ele, mas, naquele tempo, raramente alguém tinha essa visão de balanço e a determinação do centro de movimentação, essa espécie de cinética, e nós dois trabalhávamos isso desde a época em que era pequeno. Vejo que ainda hoje faz assim, e sinto-me muito orgulhoso por isso".

A história sobre o treino no Gemax é interessante também porque, naqueles dias, Djokovic começou ativamente a treinar com seu contemporâneo, na época o bem-sucedido juvenil sérvio Bojan Bozovic. "Eu tinha naquele momento muitos bons resultados, até estava mais bem colocado do que Novak no *ranking* juvenil. Ele tinha problemas técnicos com saque e *forehand*, principalmente com o saque, mas era extremamente lutador. Como ambos prometíamos muito, pois éramos os melhores no país, ficou combinado fazer uma mútua cooperação dentro do Gemax. Quando cheguei lá, Novak já estava presente, e sei que tinha as melhores condições possíveis. Minha parte foi pagar os treinadores, e usarmos as quadras juntos. Depois, confirmou-se que essa ideia foi excelente, porque ajudávamos muito um ao outro. Treinávamos das 7 às 9 da manhã e de 11 às 13, e tudo de bom que aconteceu durante aquele ano, para mim ou para ele, pessoalmente ou como equipe, foi consequência dos treinos trabalhados com a qualidade que tínhamos no Gemax".

No fim de janeiro de 2001, Djokovic participou do torneio Pequenos Aces (categoria até 14 anos), realizado na cidade francesa de

Tarbes. Nesse torneio, no qual a equipe de cada país é composta por dois meninos e duas meninas, acompanhava-o Tamara Kovacevic, a então técnica da seleção feminina. "Trata-se de um torneio que é informalmente considerado o campeonato mundial júnior. No ano anterior, Rafael Nadal tinha vencido, e uma regra importante é que quem ganha este torneio tem 90 % de possibilidades de ingressar entre os primeiros dez no futuro. Nossa tenista Vojislava Lukic, naquele ano, venceu na categoria feminina, e Novak perdeu na terceira rodada para Andy Murray, por dois *sets* a zero".

Mas este resultado de Novak, de início de temporada, não foi um bom termômetro do que aconteceu durante o ano. Falando mais precisamente, os sucessos que somou ao longo de 2001 podem hoje ser comparados com os triunfos antológicos conquistados dez anos mais tarde, em 2011, até agora o mais bem-sucedido em sua carreira como profissional. Mas, antes de começarem a aparecer as vitórias, à frente de Novak estava mais um desafio: a Copa Winter da Europa, que em fevereiro de 2001 teria de ser disputada na cidade italiana de San Miniato.

Dusan Orlandic, secretário-geral da Associação de Tênis da Sérvia, oferece uma explicação detalhada sobre esses campeonatos juvenis: "Campeonatos de inverno e verão na Europa são disputados todos os anos, e cinco ou seis equipes vão para o campeonato mundial. Seis equipes, no caso de o campeonato ser disputado em algum lugar no mundo fora da Europa, e cinco se for em uma das cidades europeias, porque a sexta é a equipe nacional. Os campeonatos de verão são mais importantes do que os de inverno, porque deles se prossegue direto para o campeonato mundial. Além disso, do campeonato de verão participa maior número de países, e nos últimos tempos existem *qualifyings*, em virtude da participação de mais de trinta países. Daquele período, vale lembrar outra história. Para os organizadores da ETA, não ficou claro por que nós, nesse sistema de disputa, colocamos Novak como o primeiro jogador, que era o pior ranqueado entre todos os três inscritos. Naquela época, nossos tenistas Bojan Bozovic e Denis Bejtulahi eram mais bem ranqueados e jogaram alguns torneios a mais no ano anterior do que Novak. Os organizadores da ETA podiam pensar que tínhamos algum tipo de malícia, tendo em vista que havíamos colocado o mais

A BIOGRAFIA DE NOVAK DJOKOVIC

fraco na primeira posição, mas, quando viram como Novak jogava, tudo ficou claro".

Para que fossem classificados para o campeonato europeu de inverno, os representantes sérvios tinham de passar pelas qualificações, que foram disputadas na cidade bósnia de Mostar. O time sérvio era liderado pelo treinador de tênis Dragan Serer. "Era fevereiro de 2001, disputávamos a final com a Croácia, e conseguimos o direito de participar do torneio final, ocorrido na Itália. Chegamos a ficar desacreditados, sem favoritismo, porque ninguém da nossa associação de tênis acreditava que pudéssemos conseguir algum sucesso, até porque havia muito tempo ninguém da Sérvia alcançava vaga no grupo final. Quando conquistamos a vaga na chave principal, começaram a nos olhar um pouco diferente".

Quanto ao campeonato europeu de inverno, não passou sem complicações. Novak e sua equipe partiram nessa viagem com grandes ambições, mas a realidade, de diversas formas, trabalhava contra eles.

Serer relembra: "Primeiro, tivemos falta de sorte com o voo. Ao sairmos de Belgrado, era preciso ir para Milão, e de lá para Paris, e depois para San Miniato. Mas havia uma tempestade, e, em vez disso, fomos para Viena, onde tínhamos uns dez minutos para trocar de avião. Conseguimos chegar a tempo, mas pouco depois da meia-noite constatamos que toda a bagagem ficara na Áustria. De táxi finalmente chegamos até San Miniato, e Novak era o único que tinha consigo a raquete. As regras mandam que, no campeonato, se deve jogar duas partidas de simples e uma de duplas, e nós chegamos por volta das três da manhã, para, às dez, jogar contra os ingleses. E perdemos por 2-1. Para piorar, a bagagem chegou somente no segundo dia e, até lá, tínhamos de nos virar nos treinos. Os garotos não tiveram tempo nem para se acostumar com a superfície da quadra, jogava-se no tapete, que estava extremamente escorregadio".

Um balanço igualmente negativo teve o time sérvio nas partidas que depois foram disputadas com as seleções da França e da Croácia. O resultado nas duas ocasiões foi 2-1 para o adversário, e a equipe sérvia terminou a competição em oitavo e último lugar. Denis Bejtulahi, contemporâneo de Djokovic e colega de time, lembra-se de algumas situações desse período. "Novak perdeu fácil a partida contra Andy Murray, que estava no time britânico, e depois disso fomos para o hotel, de onde Novak ligou para o pai. Sabíamos que Srdjan era considerado um pai rígido, e o telefonema não foi nada agradável. Novak quase chorou. Bojan Bozovic e eu comentávamos que nós dois não aguentaríamos tanta pressão se estivéssemos em seu lugar. Mas Novak era muito resistente. Muito forte psicologicamente. Essa situação mexeu com ele, mas logo depois voltou ao seu normal. Lembro-me de que, na Itália, por causa do atraso da nossa bagagem, tínhamos de vestir trajes esportivos sem nenhum brasão do país pelo qual estávamos competindo, e lembro-me de Novak comentando que não se estava investindo o suficiente em nosso tênis. Frequentemente fazia piadas por conta disso, mas não era maldoso. Era sempre positivo, como é hoje. Fora da quadra, brincávamos bastante, falávamos sobre garotas, esporte, mas, quando jogava tênis, ele era o mais disciplinado e o mais maduro de todos nós. Na verdade, era sempre o grande motivador do nosso time, sempre o melhor, isso se sabia, mas não era restrito somente ao tênis. Tinha uma diversidade de interesses, era aberto, estar com ele era sempre agradável".

# 9. SANGUE, SUOR, LÁGRIMAS E BOLAS DE TÊNIS

Djokovic avançava dia após dia, como ficou claro em sua participação na turnê da Itália, durante 2001. Dusan Orlandic, secretário-geral da Associação de Tênis da Sérvia, lembra-se da participação da seleção da RFI nesses torneios juniores. "O sistema de competição naquele tempo era diferente. Jogavam-se as quatro partidas de simples e uma de duplas, e a geração dos nossos meninos composta por Djokovic, Bozovic, Bejtulahi e Kuzmanovic era excepcional. Novak, naquele tempo, atuava também nos torneios da categoria até 14 anos, e ainda, nos da categoria até 16, porque, pelas regras da ETA, para os melhores meninos era liberada a transferência de 15 % dos pontos para a categoria seguinte, e por isso eles figuravam em listas de duas categorias".

Conquistando resultados que poucos dos seus contemporâneos conseguiram, Novak Djokovic simplesmente obrigou o meio esportivo a prestar atenção em seu grande talento. Os sonhos de garoto começavam a se tornar realidade.

Em abril de 2001, na Itália, em sequência, aconteceram três importantes torneios da ETA – o primeiro em Messina, da segunda categoria, depois em Gênova e Arezzo, da primeira categoria. Novak Djokovic participou de todos. No torneio em Messina, na categoria até 14 anos, ele conseguiu triunfar nas simples e também nas duplas. Na final de simples, derrotou seu compatriota Bojan Bozovic, enquanto na de duplas venceu ao lado de dele. Os juvenis da RFI nessa turnê da Itália foram acompanhados por Janko Vucetic, em nome da Associação Nacional de Tênis, e Boza Matic, que naquele momento era o treinador de Djokovic e Bozovic.

"Conheci Novak oficialmente durante essa turnê disputada na Itália, mas evidente que já tinha ouvido sobre ele antes. Dessa época lembro-me de duas situações. Quando fomos a Gênova, o tio de Novak, que estava no sul da Itália, viajou de trem pelo país inteiro apenas para verificar se ele precisava de algo. Esta ligação é tão familiar que sempre foi a característica da família Djokovic. E lembro-me também de uma situação em que Novak jogava enquanto o seu treinador lhe dizia para não prestar atenção em Andy Murray, que disputava partida na quadra vizinha. Naquele momento, para mim não estava claro por que Novak respeitava tanto Murray, pois lá havia também outros jogadores, ainda mais sabendo que, nem em Gênova, nem depois, em Arezzo, Murray conseguiu algum resultado significativo. Mas, hoje, quando Novak e Andy já conquistaram o maior sucesso entre seus contemporâneos, entendo o que acontecia ali. Já na época Novak via uma grande concorrência em Murray, em quem precisava prestar atenção", diz Janko Vucetic.

O treinador de tênis Boza Matic também se lembra desse período "italiano. "Viajamos até Roma e depois fomos de trem até Messina, Gênova e Arezzo. Os resultados em Messina foram espetaculares, mas, em Gênova, Bojan foi eliminado ainda na segunda rodada. Por outro lado, Novak venceu o alemão Mischa Zverev – na época entre os melhores juniores –, entrando na semifinal em Gênov e, em seguida, perdeu o jogo da semifinal para o pouco conhecido esloveno Blaz Kavcic. Novak o menosprezou, e isto o prejudicou".

O tenista esloveno Kavcic – que no Roland Garros de 2012 era o 77º. jogador do mundo pela lista ATP – lembra-se muito bem dessa partida. "Novak já era conhecido, e um dos favoritos, enquanto eu, um absoluto iniciante. Nós tínhamos uma bela amizade, e lembro-me de que no hotel circulavam boatos de que Novak iria ganhar por 6-0, 6-0. Na noite anterior à partida não dormi. Estava muito ansioso. No dia seguinte, começou a chover e a partida foi interrompida, com o resultado 4-3 para Novak. Durante a pausa, entrei no vestiário e, um pouco surpreso, disse ao meu treinador: 'Então eu posso jogar contra ele'. A partida continuou, e foi muito longa. No final, derrotei-o no terceiro *set* por 7-5. Mais tarde, nos encontramos de novo na final do campeonato europeu de verão, e ali ele me derrotou por 6-0, 6-0 mesmo".

Boza Matic recorda que a maior parte do tempo livre em Gênova foi gasto também com a coisa secundária mais importante do mundo: "Com frequência jogávamos futebol. Novak adorava, mas eu não o deixava jogar antes das partidas. Porque, quando se tratava de futebol, ele era incansável. Para ele tinha de ser dito: 'sente, descanse'. Mas, depois das partidas, nunca o proibia. Lembro-me de que numa ocasião jogou também conosco o pai da tenista Ana Chakvetadze, que simplesmente adorava Novak".

No último torneio, disputado em abril em Arezzo, Djokovic conseguiu chegar à final, mas Mischa Zverev se vingou da derrota em Gênova.

"Novak perdeu essa partida porque, antes, tinha jogado mal e entrou no duelo morto de cansaço. Mas, quando se trata das minhas impressões gerais sobre ele, além do seu talento e persistência, lembro-me dele como um rapaz sempre obediente e com quem nunca tive qualquer problema", lembra-se Boza Matic.

Impressões semelhantes sobre a cooperação com Djokovic tem o treinador de tênis Dragan Savic que, como capitão da seleção, liderou os juniores da RFI no torneio ETA da primeira categoria (até 14 anos), ocorrida no final de maio de 2001 na cidade italiana de Livorno. "Tínhamos muitos problemas para ir até lá porque, na nossa associação, paradoxalmente, trabalhava uma mulher que não falava outros idiomas. A competição começava no domingo, tínhamos voo na sexta-feira, era a época das sanções, os vistos não tinham sido solicitados, e por isso pedi à associação que fizesse um processo mais curto. Eles me disseram que não conheciam ninguém na embaixada italiana que lhes pudesse ajudar, então entreguei os documentos da maneira tradicional. Lembro-me de que pedi à funcionária que emitisse o visto com validade a partir da sexta-feira, e reforcei que isso era de extrema importância, porque nosso avião decolava naquele dia, mas a hospitalidade tinha de ter validade somente a partir de sábado. Conforme a então tradição do país, tudo deu errado. Recebemos os vistos, porém com validade a partir de sábado. Então, tive de procurar as pessoas da Associação Europeia de Tênis e lhes pedir que o diretor do torneio nos providenciasse acomodação desde o momento em que pousássemos no aeroporto. Depois de algum tempo, recebi o aviso de que os organizadores nos ajudariam. Pensei: 'tudo bem, tudo vai dar certo'. Mas... Chegamos a Livorno e percebemos que nossa associação havia enviado o *ranking* errado, colocando-nos como a terceira ou quarta equipe. Nova complicação. Tínhamos de solicitar que fosse feito outro *ranking*, no qual nossa equipe aparecesse como a segunda, o que era muito importante em razão da grade. Depois, confirmou-se que éramos a única equipe que não tinha uniforme, e o diretor do torneio sugeriu que nos dessem trajes esportivos "Fila" para que pudéssemos ficar vestidos igualmente durante a cerimônia. Quanto a Novak, ele era muito cooperativo. As instruções que recebia do treinador logo tentava colocar em prática, ou durante o treino ou durante a partida. Sua disciplina o ajudava para que todas as falhas físicas e técnicas fossem compensadas pela sua dedicação extrema. Estava convencido de que seria vitorioso, e isto o ajudou muito".

Depois do triunfo em Livorno, no início de junho de 2001, Djokovic decidiu tentar também os dois torneios ETA da primeira categoria disputados na faixa etária de 16 anos. O primeiro ocorreu em Turim, no qual ele saiu logo na primeira rodada, e o segundo em Milão, onde conseguiu ficar entre os dezesseis melhores. Mas Djokovic, de imediato, mostrou que podia alcançar resultados muito melhores. Seu colega de equipe, Ivan Milivojevic, lembra-se de que, apesar do grau de profissionalismo que Novak apresentava em campo, ambos tinham tempo também para se comportar como os garotos da sua idade. "Mas não se tinha muito tempo para as atividades fora do tênis. Estavam chegando as qualificações para o Campeonato Europeu de verão, que foi disputado na cidade espanhola de Sevilha. O técnico do time da RFI era Janko Vucetic, e a geração de jogadores que comandava é considerada hoje uma das mais talentosas que o tênis da Sérvia formou. Não apenas porque eles manifestaram qualidade e excelentes manobras com a raquete, mas sobretudo porque davam o máximo de si na quadra e preservavam o espírito amistoso dentro da equipe".

Os jovens tenistas Novak Djokovic, Bojan Bozovic, Denis Bejtulahi e Branko Kuzmanovic suportaram toda a carga em seus ombros. A adversária na semifinal era a Ucrânia, e na final, a Rússia. Em ambos os casos, a RFI venceu por 3-2. O destaque exclusivo nesses duelos foi Djokovic. "Ele ganhou todas as partidas que jogou, embora houvesse quem pensasse que não conseguiria. Mas voltava ao jogo depois do *set* perdido, sempre com grande coração e com desejo de jogar para a Sérvia, como hoje também nas partidas da Copa Davis", relembra Branko Kuzmanovic. "Já estava evidente que pela qualidade como jogava tênis distinguia-se de todos nós, mas no contato conosco não existia nenhuma arrogância. Era ele quem preservava o espírito amigável na equipe. Simplesmente era o líder".

Das qualificações de Sevilha lembra-se também Denis Bejtulahi. "Certa vez, estávamos de bobeira durante o treino, e ali havia um chapéu que peguei, e por isso Novak me chamou de tio. E, durante as partidas, me incentivava sem parar, gritando: 'Vamos, tio, você consegue!'. E, quando Novak torce para alguém, torce sinceramente. Ele nunca se colocava em primeiro plano. Por exemplo, vencíamos, e ele era o maior merecedor do triunfo, mesmo assim me elogiava, dizendo: 'Como o tio jogou bem'. Aliás, ele me chama assim ainda hoje".

Depois do sucesso nas qualificações, ficou claro que o time que Janko Vucetic tinha potência e habilidade para chegar ao topo na Europa. De Sevilha viajaram de avião para Barcelona, com destino ao campeonato que foi disputado em Tarragona, uma cidadezinha situada a uns cinquenta quilômetros da capital da Catalunha. Naquele momento, ninguém suspeitava que a seleção da RFI seria agraciada com a medalha de ouro na competição das equipes para jogadores até 14 anos. Lembra-se Janko Vucetic: "As condições de acomodação e de alimentação em Tarragona eram bem modestas, e foi previsto que todas as seleções seriam acomodadas no mesmo espaço. Mas as equipes que tinham mais verba, assim que viram o que foi oferecido, optavam por quartos em hotéis. Os italianos, os russos e nós ficamos ali".

Na competição final, a equipe de Vucetic foi colocada como cabeça de chave número três, e, quando começou a disputa, os sucessos começaram a aparecer em sequência, um após o outro. Em primeiro lugar, nas quartas de final caiu a equipe da Itália, em seguida, a seleção da Rússia, e na final, também o time da Eslovênia. Todas as vitórias foram conquistadas por 3-2. Vucetic acrescenta: "Foi um inferno, pelas altas temperaturas e pela força dos adversários. Todas as partidas, vencidas por resultado idêntico, muito apertado, foram a prova de que a pressão que os jogadores suportaram foi muito grande. Como chegamos ao torneio dois dias antes, tínhamos bastante tempo para aclimatização, e fizemos uma relação dos objetivos. Em primeiro lugar, decidimos passar o *qualifying* em Sevilha e, quando conseguimos, o sucesso nos levou a desejar também uma medalha. Simplesmente não queríamos perder a oportunidade de ganhar o ouro".

Cada um tinha antecipadamente o calendário das disputas em todas as cinco partidas. Branko Kuzmanovic sempre era o primeiro a entrar em quadra. Hoje, recorda-se da sua participação nesse campeonato: "Sabia que cada vitória minha era um estímulo para os outros jogadores. Ganhei duas de simples, perdi três, e uma vez ganhei nas duplas com Novak".

Seu colega, Denis Bejtulahi, teve a maior responsabilidade na semifinal do torneio. "Com o resultado 2-2 contra os russos, eu tinha de ir à quadra para ganhar o ponto da vitória, e isso foi uma grande pressão psicológica, que felizmente superei. Ali Novak me ajudou muito, porque me levantou psicologicamente".

Bojan Bozovic, um gigante de 1,93 m de altura, teve a honra de disputar a partida que definiria o campeão. "Foi difícil, mas valeu. Ganhávamos contra a Eslovênia por 2-1, e era a minha vez de jogar. Nas partidas contra a Itália e a Rússia perdi nas simples, e sabia que tinha de me recuperar com a vitória na final".

Poucos podiam contar com uma conquista tão importante. E a vitória no campeonato europeu de verão deu autoconfiança aos meninos do time da RFI. Como afirma Janko Vucetic:

"Terminamos o torneio como os primeiros e, enquanto os outros ainda disputavam seus jogos para terceiro, quinto e sétimo lugares, nossos garotos saíram para tomar banho de piscina. Eles resistiram muito bem à pressão à qual foram expostos. Uma ótima atmosfera e um espírito de equipe nos levaram ao título. Os meninos lutaram como leões, destruíram seus adversários em quadra no verdadeiro sentido da palavra, e foi natural, no fim, chegar ao trono de campeão. Todos foram realmente magníficos, mas Novak era a principal força, tão necessária, que sempre puxava para frente. Era o verdadeiro líder. Desde sempre sabia o que queria, e pelo grau de profissionalismo destacava-se entre os demais. Sabia como chegar ao seu objetivo. E, acima de tudo, tinha um caráter muito bom, profundamente inteligente e um verdadeiro incentivador. Não sabia ficar quieto, e isso agradava aos outros garotos. Por exemplo, no aeroporto, com as bolsas empilhadas umas sobre as outras, construíram improvisadas traves de gol para que pudessem jogar futebol. E com frequência imitavam um ao outro. Novak, na época, já imitava muito bem os movimentos da raquete dos outros jogadores".

A participação de Djokovic nesse campeonato foi absoluta. Depois do sucesso alcançado na Espanha, em uma das suas entrevistas, ele afirmou: "Estou muito satisfeito por termos ganhado o título, porque realmente lutamos até o fim. Ganhei cinco pontos para a equipe porque sempre jogo relaxado para a seleção. Na ex-Iugoslávia ninguém conseguiu conquistar a medalha de ouro. E nós ganhamos na nossa geração. Provamos que somos melhores e mais preparados. Espero que no futuro continuem a treinar com dedicação e consigam mais".

Com a vitória nesse campeonato europeu, os selecionados pelo técnico Janko Vucetic asseguraram a participação no campeonato mundial (que ocorreu em agosto de 2001 na República Tcheca), ficando claro que os tenistas da RFI estavam bem preparados para avançar entre os principais jogadores do mundo nas categorias juvenis.

A melhor prova foi o 26º. Campeonato Europeu para jovens de 14 anos na categoria simples, na qual estavam reunidos mais de cem dos melhores juniores da Europa. O campeonato foi disputado em julho de 2001, na cidade italiana de San Remo, provavelmente mais conhecida pelo festival de música pop. Naquele momento, Djokovic ocupava o primeiro lugar na lista júnior, e nessa prestigiada competição internacional conquistou tudo o que podia: o título nas simples e também nas duplas, em parceria com Bojan Bozovic. Assim, esses dois jovens jogadores se juntaram aos ilustres do tênis, como Mats Wilander ou Tomas Enqvist, na categoria masculina, e Steffi Graf, Martina Higins e Monica Seles na feminina, que também ganharam títulos europeus quando tinham a mesma idade.

Djokovic e Bozovic estavam acompanhados em San Remo pelo treinador de tênis Dragan Serer. "Para o campeonato europeu individual vão apenas os jogadores da seleção nacional, e somente os dois melhores meninos e as duas melhores meninas. Esse é o torneio mais forte que existe na Europa[1] Viajamos de avião de Belgrado até Milão, e depois de trem até San Remo. Naqueles dias, foi organizada também uma cúpula sobre a globalização, e me lembro de que no trem havia muitos jovens e a atmosfera era excelente. Conosco estava também o pai de Novak, e recordo-me não apenas das vitórias de Novak na quadra, porque isto até esperávamos, mas de que ele, em um determinado momento, começou a falar italiano. Nos primeiros dias, não havia mostrado essa intenção, mas durante um jantar começou a fazer os pedidos em italiano. Srdjan e eu nos entreolhávamos, pensando que ele estava brincando conosco, mas era realmente sério. Até o fim do torneio, treinou bastante o idioma. Novak tem um dom excelente para línguas, simplesmente absorvia alemão, espanhol, francês por onde viajava ou se hospedava".

As mídias italianas não poupavam palavras de elogio depois do triunfo de Novak, incluindo o jornal *Il Tennis*:

"Este ano, como em nenhum antes, tivemos a oportunidade de constatar realmente o alto nível de qualidade, tanto no masculino como no feminino, quando alguns jovens tenistas deixaram uma marca significativa. Com certeza este é o caso dos dois vencedores – Novak

---

[1] Os seus campeões são avaliados como jogadores de futuro, assim como aconteceu na época dos suecos Wilander e Enqvist, que mais tarde se tornaram grandes estrelas do tênis mundial. (Nota do R.T.)

Djokovic e Tatijana Golovin[2], dois favoritos que não somente honraram os prognósticos, mas o fizeram com segurança, que é a qualidade dos esportistas de alto nível. O jovem Djokovic tem como característica um sentido apurado para a bola, sabe jogar forte, mas antes de tudo é muito inteligente no plano tático, tão sólido psicologicamente, que foi quase impossível não chegar ao topo. Com golpes decisivos, forte na linha base, com brilhantes paralelas de *backhand*, Djokovic mostrou superioridade sobre os outros, principalmente quanto à condução da partida".

O sucesso conquistado em San Remo foi o primeiro triunfo que, na cooperação com a base de Belgrado, conseguiram Novak Djokovic e Bogdan Obradovic, que diz: "Agora, quando volto o filme, não tenho a sensação de que tínhamos nos preparado especialmente para esse campeonato. Novak e eu, sempre fora dos padrões no que diz respeito à preparação, trabalhávamos alguns detalhes técnicos que não são comuns para treinos feitos uma ou duas semanas antes do campeonato. Parece a situação em que músicos de jazz de qualidade se encontram e começam a tocar alguma *session*. Assim eu descreveria nossas preparações. Como uma *session* de tênis que não pressupunha apenas o exercício da técnica ou a improvisação, mas, além de tudo, o prazer daquilo que se está fazendo. Tudo fluía sem tensão, e ia por um caminho secreto próprio. Talvez essa seja exatamente a virtude dos grandes campeões que, ao seu redor, sabem criar uma atmosfera e atrair as pessoas que podem ser adequadamente incorporadas nesse ambiente".

Após a volta de San Remo, começaram as preparações para o campeonato mundial na cidade tcheca de Prostejov, em agosto de 2001. Considerando os resultados do campeonato europeu, o time da RFI foi tratado como um dos favoritos, e esperava-se uma boa colocação. O técnico Janko Vucetic escolheu os três "mosqueteiros" do tênis para defender a honra do seu país: Djokovic, Bozovic e Bejtulahi.

"Tínhamos mais tempo para o trabalho coletivo do que antes da ida para a Espanha, e os meninos estavam preparados e motivados ao máximo. Diferente do campeonato europeu na República Tcheca, não

---

2 Tenista de origem russa que mais tarde passou a defender a França. (Nota do R.T.)

havia necessidade do quarto jogador, porque seria disputado no sistema de duas simples e uma de duplas. As preparações duraram cinco ou seis dias e, depois, fomos de avião até Viena, de onde, em um carro oficial, fomos levados até Prostejov. Esse voo foi muito desagradável, porque o avião ficou sem ar condicionado; havíamos partido de Belgrado com temperatura de 33 ºC, e em Viena nos esperava um ambiente de apenas 15 ºC", lembra-se Vucetic.

O início do campeonato não foi bom. A seleção da RFI foi derrotada já na primeira partida contra a República Tcheca. A oportunidade de recuperação para os meninos veio no encontro com o Canadá, e eles a aproveitaram. Vucetic acrescenta: "Essa partida ficou na minha memória, porque um treinador canadense me disse que por muitos anos acompanhava os torneios juniores, e nunca tinha visto alguém com tão pouca idade jogar em tão alto nível. Novak, naquela ocasião, jogou uma partida incrível e ganhou contra o então melhor júnior canadense. Em nosso grupo fomos o segundo colocado, passando à frente, e havia quatro grupos, cada um com quatro times".

Nas quartas de final, a adversária da equipe da RFI era a seleção da Venezuela, e os campeões europeus demonstraram que não tinham nenhuma intenção de se entregar. Na partida decisiva para o ingresso nas semifinais, derrotaram o time da Venezuela com o resultado convincente de 3-0.

"Quando era mais importante, jogavam perfeitamente. Novak e Bojan estavam à altura da tarefa que lhes era confiada", lembra-se o técnico Janko Vucetic.

O primeiro ponto para a RFI foi de Bojan Bozovic, vencendo Enrique Olivares por 6-0, 6-4, e, depois, Djokovic derrotou Roman Recarte por 6-1, 6-4. E a dupla, campeã europeia, Djokovic e Bozovic, não quis deixar que outras seleções decidissem se a RFI passaria à semifinal ou não, e conquistou o terceiro ponto, derrotando a dupla da Venezuela Lisa/Recort por 2-0 em *sets*.

Em seguida, chegou a partida da semifinal, disputada contra a Rússia. Como a equipe da RFI havia ganhado dos russos por duas vezes no campeonato europeu de equipes, esperava-se que os jogos seriam menos complicados. Mas não foi o caso, como Janko Vucetic relata: "Novak já pertencia ao topo mundial na sua faixa etária, e não podia hesitar diante deste confronto. Na partida com os russos, venceu Alexander Krasnorutskiy, então terceiro ranqueado na lista ETA, por 6-2, 6-3. Foi a terceira vez consecutiva que Novak derrotava o irmão da famosa tenista russa Lina Krasnorutskiy, que na sua carreira faturou vitórias contra tenistas como Monica Seles e Kim Clijsters antes de abandonar o tênis profissional por causa de uma lesão. A segunda partida para nossa seleção jogou Bojan Bozovic, mas, como estava lesionado, Mikhail Bekker foi mais bem-sucedido e ganhou por 2-1 em *sets*. Como estávamos empatados nas simples, Novak e Bojan deviam brilhar nas duplas. E assim foi".

Após a vitória contra a Rússia e a classificação para a semifinal parecia que a seleção da RFI justificaria seu alto *ranking*. Mas o problema era a Alemanha, que Djokovic assim prognosticou em uma das entrevistas antes de o seu time chegar ao campeonato: "Será mais difícil do que no campeonato europeu, porque agora vão participar muitas equipes excelentes, entre as quais os mais fortes são os norte-americanos e os canadenses. Mas acho que o perigo maior vem das equipes europeias, principalmente da Alemanha".

Infelizmente, ele tinha razão.

Primeiro, foi para a quadra Denis Bejtulahi, pois Bojan Bozovic não podia jogar por causa da lesão no ombro. Apesar de Bejtulahi, no terceiro *set*, estar ganhando por 3-2 contra Jochen Schoetler, ficou sem força e perdeu a partida. O mesmo aconteceu com Djokovic, que perdeu o primeiro *set* por 6-2, venceu o segundo com o mesmo resultado, e no *set* decisivo tinha a vantagem de 2-0 contra Aljosch Thron, mas a vitória lhe escapou no final. Os melhores juniores da Europa não conseguiram se glorificar com o título de campeões do mundo.

Até ali, Novak não havia perdido nenhuma partida nas simples na seleção. "Não tínhamos jogado contra os alemães, porque no campeonato europeu haviam sido eliminados ainda no *qualifying*, mas dessa vez foram melhores, por pouco. Nesse campeonato mundial na República Tcheca jogaram as dezesseis melhores equipes do mundo, e as eliminatórias começaram com oitenta. Todas as partidas foram muito desgastantes, então o cansaço foi mais forte. Acho que, no final, prevaleceu a preparação física", diz Vucetic. "Ficamos um pouco decepcionados, mas passou logo. Não precisávamos lamentar a chance perdida. Não tínhamos porque ficar insatisfeitos, pois naquele momento o título de vice-campeão era uma grande conquista. Na verdade, estávamos muito satisfeitos com a medalha de prata, porque ali tinha jogado a elite mundial".

Primeiro lugar na Europa e segundo, no mundo. Nenhuma seleção júnior da RFI (nem a seleção da RSFI, assim chamada a grande Iugos-lávia, cuja herdeira era a RFI com a Sérvia como parte integrante, por quase 60 anos) antes registrara algo semelhante, menos ainda as duas colocações no mesmo ano.

"Talvez jogue apenas em Orange Bowl na categoria até 14 anos, mas, nos outros torneios até o fim do ano, vou disputar na categoria até 16 e 18. Espero que no próximo ano eu receba *wild card* (convite direto) para minha estreia profissional", declarou Novak nessa ocasião.

Já que em 2001 tinha somado aos seus resultados a primeira po-sição no *ranking* de ETA, era evidente que Djokovic estava preparado para continuar com a bem-sucedida construção da sua carreira no tênis.

# 10. DE MENINO A JOGADOR

Em 2002, Djokovic começou a jogar os torneios com mais intensidade, e no mesmo ano assumiu a posição de líder no velho continente na categoria até 16 anos. Após a volta do campeonato mundial, disputado na República Tcheca, no final de 2001, ele decidiu abandonar o Gemax e voltar para seu clube originário, o Partizan. Uma das principais razões que levaram à interrupção da cooperação com o proprietário do clube de tênis Gemax, Dordje Antelj, foi que o grupo com o qual Djokovic treinava era composto principalmente por seus contemporâneos ou garotos um pouco mais velhos, e Novak, naquele momento, já era um jogador com tamanha capacidade que necessitava de algumas partidas e *sparrings* com mais experiência. A oportunidade lhe foi oferecida no Partizan, e Djokovic não pensou duas vezes.

Embora Novak vencesse jogadores mais velhos, é preciso dizer que eles não fugiam do *sparring*. Pelo contrário.

"Novak gostava de jogar com os mais velhos. Mas não era daqueles que experimentam durante o *sparring*. Ele ficava na zona de alto controle da bola, e por isso era um prazer treinar com ele", afirma Bogdan Obradovic. "Além disso, não ficava nervoso, nem era de se estressar e terminar jogando as bolas para fora, o que é uma ocorrência comum quando se juntam adolescência e desassossego. Novak sabia manter o controle. E como já conquistara notáveis resultados nas competições, criou uma imagem positiva, razão pela qual os jogadores mais velhos o respeitavam e, com ele, faziam o papel de *sparring* com prazer. Na Sérvia, existe uma expressão que diz pela manhã se conhece o dia, e Novak era tão dedicado que estava claro para todos que também seria assim quando se tornasse um jogador profissional".

Os sucessos que Djokovic conquistou em 2001, na categoria individual e de equipe, hoje, com toda certeza, podem ser considerados seu trampolim. Se existiam dúvidas sobre seu talento, os resultados desse ano as resolveram, e os torneios dos quais participou em 2002 apenas confirmaram o quanto era grande seu potencial.

Uma oportunidade fenomenal para Djokovic brilhar surgiu em abril de 2002, nos dois torneios da categoria até 16 anos, disputados consecutivamente na Bélgica. No primeiro, em Anderlecht, Novak, a caminho do título, perdeu apenas um *set* na final contra o espanhol Pablo Andujar. Ao mesmo tempo, nas duplas, Novak e o tenista croata Vilim Visak conseguiram chegar às quartas de final, mas foram parados pela dupla espanhola Granollers/Salva. Visak se recorda do tempo que passou com Novak na Bélgica: "Nós nos conhecemos ali, apesar de ele ser da Sérvia e eu da Croácia. Jogamos as partidas de duplas como também fizemos uma boa amizade que, depois, se tornou uma amizade verdadeira, não apenas entre nós dois, mas de igual forma entre as nossas famílias. Novak sempre foi, em quadra, um profissional excepcional, que desde o início sabia o que queria alcançar. Mas, fora de quadra, sempre estava pronto para brincadeiras. Ele é antes de tudo uma boa pessoa, extremamente positivo, com quem nunca se sente tédio".

O segundo torneio, disputado após Anderelecht, ocorreu na cidade belga de Rixensart, onde Novak, nas quartas de final, de novo se encontrou com Pablo Andujar. Apesar de essa partida poder terminar a favor de Novak, o tenista espanhol ganhou em um *tiebreak* muito apertado no terceiro *set*, em revanche à derrota sofrida no torneio anterior.

Depois desse episódio belga, no início de junho, foi a vez do torneio na cidade italiana de Milão, também na categoria até 16 anos. Trata-se de uma competição em que participaram como juniores muitos campeões do tênis, como Bjorn Borg, Ivan Lendl, Mats Wilander, na categoria masculina, e Martina Higis e Maria Sharapova na feminina. Djokovic participou também desse torneio nas simples e duplas, dessa vez em parceria com o tenista sérvio Aleksandar Grubin:

"Na chave de simples aconteceu uma surpresa desagradável. Desse torneio participavam também alguns jogadores muito conhecidos, como Richard Gasquet e Gael Monfils (que nesse ano ganhou o título), e Novak foi vencido na segunda rodada para o pouco conhecido tenista italiano Andre Anaboldi, por dois *sets* a zero. Todos ficaram em estado de choque por causa dessa derrota. Esperava-se muito de Novak naquele momento. Mas restava a possibilidade de jogar as duplas, e atuamos muito bem, apesar de ser nossa primeira participação como dupla. De certa forma, teríamos de nos esforçar ainda mais, porque nessa competição existe a regra de que sua hospitalidade vale apenas enquanto não perder. Se alguém quiser ficar depois da derrota no torneio, é obrigado a procurar sozinho acomodação e alimentação, e nós, apenas dois anos depois do bombardeio, não tínhamos dinheiro. Na verdade, foi um verdadeiro milagre, não somente o fato de chegar até Milão, mas também conseguir sair da Sérvia. O torneio foi disputado num clube de tênis de elite, e realmente desejávamos permanecer ali o máximo possível. Lembro-me de que jogamos uma ótima partida contra o então cabeça de chave número um, cujos integrantes pareciam cinco anos mais velhos do que nós. Nem sei como conseguimos vencê-los. Voávamos pela quadra, lutávamos feito loucos. E, no fim, a vitória. Passamos pela semifinal. Não podíamos acreditar no que acontecia conosco. Óbvio que, além de jogar tênis, existia em Milão um tempo para relaxar. E Novak, nessas ocasiões, sempre gostava de fazer show. Durante todo o tempo livre, jogávamos tênis de mesa, e lembro-me de que no início do torneio foi organizado um coquetel na piscina para os participantes, e de repente jogamos nossa amiga Vojislava Lukic nela. Isso, evidente, foi ideia de Novak. No fim, todos acabamos na água", conta Grubin, rindo.

Como o nome Djokovic já começava a chamar atenção no tênis júnior, ele participou, em junho de 2002, de dois atrativos torneios na França. Primeiro, no "Estreia dos cadetes", na cidadezinha de La Baule, torneio que existe desde 1988, e hoje é considerado uma das mais prestigiadas competições juniores. Desse torneio participam os meninos e meninas mais talentosos até 16 anos, que medem forças à frente de uma plateia escolhida e, conforme o hábito, profissional. O passatempo predileto do público que o acompanha é o palpite sobre quem das novas promessas vai se tornar o melhor profissional no esporte branco, e Djokovic, como vencedor do título naquele ano, adicionou seu nome à lista, que contava com nomes como Andy Roddick, Roger Federer e Rafael Nadal.

Para o próximo torneio em Le Pontet, estava prevista a participação dos 16 melhores juniores e também partidas de exibição entre as lendas do tênis, razão por que esse torneio é chamado "Ponte das gerações". Hoje, o torneio encontra-se entre os dez mais importantes da Europa, e Novak também o venceu, mostrando assim, da melhor maneira, que seu jogo tinha amadurecido e que estava preparado para desafios ainda maiores.

Seguiram-se as qualificações na Grécia para o campeonato europeu de verão para equipes na categoria até 16 anos. Novo desafio. O técnico da seleção nacional era Janko Vucetic, mas faltaram os resultados esperados. Vucetic relembra: "Nosso time foi composto por Novak Djokovic, Bojan Bozovic e Ivan Milivojevic, sendo que Novak não viajou conosco para a Grécia, juntando-se a nós depois, acompanhado por seu pai, Srdjan. Posteriormente, todos juntos voltamos de *kombi* para a Sérvia, e a viagem foi mais do que cansativa. Pelo campeonato era previsto jogar duas simples e uma em duplas. Não fomos celebrados, mas, eliminados pela seleção da Eslováquia. Novak ganhou a sua partida, Bozovic perdeu, e depois, nós, infelizmente, perdemos o duelo decisivo, nas duplas. Não conseguimos vaga no campeonato europeu de verão, mas naquele tempo ficou evidente para todos que Novak, na sua faixa etária, era imbatível. E quando jogava contra os mais velhos, as partidas sempre ficavam muito tensas, e ele raramente perdia".

O então colega de Novak no time, Ivan Milivojevic, lembra-se de alguns acontecimentos da Grécia que fizeram que a derrota da quadra fosse mais facilmente encarada: "O clima em geral estava ótimo. Lembro-me de uma vez que, brincando, colocamos água da geladeira nas mochilas, tantas garrafas de plástico quanto dava para pôr; as mochilas estavam pesando cerca de vinte quilos. Lá na Grécia, a varanda do nosso quarto ficava perto do calçadão, e um dia começamos a chamar a atenção de um grupo de garotas gregas, e Novak foi o que se saiu melhor. No final, elas nos chamaram para lhes fazer companhia. Depois, chegou mais uma amiga delas, que era de origem sérvia, mas morava na Grécia e entendia tudo que falávamos. Isso ela só confessou, claro, uma hora depois. Nem é preciso dizer que ficamos com vergonha pelos nossos comentários de adolescentes, mas tudo ficou bem, e no dia seguinte fomos, todos juntos, tomar banho de mar".

Após as malsucedidas qualificações para o campeonato europeu de verão, Djokovic, no fim de julho, participou do campeonato europeu individual em Gênova (novamente na categoria até 16 anos), nas simples e duplas. Embora se esperasse muito mais dele, não somente pelos últimos triunfos, mas também porque no início do torneio derrotou os seus adversários de forma muito convincente, Djokovic, na partida das quartas de final, perdeu para o menos conhecido tenista russo, Denis Matsoukevich, por 2-1 em *sets*. Nem nas duplas passou melhor. Djokovic de novo jogou em dupla com Aleksandar Grubin, e venceram na primeira rodada, mas na segunda tiveram de entregar o jogo em razão de uma lesão de Grubin.

Mas, já em setembro do mesmo ano, Djokovic triunfou no torneio ITF (Federação Internacional de Tênis, na sigla em inglês) na cidade sérvia de Pancevo, na categoria até 18 anos. Era somente a segunda participação nos torneios ITF, e no caminho para o título ganhou de jogadores que eram até três anos mais velhos. Na final de simples e na semifinal de duplas, jogou contra o tenista sérvio David Savic que, por um período, figurou entre os melhores tenistas da sua geração.

Djokovic e Savic (cujo pai, treinador de tênis, acompanhou os cinco juniores em 2001 no torneio de Livorno, entre os quais figurava também Djokovic) se encontraram pela primeira vez no Campeonato do Aberto da Sérvia, em 1999, disputado em Belgrado nas quadras do Centro Esportivo 25 de Maio (torneio que, desde 2009, é de propriedade da família Djokovic), quando venceu David Savic. No torneio ITF, em Pancevo, Djokovic ganhou de Savic, primeiro na final de simples e em seguida na semifinal de duplas.

Savic se lembra: "Assisti a ele jogando nas quartas de final contra Dmytro Tolok, da Ucrânia, e vi que era perigoso, tinha mentalidade de vencedor. Pensava que eu era favorito e que o derrotaria fácil, por ser dois anos mais novo do que eu. Quando cheguei à quadra, antes de começar a partida, ele já estava lá, fazendo aquecimento. Havia muitas pessoas nas arquibancadas, o que não era tão comum para um torneio relativamente pequeno. Novak jogou muito bem, eu fiquei nervoso durante toda a partida, não senti a bola, e ele me derrotou merecidamente. E não se comportava como um moleque. Já se falava muito na época que ele conseguiria sucesso mundial, e, conforme as condições que tínhamos para jogar e treinar na Sérvia, isso não era nada simples. Lembro-me de que, quando fomos convidados para um programa da *TV Pancevo*, o pai de Novak, Srdjan, pediu que fosse mencionado que nossa associação não fazia nada pelos jovens tenistas. E isso era verdade. Nós, antes, não tínhamos com quem treinar, e nossos modelos eram os jogadores estrangeiros. Mas agora existem tenistas nossos, demonstrando que o sucesso nesse esporte é possível de ser alcançado".

Djokovic e Savic jogariam novamente um contra o outro nas quartas de final do campeonato júnior em Novi Sad, em 2002, e lá, Savic ganharia por 2-1 em *sets*.

"Jogávamos na quadra número 1 no clube de tênis 'Novi Sad', e garoava sem parar, uma chuva tediosa que, com o passar do tempo, aumentou até o ponto em que o organizador teve de nos transferir para outra quadra por causa da má drenagem naquela onde jogávamos. Acho que nesse momento ganhava por 1-0 em *sets,* e estava 3-0 no segundo para mim. Lembro-me de que jogava bem e não o deixava controlar o jogo nem que me mandasse correr pela quadra, o que ele gostava demais. Ouvi depois alguns depoimentos do seu pai nos jornais esportivos de que Novak estava lesionado durante a partida, e por isso não pôde dar o seu máximo. Eu não vi isso", diz Savic. "Mas sei que, quando se trata de Novak, sempre se descrevia sua imagem como o melhor, e, ainda que perdesse, a derrota não tinha nada a ver com seu jogo".

É preciso ressaltar que estava planejado que Djokovic e Savic formariam par nas duplas no torneio Mobilux Junior Open, em Luxemburgo (novembro de 2002), mas cancelou-se esta parceria, porque

Savic, durante uma partida, torcera o tornozelo. Apesar disso, Djokovic participou do torneio nas simples. Depois de passar com sucesso nas três rodadas das qualificações, na segunda da chave principal do torneio venceu de forma convincente o jogador alemão Peter Steinberger, na época muito bem cotado na escala júnior. A partida foi acompanhada pelo mentor de Novak em Munique, Niki Pilic. David Savic, que também assistia à partida, lembra-se como Pilic comentava do *forehand* de Djokovic, sugerindo-lhe que abrisse o máximo possível, até o ponto de "ver a escrita nas suas costas, com preparação longa e terminação também".

De fato, a participação bem-sucedida de Djokovic no torneio em Luxemburgo terminou nas quartas de final, quando perdeu em dois *sets* para o jogador ucraniano Sergiy Stakhovsky.

Mas, apesar da rivalidade mútua, o que David Savic mais se recorda desse período da adolescência é da excelente disciplina de Novak também fora das quadras de tênis. "Éramos garotos, lembro-me de que jogávamos cartas juntos. Novak, na época, tinha amizade com Viktor Troicki, Bojan Bozovic, Slavko Bjelica, que é agora treinador em Novi Sad. Um dia, avisaram que Novak devia voltar para o quarto às dez da noite. Como estava atrasado uns dez minutos, seu pai apareceu para alertá-lo que estava na hora de dormir. E Novak foi. Sua vida era disciplinada. Com ele sempre tudo estava em ordem. E, uma hora antes da partida, restavam somente isolamento e preparação. Naquele tempo, para mim, parecia que Srdjan Djokovic era muito rígido, mas este não era seu objetivo. Ele apenas sabia por qual caminho Novak precisava seguir".

Impressão e lembrança semelhantes tem também Luka Marinkovic, que, como júnior, treinava com Novak no clube de tênis Partizan. "Ele, ainda adolescente, já era um intelectual. Não sei descrever de outra forma o seu tipo de pensamento, de comportamento. Até das brigas e bate-bocas de crianças que sempre existem, ele conseguia se desviar ou resolvê-las cuidadosamente. Para mim, isso era fascinante, porque percebi que não podia ser assim, apesar dos bons resultados que conquistava. Novak andava para a frente, um passo de cada vez. Fora da quadra, sempre bem-humorado para palhaçadas e brincadeiras, mas, na quadra, calmo, e 100 % concentrado naquilo que precisava fazer. No geral, era no mínimo dois anos mais novo que nós, mas, quando a questão era o jogo, estava no mínimo dois anos à frente de todos. Um jogador completo".

Os sucessos que Novak Djokovic conquistou no âmbito do tênis júnior eram a melhor prova de que os jovens tenistas sérvios avançavam sem parar. Os resultados que alcançou naquele tempo eram sinais claros de que ele teria uma séria carreira profissional. Mas Niki Pilic aponta que, em relação a superlativos na categoria júnior, sempre é aconselhável ser cuidadoso. "Com certeza é bom vencer nessa etapa, mas isso não significa que se é o melhor. Talvez, alguém com 16 anos esteja tão à frente dos seus contemporâneos, que nem queira participar de alguns torneios. Hoje, há jogadores que são tão bons no grupo até 18 anos que sequer jogam torneios nessa categoria, e logo vão para as qualificações da série 10 mil, ou seja, os torneios da série Future da ITF, já disputados por profissionais".

Quando o pai de Novak consultou Niki Pilic sobre se ele e seu filho precisavam ir à miniturnê nos Estados Unidos em novembro de 2002, Pilic lhe respondeu: "Vá para ver".

Na época, na Flórida, foram disputados os torneios juniores Eddie Herr International (nas quadras da Academia de Nick Bollettieri), Prince Cup e Orange Bowl, em Miami.

A este respeito, diz Niki Pilic: "Desde o tempo em que meu parceiro de duplas Boro Jovanovic e eu éramos jogadores ativos, sei que ir para lá não é bom para os tenistas. As condições são diferentes, as bolas são diferentes, o clima é diferente. Mas tudo bem. Djokovic foi, e perdeu logo na primeira rodada no Eddie Her. Está certo, passou as três rodadas do *qualifying*. Depois disso, Srdjan queria voltar, lembro-me de que a mãe de Novak, Dijana, me ligou para dizer isso. Depois, liguei para ele e disse: 'Escuta, se Boro Jovanovic e eu formos agora para a Flórida, saindo da Iugoslávia, não ganharemos nem a primeira partida, porque estamos saindo do inverno para outras condições climáticas'".

Na semana seguinte confirmou-se que o comentário de Pilic estava certo. Novak, depois das três rodadas de qualificações, triunfou na chave principal no Prince Cup.

A BIOGRAFIA DE NOVAK DJOKOVIC

Borislav Bolic (conhecido como Doja), que acompanhou Novak em 1999, quando, pela primeira vez, saiu da Sérvia e participou de torneios internacionais, estava presente também durante a turnê nos Estados Unidos.

"Na época eu já trabalhava no Cairo, numa academia de tênis, e liderava a seleção do Egito. Lembro-me de que essa partida da final de Novak foi extremamente dramática. O adversário era o norte-americano Stephen Bass, e os juízes, ao longo do segundo *set*, marcaram, acho, uns vinte erros *foot-fall*[1], somente para que o oponente de Novak ganhasse. Foi um horror. Srdjan Djokovic estava muito bravo, e eu também. Em certo momento, fiquei perto da linha para ver o que estava acontecendo, enquanto Novak se comportava, mesmo naquela situação, como um campeão. Estava todo tempo concentrado, não deixou que qualquer coisa o atrapalhasse, e no fim conseguiu vencer. E de maneira muito convincente: por 6-2, 6-1. Outro problema foi a participação de Novak no Orange Bowl, o campeonato mundial extraoficial para juniores, que se deu logo depois do Prince Cup. Os organizadores não quiseram ajudá-lo quanto aos horários; então, pela manhã tinha de jogar a primeira rodada das qualificações para o Orange Bowl e, à tarde, a final do Prince Cup. Foi o que lhe arranjaram. Inacreditável. No mesmo dia devia jogar duas partidas. E ganhou ambas", conclui Bolic.

Após passar pelas duas rodadas das qualificações do Orange Bowl, Djokovic, na primeira rodada da chave principal, conseguiu derrotar Brendan Evans, sobre quem se falava que tinha um contrato muito valioso com a empresa Nike e era a maior esperança do tênis norte-americano. Na segunda rodada, diante de Djokovic, caiu mais um norte-americano, Phillip Simmonds, mas, em seguida, na terceira rodada, parou-o o cipriota Marcos Baghdatis, que naquela época era o melhor júnior do mundo.

"Em certo momento, a família Djokovic até pensou em deixar Novak na Flórida para treinar", diz Niki Pilic. "Reconheço que as con-

---

1 Nome dado ao ato do tenista pisar na linha na hora do saque, antes de a bolinha ter contato com a raquete. Neste caso, a marcação pode privilegiar o jogador da casa, com poucas chances de contestação. (Nota do R.T.)

dições eram fenomenais, e que seu pai lhe perguntou se queria ficar lá e, até onde sei, ele respondeu: 'Não, vamos voltar para Niki'. E, assim, Djokovic voltou de novo para mim".

O ano de 2003 era importante para Novak Djokovic por vários motivos. Chegara o momento de tentar os torneios Futures[2], em que os tenistas dão seus primeiros passos profissionais e começam a adquirir os pontos na ATP.

Logo no início de janeiro de 2003, Novak foi para o Future, em Oberstaufen, graças ao *wild card* que Niki Pilic lhe forneceu. Perdeu logo na primeira rodada para um tenista muito mais experiente, o alemão de origem romena Alex Radulescu, quadrifinalista de Wimbledon em 1996. O jogo ocorreu no ginásio, em uma das quadras nas quais Djokovic treinava por quatro horas todos os dias. A partida com Radulescu foi muito tensa.

"Ele era muito jovem, mas todo o tempo parava o adversário com sucesso, e no primeiro *set*, com o resultado 5-4, ainda tinha a bola do *set point*, e lembro-me de que rimos, porque esperávamos um saque no lado de *backhand*, mas a bola veio no *forehand*, e depois a devolução do serviço ficou na rede", lembra-se Pilic.

"Novak era muito jovem, mas ainda assim conseguia equilibrar as forças com o experiente adversário. De forma surpreendente, quebrou o serviço do oponente e chegou a ter vantagem de 5 a 4 no primeiro *set*. Conseguiu um *set point*, mas ao desperdiçar a chance abriu as portas para a reação de Radulescu."

No final, prevaleceu a experiência, e Radulescu venceu por 7-5, 7-6(5). Hoje, Niki Pilic considera que, talvez, essa derrota tenha acontecido porque Djokovic, apesar de conhecer muito bem a quadra onde jogava, naquela época ainda não estava suficientemente maduro para esse tipo de superfície usada em ginásios, o carpete, que é extremamente rápida. Diferente de Federer, que no início da carreira ganhava regularmente partidas em ginásios e as competições *indoors* enquanto nos

---

2 Competições com 10 mil dólares em prêmios. (Nota do R.T.)

torneios a céu aberto perdia logo nas primeiras rodadas, com Djokovic a situação era invertida.

"Porque, no saibro ou na terra batida, com a velocidade das suas pernas e sentindo a bola, é ótimo", explica Niki Pilic. "Mas não era somente essa a questão. Depois da derrota para Radulescu, Novak ficou satisfeito pelo resultado apertado em condições, até então, estranhas. Recebeu pela primeira vez um *wild card* e enfrentou um tenista muito experiente, mas naquele tempo ainda não tinha um voleio suficientemente bom. Na verdade, esse torneio foi um tipo de ensaio, pois Novak ainda não estava totalmente preparado. Por essa razão, eu o deixava nos torneios que eram disputados aqui perto, porque neles não tinha o que perder. Naquela época, como se diz, ainda não estava nem cozido nem assado."

Além disso, Pilic presumia que Djokovic não devia jogar os torneios dos circuitos satélites[3], porque já começavam a perder importância: "Existiam ainda naquele período; Federer jogava alguns, mas logo se tornou evidente que se perdia muito tempo, um mês inteiro".

Satélites eram torneios organizados pela associação do país onde eram disputados, sempre sob o olhar atento da ITF. Duravam até quatro semanas, e deles participavam os jogadores com posição inferior a 200 ou 300 na lista ATP, e na disputa do *qualifying* entravam até jogadores sem pontuação no *ranking*. O valor dos prêmios desses torneios variava entre 25 mil e 50 mil dólares. Em caso de sucesso do jogador, o passo seguinte seria os Challengers ou, ainda, os torneios da série ATP. Mas os Satélites foram cancelados em 2006, e seu espaço foi ocupado pelos torneios da série Future.

Em meados de janeiro, novamente graças à influência de Niki Pilic, que conseguiu um *wild card* para o *qualifying*, Novak participou do Future da cidade alemã de Biberach. Perdeu na primeira rodada das qualificações, em dois *sets*, para o alemão Markus Bayer.

No seguinte, Djokovic treinaria ativamente com Pilic na academia, e no final de fevereiro de 2003 participaria do torneio júnior na cidade

---

3 Diversas competições relativamente pequenas jogadas em sequência. (Nota do R.T.)

alemã de Nuremberg. Srdjan Djokovic e Dragan Ivanovic, que com frequência levava Djokovic para os treinos quando estava em Belgrado, chegaram juntos para buscá-lo.

"Eu os levei de carro para o torneio em Nuremberg", relembra Ivanovic, "e, quando partimos, Srdjan lhe perguntou se o passaporte estava com ele. Novak, surpreso, disse: 'Não vou precisar, já estamos na Alemanha. Srdjan ficou furioso, e foi a única vez que o vi assim. Então, voltamos para pegar o passaporte e depois seguimos viagem".

Nesse torneio, sem muitos problemas, Djokovic passou pela primeira rodada, derrotando o alemão Roman Herold por 6-3, 6-3. Na segunda rodada, jogou contra o tcheco Roman Kutac, dois anos mais velho. O primeiro *set* estava indefinido, mas Djokovic conseguiu ganhar por 7-5, e depois, no segundo, mais fácil, por 6-2.

"Após a partida, Novak começou a reclamar de dores na parte inferior do estômago; tratava-se de uma lesão sofrida em Munique, na academia, e lembro-me de que íamos todos os dias a sessões com um fisioterapeuta. Apesar de esse músculo doer durante o saque, Novak seguiu adiante", diz Ivanovic.

Djokovic conseguiu ganhar a partida das quartas de final contra mais um tenista alemão, Matthias Wellermann, e na semifinal enfrentou o russo Konstantin Kravchuk, que naquele momento era cotado como o favorito.

"Lembro-me de que estávamos no quarto do hotel quando Srdjan perguntou a Novak se podia jogar e ele respondeu que sim. Venceu por de 6-3, 6-4. Depois disso, na final enfrentou o britânico Josh Goodal e conseguiu ganhar o primeiro *set* por 6-2. Mas, no segundo, os problemas com a lesão que o castigava começaram a aumentar. Então, quando Goodal vencia por 2-1, Novak decidiu entregar a partida. As dores eram insuportáveis, não conseguia andar, e literalmente o carregamos para fora da quadra", acrescenta Ivanovic.

Depois desse torneio em Nuremberg, Djokovic teve de fazer uma pausa por mais de um mês, a fim de se recuperar da lesão, mas logo depois voltou à sua carreira.

Além de 2003 ser significativo por Djokovic começar a jogar torneios profissionais, esse ano trouxe também mudanças valorosas no seu jogo. A técnica se tornava gradualmente reconhecida, o voleio ficou mais forte, e começou a vir à tona mais uma particularidade importante: a devolução de saque.

"Ele progredia fantasticamente", diz Bogdan Obradovic. "Na minha opinião, seu *forehand* nunca teve qualquer grande problema. Controlava a bola muito bem, podia fazer o ponto quase em qualquer situação, e jogava o *forehand* de corrida de maneira simplesmente brilhante. Trabalhava-se muito no *backhand*, na harmonização do seu lado esquerdo com o direito no momento da execução desse golpe, no qual ele tinha um pouco de dificuldade, mas o importante é que sempre estava consciente dos erros, enxergava o problema, não apenas depois da partida, mas também durante o jogo, pois sabia, por si mesmo, autoavaliar-se. Uma das suas características, ainda hoje visível, é a vontade de impor o ritmo de fundo de quadra. Era parte da sua natureza, e Pilic e eu nunca desejamos mudar. Ele se sentia bem assim, e tentávamos manter os bons atributos desse estilo de jogo. Precisava ainda desenvolver outros aspectos, e depois apenas somar à sua natureza. Óbvio que não era preciso forçá-lo a se transformar em um jogador de saque-voleio, quando ele sentia e acreditava que era muito mais estável no fundo de quadra."

# 11. PARA O SONHO É PRECISO *TIMMING*

Considerado o melhor jogador da Europa até 16 anos, Djokovic estava em uma lista extensa da seleção para a Copa Davis (partidas disputadas contra a Costa do Marfim), e participou do 44º. campeonato júnior da Itália em Milão (maio de 2003). Nas simples, chegou facilmente às quartas de final, mas não passou pelo mexicano Luis Manuel Flores. Nas duplas foi muito melhor. Em parceria com o conterrâneo Viktor Troicki, triunfou na final, vencida categoricamente contra a dupla alemã Becker/Rieschick.

No início de junho de 2003, Djokovic foi para o seu primeiro Grand Slam júnior, em Paris. Conseguiu passar pelas qualificações e entrar para os 16 melhores do *qualifying*, mas, então, em três *sets*, foi derrotado pelo espanhol Daniel Gimeno-Traver. A derrota, porém, não abalou Niki Pilic nem Djokovic. Pilic estava convencido de que seu pupilo estava maduro e pronto para conquistar pontos na ATP, e decidiu voltar para Belgrado depois de muitos anos. O motivo? A carreira de Djokovic. "Chamei Dusan Orlandic, operador principal na Associação de Tênis da Sérvia, e lhe disse que tinha um jogador jovem, extremamente talentoso, e que seria bom entregar-lhe um *wild card* para o Future na Sérvia, pois ainda não conseguira colocação no *ranking* da ATP. Orlandic me ouviu atentamente, porque eu estava recomendando alguém, mas também sabia quais eram as possibilidades de Djokovic desde criança", diz Pilic.

O ano de 2003 foi o primeiro em que a Associação de Tênis da Sérvia teve a iniciativa de organizar Futures. Dusan Orlandic diz: "Nós apoiávamos com 5 mil dólares cada um desses torneios, e pegávamos dois *wild cards* para o torneio principal, para que pudéssemos entregá-los a nossos juniores, e a regra vale até hoje. Naquele ano, para Pilic, foi decidido oferecer tantos *wild cards* quanto quisesse, mas quando Niki me ligou, ele não sabia da nossa decisão. Para Novak, naquele momento, de certa forma tudo se encaixava".

No primeiro Future que disputou em Belgrado, nas quadras de tênis Djukic, o adversário de Djokovic na primeira rodada foi um tenista muito mais velho, o italiano de origem argentina Manuel Jorquera, que naquele tempo participava como jogador e também como treinador. Apesar de Djokovic ganhar o primeiro *set* por 6-4 (perdeu o segundo no *tiebreak*) e ter ainda quatro *match points* no terceiro, Djokovic, ao final, foi derrotado.

"Srdjan Djokovic estava aflito e batia com as pernas na cadeira. Não admitia aquela derrota. Na verdade, todos ficaram tocados por Novak desmoronar à porta da vitória. Eu não. Sabia que jogava bem, e estava satisfeito. Dizia para Srdjan deixar o nervosismo, que aquilo era somente má sorte, e que Novak tinha jogado uma excelente partida, o que era verdade, apesar do resultado. Ele jogou contra alguns meninos, que já tinham pontos na ATP, de igual para igual", diz Niki Pilic.

O próximo Future também ocorreu em Belgrado (junho de 2003), nas quadras do Estrela Vermelha. Dessa vez, Pilic não estava presente, mas pelo telefone era avisado sobre tudo o que acontecia. Djokovic estava ótimo, e chegou fácil à semifinal, quando se encontrou com o tcheco Jaroslav Pospisil. O juiz da partida, Nikola Vucetic, lembra desse jogo como um dos mais dramáticos na sua carreira.

"Naquele momento, Novak já figurava como um jogador promissor, era a esperança do tênis sérvio, e a partida era acompanhada por muitos torcedores nacionais. Quando entram numa partida dessas, os juízes sempre estão conscientes de que não podem cometer erros. Novak estava perdendo o primeiro *set* por 5-2 e, apesar de começar a voltar ao *set*, ainda perdeu por 6-4. No segundo, novamente perdia por 5-2, e encontrava-se a apenas um *game* da derrota. Naquele momento, começou a demonstrar uma estabilidade extraordinária para um garoto de 16 anos, e gradualmente começou a virar o resultado, até invertê-lo totalmente, conquistando os próximos cinco *games*. Enquanto isso, o tcheco começou a ficar nervoso e a manifestar intolerância em relação ao público. Num momento até 'mandou' uma bola para o banco onde estavam sentados os membros da equipe de Novak, e levou uma advertência, ou um ponto de penalização, não me lembro bem, mas sei que teve sorte pois a bola terminou na quadra, porque, se tivesse atingido alguém, seria automaticamente desqualificado. Eu sentia uma pressão enorme do público, com aqueles comentários típicos 'juiz, será que você não vê o que ele está fazendo?', entre outros, mas estava mantendo todo o tempo o equilíbrio, e não deixei que alguém interferisse no meu trabalho. Por toda a partida arbitrei sem nenhum erro. Então, no terceiro *set*, Novak ainda perdia por 5-2, e de novo conseguiu não somente inverter o resultado para 6-5, como também chegou a ter duas bolas para fechar a partida. Nesse momento cometi um único erro. O tcheco jogou uma bola no fundo da quadra, a bola deslizou, e eu gritei 'fora'. Novak jogou a raquete, e todos começaram a festejar. Mas entendi que a bola não tinha saído. Como não havia outro juiz, apenas nós três na quadra, olhei para o tcheco e vi como ele, do outro lado, também mostrava que a bola tinha sido boa, e pedia que eu fosse até a linha e checasse. Então, a partida não tinha terminado. Desci da cadeira, corri, olhei e vi que, na verdade, a bola beliscou a linha uns 10 %. Então, a questão era como devolver Novak para o jogo, e me lembrei do mais velho truque dos juízes que existe. Chamei Novak para que também conferisse. Novak se aproximou, olhou o risco e concordou comigo: 'Boa bola', ele disse. Decidi que o ponto tinha de ser repetido. Tensão enorme nas arquibancadas. Lembro-me muito bem de que estava voltando para subir na cadeira, pensando no que aconteceria se perdesse ali. Felizmente, Novak aproveitou a próxima bola da partida e fechou o placar no *set* decisivo por 7-5. Mais tarde, quando reconstruí a história inteira, percebi que todos estavam sob tanta adrenalina, que ninguém notou o que aconteceu. Quando Pospisil bateu a bola de fundo, que beijou a linha, e eu gritei fora, Novak já tinha jogado a bola para fora de quadra! Esse ponto teria de ser perdido, e não repetido! Estava todo alterado depois da partida e, quando deixava a quadra, lembro-me de um colega que se aproximou, me cumprimentou e disse, brincando: 'Veja bem, eu acharia outro risco, não teria coragem de arbitrar isso'."

Evidente que essa partida foi apenas a introdução para a final, em que Djokovic derrotaria o espanhol Cesar Ferrer Victoria por 6-4, 7-5. Com esse triunfo, não somente ganhou seu primeiro título num Future, como também seus primeiros pontos na ATP. Exatamente doze.

Na primeira semana de julho de 2003, o nome de Djokovic apareceu na lista ATP pela primeira vez. Ocupava o 767º. lugar.

"Imaginava passar a primeira rodada e ganhar o primeiro ponto profissional, mas aconteceu o que nem sonhei: o título. Mostrei no meu país, na minha cidade, que os jogadores profissionais não são mais fortes do que eu, e provei que posso jogar nesse nível", disse Djokovic na primeira vez em que se manifestou.

Mas Niki Pilic não estava tão surpreso: "Estava certo de que faria os primeiros pontos, não sabia se ganharia o torneio ou jogaria a final, semifinal ou quartas de final, mas tinha certeza de que tinha suficiente qualidade para ganhar pontos na ATP. Minha opinião é, se você é capaz de ganhar pontos na ATP, todo o resto é fácil. Se um jogador não é apto a fazer isso, não me interessam seus resultados como júnior nos últimos dois anos. Para mim, era importante sentir e saber que Novak estava pronto para isso, e não que alguém de fora me dissesse isso. Porque fui eu quem o levou até esse nível".

Naquele momento, praticamente, começou a carreira profissional de Djokovic.

"Para mim sempre foi essencial que ele, nos seis meses seguintes, jogasse num nível um pouco mais alto em comparação ao anterior", diz Pilic. "É algo que as pessoas não entendem sobre o tênis. Pode-se ver, por exemplo, Wimbledon. Nos últimos dez anos, os trinta ganhadores juniores simplesmente desapareceram porque não tinham qualidade suficiente para começar a ganhar pontos da ATP."

E Djokovic começou a nadar devagar, mas com firmeza, nas águas do profissionalismo. Ainda disputava alguns torneios juniores, o que não deixava Pilic preocupado: "Eu o armei bem, e ele, antes disso, já era um jogador de boa qualidade. Era apegado. Todos são assim no início.

Mas é preciso ter alguns componentes para conseguir sucesso. Um dos componentes é, sem dúvida, o caráter, mas também são importantes coordenação, antecipação, forma física, motricidade, assim como boa audição e voz são condições necessárias para estudar música. É verdade que a definição sobre um jogador não pode ser dada quando ele está com 14 ou 15 anos, quando não se sabe qual é seu caráter e o que fará quando tiver 19 ou 20 anos. Evidente que é possível fazer suposições. Mas caso algum componente esteja faltando, é o mesmo que correr com cinco quilos de chumbo nas costas. Com Novak, este nunca foi o caso".

No início de agosto de 2003, ao lado dos amigos da seleção júnior, Djokovic foi para o campeonato europeu de verão (na categoria até 16 anos), na cidade francesa de Le Tuque.

Apesar de, em razão das suas obrigações, não estar na equipe nas qualificações anteriores, na Turquia, em Le Tuque ele deu 100 % de contribuição nas seis partidas que disputou.

Slavko Bjelica, que naquele ano defendia as cores da bandeira da Sérvia com Djokovic, lembra-se das partidas que jogaram rumo à medalha de ouro. "Como jogamos bastante mal as qualificações na Turquia, e assim mal conseguimos chegar ao campeonato, em Le Tuque fomos designados como cabeça de chave número oito. Mas com Novak na equipe, não nos sentíamos assim".

Djokovic e seus colegas disputaram a primeira rodada contra a seleção da Croácia, que foi colocada como a primeira cabeça de chave. O tenista sérvio Dejan Katic teve oportunidade de abrir a disputa, mas não conseguiu derrotar Antonio Veic. Depois, Djokovic enfrentou e venceu Marin Cilic, e, em seguida, ele e Bjelica com surpreendente facilidade triunfaram nas duplas.

O segundo *round*, a semifinal, foi disputado contra a seleção da Holanda. Slavko Bjelica perdeu a primeira partida para Igor Sijsling, mas, na segunda, Djokovic venceu Robin Haase. Os holandeses perderam nas duplas, e a seleção da então RFI (Sérvia e Montenegro) passou para a final, cujo adversário seria a República Tcheca.

Slavko Bjelica relembra: "Hoje, nenhum dos meninos da equipe tcheca joga tênis ativamente, mas naquele tempo eram adversários muito sérios. A história foi semelhante à das primeiras rodadas.

Katic perdeu sua partida de simples, Novak evidentemente ganhou a sua, e depois ganhamos nas duplas e nos tornamos os campeões europeus. Não acreditei que podíamos conquistar tanto sucesso, mas tenho certeza de que Novak acreditava. Aliás, jogar duplas com ele era muito fácil. Foi suficiente jogar somente uma vez um ponto bom no meu lado da quadra, e esse *game* já estava ganho. Porque Novak simplesmente não perdia. Não estou exagerando nem um pouco. E hoje ainda acho que ele é um dos mais fenomenais tenistas do mundo. Quando estávamos fora das quadras e precisávamos nos divertir, era o primeiro. Quando partíamos para o treino, todos estávamos ainda relaxados em virtude das brincadeiras anteriores, mas se você olhava Novak, via outra expressão no seu rosto. A imagem de um profissional completamente dedicado. Além do mais, a atmosfera nesse campeonato era ótima. Na primeira noite, durante a cerimônia, estava previsto que cada um cantasse alguma música, e Novak se levantou, pegou o microfone e cantou uma música da famosa banda iugoslava Bijelo Dugme (Botão Branco). E, claro, fez uma festa, elevando ao máximo o humor de todos".

Naquela noite, quem acompanhou Novak com a guitarra foi o técnico da seleção nacional, Jovan Lilic, ao qual os tenistas sérvios atuais, principalmente quando jogam para a seleção, chamam de "pai e mãe". Hoje, com Djokovic, ele tem não somente uma relação profissional, mas também uma grande amizade, quase familiar.

"Quando conheci Novak, ele já jogava um bom tênis, apesar de ser ainda criança. Eu era o técnico da seleção júnior da então Sérvia e Montenegro, e o convidei para se juntar à equipe. Assim começou nossa cooperação", lembra-se Jovan Lilic. "Dessa forma, durante as partidas em Le Tuque, Novak me acalmava, embora deveria ser o contrário. Aproximava-se e perguntava o que precisava jogar, eu lhe dizia: 'Jogue o básico', pensando que, com a mudança do ritmo do jogo, começaria a ganhar os pontos. Mas quando falei *carne moída*, ele começou a rir, e disse: 'Tudo bem, *Spec nac*, acalme-se, agora vou ganhar'. *Spec nac* era como nos chamávamos uns aos outros, citando as formações especiais da antiga KGB, e usávamos esse nome para reforçar o espírito de luta dentro da equipe. E assim ele me disse que não deveria me preocupar, que terminaria tudo como combinado. E acontecia assim. Esse tipo de tranquilidade dele era inacreditável. Até quando era júnior, ganhava os pontos mais importantes facilmente. Sabia se virar para nós nas arquibancadas e dizer como sacaria um *ace*. E normalmente acontecia assim mesmo. Desde o período júnior era totalmente dominante. Os adversários, na maioria das vezes, o temiam, e era bem provável que a maioria, por este motivo, perdesse as partidas antes de começar a jogar."

Jovan Lilic há muitos anos conheceu a rede familiar que existe ao redor de Djokovic, e é uma das pessoas que são, na casa da sua família, uma visita bem-vinda.

"O grande caminho de Novak na verdade partiu da sua família, e estou feliz que eles sejam assim. Antes de tudo, unidos. Não somente seu pai e sua mãe, mas tios, tias e padrinhos e todas as pessoas que deram tudo para que Novak chegasse às alturas no tênis. E para que uma pessoa consiga sucesso num esporte, principalmente no tênis, deve ter o apoio da família", ressalta Lilic. "Na minha opinião, o pai de Novak, Srdjan, é dos maiores estrategistas que já conheci. Fazia brilhantes movimentos sem nenhuma experiência no tênis. Algo semelhante posso dizer também sobre o tio de Novak, Goran, um dos melhores colaboradores que já tive. Aqui se destaca também Dijana. Além de tudo, ela é mãe. Todos juntos participaram na construção do sucesso de Novak, e alguns de nós, de fora, que firmemente acreditávamos no sonho deles, nos esforçávamos para ajudar. Novak e seus irmãos foram educados para sempre ser polidos e para que a maior riqueza não fosse o sucesso conquistado na vida, mas a família; e a família queria que Novak trabalhasse com os maiores profissionais, e se esforçou para lhe oferecer isso. Por este motivo, fui respeitado, porque era parte desse sistema e porque participei da sua formação, que começou com Jelena Gencic e Niki Pilic. Quanto à cooperação com Novak, nunca havia nenhum problema. Ele, em todos os sentidos, era no mínimo cinco gerações à frente dos seus contemporâneos. Lembro-me de que Srdjan sempre lhe falava que nos treinos ninguém devia lhe dizer a mesma coisa duas vezes. E ele se lembrava disso. Novak respeita a autoridade se é merecida. Mas seu maior trunfo é, antes de tudo, saber pensar com a própria cabeça. Ele gosta de ouvir o que lhe dizem as pessoas nas quais acredita, mas, no fim, ele é quem toma as decisões cruciais." Três semanas depois do grande sucesso obtido no campeonato de verão europeu, Lilic e "seus meninos" participaram do campeonato mundial (fim de agosto de 2003) na cidade alemã de Essen. Enquanto no campeonato europeu foram apenas a cabeça de chave número oito, no campeonato mundial, adornados com a medalha de ouro conquistada em Le Tuque, foram cabeça número um.

A seleção da Sérvia e Montenegro estava no mesmo grupo que Índia, França e Colômbia.

Slavko Bjelica comenta: "Jogamos a primeira partida contra os indianos. Nosso amigo Bojan Bozovic perdeu a simples, Novak ganhou, e depois, tranquilamente, triunfamos nas duplas. Na rodada seguinte, jogamos contra a Colômbia. Eu ganhei a minha simples, e Novak, depois de algumas turbulências, também. Vencemos igualmente nas duplas, e, como, ao mesmo tempo, os franceses derrotaram a Índia e a Colômbia, jogamos contra eles nas semifinais. Disputei a primeira partida. Venci o primeiro *set* por 7-5, e no segundo cheguei a ganhar por 5-2, mas no final perdi. Do terceiro *set*, decisivo, hoje nem quero me lembrar. Perdi por 6-3. Do nosso lado, uma balbúrdia só. O próximo na quadra era Novak. Seu adversário era Jeremy Chardy. Lembro-me de que pela primeira vez vi que Novak mostrava alguns sinais de cansaço. Num momento, até pensei que o francês fosse ganhar, porque já havia vencido o primeiro *set*, e, no segundo, a situação estava extremamente indefinida. Mas Novak conseguiu se recuperar e ganhou o segundo e o terceiro *sets*. Após isso, era preciso jogar a partida decisiva nas duplas. E tínhamos apenas uma hora e meia de pausa. Novak e eu perdemos o primeiro *set* por 6-3, o segundo ganhamos por 6-1 e, no terceiro, o cansaço fez a sua parte e nós caímos. Sei que foi muito difícil para Novak, porque não gostava de perder de maneira nenhuma. Parece-me que foi a única vez que eu estava presente quando ele perdeu uma partida".

Jovan Lilic, que naquele ano, em Essen, dirigia o time nacional, apesar da derrota nas quartas de final, afirma que ficou mais do que satisfeito. "Toda essa geração dos jovens tenistas sérvios era extremamente forte, liderada por Novak, sobre o qual sempre gosto de dizer que é um filho de Deus. Suas habilidades técnicas, que com certeza eram limitadas em virtude da adolescência, sempre eram melhores do que as dos outros juniores, e não apenas porque ele as usava ao máximo, mas também porque usava com razão. Nunca ia com força na bola, sempre criava as posições para o ataque ou para a defesa, não se importando que algum de nós tivesse sugerido determinada tática. Sua naturalidade e a maneira de raciocínio lhe concediam diversas possibilidades para a resolução dos pontos, não importava se jogava contra os seus contemporâneos ou contra os mais velhos".

A naturalidade sobre a qual fala Lilic ainda hoje é uma das mais reconhecidas características de Djokovic. Porque, além do imensurável talento que tinha, da inteligência e da estabilidade psicológica, era-lhe própria, nesses dias de júnior, a atitude positiva e intensa em relação à vida, a permanente vontade de aprender algo novo, e o que é talvez mais importante, a excelente habilidade de, independentemente dos resultados que conquistava, nunca voar muito alto.

"Novak era o júnior com quem qualquer um gostaria de trabalhar", afirma Lilic. "Lembro-me do seu interesse antes de cada viagem, perguntando detalhes sobre o país para onde ia. Fosse por meio dos livros ou da internet, queria descobrir todas as informações sobre a herança cultural do país, as atrações que precisava visitar, a língua que se falava ou as especialidades culinárias. Tudo ele queria saber, ver, provar. Sabia pedir ao diretor do torneio informações sobre o que era mais interessante e o que a cidade anfitriã tinha para oferecer. E as pessoas não conseguiam entender que um menino da sua idade podia raciocinar desse modo ou ficar tão interessado assim. Seus contemporâneos iam, em geral, para os torneios para curtir, sem dar muita importância ao resultado da competição, desse no que desse. Mas ele não era assim. Antes de tudo, apreciava muito o fato de disputar um torneio, e neste ponto sempre demonstrava muita seriedade. Se entre os treinos ou após o término do torneio sobrasse algum tempo livre, esforçava-se para conhecer a arte do país, sua arquitetura, culinária ou as especificidades da gíria local. E sempre irradiava charme e simplicidade. Assim conquistava as pessoas. E assim ele é ainda hoje.

# 12. OS PRIMEIROS TREZENTOS

Depois de conquistar os primeiros pontos da ATP no Future realizado em sua cidade natal, em 23 de junho de 2003, Djokovic, nos três torneios seguintes da mesma categoria, disputados em julho do mesmo ano, também em Belgrado, não conseguiu triunfar. Mas longe se dizer que não teve sucesso. No quarto Future derrotou de forma convincente quase todos os seus adversários, inclusive o conterrâneo Ivan Bjelica, só sendo parado pelo búlgaro Todor Enev.

No Future seguinte, disputado apenas uma semana depois, seu adversário na primeira rodada foi o tenista egípcio Mohamed Mamoun. Os primeiros dois *sets* foram equilibrados. Em ambos, a decisão foi no *tiebreak*. Djokovic venceu o primeiro *set*, mas o egípcio empatou o resultado. Porém, no *set* decisivo, com o resultado de dois a zero para Mamoun, Djokovic entregou a partida em razão da exaustão. Evidente que isso não o abalou, e participou também do próximo e último Future, disputado naquele verão na capital da Sérvia. E novamente ocorreu uma história semelhante. No caminho da semifinal, derrotou todos os seus adversários em dois *sets*, inclusive um tenista dezesseis anos mais velho, Gerard Solves, que durante a década de 1990, por cinco anos, ficou entre os cem melhores jogadores do mundo. Na semifinal, Djokovic encontrou o francês Nicolas Renavand, e perdeu depois do *tiebreak* no segundo *set*.

No fim de agosto do mesmo ano, Djokovic foi para o Aberto dos Estados Unidos, seu segundo Grand Slam juvenil. O adversário era dois anos mais velho, o australiano de origem holandesa Robert Smeets, que conseguiu derrotá-lo logo na primeira rodada por 2-0 em *sets*.

Mas uma das principais virtudes daqueles que conquistam os maiores sucessos é nunca desistir.

Depois de menos de um mês, na Copa Davis para juniores, na Alemanha, Djokovic brilhou.

Niki Pilic comenta: "A seleção júnior era liderada por Jovan Lilic, que gostava de Novak e o conhecia muito bem, e acho que foi importante que ele tenha aparecido nessa Copa Davis. Se não me engano, participou por sugestão da Associação de Tênis da Sérvia, e foi bom ter aceitado. É preciso aceitar sugestões, é errado fechar portas. A Associação de Tênis é a mesma, para juvenis e profissionais".

Djokovic brilhou em todas as partidas que disputou. Nas simples, venceu de modo convincente todos os seus adversários, e no total perdeu somente um *set*; nas duplas, com seu contemporâneo Slavko Bjelica, também triunfou categoricamente.

O técnico Jovan Lilic relembra esse período: "Novak sempre era responsável quando a questão era tênis. Naquele tempo, antes de começar a partida, não falava com ninguém, apenas comigo, e para sua idade esse tipo da seriedade não era comum. Nele sempre havia ordem. Uns quarenta minutos antes da partida, preparativos; depois do término do jogo, meia hora obrigatória de alongamento. Os treinadores normalmente exigem isso dos jogadores, mas não era necessário lembrá-lo disso".

É curioso que naquela época Djokovic não tenha tido um treinador *full time*, pois ainda treinava regularmente com os membros da sua "base de Belgrado". Peca Djukic, colega de Djokovic e dois anos mais velho, que o conheceu na academia de Niki Pilic, em 2001, lembra-se de que os treinos eram pesados, mas ao mesmo tempo divertidos. "Nossos pais, às vezes, vinham para nos assistir, ver como jogávamos, e tínhamos um trato: cada um dava 20 euros, que colocávamos embaixo das bolas arrumadas no outro lado da quadra, e sacávamos na direção delas. Quem acertava, levava o prêmio", Djukic ri. "Para nós era divertido, porque éramos moleques, mas também meninos que sabiam sacar durante uma hora sem parar".

No início de 2004, começou um novo capítulo na carreira de Djokovic. Ele foi para um torneio na Austrália, onde participou do seu último Grand Slam na chave juvenil. Durante as preparações em Melbourne, ele treinava ativamente com Dejan Petrovic, que depois se tornaria seu treinador *full time* e também o técnico da seleção sérvia.

"Eu tinha um relacionamento ótimo com Dejan Petrovic", diz Niki Pilic. "Era um menino tranquilo e, apesar de não conhecer muito a cena internacional do tênis, naquele momento não era ruim para Novak."

Depois da volta da Austrália, Djokovic participou do seu primeiro torneio da série Challenger, que ocorreu em fevereiro do mesmo ano em Belgrado. O torneio foi disputado no ginásio, nas quadras do Clube de Tênis Gemax, e Djokovic entrou no torneio graças ao *wild card*, como convidado dos organizadores.

"Acho que naquele ano automaticamente recebeu a carta convite", lembra-se Niki Pilic. "Era lógico, porque no momento era o melhor entre os tenistas nacionais da sua geração e recebeu o *wild card* da Associação de Tênis."

Este primeiro Challenger de Djokovic terminou logo na primeira rodada. O tenista suíço Marco Chiudinelli saiu vencedor por 2-0 em *sets*. Era seis anos mais velho, e figurava como um tenista da qualidade da geração de Roger Federer; por isso, a rápida derrota de Djokovic não foi grande surpresa.

Mais ou menos na mesma época, consultando Niki Pilic sobre a evolução da carreira de Djokovic no futuro, foi traçado um "plano" que definia que ele não viajaria para lugares muito distantes, mas participaria dos torneios realizados perto da Sérvia e que podiam gerar pontos da ATP.

A oportunidade apareceu logo: os dois Futures na capital da Croácia, Zagreb (fevereiro de 2004). No primeiro, Djokovic chegou até a semifinal, uma partida muito tensa, com dois *tiebreaks*, e perdeu para Jeroen Masson da Bélgica. No segundo, chegou até a segunda rodada, quando foi eliminado pelo tenista eslovaco Ivo Klec.

Seguindo o plano de participar nos torneios que não exigiam viagens exaustivas, em meados de março Djokovic foi a Sarajevo para o seu segundo Challenger. Na capital da Bósnia-Herzegovina, na segunda rodada, conseguiu sua revanche contra Klec, que o derrotara em Zagreb, mas nas quartas da final perdeu para o sueco Johan Settergren, nove anos mais velho que Novak.

\*

Na primavera de 2004, a seleção sênior da SMG enfrentaria a seleção da Letônia na Copa Davis. Djokovic, então, não era somente um parceiro de treinos dos tenistas sérvios, como em 2003, nas partidas da semifinal contra a Bulgária. Dessa vez, tinha a oportunidade de jogar uma das partidas. É verdade que tal partida, naquele momento, não tinha mais importância competitiva, porque a equipe da SMG já embolsara os 3-1 da vitória contra os letões.

Praticamente desde essa Copa Davis teve início uma cooperação intensa com Dejan Petrovic, o que se tornaria uma etapa importante no desenvolvimento da carreira de Djokovic. Com exceção do Future disputado em abril, na cidade italiana de Bérgamo, onde passou pelas qualificações com êxito e foi parado nas quartas de final pelo francês Gael Monfils, nos torneios que Novak participava sempre havia treinos de preparação com Dejan Petrovic. Rapidamente revelou-se a cooperação entre eles muito frutífera.

Em maio de 2004, Djokovic participou dos três torneios na vizinha Hungria. No primeiro Future, no caminho em direção ao título, perdeu um único *set*, enquanto no segundo se despediu da competição ainda na primeira rodada. Com algumas oscilações no jogo, foi a Budapeste, dessa vez para o Challenger. Era o terceiro de que Djokovic participava, mas o primeiro que venceu. Primeiro, na terceira rodada das qualificações teve sua revanche contra Johan Settergren, que o derrotara em Sarajevo. Ganhou com folga. Na sequência, derrotou todos os adversários, deixando somente um *set* no caminho para o troféu.

O título desse Challenger era o maior sucesso na carreira de Djokovic até aquele momento. Depois dele, e de volta da miniturnê da Hungria, Djokovic subiu mais de 200 posições na lista da ATP, indo para o 368º. lugar.

A BIOGRAFIA DE NOVAK DJOKOVIC

Niki Pilic afirma: "Para ele, a vitória naquele Challenger era muito importante, pois conseguiu ganhar muitos pontos e ficou muito satisfeito. Esses pontos eram praticamente equivalentes aos quatro ou cinco Futures vencidos. Estava satisfeito por dois motivos: primeiro, não esperava a vitória; segundo, ganhou motivação extra para progredir ainda mais. Na semifinal, jogou contra um brasileiro quatorze anos mais velho, Francisco Costa, e venceu o primeiro *set* por 6-3. Em seguida, perdeu o segundo por 6-0. Às vezes isso acontece, quando os tenistas percebem que não vale a pena voltar ao *set*. Normalmente ocorre com o resultado de 4-0, quando dizem para si mesmos: '*Ok*, vou poupar a energia e a concentração, e no terceiro *set* vou retornar'. E realmente aconteceu assim. Djokovic ganhou o terceiro *set* por 6-2, e venceu".

Não é nada estranho que Niki Pilic se lembre dessa partida, porque era, na verdade, a mais interessante nesse torneio. Na final contra o tenista italiano Daniele Bracciali, Djokovic ganhou fácil (6-1, 6-2).

O próximo na fila era Reggio Emilia, num Challenger disputado no final de junho, na Itália. Djokovic saiu como *bye* na primeira rodada do *qualifying*. Na segunda, teve a sorte de o tenista grego Solon Peppas entregar o jogo. Na última partida das qualificações, em dois *sets*, Djokovic perdeu para o brasileiro Júlio Silva.

Tendo em vista que tinha começado a deixar para trás os Futures para atacar seriamente os Challengers, Djokovic decidiu também participar do seu primeiro torneio da série ATP 250.

Realizado na cidade costeira croata de Umag, esse era o maior torneio na região da ex-Iugoslávia. Djokovic recebeu o *wild card* (convite) do diretor do torneio, Slavko Razberger, que, de imediato, percebeu que se tratava de um grande talento. Razberger e Niki Pilic já se conheciam de longa data, quando o tênis na área da antiga RSFI ainda estava iniciando um desenvolvimento mais firme. Pilic falou com Razberger, e para Umag foi convidado não apenas Djokovic, mas também sua família inteira.

Vladimir Cvetkovic, amigo da família Djokovic, de Kopaonik, lembra-se de que Razberger e a família Djokovic estabeleceram um excelente contato: "Lembro-me de que Srdjan ficou surpreso. Ofereceram-lhes condições maravilhosas, com tudo pago, inclusive as duas suítes onde todos podiam se acomodar. Essa hospitalidade se repetia cada vez que Djokovic jogava em Umag. Razberger tinha uma comunicação excelente com a família Djokovic, e em Novak reconheceu prontamente um jogador de topo".

Aliás, Umag é o destino predileto dos tenistas da vizinha Itália e também dos muitos espanhóis liderados por Carlos Moya, que venceu Djokovic por cinco vezes. O torneio deve sua popularidade ao fato de a quadra central ser situada a uns trinta metros da praia e, após as partidas, a diversão continua até altas horas da noite nos inúmeros cafés e discotecas.

Djokovic teve problemas somente na terceira rodada das qualificações, quando perdeu para o italiano Manuel Jorquera por 2-1. Na primeira rodada da chave principal do torneio, se deparou outra vez com o italiano Filippo Volandri. O afamado Pipa, alguns anos mais tarde, foi colocado por Djokovic no seu repertório de imitações, no qual se encontravam também Nadal, Roddick, Maria Scharapova e outros. Volandri, com seu característico *forehand*, saque não muito forte e jogo baseado em longas trocas de bola no fundo de quadra, demonstrava os melhores resultados no saibro, superfície em que é disputado o torneio em Umag. Foi a única vez que Djokovic e Volandri se encontraram em uma partida profissional: o tenista italiano venceu, e hoje, oito anos depois, ele ainda aparece ganhando por 1-0 em retrospectivas de jogos.

"Novak jogou bem, apesar de perder o primeiro *set* no *tiebreak* e o segundo por 6-1", diz Niki Pilic. "Na época, Volandri era ótimo no saibro, embora estivesse em 56º. na lista da ATP. Acho que naquele tempo era o melhor jogador italiano, vencia também Ivan Ljubicic. Uma pena que Novak cruzou com Volandri ainda na primeira rodada."

Mesmo já disputando torneios profissionais, no início de agosto de 2004, Djokovic participou do campeonato europeu para juniores na cidade italiana de Verona. Foi seu último torneio júnior na carreira. O técnico da seleção da SMG era, de novo, Jovan Lilic, e um dos jogadores, Boris Conkic, relembra alguns detalhes: "Esse campeonato é algo semelhante à Copa Davis. São disputadas duas simples e uma dupla. São quatro grupos compostos de oito equipes, que, somados, perfazem 32 países. Os vencedores dos grupos vão para a fase final, em Verona, onde se encontraram as oito seleções. Nós disputávamos em Vinkovci, Croácia, nossa final contra a seleção da Croácia, e seguimos adiante. Na primeira rodada da grande final derrotamos a seleção da Turquia, depois a Alemanha, e no final a Eslováquia".

É interessante que Djokovic, que na época já jogava Challengers, voltava para um torneio da categoria júnior, mas, como diz Niki Pilic: "Não existe nisso nenhum tipo de sensacionalismo. E não era um passo para trás. Novak conhecia muito bem Lilic e também seus amigos da equipe. Creio que na Associação de Tênis da Sérvia pensaram que seria totalmente lógico que aparecesse lá. A Associação não apoiava muito Novak, e voltar para jogar um torneio da categoria júnior, quando era preciso sair para algum campeonato europeu ou para a Copa Davis, mas não seria bom interromper a cooperação com a Associação, e, além disso, Novak era o tipo de jogador de equipe".

Os resultados obtidos nesse torneio demonstraram que os tempos das competições juniores definitivamente tinham ficado para trás. De todas as partidas que disputou, Novak saiu vencedor. Mas seu sucesso jamais se colocava à frente da conquista da seleção.

"Minha maior impressão era de que ele tratava tudo muito mais profissionalmente do que todos nós", diz Conkic. "No aquecimento e alongamento detalhados já dava para perceber que era um profissional pleno. Sempre gostava da rotina, das repetições. Era muito importante para a nossa equipe. Fiquei surpreso de quanta energia dedicava para manter o espírito vencedor. Sempre colocava a equipe em primeiro lugar, e para mim era um grande prazer jogar com ele. E sempre se esforçava para que cada um de nós desse o seu máximo. Lembro-me de que Viktor Troicki teve de jogar contra o tenista alemão, canhoto, de origem russa, Mischa Zverev. Na época, Zverev estava entre os primeiros cinco juvenis do mundo e era tido como absoluto favorito. Até lá, Troicki sempre perdia para ele, e durante o treino preparatório ficou muito nervoso. Novak se aproximou e lhe disse que não podia se dar a esse luxo. Que era preciso estimular-se ainda mais. Era preciso dar o seu máximo. Não 100, mas 200 %. E Troicki, depois disso, jogou uma brilhante partida. Derrotou Zverev por 2-1, quebrando a pressão que sentia em virtude das derrotas anteriores. Novak nos ajudava muito com seus conselhos, e essa situação, de um jogador ajudar tanto os outros, não é tão comum num esporte individual como o tênis."

Logo foi provado que Djokovic superara não apenas as competições juniores, mas também os Futures. O último jogo aconteceu logo no fim de agosto, na cidade sérvia de Cacak.

"Tinha de aparecer ali porque não podia entrar nos torneios da serie ATP 250 de outra maneira", diz Niki Pilic. "Não podia esperar sempre que alguém lhe oferecesse o *wild card*".

David Savic, contra quem Djokovic jogou na segunda rodada, lembra-se de que naquele momento, em Cacak, já havia *outdoors* que anunciavam a participação de Novak Djokovic, a futura estrela do tênis sérvio. "Era claro para todos o quanto trabalhava duro. Na partida contra ele, não tive nenhuma chance. Jogou com precisão e inteligência, dava para perceber que progredira muito em comparação à última vez que tínhamos nos enfrentado".

E era mesmo verdade. No Future em Cacak, Djokovic foi implacável. Triunfou nas simples e nas duplas. Naquela ocasião, jogou pela primeira vez nas duplas com seu futuro treinador, Dejan Petrovic. Na final, derrotou fragorosamente Flavio Cipolla, enquanto na final das duplas, não menos seguro, a vitória foi contra a dupla ítalo-espanhola Cipolla/Soriano-Maldonado.

Desde então Djokovic definitivamente abandonou os Futures e focou nos Challengers e nos torneios da série ATP.

O primeiro na lista era o Challenger na cidade italiana de Manerbe, onde teve de passar pelas qualificações. Nas primeiras duas rodadas, seus adversários não tiveram nenhuma chance. A partida seguinte, contra o italiano Paolo Lorenzi, não foi nada fácil, mas Djokovic saiu vitorioso e conseguiu vaga na chave principal. Ali chegou até as quartas da final, quando foi barrado pelo espanhol Nicolas Almagro com o placar 2-0 em *sets*.

No segundo e último Challenger, disputado durante o verão de 2004, na cidade alemã de Freudenstadt, Djokovic repetiu o sucesso de Manerbe. Passou pelas três rodadas do *qualifying* (na terceira venceu o alemão Philipp Petzschner), e nas quartas da final da chave principal de novo foi derrotado por um espanhol. Desta vez foi Santiago Ventura, sete anos mais velho, naquele momento o 132º. jogador do mundo. Djokovic, na época, estava em 323º. na lista ATP. O primeiro *set* da partida foi marcado por um *tiebreak* extremamente indefinido, que Ventura ganhou. E se tivesse acontecido o contrário, talvez o resultado do jogo tivesse sido diferente. Mas o espanhol venceu a partida e, no final, também levou o título de campeão.

O próximo torneio foi disputado na capital da Romênia, Bucareste. Era o segundo de Djokovic na série ATP 250, e os pontos que ganhou lá eram o grande indicador de que estava evoluindo. Mas não somente isso, porque, após o torneio, Dejan Petrovic decidiu abandonar a carreira ativa de tenista e se tornar o treinador *full time* de Djokovic, acompanhando-o a partir daí nos torneios.

A continuação da colheita dos pontos da ATP se deu nos torneios em Bangcoc, Basileia, Bratislava e Helsinki, e o primeiro grande sucesso da dupla Djokovic–Petrovic foi o Challenger disputado em dezembro de 2004 na cidade alemã de Ahlen.

Naquele momento, Djokovic já era o 242º. do mundo, e depois da vitória nas três rodadas das qualificações, quando derrotou três tenistas alemães nas partidas disputadas na chave principal, conseguiu derrotar os jogadores que estavam em colocações muito melhores que a sua e figuravam como favoritos. O primeiro foi o suíço Stanislas Wawrinka, então 159º. na lista; em seguida, o belga Dick Norman, 157º.; o israelense Noam Okun, 153º.; e, por fim, na partida final, o tenista alemão Lars Burgsmuller, 116º. na lista da ATP.

Antes da participação nesse Challenger, Djokovic e Petrovic foram a Munique se encontrar com Niki Pilic. Pilic relembra quanto Djokovic estava preparado naquele momento, tanto mental quanto fisicamente. "Dava para perceber que colocara o nível do seu jogo nas alturas, sabia exatamente o que era necessário fazer. Recordo-me de que, durante os preparativos, treinou com Gulbis, o letão que jogava espetacularmente na época e que derrotou Novak por 6-4, 6-4. Mas isso não afetou Novak. Pelo contrário. Em seguida, viajou para Ahlen, ganhou oito partidas consecutivamente (três nas qualificações e cinco na chave principal) e, no final, saiu do torneio como campeão. Isso mostra a força de um jogador. Qualquer outro, diante da derrota contra Gulbis, talvez ficasse perturbado, mas não foi o caso de Novak. Isso o obrigou a se concentrar ainda mais e conseguir o maior sucesso possível".

Durante a estadia na academia de Pilic, Djokovic viveu muitos e belos momentos, enquanto Niki Pilic, na sua escola de tênis, podia lhe dedicar toda a atenção. Mas exatamente em virtude das obrigações que tinha lá, Pilic não podia viajar com ele. "Não fosse a academia, minha opção ideal seria acompanhar Novak nos torneios. Em alguns momentos fiquei na dúvida se podia aceitar, mas decidi não fazer isso. A academia era meu credo na vida, ali fiz muita coisa, e não podia abandonar esse investimento dessa maneira. E Novak exigia um treinador que pudesse acompanhar todos os seus passos".

Desde os primeiros dias, Djokovic era um dos jogadores que sempre sabia pegar o melhor de tudo que lhe ofereciam, sem perder o seu "eu". Discutia seriamente o que lhe agradava e não agradava como jogador, o que foi um grande apoio para todos aqueles que com ele cooperavam. Uma pessoa que podia conferir isso durante as viagens de rotina era seu primeiro treinador *full time*, Dejan Petrovic.

# 13. OS CEM DA ELITE

Evento sempre memorável na vida de qualquer tenista de sucesso é, seguramente, quando seu nome aparece entre os cem melhores ranqueados na lista da ATP. No caso de Novak Djokovic, que em 2011 alcançou seu sonho de infância, ao conquistar Wimbledon, o momento do ingresso na lista dos cem melhores aconteceu em 2005, precisamente em Wimbledon.

Para conseguir esse feito, teve de ganhar, na terceira rodada de *qualifying*, do sul-africano, oito anos mais velho, Wesley Moodie, em um piso de grama, no qual caminhara pela primeira vez apenas algumas semanas antes do começo do torneio1[1]. Mas o triunfo de Djokovic, com a passagem dos melhores trezentos aos melhores cem, não foi a única mudança que aconteceu naquele período. O novo capítulo da sua carreira, que representava uma inovação significativa, trouxe também a troca do treinador.

O treinador de tempo integral (*full time*) de Djokovic era Dejan Petrovic, nascido em Adelaide, na Austrália, em 1978.

---

[1] Naquele ano, Djokovic passou pelo qualifying, com vitória sobre Moodie, no jogo decisivo, em batalha de cinco sets, com parciais de 4-6, 6-0, 6-7(2), 7-6(4) e 6-3. Depois, na chave principal, ainda venceu o argentino Juan Monaco por 6-3, 7-6(5) e 6-3, ganhou de Guillermo Garcia Lopez, por 3-6, 3-6, 7-6(5), 7-63 e 6-4, perdendo apenas na terceira rodada para o francês Sebastien Grosjean por 7-5, 6-4, 5-7 e 6-4 para acumular pontos suficientes e colocar-se pela primeira vez na carreira entre os cem primeiros do ranking da ATP. (Nota do R.T.)

Com sua família, Petrovic mudara para a Sérvia central em 2003, indo residir em Kragujevac, cidade natal dos pais, onde mais tarde fundou sua academia de tênis. Naquele momento, era plenamente reconhecido como profissional do tênis. Sua melhor posição na lista da ATP foi o 157º. lugar em simples, em 2000, e o 116º. lugar em duplas, em 2002. Foi jogador da seleção nacional na Copa Davis (em duplas) da SCG (Sérvia e Montenegro) em 2003 e 2004, participou de todos os torneios de Grand Slam, e, como ele afirma, uma de suas vitórias mais queridas foi aquela contra Lleyton Hewitt: "Jogávamos no circuito satélite em novembro de 1997, na segunda rodada do torneio Mount Waverley, Victória, na Austrália. Naquele tempo ele era cabeça de chave número três, e consegui vencê-lo por 7-5 e 6-1".

Durante sua carreira de treinador profissional, Dejan foi técnico da equipe da seleção da Copa Davis da Sérvia, de 2005 a 2007, treinador pessoal de Novak Djokovic, de 2004 a 2005, e também de Jelena Jankovic[2], em 2006. Antes de iniciar a carreira profissional, Petrovic, assim como Djokovic, foi o melhor jogador júnior em todas as categorias – jogador da seleção nacional e campeão da Austrália nas categorias 14, 16 e 18 anos.

Petrovic conheceu Djokovic oficialmente em Belgrado, em julho de 2003, nas quadras de tênis Djukic. Naquela época, atuou na Copa Davis como estreante para a SRJ (República Socialista da Iugoslávia), nos jogos de quartas de final disputados contra a Bulgária. Tendo como parceiro Nenad Zimonjic, que então foi o técnico, triunfou em duplas na terceira rodada. Graças a essa vitória, a equipe da SRJ começou a ganhar com o placar de 2 a 1. O terceiro ponto vencedor foi conquistado por Janko Tipsarevic e, em seguida, Boris Pasanski ganhou o jogo da quinta rodada[3], que não alterava o placar: Sérvia 4/Bulgária 1.

---

2 Jelena é uma tenista sérvia que chegou a liderar o ranking feminino da WTA, a Associação Feminina de Tênis. (Nota do R.T.)

3 Os confrontos da Davis são jogados em melhor de cinco partidas. Na primeira rodada são dois jogos de simples; na segunda rodada há a partida de duplas e, na terceira rodada, outras duas partidas de simples, invertendo-se os adversários do primeiro dia de jogos. (Nota do R.T.)

Os parceiros de treinamento do então quarteto da SRJ eram dois jovens tenistas: Ilija Bozoljac, que alguns meses antes, em abril, atuara para a seleção em jogos disputados contra a Costa do Marfim, e Novak Djokovic, cujo nome apareceu pela primeira vez nas quartas de final contra a Bulgária, um dos últimos na lista dos jogadores que representavam o time nacional. "O que se percebia em Novak, e ainda hoje se percebe, era seu alto profissionalismo e a disciplina em jogo e também na vida", afirma Petrovic.

Mas Petrovic já tivera oportunidade de ver Djokovic dois anos antes da Copa Davis, porque ele treinava nas quadras do complexo Gemax, em Belgrado, com o treinador do clube, Ladislav Kis. Petrovic já conhecia Kis, pois este morou muitos anos em Sidney, era o segundo melhor júnior da Austrália, na categoria até 16 anos de idade, e jogara com Petrovic no circuito satélite em Valdengo (Itália, 1995), então estreante em disputas no velho continente. "Numa ocasião, depois de encerrar sua carreira de jogador, encontrei Kis em Gemax, e ele me disse que estava treinando um jovem e promissor tenista, Novak Djokovic, que naquela época era campeão europeu na categoria até 14 anos. Lembro-me de que fiquei sentado no primeiro andar, no restaurante que dava vista para as quadras, observando pelo vidro como Djokovic jogava, e gostei daquilo que vi. Acho que nos conhecemos naquela ocasião, depois do seu treino, mas de maneira informal".

Exatamente no período antes de ganhar seu primeiro torneio nas quadras de tênis do Estrela Vermelha, no fim de junho de 2003, Djokovic treinou pela primeira vez com Dejan Petrovic nas quadras do clube de tênis Partizan: "Ele sempre foi brilhante no fundo de quadra, mas no início não tinha a arma (o seu *forehand*) que seria sua marca registrada e com a qual passaria a ameaçar a todos. Era igualmente bom em todos os segmentos do jogo, mas existia ainda muito espaço para progresso".

Petrovic então trabalhou com Djokovic mais no saque e *forehand*, preparando-os para ser seu maior apoio no jogo. "Tudo isso podemos deixar de lado. Vi nele um grande potencial. Acreditei que poderia ter sucesso. Se não estivesse 100 % convencido, não teria aceitado ser seu treinador de tempo integral", acentua Petrovic.

Durante os sete meses entre junho de 2003 e janeiro de 2004, e a viagem à Austrália para fazer a preparação com Petrovic para o Aberto da Austrália juvenil, Novak Djokovic teve duas experiências muito importantes: uma derrota e uma vitória. A derrota, no fim do verão, ocorreu na primeira rodada do Aberto dos Estados Unidos juvenil (seu segundo Grand Slam juvenil consecutivo). A vitória, muito impressionante, foi durante o outono de 2003 na Copa Davis, ainda como juvenil, disputada na Alemanha, onde Novak foi brilhante atuando pela equipe nacional de Jovan Lilic.

Quando se aproximou a viagem para a Austrália, a família Djokovic decidiu que seu filho mais velho ficaria entregue aos cuidados de Lilic. Além da confiança infinita, tanto em virtude da amizade perene quanto devido às suas conquistas profissionais, Jovan Lilic conhecia Dejan Petrovic de longa data, pois com ele trabalhara como treinador no clube de tênis Estrela Vermelha. Esse foi o primeiro dos dois Abertos da Austrália em que Djokovic e Lilic viajaram juntos (em 2004 como juvenil e, em 2006, no circuito profissional).

Após o período de adaptação e treinamento nas condições do verão australiano, vindo do inverno de Belgrado, Djokovic, em meados de janeiro de 2004, participou do torneio Uncle Tobys, em Melbourne, chegando com facilidade entre os 16 melhores. E foi parado pelo tenista francês Gael Monfils, que o venceu por 6-4, 6-2. "Naquele tempo, Monfils era a jovem esperança do tênis francês, tinha um jogo muito rápido, atípico para o tênis juvenil", lembra-se Lilic. "Jogava com acentuado efeito *top spin*, que em quadra rápida ganha aceleração ainda maior e tem maior efeito. Novak sabia anular esses golpes, o que os demais meninos geralmente não conseguiam, mas não foi suficiente para derrotá-lo".

Os valores que a França investia no seu tênis juvenil (e também no tênis em geral) talvez expliquem o fato de que, ainda no Aberto da Austrália juvenil, no final do mesmo mês, Djokovic tenha perdido a semifinal para mais um francês. Josselin Ouanna ganhou fácil em dois *sets* e, como Djokovic, ganhou de todos os seus adversários nas quatro rodadas anteriores. "Antes dessa derrota para Ouanna, Novak venceu o jogo das quartas de final por 6-1, 6-4 de Mischa Zverev", Lilic se recorda. "O alemão, naquele momento, era um jogador muito mais perigoso do que o francês, mas Ouanna tinha algo que, no tênis juvenil, muitas vezes pode resultar em sucesso; talvez, naquela época, não tivesse uma boa concepção de jogo em particular, mas, em contrapartida, possuía um físico muito bem preparado".

No que diz respeito a duplas, naquele ano Djokovic também foi bem-sucedido. Com o norte-americano Scoville Jenkins alcançou a semifinal, na qual foram superados pela dupla norte-americana Evans / Oudsema. Independentemente do resultado, em seu modo de pensar, ele começou a se diferenciar de seus contemporâneos, pois, no tempo que se seguiu, levou rapidamente seu jogo do tênis juvenil ao profissional sênior. "No tênis juvenil, o ponto pode ser uma improvisação, mas, no *tour* profissional, cada ponto deve ser definido. Isto Novak sabia", diz Lilic.

A participação de Djokovic no Aberto da Austrália juvenil, de alguma forma, anunciou também a chegada de uma excelente geração juvenil (Nadal, Murray, Gasquet, Monfils). Logo todos mostraram não apenas que podiam ficar ombro a ombro com seus colegas seniores, mas também ser uma ameaça séria para eles. Apesar de se diferenciarem entre si, uma coisa tinham em comum: todos jogavam um tênis feroz, e eram grandes batalhadores. "Comparando esses tenistas daquela época com os de hoje, me parece, salvas as exceções, que existe um tipo de vácuo no tênis juvenil", diz Lilic.

Durante o torneio, Djokovic aproveitou a oportunidade de conhecer um pouco melhor a atmosfera gerada em torno do Aberto da Austrália. Apesar de ser proibido aos jovens tenistas entrar nos vestiários dos jogadores profissionais seniores, Djokovic, em companhia de Jovan Lilic, de vez em quando tinha chance de conviver com eles, graças às credenciais do tenista sérvio Nenad Zimonjic, que naquele ano participou da chave de duplas e em duplas mistas (ganhou a dupla mista com a russa Elena Bovina). Lilic se recorda de uma conversa com Djokovic sobre os maiores jogadores da época (Marat Safin, Andy Roddick, Andre Agassi), e de como os tenistas mais bem ranqueados se trocavam no vestiário A (o *locker room* dos profissionais ou dos classificados para a chave principal), enquanto os outros, no B (o *locker room* dos juvenis, ou dos jogadores do *qualifying*). "Lembro-me de que Djokovic me disse: 'Preste atenção, meu nome estará entre esses primeiros'". E assim aconteceu mais tarde.

Nesse Aberto da Austrália, Djokovic encontrou pela primeira vez algumas pessoas importantes no tênis, não apenas os jogadores da atualidade, como Andre Agassi, mas também lendas, como John McEnroe. Com seu jogo, ele mostrou definitivamente o talento e o trabalho reconhecido de modo inequívoco por todos os que o assistiram, e, como ficou evidente mais tarde, que a cooperação com Dejan Petrovic no cargo de treinador em tempo integral poderia ser muito frutífera.

Outro encontro de Novak Djokovic e Dejan Petrovic aconteceu na competição seguinte da Copa Davis, em abril de 2004. A República Federativa da Iugoslávia (SRJ) havia mudado de nome e se tornado Sérvia e Montenegro (SCG). Os adversários eram da seleção da Letônia, contra os quais, na primeira fase, a SCG jogou em casa. Os primeiros pontos foram conquistados por Nenad Zimonjic e Janko Tipsarevic, ganhando de forma convincente suas partidas em simples. O terceiro ponto vencedor foi conquistado também pela dupla Zimonjic/Petrovic. Nessa ocasião, Djokovic disputou apenas um jogo, na quinta rodada, que naquele momento não tinha mais significado competitivo, pois como a Sérvia já tinha a vitória assegurada (com placar de 3 a 0 no confronto) realizou-se apenas para cumprir tabela. Além disso, ganhou fácil e categoricamente com o placar de 2 *sets* a 0. Esta foi a primeira vez que Djokovic e Petrovic se apresentaram juntos no time nacional.

Antes de Djokovic, em maio do mesmo ano, conquistar os torneios da série Future e Challenger na Hungria[4], de novo passou pela preparação de sete dias com Petkovic, dessa vez nas quadras de Kragujevac. No Future, disputado na cidade húngara de Szolnok, não teve problemas – em direção ao título perdeu apenas um *set*. No Challenger, em Budapeste, seu sucesso foi semelhante. Nas oito partidas disputadas, três pelo *qualifying* e cinco na chave principal, perdeu somente um *set*. Na final, esperava-o Daniele Bracciali, que conhecia Dejan Petrovic desde o tempo dos juvenis, e na carreira profissional o enfrentara duas vezes, na

---

4 Os torneios de tênis são divididos em Futures (com premiação de 10 mil dólares), em Challengers, premiação de 25 mil dólares a 150 mil dólares), ATP 250 (premiação média de 500 mil dólares), ATP 500 (premiação média de 1 milhão de dólares), ATP 1000 (premiação média de 2 milhões de dólares ) e os torneios do Grand Slam, circuito formado pelo Aberto da Austrália, Roland Garros, Wimbledon e US Open. (Nota do R.T.)

quadra de grama, no Challenger de Manchester, em 2000 e 2001 (cujo resultado era 1 a 1). Se Djokovic recebeu de Petrovic algum conselho sobre como derrotar o italiano na final, permanece uma incógnita. O fato é que ele ganhou de forma incontestável, com o placar de 6-1, 6-2.

Durante o ano de 2004, Djokovic brilhou em simples e também nas duplas (com Petrovic), no seu último Future na cidade sérvia de Cacak. Nessa ocasião, Djokovic (depois de derrotar os adversários nas rodadas anteriores), nas finais de simples e duplas, teve como adversário o tenista italiano Flavio Cipolla, vencendo-o em ambas as partidas nos dois *sets*. Esse Future foi apenas um dos vários torneios que Djokovic, mais tarde, jogou em duplas com Dejan Petrovic. Ainda nesse torneio, Petrovic e Djokovic passaram muito tempo juntos, acomodados no mesmo quarto, treinando duro durante o dia. Considerando que Djokovic era focado mais nos torneios Challengers, parece que sua participação como "egresso" do Future foi um tipo de luta final para descobrir como funcionaria a interação do treinamento com Petrovic. Estava confirmado que na comunicação entre eles tudo ia bem. Em conversa com Srdjan Djokovic, em Cacak, pela primeira vez discutiu-se sobre "treinador de tempo integral", que, de volta a Belgrado, tornou a oferta concreta. "Tenho de confessar que não esperava essa dádiva. Srdjan Djokovic havia me chamado para que ficasse uns dez dias atuando como parceiro de treinamento do seu filho, mas como jogador, não como treinador", diz Petrovic. "Encontramo-nos no clube de tênis Djukic, e Srdjan sugeriu que eu fosse com Novak no torneio da Romênia".

Aceitar a proposta significava trabalho diário e dedicação total. Petrovic sabia que o papel de treinador de tempo integral excluiria a prática ativa do tênis, e também, tendo em vista que não é comum treinador e jogador se apresentarem juntos, as partidas em dupla com Djokovic se tornariam raras. O que terminou por se confirmar. Tempos depois, Djokovic e Petrovic jogaram somente mais dois Challengers em dupla – o primeiro na Finlândia, em novembro de 2004 (perderam nas semifinais para a dupla Lindstedt/Lu), e o segundo, em fevereiro de 2005, em Belgrado (na segunda rodada foram eliminados pela dupla Ilija Bozoljac e Viktor Troicki).

"Na verdade, joguei contra ele antes do Future em Cacak, no campeonato de equipes", diz Petrovic. "Djokovic era do time Partizan, e eu do Estrela Vermelha. Nikola Ciric e eu jogamos contra ele e Goran Tosic. Conseguimos vencer, apesar de o time ter em suas fileiras bons jogadores, como Tipsarevic, Bozoljac, Vemic".

Petrovic aceitou a oferta de Srdjan Djokovic. "O torneio em Bucareste foi o primeiro em que, com Milos Jelisavcic, fisioterapeuta que conhecia há anos, aparecia no papel de treinador permanente, viajante. Nesse momento, Djokovic encontrava-se entre os profissionais seniores, ranqueado como o 272º. jogador no mundo".

Petrovic lembra-se de que a viagem de carro até a Romênia foi muito agradável, e de como a equipe foi bem recebida. As mídias anunciavam amplamente que Novak Djokovic era a nova esperança do tênis sérvio. O que foi provado durante o torneio, que não terminou sem um drama esportivo. Djokovic passou fácil pelo *qualifying*, sem perder nenhum *set* e, na primeira rodada na quadra central, derrotou o então 60º. jogador do mundo, Arnaud Clement, por 2-6, 6-4, 6-4. Na segunda, em um jogo noturno, perdeu para David Ferrer. "Não se pode esquecer que o espanhol era o defensor do título nesse torneio, e a entrada de Djokovic na segunda rodada, tendo em vista sua idade, era um grande triunfo. Perdeu o jogo num momento em que estava prestes a ganhar", recorda o então fisioterapeuta de Djokovic, Milos Jelisavcic.

Djokovic ganhou o primeiro *set* por 6-4, e, no segundo, estava ganhando por 4-3, com vantagem de dois *break points* no saque de Ferrer. Como não aproveitou essa grande oportunidade, confirmou-se a regra que diz que, em geral, uma partida é perdida quando não se aproveita uma chance quando ela aparece. O espanhol voltou ao jogo, e Djokovic foi derrotado (6-4, 4-6, 4-6).

Após a volta da Romênia, chegou o momento de Dejan Petrovic tomar uma decisão definitiva para sua carreira: "Ser ao mesmo tempo jogador e treinador é impraticável. Missão impossível. Simplesmente tinha de escolher. Por um lado, precisava me apresentar com a nossa seleção na Hungria, onde seria disputada a Copa Davis, mas, por outro, nesse mesmo momento, Djokovic precisava participar do torneio em Bangcoc, para o qual tinha recebido um convite de Alon Kaksuri (dono do torneio e ex-empresário de Djokovic). Eu já havia começado com Djokovic, então, decidi, definitivamente, me tornar seu treinador de tempo integral".

A viagem até Bangcoc significava um voo via Zurique, onde a equipe de Djokovic enfrentou sérios problemas burocráticos. Petrovic tinha passaporte australiano, enquanto os passaportes de Djokovic e de seu fisioterapeuta Milos Jelisavcic eram sérvios e sem visto. Naquele momento, a Sérvia encontrava-se sob um regime de rigorosas medidas de segurança e controle em relação aos vistos, e, sem uma declaração obtida na embaixada, muitos dos destinos se tornavam indisponíveis. Mesmo comprometendo-se a regularizar os vistos logo que chegassem a Bangcoc, Djokovic e sua equipe foram barrados no aeroporto de Zurique. Os oficiais da alfândega eram inflexíveis.

Para piorar a aflição, todos os quartos no hotel do aeroporto estavam ocupados. Petrovic lembra-se de que ficaram sentados no saguão do aeroporto, jogando remi[5], até o amanhecer, quando finalmente puderam se acomodar em um dos quartos livres. "Tivemos tempo suficiente para realizar até um treinamento físico de mais ou menos uma hora, correr um pouco, dar alguns piques num dos enormes corredores do aeroporto, e, finalmente, por volta das sete da manhã, pudemos entrar no hotel, tomar um banho e descansar", relembra Milos Jelisavcic.

Djokovic e sua equipe tiveram apenas algumas horas de sono antes de enfrentar as novas complicações que surgiriam no dia seguinte. Era preciso entrar em contato com o empresário de Djokovic, Alon Kuskuri, que, como dono do torneio de Bangcoc, enviaria, no prazo mais curto possível, todas as garantias necessárias para liberar a passagem de Djokovic e sua equipe. Quando finalmente o problema com os vistos foram resolvidos, Djokovic foi acometido por um leve resfriado já em Bangcoc, por causa da grande diferença de temperatura, já que todos os cômodos em que estivera, inclusive a quadra onde jogava, eram muito refrigerados. Roger Federer ganhou o título de campeão na Tailândia (nesse mesmo ano, em fevereiro, ocupou a primeira posição, nela permanecendo até

---

5 Jogo de cartas popular na Sérvia. (Nota do R.T.)

agosto de 2008), enquanto Djokovic foi eliminado muito cedo, ainda na primeira rodada. Essa foi a primeira vez que Djokovic e Federer participaram do mesmo torneio.

Apesar do resultado em Bangcoc, Jelisavcic recorda que, depois do torneio, Djokovic, Petrovic e ele aproveitaram a oportunidade para conhecer os pontos turísticos e os costumes da Tailândia. "Visitamos os templos, navegamos pelo rio... Lembro-me de que, um dia, fomos a um mercado muito conhecido, onde pechinchar era prática comum. Djokovic, que a princípio se recusara a ir, não conhecia aquela prática. Quando lhe expliquei do que se tratava, ficou tão empolgado que nem depois de três horas conseguimos tirá-lo de lá", lembra, entre risadas, Jelisavcic.

Depois da viagem desgastante para Bangcoc e do retorno às condições climáticas europeias, aguardava por Djokovic o torneio da Basileia, no qual, ainda na primeira rodada, seria derrotado pelo tenista sul-africano Wesley Moodie por 6-1 e 6-1.

Na verdade, naquela época muitas coisas não trabalhavam a favor de Djokovic. A ida para Basileia não tinha sido bem planejada. Petrovic e Djokovic percorreram de trem um caminho exaustivo da academia de Pilic em Munique (onde treinavam) até a Suíça. Para começar, uma nova barreira burocrática apareceu. Seu fisioterapeuta, Milos Jelisavcic, não tinha visto para a viagem, e teve de voltar de Munique para a Sérvia. Petrovic e Djokovic chegaram tarde da noite, e logo no dia seguinte, ainda na parte da manhã, Djokovic jogou a primeira partida, sem possibilidade de treinar antes nas quadras onde se realizava o torneio.

Em seguida, foi a vez do Challenger em Aachen, 2004, onde Djokovic mostrou que as derrotas anteriores não o tinham desencorajado. A recepção na Alemanha, no mínimo, foi fria, e todos sentiam no ar algo desconfortável. Além do problema sobre a reserva do horário do treinamento, para Djokovic e sua equipe nada foi facilitado, em nenhuma ocasião, porque os organizadores consideravam que se tratava de um jogador do *qualifying*, ao qual não precisavam prestar muita atenção.

Quando teve início o torneio, a situação começou a mudar com o sucesso de Djokovic nas quadras. Passou pelo *qualifying* sem perder nenhum *set*, e na primeira rodada da chave principal derrotou, categoricamente, Stanislas Wawrinka. Em seguida, fez uma sequência de mais três vitórias, perdendo apenas um *set* no caminho até a final, quando, em três *sets*, conseguiu derrotar o alemão Lars Burgsmuller e conquistar o torneio. "Essa partida da final foi difícil. O alemão esteve por cinco anos entre os cem primeiros, era excelente jogador, e acima de tudo tinha a torcida a seu favor. Pareceu que Djokovic, Milos e eu estávamos sozinhos contra todos. Aachen, de certa forma, foi o trampolim para ele, o melhor indicador de tudo que fizemos. Ali, as coisas se encaixaram, e ele simplesmente brilhou".

Não é de se espantar que Dejan Petrovic lembre-se muito bem do torneio de Aachen. Fora as inconveniências do início do torneio, Djokovic finalmente triunfou e ganhou a atenção do público. Por outro lado, foi a primeira vitória de Petrovic como treinador e, o mais importante, o primeiro torneio em que Djokovic e ele ganharam como equipe. "Ele sempre teve espírito de vencedor, e é um grande profissional desde os primeiros dias", Petrovic confirma o que todos os especialistas do tênis que trabalharam com Djokovic continuamente destacam. "Ele é alguém que sempre estuda e amplia as fronteiras de seu conhecimento e suas aptidões".

Foi uma pena que Djokovic, na categoria individual, nos três torneios seguintes não tenha conseguido repetir o sucesso de Aachen. A primeira derrota aconteceu no Challenger de Bratislava; embora parecesse que o jogo, em determinados momentos, pudesse virar a seu favor, até pelos muitos *games* disputados, Djokovic caiu na segunda rodada, perdendo para o eslovaco Dominik Hrbaty (4-6, 5-7).

Em novembro de 2004, a equipe viajou para o Challenger em Helsinque, onde Djokovic jogou em simples e duplas (em parceria com Petrovic). Embora nas simples, durante a segunda rodada, ele tenha sido barrado pelo japonês Takao Suzuki e, nas semifinais, derrotado pela dupla Lindstedt/Lu, os dias na Finlândia, para Petrovic, ficaram como uma bela lembrança: "Nunca vivi nada semelhante. Nasci na Austrália, e no meu guarda-roupa nunca tive cachecol ou gorro, mas em Helsinque nevava o tempo todo. Fantástico! Lembro-me de que olhava, atordoado, as pessoas com pás limpando montes de neve para que pudessem tirar os carros do estacionamento e, de repente, Djokovic e Milos começaram a atirar bolas de neve em mim. Não sabia o que estava acontecendo, parecia uma criança, nem sabia fazer bola de neve".

141

Após a volta para a Sérvia, os treinos continuaram em Belgrado, e, depois, na montanha Zlatibor, as preparações básicas para a nova temporada de 2005. Djokovic passou pelo plano de dez dias de treino elaborado pelo preparador físico Zoran Grbovic (que nunca viajou com Djokovic, mas trabalhou com ele, como parte da "base de Belgrado").

Djokovic passou com Petrovic o *Réveillon* de 2005 na Austrália, mas longe dos festejos em Adelaide (onde foi realizado o torneio que o esperava). Milos Jelisavcic e Djokovic não esperaram a meia-noite com os companheiros. Djokovic, já em 1º. de janeiro, participou do primeiro jogo das qualificações do ATP de Adelaide contra o norte-americano Brian Baker, que o sérvio respeitava muito e que assim como ele, tinha excelentes resultados como juvenil. Djokovic perdeu o jogo por 2 *sets* a 0, e o início do novo ano do tênis não prometia muita coisa boa. Ou pelo menos parecia assim.

Em seguida, no fim de janeiro, no Aberto da Austrália[6], aconteceu a mudança que prenunciava o drástico "levantamento da poeira". Após o começo bem-sucedido na primeira rodada do *qualifying*, na segunda, Djokovic (como no Challenger em Aachen, em 2004) derrotou Stanislas Wawrinka por 6-3, 6-1. Logo depois, houve o jogo que lhe deu a oportunidade da revanche contra Wesley Moodie, após sua derrota em Basileia e, pela primeira vez na sua carreira, assegurar um lugar na chave principal em um torneio do Grand Slam. Naquele tempo, o sul-africano era considerado um dos bons sacadores, o que não era muito adequado para Djokovic, devido à sua pouca experiência (naquele mesmo ano Moodie se tornaria campeão em Wimbledon nas duplas). Nesse jogo, Djokovic perdeu o primeiro *set* por 6-4. No segundo, Moodie ganhava por 3-2, e ainda tinha uma quebra de serviço de vantagem, quando a situação começou a virar a favor de Djokovic, e usando a arma mais poderosa do adversário. Moodie sacava para 4-2, mas Djokovic conseguiu devolver a quebra e inverter totalmente o jogo, fazendo uma sequência de quatro *games*. No *set* decisivo, com uma quebra a seu favor, conseguiu levar a partida até o fim com o placar de 4-6, 6-3, 6-4.

---

6 O Aberto da Austrália inicia-se na terceira semana de janeiro e encerra-se na primeira semana de fevereiro. O qualifying é disputado na segunda semana de janeiro. (Nota do R.T.)

Pouco mais tarde, na primeira rodada da chave principal, os dezesseis jogadores que passaram pelo *qualifying*, incluindo Novak, esperavam pelo sorteio para saber quem enfrentaria Marat Safin logo na partida de estreia. Naquela época, o tenista russo estava no auge. O tamanho do seu poder era medido por seu jogo de campeão nas quadras e também pela ansiedade que seu nome provocava nos jovens jogadores. "Um dos dezesseis deveria cair no sorteio com Safin, e a conversa era: 'só não queremos cair com ele'. E, de todos eles, acabou sendo confirmado que Novak o enfrentaria. Estávamos na academia, depois do jogo contra Moodie, quando recebemos a notícia. E não ficamos felizes", diz Petrovic.

O russo, que naquele ano foi campeão do Aberto da Austrália na final contra Lleyton Hewitt, não apenas disputou partidas na sua melhor forma, mas também foi um dos ídolos de Djokovic. E ambos até treinaram em Bangcoc, onde Djokovic o aquecia (tinham o mesmo empresário na época, em 2004), ocasião em que Djokovic ficava sempre molhado de suor, pois Safin tinha um ritmo mais do que intenso.

Observando friamente a partida entre eles no Aberto da Austrália, Djokovic talvez não tivesse nenhuma chance. Perdeu por 6-0, 6-2, 6-1. Na época, já era um atleta de alto nível, mas a verdade é que tinha apenas 17 anos. Era praticamente uma criança no início de uma séria carreira profissional. "O jogo seria à noite. Treinaríamos na quadra central, e, quando ainda estávamos no aquecimento, o público começou a entrar. Djokovic, obviamente, estava nervoso, temeroso. Afinal estamos falando de Rod Laver Arena, a quadra central do Melbourne Park, onde é disputado o Aberto da Austrália. Só depois de oito *games* ele conseguiu ganhar seu primeiro. Se tivesse conseguido conquistar algum *game* no primeiro *set*, para se liberar e apresentar o verdadeiro jogo de que era capaz, a situação podia ter sido diferente. Mas, quando você está perdendo para Safin por 6-0 e depois por 2-0 no segundo *set*, as coisas ficam realmente difíceis. Se tivesse conseguido algum *game* no primeiro *set* a situação poderia ter sido diferente. Não digo que venceria, mas Safin, pelo menos, não teria um resultado tão convincente. Sabia que Djokovic era um excelente jogador, e em nenhum momento relaxou durante o jogo. Além disso, estava perfeitamente preparado pelo então treinador Peter Lundgren (ex-tenista sueco), que por anos trabalhou também com Roger Federer".

Após o término do duelo, o tenista campeão Mats Wilander, ex-número um do mundo que cobria o Aberto da Austrália como comentarista, no decorrer de breve conversa com Safin cometeu uma gafe que, de certa forma, perturbou Djokovic e confrontou todos os seus torcedores, principalmente os da Austrália, onde existem mais de cem mil sérvios, povo cuja diáspora foi muito marcante.

Jugoslav Cosic, conhecido jornalista da estação sérvia de rádio e televisão *B92*, recorda-se deste acontecimento, transmitido pela televisão australiana, em que Wilander fez um jogo de palavras com "limpeza étnica" e a guerra na Bósnia: "Na época, pensei como alguém é capaz de, em apenas sessenta segundos, criar uma enorme antipatia, de um povo inteiro, contra si. Diante da arena lotada, Wilander pediu a Safin para fazer o comentário do jogo, e disse: 'O senhor limpou da quadra o jovem Djokovic'. Num momento como esse, quando a carreira de um jovem como ele está se definindo e algo do gênero acontece, pode até levantá-lo, mas é mais fácil derrubá-lo. Por isso, o depoimento de Wilander foi mais do que inadequado. Safin respondeu de forma digna e esportiva, ressaltando o tamanho do talento de Djokovic, e que, com certeza, teria chance de ser mostrado nos anos seguintes".

Esse "deslize verbal" de Wilander não foi o primeiro de um tenista da geração mais velha que "não acertou" o palpite sobre os mais novos. Situação semelhante aconteceu com o australiano Pat Cash, que fez prognósticos totalmente errados com base nos primeiros dias do tênis de Roger Federer. "Talvez, de certa forma, Djokovic tenha ficado por um longo tempo reprimido diante de Safin, que em alguns jogos foi até pior que os outros tenistas contra os quais Djokovic mostrava muito mais coragem, apenas em razão da sua vitória em Melbourne e da grosseira conotação que teve o comentário de Wilander", acrescenta Cosic. Srdjan Djokovic, que em fevereiro de 2011 participou do programa *Entrelinhas*, de Cosic, concordou com ele: "Talvez, por alguns anos, Novak teve certo medo do jogo de Safin, mas pode ser que, por isso mesmo, tenha superado o medo e também o receio de ir a Melbourne".

No momento em que a conversa transcorria no estúdio, ficava evidente que o medo, se tivesse existido, não existia mais. Djokovic tinha conquistado dois Abertos da Austrália e ocupava a terceira posição no *ranking* mundial. O tempo então mostrou o prognóstico mais certeiro. Mas, ao sucesso extraordinário de Djokovic, houve ainda mais algumas ascensões e quedas pelas quais Djokovic e Petrovic passariam juntos.

Depois de voltar da Austrália, Djokovic participou do Challenger em Belgrado, em ambas as categorias (simples e duplas). "Não estávamos totalmente preparados para esse desafio", diz Petrovic. "O choque climático foi enorme. De repente, você, vindo de uma temperatura de 40 ºC positivos, chega às condições daquele duro inverno. Por outro lado, ele tinha voltado para a Sérvia após o jogo contra Safin, e suas expectativas de fazer algum resultado decente em Belgrado eram colossais". Seja como for, nas duplas que jogou com Dejan Petrovic, Djokovic perdeu logo na primeira rodada, enquanto nas simples perdeu nas semifinais para o canhoto de dois metros de altura da Bélgica, Dick Norman (6-3, 6-4), que na época, sacava com velocidade média de 220 quilômetros por hora.

No Challenger seguinte, em Shelbourne, Djokovic também perdeu nas semifinais. Em um jogo nada fácil, disputado em três *sets*, foi derrotado pelo francês Nicolas Mahut. "Eu estava doente, e não podia ir com ele para a França. Esse foi o único torneio de que não participamos juntos durante nossa cooperação. Milos Jelisavcic foi, e sei que, mesmo com muita dificuldade, Mahut conseguiu ganhar o primeiro *set*. Na continuação, dois difíceis *tiebreaks* e muitos *games* no jogo. Foi uma loucura de partida", diz Petrovic, que era informado por mensagens sobre tudo o que acontecia na quadra.

Hoje, Nicolas Mahut é dono do recorde do jogo mais longo na história da era aberta (o duelo com John Isner na primeira rodada de Wimbledon de 2010; uma maratona de onze horas e cinco minutos, na qual foram disputados 183 *games* durante dois dias — o jogo foi interrompido no quinto *set*, por falta de luz natural e reiniciado no dia seguinte). Então, não foi nada estranho que Djokovic, depois de tão duro jogo, tenha perdido para o francês, cinco anos mais velho, com o placar de 5-7, 7-6(5), 6-7(5).

Após a volta para a Sérvia, nas quadras do clube Colonial Sun, tiveram início as preparações para a Copa Davis, durante o mês de março, quando a equipe da SCG, na cidade Novi Sad, teria de enfrentar a do Zimbábue. Apesar de este país não ter tradição no tênis, o confronto foi muito importante para Petrovic, e também para Djokovic. Petrovic não mais figurava na lista dos jogadores, e pela primeira vez se sentou no banco como técnico do time nacional. Para Djokovic, era a segunda vez que participava da Copa Davis, mas, naquele ano de 2005, era o primeiro jogo que tinha importância competitiva. Atuou na primeira rodada, que abriu o duelo das duas seleções, e venceu fácil por 6-4, 6-0, 6-4. Mais tarde, na quinta partida – a sua segunda em simples –, ganhou novamente, o que, na verdade, não mudou nada; o resultado da seleção da SCG foi mais do que persuasivo: 5-0.

Após um curto descanso, sucederam-se treinos pesados, e Djokovic sofreu uma lesão no tendão. "Essa foi a primeira e única lesão sob o meu comando", salienta Petrovic. "Não foi nada assustador, ele se recuperou em menos de duas semanas, mas, com certeza, não foi nada agradável. Todos nós ficamos preocupados, principalmente seu pai. Em abril, nos esperava o torneio em Valência. Lembro-me de que lá, na quadra central, foi organizado um jogo de exibição com famosas personalidades locais. Representando-nos estavam os jogadores Dejan Tomasevic, de basquete, e Miroslav Djukic, de futebol. Fizemos com este último uma grande amizade, e passamos muito tempo juntos. Ele foi um dos nossos mais fanáticos torcedores durante o torneio. Djokovic jogou bem nas qualificações, mas na primeira rodada perdeu em dois *sets* (6-4, 7-5) para o francês Antony Dupuis".

Situação semelhante se repetiu na chave principal do Challenger de Monza, onde Djokovic, apesar de começar ganhando categoricamente no primeiro *set*, acabou perdendo as quartas de final para Nicolas Devilder, por 4-6, 6-3, 7-5. Esse torneio, para Dejan Petrovic, foi marcante, porque Srdjan e Dijana Djokovic pela primeira vez se juntaram a ele e a Djokovic em uma competição. "Acho que ali foi a primeira ocasião em que senti algum tipo da tensão, que à época não entendi totalmente, entre mim e eles. Pensei que se tratava de uma mudança de humor, talvez porque Djokovic tivesse lesionado o tendão, lembrando-me do quanto Srdjan ficara nervoso, ou por esperar que seu filho ganhasse o jogo contra Devilder. Em todo caso, houve uma falta de confiança que eu não esperava", diz Petrovic. "Parecia-me lógico que um jovem jogador, que estava avançando tão rapidamente como Djokovic, devia ter algumas oscilações na carreira. Isto não significa queda, mas desenvolvimento de jogo. É preciso continuidade tempo para se obter continuação na conquista de resultados nos torneios, para que tudo se encaixe, cristalize, suavize. Djokovic tinha um jogo fantástico. Sempre estava subindo no *ranking*. Esse crescimento, talvez, não tenha sido astronômico, mas é fato que ele, durante o tempo em que treinamos, conquistou um grande avanço na ATP. Quando começamos a cooperação, em setembro de 2004, lembro-me de seu pai dizendo que até o fim de 2005 desejava que seu filho ingressasse entre os primeiros cem jogadores do mundo. Esta não foi, de modo algum, uma meta fácil, mas nós a alcançamos em meados de 2005. Djokovic era o mais novo entre os primeiros cem tenistas do mundo. E se entrasse entre os primeiros cem até o fim do ano, ainda seria o mais jovem entre eles".

Como se confirmou no fim do verão de 2005, Petrovic não errara. A carreira de tenista de Djokovic, que sempre apontava para o topo, começou a mudar de direção. A mudança não significou transformação do objetivo, mas presumia, sim, troca de treinador.

O treinador mais cobiçado naquele ano em Monza era Riccardo Piatti, cujo pupilo era o campeão croata Ivan Ljubicic. Era evidente que Piatti não tinha como se dedicar totalmente a Djokovic, contudo, era promissor, pois trabalhara por muitos anos com Ljubicic, mas... "Eu talvez estivesse imaginando que alguma mudança aconteceria naquele período em Monza", diz Dejan Petrovic. "Senti, por alguns detalhes insignificantes, que algo estava acontecendo". Mas o que Petrovic não sabia é que do olho experiente de Piatti não escapara a atuação de Djokovic no Aberto da Austrália, e que ele acompanhava atento todos os seus resultados até aquele momento, embora não assistisse aos jogos ao vivo.

Não havia muito tempo para especulações, e Srdjan Djokovic e Piatti iniciaram conversas que abordavam a eventual mudança de treinador de Djokovic. Na sequência, chegou a nova competição da Copa Davis, desta vez contra a seleção da Bélgica, que naquela época era uma força poderosa do tênis, com jogadores que ocupavam colocações entre os primeiros cem na lista da ATP.

A primeira rodada foi aberta por Janko Tipsarevic, cujo adversário era Christophe Rochus. Tipsarevic perdia por 2-0, mas, no final, conseguiu ganhar por 3 a 2. Ao contrário deste, a pontuação de Djokovic em duelos com belgas era duplamente negativa. No início da segunda partida de simples, jogou contra Olivier Rochus e venceu o primeiro *set* por 6-1. No segundo, Djokovic liderava por 4-1, mas o belga ainda conseguiu voltar ao jogo e empatar o resultado em *sets*. Em seguida, Djokovic conquistou o terceiro *set* por 7-6(3), mas não soube preservar a vantagem adquirida. Rochus empatou o resultado em 2 a 2, e no quinto *set* ganhou a partida. Como Vemic e Zimonjic perderam nas duplas, Janko Tipsarevic teria de vencer para manter a equipe viva no torneio. E conseguiu, em mais um duelo cheio de reviravoltas (contra Olivier Rochus), justificando o apelido de "homem maratona", que ainda o acompanha nas mídias esportivas em razão de jogos de várias horas que costuma disputar em cinco *sets* exaustivos. A partida que Djokovic teria de jogar na rodada final era decisiva para a seleção sérvia. Seu adversário seria Kristof Vliegen, que triunfaria em quatro *sets* por 6-3, 6-3, 3-6, 6-2. Apesar do resultado negativo, o lado positivo do duelo da Copa Davis contra a Bélgica foi o fortalecimento do espírito coletivo dentro da equipe, que continuou crescendo e trazendo sucessos nos anos que se seguiram.

Em maio de 2005, Novak Djokovic foi ao Challenger em San Remo e, graças ao jogo seguro, o ambiente na equipe e o clima que obviamente lhe fez bem, conquistou com facilidade o título, e com categoria. Após o término do torneio, abriu-se a possibilidade de Djokovic participar do *qualifying* de Masters em Monte Carlo, graças a um *wild card* prometido por Riccardo Piatti. "Não fiquei indiferente, por ter sido um Masters e por Djokovic ainda estar por volta da posição 150 na lista, faltando pouco para a conquista", diz Petrovic. No final, essa promessa fracassou, e o resto do tempo que permaneceu em Monte Carlo, Djokovic aproveitou para treinar. Esperava por ele a apresentação em Roland Garros. No Aberto da França, Djokovic, pela segunda vez, encontrava-se na chave principal de um Grand Slam. As primeiras três partidas do *qualifying* passaram suavemente, mas, depois, na primeira rodada da chave principal, derrotou de forma categórica (6-0, 6-0, 6-3) Robby Ginepri.

Zoran Grbovic, membro permanente da base de Belgrado e conhecedor da carreira de Djokovic desde seus primeiros dias no tênis, lembra-se desta partida como uma das suas mais bonitas apresentações: "Os primeiros dois *sets* ele ganhou por 6-0, 6-0. Não consigo explicar como tudo foi fácil. No terceiro *set*, com o resultado 3-0, Ginepri finalmente conseguiu ganhar o seu primeiro *game*, e jogou a raquete nas arquibancadas, celebrando o *game* como se estivesse vencendo o torneio. Djokovic sorriu e o público não acreditou no que assistia, nem Ginepri que, naquele momento, estava entre os primeiros vinte melhores do mundo, e que depois, no mesmo ano, chegou até as semifinais do Aberto dos Estados Unidos. Ele perdera quinze *games* consecutivos para o menino que lhe era totalmente desconhecido! Enquanto isso, ouviam-se comentários de que, na quadra, doze Ginepri não podiam resolver o enigma chamado Novak Djokovic. As arquibancadas até então estavam lotadas, mas logo depois teve início um tumulto total. Geralmente, em Roland Garros, as pessoas raramente chegam no meio de alguma partida, mas desta vez foi exceção. A quadra é pequena, tem umas três filas de arquibancadas, e nada mais, mas as pessoas se apertavam nas portas, penduravam-se na cerca de arame, para ver que milagre era aquele que estava acontecendo. Eu fiquei sentado ao lado do pai de Djokovic, e então vi um jornalista esportivo da Sérvia, Voja Velickovic, me acenando de outra porta, rindo e me perguntando: 'Zoran, vai ser pneu?'. Eu não sabia o que aquilo significava, era a primeira vez que ouvia aquele termo. Depois, descobri que existem diversas gírias sérvias, e para a situação em que alguém perde um jogo de tênis por 6-0, 6-0, é pneu".

A fama que surgiu nessa partida sem dúvida não foi por acaso. Djokovic voava de modo insuperável na quadra. "Jogava suas amplitudes, movimentos largos, patinava, escorregava, dançava no saibro. Ginepri nada podia fazer contra isso. Djokovic mostrou, além do tênis espetacular, que pressão de qualquer espécie não podia atrapalhá-lo. Ele estava, sim, acima disso. Também foram interessantes nessa partida as reações de seu pai. A princípio, pareceu-me estranho que ele estivesse insatisfeito, que não estivesse feliz com o sucesso de Djokovic, que naquele momento mostrava da melhor maneira possível quanto estava focado no tênis e preparado. Lembro-me de que Dejan Petrovic e Milos Jelisavcic se afastaram depois do primeiro *set*, dizendo, sorridente, para

Srdjan ficar relaxado. Hoje, depois de tanto tempo, entendo do que se tratava na verdade. Ele lutava pelo *status* do seu filho, seu e de sua família, mas ainda estava apenas entrando no mundo do tênis profissional, e precisava estar atento".

Grbovic, que nesse ano, em Roland Garros, foi o preparador físico de Nenad Zimonjic, relembra também que, depois da partida, apareceram os primeiros problemas respiratórios em Djokovic, e também que a ATP, na mesma noite, após o duelo contra Ginepri, organizou uma visita de médicos, que realizaram testes pulmonares para checar se Djokovic podia continuar a jogar em Roland Garros. Na segunda rodada, esperava-o o argentino Guillermo Coria. A partida foi disputada na quadra central, e, apesar de Coria apreciar o saibro, Djokovic ganhou o primeiro *set* por 6-4. "Foi um começo furioso. Eu estava um pouco surpreso com sua velocidade no início da partida. Não foi fácil. Sacava muito forte, me obrigava a correr pela quadra. É complicado jogar contra alguém que você não conhece muito bem. Estava claro para mim que ele não tinha nada a perder. Obviamente, sabia que seria difícil manter o ritmo forte durante a partida inteira, mas ele, definitivamente, tinha um grande futuro no tênis", afirmou depois Coria. Mas confirmou-se que, infelizmente, o argentino tinha razão quanto à questão da resistência de Djokovic no decorrer da partida. No segundo *set*, conseguiu derrotá-lo por 6-2. Durante o terceiro *set*, com o resultado 3-2 para Coria, Djokovic apresentava sinais de dúvida sobre a continuação do duelo.

Do camarote de sua mãe irradiava preocupação. Ela não assistia ao jogo, apenas observava como seu filho sofria com problemas respiratórios. Por outro lado, seu pai, igualmente preocupado, achou que a partida ainda podia continuar. Em determinado momento, Djokovic se levantou da cadeira, cumprimentou o juiz e, em seguida, Coria, e entregou o jogo. Zoran Grbovic também foi testemunha do seguinte episódio: "Logo depois disso, a ATP agendou para ele exames em Paris, no seu principal centro médico esportivo. Depois de realizá-los, estive com ele quando voltou e, apesar dos exames minuciosos, não se falou nada sobre qualquer problema, que somente foi identificado mais tarde, em 2005, quando Djokovic decidiu submeter-se a uma cirurgia". Na conferência de imprensa realizada após o jogo com Coria, Djokovic explicou aos jornalistas o que o incomodava na quadra: "Tive problemas respiratórios. Depois do ponto em que trocávamos dez ou quinze golpes, simplesmente não conseguia respirar. Aproveitei um intervalo médico, as duas pausas para ir ao banheiro, e o juiz me chamou a atenção para que não desacelerasse o jogo, mas todo esse tempo tentei lutar por ar. Pensei em entregar a partida já no segundo *set*, mas, apesar de tudo, continuei. No terceiro realmente não tive como aguentar mais. Mas isto está correto. Não perdi o jogo. E não o entreguei para qualquer um. Entreguei para Guillermo Coria. E por isso estou satisfeito".

Apesar de Djokovic, na época de Roland Garros, enquanto ainda amadurecia como jogador, receber elogios de quase todos os colegas mais velhos, que tinham deixado sua marca no saibro e afirmavam que, no futuro, certamente se tornaria o primeiro jogador do mundo (como Gustavo Kuerten, que os franceses adoravam desde a final de 2001, e, depois da vitória contra Corretja, desenhou um coração na quadra e nele caiu de cansaço), o relacionamento entre Petrovic e a família Djokovic dava sinais claros de que estava chegando ao fim. "Muita coisa não estava clara para mim. Por exemplo, quando Djokovic derrotou Ginepri, Srdjan saudou-me cordialmente, estava contente, mas, pouco antes disso, e também durante as qualificações, recebi dele apenas indiferença. Não quero entrar no assunto sobre quanto tempo levou a procura do novo treinador, apesar de me lembrar de ter visto a família Djokovic conversando com Piatti e o preparador físico Salva", recorda-se Petrovic. "No final das contas, devo confessar que esse Roland Garros não me deixou boas lembranças. Mas, quando uma cooperação intensa chega ao fim, nunca é bom. Isso me atingiu, mas, ao mesmo tempo, ficou claro que Djokovic e eu temos um interesse em comum, que ele tenha sucesso e que nunca aconteça algo que possa atrapalhar seu progresso".

Duas semanas depois do retorno a Belgrado, vindo da França, Srdjan chamou Dejan Petrovic e Milos Jelisavcic para uma reunião. Nesse momento, Djokovic treinava nas quadras de concreto do clube de tênis Senjak com Janko Tipsarevic. Na reunião que estava acontecendo na varanda, entrou em questão o rompimento da cooperação. Dos doze meses previstos pelo contrato, Dejan Petrovic passara dez como treinador (nove, desde a assinatura do contrato, e um antes de assinar): "Quando precisávamos assinar o primeiro contrato em outubro, a família Djokovic sugeriu que fosse de três anos, e a minha proposta de apenas um, para se observar quanto treinador e jogador combinam um com o outro, acompanhar os resultados durante o ano, ver se tudo está progredindo. Considerei que seria fácil prorrogar o contrato se houvesse necessidade, e achei que era minha responsabilidade ajudá-los se precisasse indicar algum dos meus colegas".

A proposta que estava diante de Petrovic sugeria que a interrupção da cooperação ocorresse de imediato, ou depois de Wimbledon, embora estivesse claro para todos que, independentemente da escolha de Petrovic, Djokovic estava virando uma página da sua carreira de tenista.

De acordo com o cronograma da ATP, essa virada coincidiria com as preparações para Wimbledon. Uma delas seria o Liverpool Internacional, torneio com caráter de exibição em que tenistas de várias faixas etárias disputam cada um na sua categoria. "Acho que, sem a participação nesse torneio, Djokovic não se qualificaria nem chegaria à terceira rodada em Wimbledon", diz Petrovic. Dos jogadores mais jovens, como Djokovic, estava lá o russo, e Mikhail Youzhny entre os veteranos, nomes como Henri Leconte ou Ilie Nastase. Em Liverpool estavam também Riccardo Piatti e o preparador físico Salva com Ivan Ljubicic, que naquele ano defendeu o título.

Durante o *qualifying* de Wimbledon, Djokovic e Petrovic ficaram hospedados em uma casa. Quando Djoko passou para a chave principal, mudaram-se para outra maior, foram juntos seus pais e, pela primeira vez desde que começara a treinar com Petrovic, também seus irmãos mais novos, Marko e Djordje.

Djokovic passou tranquilamente pelas primeiras duas rodadas do *qualifying*. Em seguida, apareceu como barreira no seu caminho Wesley Moodie. A partida tinha tudo para ser emocionante. Por um lado, porque o futuro vencedor de Wimbledon pisara pela primeira vez na quadra de grama algumas semanas antes, no torneio preparatório em Queen's, onde perdeu na segunda rodada das qualificações, e, por outro, para que entrasse no *ranking* dos cem melhores tenistas do mundo,

Djokovic precisava ganhar do sul-africano. A partida foi dramática como revela o placar final (4-6, 6-0, 6-7(2), 7-6(4), 6-3), mas Djokovic, no momento mais importante, ainda conseguiu demonstrar sua extrema estabilidade psicológica; no quarto *set* salvou ainda dois *match points*. "Quando ficou entre os cem primeiros depois dessa vitória contra Moodie nas qualificações, dei-lhe os parabéns, brindamos no jardim da casa onde estávamos, e depois lhe comuniquei que nossa cooperação estava encerrada. Depois de Roland Garros, eu sabia que Wimbledon era nosso último torneio juntos, mas ele ainda não. Falei-lhe que tínhamos que dar o máximo em tudo que faríamos a seguir, e depois nos despedir", diz Petrovic.

Nas rodadas seguintes, na chave principal de Wimbledon, Djokovic continuou mostrando todo o seu talento. No início, derrotou Juan Mónaco, e na partida contra Guillermo García-Lopez, triunfou após cinco longos e difíceis *sets*; perdeu os dois primeiros, logo depois ganhou os dois seguintes no *tiebreak*, e no *set* decisivo o resultado foi 6-4 a favor de Djokovic. Zoran Grbovic, que nesse Wimbledon foi o treinador físico de Nenad Zimonjic, relembra os detalhes da partida: "Jogaram na quadra número seis. Fiquei em pé ao lado de Dejan Petrovic. A noite já estava caindo, e mal dava para enxergar a bola. Dejan e eu não conseguíamos nos ver. Djokovic perdeu os dois primeiros *sets*, e, no terceiro, estava perdendo por 3-2. Já nos preparávamos para consolá-lo. Quando ia para o fundo de quadra, me viu, mostrou-me o polegar levantado e disse: 'É meu'. Nunca vou me esquecer dessa frase. Lembro-me de que pensei que não havia chance de sair dessa situação, mas, no terceiro *set*, ele conseguiu a virada. E ganhou. Ah... a sua felicidade! Quando, depois da partida, ele dava autógrafos, escondi-me entre os outros oferecendo-lhe o caderno para assinar. Ele me reconheceu naquele tumulto e começou a me abraçar, beijar, pular de excitação. Chorou de alegria, como uma criança. Naquele momento, pela primeira vez, vi quanto era grande sua vontade de vencer, seu porte de campeão, o quanto gosta e entende do jogo. Inacreditável. Essa partida foi a coisa mais bonita que já vi".

Na terceira rodada de Wimbledon, o adversário de Djokovic foi Sebastien Grosjean. Grbovic conta o que viu: "O jogo foi na quadra três. Lembro-me de que estava presente a delegação francesa completa. Grosjean, na época, estava no auge, e Djokovic o respeitava e o venerava. A partida foi fenomenal. E muito tensa. Srdjan saiu muitas vezes e voltou, enquanto o homem que trabalhava na entrada não sabia o que fazer com ele. Existia ali uma tensão muito negativa, muito barulho. Na equipe de Djokovic, esperava-se que ele vencesse, mas naquele momento realmente não foi melhor que Grosjean. Perdeu em quatro *sets* (7-5, 6-4, 5-7, 6-4). Simplesmente não podia superar Grosjean no aspecto físico. Mas fiquei fascinado com Djokovic, porque mostrou, em muitos segmentos, que poderia se igualar a Grosjean. Isso o francês também lhe disse quando o abraçou na rede. Fomos depois ao vestiário para alongar, e me lembro de Djokovic dizer: 'Grosjean me disse que vou ser campeão'. O francês, naquela época, estava na sua melhor fase. Djokovic sobrevivia a tudo isso com muita seriedade. Sabia que estava entrando em "águas profundas", e acreditava que não perderia, tamanha era sua autoconfiança. A partida contra Grosjean foi um grande duelo. O que Djokovic joga agora é praticamente rotina, pois já é o campeão. Mas foram aquelas primeiras partidas dramáticas que o criaram como jogador, como pessoa. Elas lhe mostraram como é preciso jogar".

No momento em que Djokovic conseguiu seu grande sucesso em Wimbledon, ficando entre os cem melhores jogadores do mundo, Dejan Petrovic já não era seu treinador. Era somente um observador que se alegrava com o sucesso de seu ex-pupilo. A cooperação tinha tido um ponto final. "Menos de duas semanas depois, teve início o torneio de Stuttgart. Nós já não trabalhávamos mais juntos, e Djokovic se retirou da competição", lembra-se Petrovic.

Hoje, Dejan Petrovic é presidente e fundador do clube de tênis "Puma" (que lançou em 2008 com sua irmã, Danijela, ex-campeã da Austrália do Sul na categoria até 16 anos), localizado em Sumarice, nos arredores da cidade sérvia de Kragujevac, cercado pela natureza, com quatro quadras abertas de saibro e duas com grama artificial (uma no ginásio e outra aberta). Atualmente, o clube conta com cerca de duzentas crianças, das quais grande número participa de competições e algumas já começaram a ganhar torneios. Petrovic é o treinador de tempo integral do jovem Nikola Milojevic (nascido em 1995), que, depois de onze torneios sob sua orientação, conseguiu excelentes resultados, chegando à posição do terceiro júnior do mundo.

Já que a Sérvia foi alçada à posição de uma das líderes do tênis mundial tanto no masculino como no feminino, é muito importante que crianças talentosas tenham as condições ideais para o desenvolvimento de suas carreiras, e que o quadro de treinadores com abordagem disciplinar, teórica e prática possa manter o alto nível nas competições. Petrovic enfatiza, com base em sua experiência anterior, que não é fácil trabalhar com adolescentes, mas que esse é um grande desafio e também uma satisfação: "Eles podem aprender muito. Na transição do tênis juvenil ao profissional há um grande espaço em termos de jogo, e muita diferença em todos os segmentos, tanto da partida quanto da própria competição, muita coisa pode ser arrumada, e existe espaço para o aperfeiçoamento".

Dejan Petrovic, ao falar sobre o período de cooperação com Djokovic, ressalta a importante experiência profissional, embora cada um deles, num dado momento, tenha seguido o próprio caminho: "Para mim, antes de tudo foi um prazer trabalhar com um jogador como ele. Desde sempre ele tem a fibra de grande campeão, e por isso entrou na história do tênis, com resultados e recordes que ninguém antes conseguiu. Ele vai dominar o planeta no futuro, como já está fazendo hoje".

# 14. SEM LIMITE

Em meados de 2005, o nome do treinador italiano Riccardo Piatti começou a se ligar mais seriamente à carreira de Djokovic. Especialista em tênis, nascido em 1958 na cidade italiana de Como, vivendo há mais de vinte anos com a família no Principado de Mônaco, Piatti iniciou sua careira em 1988, trabalhando com diversos tenistas italianos e de outras partes do mundo. Seu maior sucesso foi, sem dúvida, a cooperação com o croata Ivan Ljubicic, que teve início em 1977, conseguindo fazê-lo chegar ao terceiro lugar na lista da ATP. No tempo em que ficou claro que a comunicação entre a família Djokovic e Dejan Petrovic estava em um beco sem saída, foi somente questão de tempo para que o italiano desse continuidade ao trabalho com Djokovic.

Piatti ouviu as boas informações de Niki Pilic sobre Djokovic, na época em que este estava concluindo a sua formação acadêmica. Sabendo que Pilic era quase sempre infalível nas avaliações dos novos jogadores, Piatti ficou interessado na história do jovem sérvio. A região dos Bálcãs poderia ser um berçário de talentos, e a colaboração bem-sucedida com Ivan Ljubicic assim mostrava; Piatti soube por Pilic que Novak atuou pela equipe da Croácia na Copa Davis.

"Ele me disse, 'tenho um pequeno, pode ser muito bom', o que mais tarde me disse também Goran Ivanisevic[1], porque viu

---

1 Tenista croata de sucesso que chegou a ser campeão de Wimbledon.

Novak antes de mim. Minha primeira impressão sobre ele era que estava focado, motivado, sabia o que queria, mas não gostei da sua técnica. Naquele tempo era a época de fortes saques e do tênis mais agressivo. Mas, hoje, como podemos ver, Novak é parte do tênis moderno, que se baseia em tudo, menos nos fortes saques e voleios", diz Ljubicic[2].

Riccardo Piatti reparou nessa característica enquanto se desenvolvia a chave principal do Aberto da Austrália de 2005. Ele e Ljubicic cooperavam ativamente, mas isso não o impediu de observar tudo o que Djokovic demonstrou na partida contra Marat Safin: "De imediato ficou claro que era feito de material bom. Depois, em Key Biskayne, Miami, falei com a família de Ana Ivanovic e seu então empresário, Fábio de la Vida. Queria saber mais sobre Novak, e lhes disse que gostaria de trabalhar com mais um jogador, treiná-lo, além de Ivan, e que talvez pudesse ajudá-lo. Lembro-me de que a mãe de Ana chamou os pais de Novak para avisá-los".

Depois da volta dos Estados Unidos, em abril de 2005, Piatti foi ao Challenger disputado em Monza. Ali aconteceu a primeira reunião de negócios com a família Djokovic. "Encontramo-nos bem cedo, entre oito e oito e meia. Eu precisava sair de Monte Carlo de madrugada para que pudesse chegar na hora marcada. Os pais de Novak queriam um colaborador experiente e que tivesse adquirido bons resultados no tênis". Naquela época, Djokovic ainda treinava com Petrovic, mas a parceria teve fim três meses depois dessa conversa. Ambos continuaram suas careiras, mas separadamente, ainda que juntos no mesmo time: Petrovic como técnico da seleção nacional da Copa Davis e Novak Djokovic como parte integrante dela. Jovan Lilic, amigo da família Djokovic e técnico da seleção juvenil da SCG, da qual Djokovic participou por um tempo, aponta que na história sobre o rompimento da cooperação entre o jogador e o treinador não houve lugar para sensacionalismo: "A cooperação com Dejan terminou sem problemas. Não existe drama.

---

2 A diferença entre o tênis agressivo e o "moderno" podia ser vista nos torneios disputados nas quadras de grama. Enquanto os jogos se desenvolviam há mais ou menos quinze anos, a grama gradualmente desaparecia, tanto no plano da linha de fundo de quadra quanto na parte da frente, de rede. Hoje, a perda de grama pode ser notada apenas na parte da linha de fundo de quadra, o que é a melhor evidência de como o jogo mudou e se transferiu totalmente para esse quadrante.

Não se trata de traição. É simples, mais cedo ou mais tarde chega-se à passagem de um nível para outro. Todos apresentamos limites. Tanto como pessoas quanto como profissionais".

Sabendo que certas coisas precisam ser reconhecidas *in loco*, Riccardo Piatti continuou a acompanhar os resultados de Djokovic. Primeiro, seu triunfo em San Remo; depois, as partidas em Roland Garros, especialmente o jogo contra Ginepri, que muito o impressionou, e no torneio de exibição em Liverpool, onde prosseguiram as negociações, confirmando que Piatti se tornaria o novo treinador permanente de Novak Djokovic.

Com sua entrada no *ranking* dos primeiros cem tenistas do mundo, em Wimbledon de 2005 teve início a cooperação conjunta. Hoje, ao se lembrar do começo do trabalho com Djokovic, Piatti relembra por que não tinha a menor sombra de dúvida sobre o talento que estava na sua frente: "A primeira coisa que notei nele foi sua extraordinária preparação física, particularmente sua flexibilidade. Quando comecei a conhecê-lo melhor, fiquei surpreso com suas ideias. Tinha somente 17 anos, mas era muito maduro. Logo percebi nele o tipo de pessoa que sabe o que quer: o tênis acima de tudo, depois o resto. E sempre sua atitude positiva diante da vida, o desejo permanente de aprender mais, embora já tivesse um bom conhecimento sobre tênis. Sempre dava o máximo. Muitas crianças podem até ter talento semelhante, mas Novak tinha mais do que isso. Ele sabia como superar a derrota. E também o que precisava fazer depois, que era continuar dando o máximo. Quando se leva tudo isso em conta, fica claro que para ele não existem limites. Lembro-me de que seu pai, depois dos primeiros treinos, me perguntou qual era minha opinião. Respondi-lhe exatamente o que pensava: 'O menino tem potencial de ouro. Daqueles que podem chegar ao topo'".

"A única coisa que faltava era experiência. Djokovic precisava jogar mais, entender como fluem as coisas no mundo do tênis, e, assim, passamos a focar no fato de que seu jogo precisava adquirir firmeza e constância. Ele precisava melhorar o voleio, o *forehand* em alguns segmentos, atacar a bola mais cedo, e ficar mais relaxado. O *backhand* do fundo da quadra, desde aquela época, era seu melhor golpe, mas precisava entender como usá-lo", lembra-se Piatti. Nessa época, Djokovic recebia de

Ivan Ljubicic um grande apoio, pois seu exemplo lhe mostrava como poderia se tornar um excelente jogador. "Sei que lhe falava que seu *forehand* me parecia muito fechado. Mas reconheci que tinha extraordinário *timing* nos golpes, e que quase nunca acertava a bola com o aro da raquete, a não ser talvez quando tivesse vento, mas sempre tinha um golpe limpo e perfeito. Percebi que se defendia impressionantemente bem", lembra-se Ljubicic. "Mas o que definitivamente me cativou foi sua vontade, sua autoconfiança. Desde o primeiro dia. Incrível. E, acima de tudo, tinha algo que não vi em nenhum outro: para ele, o mais importante do treino físico era que estivesse alongado durante a partida, flexível, macio na hora do *stretch*".

A primeira oportunidade para ver os resultados e trocar impressões sobre a recém-iniciada cooperação Djokovic-Piatti foi o torneio disputado durante o mês de julho de 2005, na cidade croata de Umag. Nessa época, Piatti ainda viajava com Djokovic, que ocupava a 97ª. colocação na lista da ATP. Na posição de preparador físico acompanhava-o Milos Jelisavcic, que continuou trabalhando com Novak depois da saída de Petrovic: "Após essa participação em Wimbledon, precisávamos nos apresentar no torneio de Stuttgart, mas não fomos. Cancelamos a participação, embora Novak não estivesse machucado. Em vez disso, nos preparamos em Belgrado, no saibro, para Umag".

Nesse torneio, Djokovic, em dupla com Tipsarevic, alcançou as oitavas de final, enquanto nas simples passou a primeira rodada com êxito, vencendo em dois *sets* seu adversário, o tenista espanhol Alex Calatrava, na época 163º. na lista dos ranqueados. Mas, na segunda rodada, Djokovic tinha um adversário muito mais sério, um espanhol, 28º. do mundo, Juan Carlos Ferrero. Djokovic perdeu por dois *sets* a zero. "O que me lembro desse torneio, mais como história do que como resultado, é que Djokovic desenhou, com hena, uma tatuagem nas costas, logo abaixo do pescoço. Mas, quando vestiu a camiseta, não deu para ver. Em seguida, com a mão adicionou mais alguns detalhes para que aparecesse", diz Jelisavcic, rindo. Aquela foi sua maneira para provocar a reação do público, mostrar o traço espirituoso do seu caráter, pelo qual seria conhecido no futuro. "No que diz respeito à partida contra Ferrero, o espanhol naquele momento estava em ótima forma.

Tinha obtido resultados significativos, inclusive o título de Roland Garros em 2003. Na verdade, não se esperava que Novak ganhasse, mas pelo menos que mostrasse os dentes".

No final de julho e durante a primeira semana de agosto de 2005, no intervalo de dez dias que tiveram até o torneio de Umag e o Masters 1000 no outro continente, na cidade canadense de Montreal, Djokovic e Jelisavcic passaram pelas preparações em Monte Carlo. Era a primeira vez que Djokovic passava um tempo ali, em vez de em sua cidade natal, Belgrado. Nessa época, Riccardo Piatti cedeu-lhe seu *flat* no edifício Baija, perto da praia, onde Djokovic ficou hospedado por uns dez dias, com Milos Jelisavcic, antes de começar a turnê pelos Estados Unidos. Mais tarde, ele se mudaria para um *flat* idêntico no mesmo prédio. Mas, enquanto procurava por seu novo lar, mudou-se novamente, e não pela última vez, para o prédio ao lado, Estoril Plaza, também para um *flat*, em um dos mais altos andares, com uma vista deslumbrante.

Amigo de Djokovic desde os dias em que dava os passos iniciais no clube de tênis Partizan, Branislav Pralica lembra de uma situação que mostra claramente os primeiros momentos de Novak em Mônaco: "Falamos pelo telefone logo depois de ele se mudar para Monte Carlo e, durante a conversa, notei que sua voz soava diferente, como se estivesse com algum problema. Parecia que alguma coisa o estava aborrecendo. De imediato perguntei o que era. Ele começou a desconversar. Simplesmente algo estava errado. Não era aquele Novak que eu conhecia. Apenas repetia que 'não sabia como me dizer'. Realmente fiquei preocupado. No fim, ele disse: 'Escuta, estou olhando da varanda', e parou de novo. 'O que você está vendo da varanda? Novak?'. Eu estava ficando cada vez mais nervoso, e o intimei: 'Novak, o que te incomoda?'. 'Essas palmeiras', ele respondeu, 'estão me tapando a vista do mar, não sei o que fazer, sinceramente não sei!'".

Uma das pessoas que estavam por perto nesses primeiros tempos da sua estada em Monte Carlo era seu então vizinho, e hoje amigo próximo, Eric Chauvet, dono do restaurante La Spiaggia, onde Novak ainda gosta de passar o tempo livre quando está em Monte Carlo. "Pelo fato de, no passado, eu ter jogado tênis, muitos tenistas vinham e ainda vêm ao meu café na praia. Eu era muito próximo do tenista sueco Magnus

Norman e também de Riccardo Piatti, que, primeiro, me apresentou Ljubicic e, depois, Novak. Na época, ele era muito jovem, mas já se apresentava como um homem adulto. Dava para perceber que se tratava de uma pessoa extraordinária, e era um prazer ajudá-lo com conselhos naquele primeiro período enquanto se adaptava ao novo meio. Com o tempo, nossa amizade cresceu e me tornei, de certa forma, parte da sua vida em Monte Carlo. Mais tarde, durante sua pós-graduação, conheci sua namorada, Jelena, que aqui viveu com ele muito modestamente, quase uma vida normal de estudantes".

A jovem natural de Belgrado, Jelena Ristic, é hoje ainda a namorada de Novak Djokovic, e o acompanha em quase todos os torneios. Ela e Novak começaram o namoro durante o verão de 2005. Jelena, onze meses mais velha que Novak, terminou o colégio em Belgrado, onde praticava atletismo e, em uma ocasião, reunida com amigos que adoravam tênis, conheceu Novak.

"Lembro-me, como se fosse hoje. Seis anos atrás, um dia, depois do treino, Novak se aproximou e disse: 'Jeco, gostaria de apresentar a você minha namorada, sua xará", contou Jelena Gencic. "De imediato gostei dela, tranquila, inteligente, modesta. Era claro que tinha a própria vida, e não estava focada somente em Novak." Enquanto Novak trabalhava duro no tênis, Jelena, depois de concluir o colégio, continuou com êxito seus estudos de economia na Universidade Bocconi em Milão, razão pela qual o público em geral não tinha oportunidade de vê-la com mais frequência no camarote de Djokovic durante os primeiros anos de namoro.

Enquanto isso, a carreira de Djokovic começou a mudar, em razão do regime de treinamento elaborado por Riccardo Piatti e pelo preparador físico Salvador Sosa. "Antes de tudo, passamos pelo período de conhecimento dos novos integrantes do time. Ali conheci Piatti e Salvo, que chamamos de Sosa. Óbvio que eu sabia quem eles eram, mas até então não tínhamos nos conhecido pessoalmente", diz Milos Jelisavcic. "Pelo fato de antes disso eu já estar trabalhando com Novak, considerei minha obrigação apresentá-lo para eles. Quem e como ele era, do que gostava, com o que estava acostumado, quais eram os pilares do seu jogo. Aconselhei-os a prosseguir com o trabalho da mesma maneira para manter e aprimorar sua flexibilidade e agilidade, ou seja, com aquilo que é a base do seu jogo hoje. Eles concordaram, mas ressaltaram que, além de tudo isso, precisavam fortalecê-lo, reforçar sua massa corporal, aumentar seu peso. Aquilo correspondeu ao calibre de um forte e estável jogador como foi Ivan Ljubicic, mas não Novak", diz Jelisavcic.

Além de tentar se acostumar com o novo treinador e as novas condições da vida em Mônaco, Djokovic tinha de enfrentar mais uma dificuldade: sua saúde. "O problema de visão de Novak já era conhecido desde quando se mudou para Monte Carlo e começamos a treinar. Antes da ida para Montreal, percebi que, quando golpeava, olhava para a bola de um modo um pouco estranho. Tudo apontava que seria bom visitar um oftalmologista", lembra-se Piatti. Ivan Ljubicic, que naquele período acompanhava o desenvolvimento de Novak, percebeu o mesmo problema: "No treino, notei que algo estava diferente. Mostrei-lhe a bola de uma tal distância que, em condições normais, podia-se reconhecer de qual fabricante era. Quando lhe perguntei o que estava escrito, ele respondeu o nome do fabricante das bolas que usara até então. Mas eu segurava na mão a bola de uma marca totalmente diferente", diz Ljubicic. Depois de passar por exames oftalmológicos preliminares, quando foi sugerido o uso dos lentes de contato, Djokovic viajou no início de agosto para o Canadá, para o Masters 1000 de Montreal. Foi a primeira vez que Riccardo Piatti o acompanhou como técnico permanente.

No *qualifying*, Djokovic teve sucesso contra o canadense Pierre Ludovic Duclos, mas, na segunda partida, pelo placar de 2-1, foi derrotado pelo italiano Davide Sanguinetti. A saída logo no *qualifying* não aliviou Djokovic e Piatti. Esperava-os muito trabalho, e ambos estavam bem conscientes disso. "Ainda nos primeiros dias eu o levava para assistir como jogam os tenistas *top*. Jogadores jovens, por vezes, não gostam de fazer isso, mas Novak sim. O primeiro item importante do qual falamos em detalhes foi o saque. Preservo um vídeo em que estamos fazendo a análise do seu saque, no início da nossa cooperação, e já era possível perceber que tinha um braço fenomenal e um ótimo golpe, mas ainda sem o balanço correto", diz Riccardo Piatti. "Lembro-me de que lhe perguntei de quem mais gostava ver sacando – Agassi ou Federer? Depois, comparei seu saque com o deles, e lhe disse: 'Escute, se tiver a bola no *match point* com este balanço ou se a bola não estiver suficiente rápida, você vai perder'. O segundo item foi a movimentação. Nele, isto já era maravilhoso, mas exatamente por causa disso teria de partir para a bola mais cedo. Se não tivesse todo esse movimento hábil pela quadra, teríamos de primeiro arrumar isso, mas ele já tinha tudo".

No Masters 1000 disputado no fim de agosto em Cincinnati, Djokovic passou fácil pelo *qualifying*. Na primeira rodada, na chave principal, encontrou-se com o chileno Fernando Gonzales. Djokovic começou bem o primeiro *set* contra o então 18º. jogador do planeta, mas, em razão da alta umidade do ar, o tempo todo teve problemas respiratórios. "Simplesmente não respirava o suficiente. Então, lhe disse: 'Escute Novak, se tiver problema após o primeiro *set*, vá ao banheiro e se recupere'. Ele ganhou o primeiro *set* por 6-3, e só depois aproveitou a pausa. Lembro-me de que, no final da partida, o supervisor nos chamou para conversar, e nos avisou que aquele intervalo só pode ser usado para necessidades fisiológicas, e Novak o aproveitara para lavar o rosto. Isso não era permitido, mas naquela época ele não sabia", lembra Riccardo Piatti. No segundo *set*, Novak teve oportunidade de terminar a partida em seu favor, o que não aconteceu, apesar da vantagem de 4-1. O experiente chileno ganhou esse *set* no *tiebreak*, e em seguida, no terceiro *set*, graças aos seus ferozes *forehands*, reverteu o jogo e conquistou a vitória por 6-4.

Milos Jelisavcic, que trabalhou com Djokovic durante as preparações para Montreal e Cincinnati, enfatiza, desse período, como Novak administrava as experiências das disputas com os tenistas de alto nível: "Nunca tinha medo deles, e jogava o máximo para sua idade". Após o término da participação no Masters em Cincinnati, Djokovic e Jelisavcic decidiram conhecer a cidade um pouco melhor. "Novak gostava de passar o tempo livre, durante as viagens, da melhor maneira possível. Quando digo tempo livre refiro-me ao tempo que sobrava depois de o torneio acabar, quando sobrava algum. Se não, voltávamos para casa".

Lá em Cincinnati, o torneio é disputado uns trinta quilômetros à frente, na cidadezinha de Mason, ao lado da rodovia. De um lado fica o complexo de tênis, e do outro, o grande parque de diversões, que se pode ver parcialmente da quadra principal, cujo destaque é uma das mais atrativas montanhas-russas de madeira do mundo, chamada *The Beast*. Milos lembra-se de que se divertiram muito lá; um dia inteiro sem sair do parque. Também dirigimos pela cidade. Tive de alugar o carro no meu nome, Novak sabia dirigir, mas ainda não tinha habilitação. E tanto me pediu para dirigir que, quando permiti, mal conseguiu segurar o volante nas mãos", diz Jelisavcic, rindo.

Semelhantes observações vieram de Nemanja Lalic, que naquele tempo era membro da equipe de Janko Tipsarevic. Todos eles, com Novak, passavam juntos o tempo livre, primeiro em Umag, e depois durante a turnê nos Estados Unidos.

"Eu gostava da sua abordagem do tênis, apreciava como sabia de forma bem clara distanciar o profissional do particular. Fiquei comovido com o equilíbrio que tinha sobre esse assunto. Quando ia para a quadra, era puro profissionalismo. Mas, quando tinha tempo para relaxar, comportava-se de acordo com a sua idade. Sempre bem-humorado e extremamente positivo. Em Umag, onde a vida noturna é ótima, Jelisavcic tinha de lembrá-lo de que estava na hora de dormir, porque Novak, quando ouve música, logo quer dançar. De Cincinnati ficaram gravadas na minha memória duas histórias. Todos que tinham credenciais do torneio podiam jogar golfe gratuitamente num campo próximo. Foi a primeira vez que joguei. E Novak também. Todos nós gostávamos muito, mas sabíamos jogar? Não. Esforçávamo-nos ao máximo, mas quase nunca acertávamos a bolinha. Lembro-me ainda das partidas de tênis jogadas com Gael Monfils. Mas não na quadra, e sim no *X-Box*. Nisso Novak era insuperável. Não arrancávamos sequer um ponto dele. Parecíamos leigos entrando no campo para jogar contra o melhor do mundo. Perdíamos tanto para ele que já não lhe era interessante jogar contra nós. Como nesses jogos existe a opção de escolher um dos tenistas neles listados, Novak optou por Gustavo Kuerten, e todo o tempo fazia aquele som característico desse brasileiro quando golpeava a bola durante as partidas. Uma vez, o próprio Kuerten estava passando por perto e Novak o chamou, muito entusiasmado: 'Guga, Guga vem cá, por favor, escolhi você...'. Recordo também que Novak, numa ocasião enquanto Monfils estava sentado sozinho no vestiário, chegou devagar pelas suas costas e o assustou imitando a voz de Kuerten quando golpeia a bola. Monfils pulou feito um gato", Nemanja ri. "Para Novak, Kuerten era muito interessante como jogador, e mais ainda como pessoa, por ser igual a ele, pelo caráter e a maneira como aceitava os gracejos. Sempre quando encontrava Guga, brincava ou soltava algumas gracinhas, e Guga sempre estava pronto para participar. Uma vez, no complexo do Aberto dos Estados Unidos, Novak viu Kuerten de longe e começou a chamá-lo 'Guga, Guga!'; quando Kuerten se virou, Novak pulou, com os braços erguidos e os punhos fechados, como se tivesse comemorando alguma das suas vitórias. Nesse ponto, voltamos ao que considero uma das mais importantes características de Novak. Ele sabe quando precisa trabalhar e quando precisa relaxar, e nunca tem malícia ou faz zombaria, mas somente um humor de qualidade, que resulta em alguma situação positiva de espírito".

Gustavo Kuerten conta: "Novak e eu temos características e natureza semelhantes. Gostamos de curtir a vida da mesma maneira. Tenho de salientar que existe algo que liga os dois países de onde viemos. As pessoas no Brasil e na Sérvia compreendem as coisas de maneira séria, mas também gostam de rir, e relaxar dessa seriedade. Por exemplo, fiquei emocionado ao ver como as pessoas na Sérvia festejaram nas ruas quando Novak se tornou o número um. União, felicidade e prazer na vida, isto é natural das nossas culturas, e sem dúvida uma das razões por que Novak e eu temos afinidade um com o outro. Quanto aos joguinhos de *X-Box* de Cincinnati... Eu lhe dei um bom conselho. Sabendo onde sou bom e onde não, disse-lhe que, quando me escolhesse, aproveitasse ao máximo o *backhand*, e que ficasse sempre muito atento quando saísse para a rede. Lembro-me do quanto me diverti olhando os jovens tenistas distraindo-se, inspirados, com o meu jogo. Esta não é a imagem comum no mundo do tênis, e realmente fiquei muito contente".

Independentemente do resultado em Cincinnati, Djokovic teve e aproveitou a oportunidade para se apresentar aos seus colegas da melhor maneira possível, como profissional e como pessoa, que sabe se descontrair quando o tempo permite. Depois desse Masters, Novak e sua equipe tinham disponível apenas uma semana antes do começo do Aberto dos Estados Unidos de 2005, o primeiro Grand Slam em que Djokovic começaria na chave principal graças ao seu *ranking*.

A equipe passou a semana em Nova York, treinando. "Quis que Novak treinasse com os melhores. Jogou com Kiefer, na época entre os dez melhores, e ganhou. Jogou com Nadal, e lembro-me de que ele ficou surpreso com a qualidade de jogo de Novak. Nunca o tinha visto antes. Depois, treinou com Federer, em Flushing Meadows, e foi excelente. Novak estava muito motivado para jogar com ele, como todos os jovens que queriam desafios. Dominava todo o tempo, apesar de não disputar a partida até o fim; ele ganhou o primeiro *set* de Federer, e em seguida fez uma quebra no segundo, ganhando por 3-2. Mas logo acabou o tempo previsto para o treino. Para mim, foi impressionante sua postura de vencedor, jogando contra Federer, que naquele ano ganhou de Agassi na final e conquistou o Aberto dos Estados Unidos", diz Riccardo Piatti. "Lembro-me desse seu treino com Federer, não porque o assisti, mas porque Novak, por dois dias seguidos, brincou, sempre dizendo: 'Pessoal, não tenho mais razão para jogar tênis, não tenho mais motivo, não se pode ir além disso'", acrescenta Nemanja Lalic.

O primeiro jogo que Djokovic disputou nesse torneio já trouxe muita emoção. O adversário era Gael Monfils, com quem Djokovic se encontrara duas vezes em 2004: no Future na Itália e no campeonato Uncle Tobys na Austrália. Em ambos Monfils ganhou. Dessa vez, no duelo de jogadores destros com forte *backhand* golpeado com as duas mãos, Monfils tinha o melhor lugar na lista da ATP (à época, ocupava o 43º. lugar, enquanto Novak, o 97º.), mas Djokovic agora tinha no seu arsenal um trunfo no qual trabalhara seriamente com sua equipe – um saque muito melhor. "Foi um jogo fantástico para um homem tão jovem", diz Riccardo Piatti. "Mas de novo surgiram problemas com a respiração. Lembro-me de lhe dizer que, se precisasse, parasse o jogo e pedisse ajuda ao fisioterapeuta. Dava para perceber que tinha problemas, mas também que, apesar de tudo, ficou concentrado no saque". Considerando que a partida chegou ao quinto *set*, a questão foi quanto ele estava fisicamente preparado para disputar um duelo, quase uma maratona, nas condições úmidas do verão. "Num momento durante esse *set*, depois de longa troca de golpes, ele literalmente caiu e permaneceu deitado por alguns minutos na quadra, até chegar o preparador físico e ajudá-lo a se recuperar", lembra-se Piatti. Por outro lado, ficou claro que Monfils também estava no fim das suas forças. De repente, no quinto *set*, no momento em que se decidia o resultado, ocorreu uma situação que ajudou a ambos. "Novak pediu um intervalo médico, o último a que tinha direito", diz Milos Jelisavcic. "Aconteceu que o oficial médico da ATP estava ocupado, então, teriam de esperar". Como a pausa durou uns dez minutos, ambos os tenistas tiveram oportunidade para descansar. A questão era quem melhor aproveitaria esse tempo. Quando o fisioterapeuta apareceu e deu a assistência necessária para Djokovic, o jogo pôde continuar. Parecia que o intervalo caíra melhor para o francês, que no quinto *set* tinha a vantagem de 4-2. Quando todos pensaram que a partida terminaria a seu favor, Djokovic inverteu o resultado e, no fim, foi o vencedor. Novak Djokovic *versus* Gael Monfils: 7-5, 4-6, 7-6(5), 0-6, 7-5. "Foi um duelo extraordinário, excepcional, porque Novak mostrou a atitude que seus contemporâneos normalmente não tinham", diz Riccardo Piatti. "Naquele momento, obtive a confirmação daquilo que já pensava sobre ele: esse menino não quer perder, e sabe exatamente quando, como e em que momento precisa mostrar a atitude de vencedor. Isso foi muito maduro".

Na segunda rodada do Aberto dos Estados Unidos, o adversário de Djokovic, três anos mais velho, era o croata Mario Ancic, que naquele momento ocupava a 24ª. posição na lista da ATP. Era o primeiro duelo entre eles em um torneio Grand Slam (e também o primeiro encontro no mundo profissional). Djokovic saiu dessa disputa como vencedor depois de quatro duros *sets*, durante os quais mostrou que sabia lidar com os tenistas muito mais experientes do que ele. Em seguida, uma história semelhante, mas com fim diferente, o aguardava, também na terceira rodada. Pela primeira vez, encontrava-se com o espanhol Fernando Verdasco, que, como Ancic, era três anos mais velho do que Novak. "Nessa partida aconteceu uma estranha reviravolta. Novak tinha todas as chances de vencer e ficar entre os dezesseis melhores. Num determinado momento, ganhava por 2 a 1 em *sets*, e não parecia que chegaria ao quinto *set*. De repente, Verdasco melhorou seu jogo e ganhou por 3 a 2", diz Riccardo Piatti. "É bem provável que Djokovic, durante a partida, tenha sentido o cansaço das duas disputas anteriores, mas isso não o impediu de mostrar a ampla gama das suas habilidades e sua postura guerreira. O jogo foi realmente incrível, e acho que foi decisivo o componente físico", diz Milos Jelisavcic. "Verdasco estava mais descansado, não cedeu aos seus adversários anteriores nenhum *set*, e, acima de tudo, era canhoto, o que naquele momento não estava a favor de Novak."

Apesar da derrota, a passagem de Djokovic para a terceira rodada do Aberto dos Estados Unidos era a grande conquista. Não somente porque pela primeira vez disputava um torneio direto na chave principal sem passar pelas qualificações, mas também porque nunca antes alcançara melhor posição em um Grand Slam. A julgar pelo jogo que mostrou em Nova York, estava evidente que à sua frente estendia-se um futuro promissor no tênis. Na coletiva de imprensa, uma das perguntas apresentadas tratava exatamente dos seus passos futuros: "Pretendo focar em torneios maiores e Grand Slams. Acho que vou disputar também os Challengers. Até o fim de 2005, planejo participar de alguns torneios que serão disputados na Europa, inclusive Masters em Paris. Esse será o meu último torneio neste ano. Depois, continuo a longa preparação para a próxima temporada", declarou Djokovic nessa ocasião.

Seus problemas respiratórios também fizeram parte das perguntas dos jornalistas. Mas, se a mídia esperava receber uma resposta concreta com uma análise médica detalhada, isto não foi possível, e por uma razão simples: nem o próprio Djokovic sabia exatamente do que se tratava. "Nas coletivas anteriores já falei sobre isso. Perdi muita energia nos últimos dias. A partida da primeira rodada foi extremamente difícil. A umidade do ar estava muito alta. Hoje, durante a disputa contra Verdasco, não tive nenhum problema porque o clima estava mais agradável para jogar, mas a partida, em todo caso, foi penosa. Gostaria de saudar meu adversário. Eu me esforcei, acho que no quarto *set* perdi a oportunidade. Mas continuei lutando. Por isso chegamos ao quinto *set*." No final, Djokovic, da forma mais direta possível, apresentou à mídia sua decisão de continuar com uma carreira de sucessos: "As mudanças na minha equipe aconteceram porque, se quero me tornar um jogador excelente e conquistar grandes resultados, simplesmente devo cooperar com um treinador experiente, alguém que me motive e me ofereça os conselhos certos para chegar ao topo do tênis".

Após a participação do Aberto dos Estados Unidos, Djokovic dedicou-se exatamente ao que anunciou – aos torneios que foram disputados até o fim de 2005 no velho continente. Nessas viagens o acompanharam Riccardo Piatti e o preparador físico Salvador Sosa, e, por vezes, também seus pais, mas não mais Milos Jelisavcic.

"Novak e eu interrompemos nossa cooperação depois dos Estados Unidos. Por um lado, eu precisava de uma pausa; por outro, estavam lá Piatti e Salvador Sosa, que concluíram que Novak, naquele momento, perto do fim da temporada, não precisava mais do fisioterapeuta", lembra Jelisavcic. Depois, de volta à Europa, aliás, a Monte Carlo, Djokovic fez exames médicos para localizar as causas dos problemas que tinha com a respiração. "Eu sabia sobre essas dificuldades desde o início. Novak tinha ido fazer exames na Sérvia, com seus pais, antes da turnê aos Estados Unidos, e o problema foi constatado, mas não se sabia quanto às complicações", diz Piatti. "De qualquer forma, decidimos ir à Itália, onde marcamos uma consulta com o médico que cuidava dos jogadores do famoso time de futebol de Milão. Tendo confirmado que havia um desvio no nariz que causava os problemas, o médico sugeriu que Novak se submetesse a uma cirurgia. Fizemos um trato de que isso aconteceria no fim da temporada, após o Masters que teria de disputar no início de novembro em Paris". Depois da visita ao médico em Milão, Djokovic passou por novos exames, desta vez na Sérvia, com o oftalmologista. Logo depois, começou a usar lentes de contato.

Na última parte da temporada de 2005, Djokovic não conseguiu brilhar em nenhum dos torneios disputados no mês de outubro. O primeiro na lista era o torneio no Metz, em que jogou duas rodadas de qualificações[3]. Na primeira, ganhou do alemão Frank Moser por 6-3, 6-4; na segunda, contra o russo Yuri Schukin, entregou o jogo em virtude de

---

3 Nessa época Djokovic já tinha *ranking* suficiente para jogar na chave principal. O qualificação está ligado ao sistema de disputa do tênis, com jogos eliminatórios e chaves de 32 jogadores para competições desse nível, 64 com 56 diretos e oito tenistas cabeças de chave saindo como bye. (Nota do R.T.)

uma lesão, com o resultado 1-1 nos *sets*. Em seguida, provavelmente ainda não totalmente curado, foi ao Masters disputado em Madri, e perdeu já na primeira rodada para o croata Ivo Karlovic. História semelhante se repetiu também no torneio da série ATP 250, disputado em Lyon: na primeira rodada Djokovic passou pelo brasileiro Ricardo Mello, mas, na segunda, perdeu para o belga Olivier Rochus, seis anos mais velho.

O último torneio da temporada de 2005 era o Masters de Paris, onde Novak, então 85º. do mundo, mais do que confiante passou pelas duas primeiras rodadas do *qualifying* a caminho para a chave principal. Na primeira, esperava-o o romeno Victor Hanescu, que, em razão de sua lesão, entregou o jogo no primeiro *set*, com vantagem de Novak de 4-1. Na segunda, jogou contra o argentino Mariano Puerta, então nono do mundo, e ganhou por 6-3, 7-6(9). A classificação para a terceira rodada levou à partida contra o espanhol Tommy Robredo, que derrotou Djokovic por dois *sets* a zero. Apesar da derrota, sua ida às oitavas de final até então era o melhor resultado nos torneios da ATP da série Masters 1000. Para Riccardo Piatti, que o acompanhava durante os torneios, esse era mais um indicador da determinação de Djokovic. "Ao terminar a participação em Paris, disse que precisava fazer o que planejáramos. Então, ele viajou para Milão para se submeter à cirurgia. Talvez, isso seja normal para a maioria das pessoas, mas outro esportista diria: '*Ok*, preciso ir, mas, quando vou poder descansar?', mas Djokovic não pensava assim. E foi de imediato, e, claro, seus pais o acompanharam. A questão de dinheiro não foi sequer apresentada. Queriam que fosse operado pelo melhor médico. E assim foi".

Após a cirurgia, Novak Djokovic voltou para Belgrado, para um repouso de dez dias com a família, a namorada e os amigos. Em seguida, viajou para Monte Carlo para continuar com o trabalho. "Logo que voltei do Masters de Xangai, acompanhado por Ljubicic, já no dia seguinte comecei as preparações com Djokovic para a temporada de inverno", diz Piatti. "Depois, Ljubicic viajou para a Eslováquia com a seleção da Croácia, a fim de disputar a Copa Davis, enquanto eu fiquei trabalhando com Djokovic".

Além de dedicar total atenção à sua recuperação, Djokovic acompanhava com muita atenção os jogos dos seus adversários. Principalmente aqueles que eram seus ídolos. "Mas agora os assistia para descobrir como derrotá-los. Acho que naquele período Ivan Ljubicic era muito importante para ele, porque estava no topo. E Djokovic o derrotara várias vezes. Acho que, dessa forma, ficou claro para ele como pensam os melhores tenistas. Nos seus olhos dava para ver o que pensava: 'Esse jogador é *top* e raciocina como eu. Então, preciso fazer assim'", diz Piatti.

Em pouco tempo, Monte Carlo se tornou a nova base do tênis para Djokovic. Sempre quando treinava com Riccardo Piatti, salvo quando se encontrava em algum torneio, era lá que se preparava. "Seus pais logo entenderam isso, e o apoiaram", lembra Piatti. "Não era uma decisão fácil viver longe do filho naquela idade. Muitos pais fazem questão de acompanhar o filho nas viagens, mas a família Djokovic o acompanhou apenas quando era possível. Entendiam que essas coisas tinham que fluir. E nunca o faziam perder tempo. Djokovic nunca perdia tempo".

# 15. O DESEJO ANTES DA VITÓRIA

Para tenistas profissionais, o fim e, principalmente, o início de cada ano são reservados aos torneios preparatórios antes do primeiro Grand Slam, em janeiro. Eles mal têm tempo de usufruir dos feriados de Natal e Ano-Novo, pois é preciso se organizar para a nova temporada.

Como na primeira vez em que viajou para a Austrália, em 2004, no torneio do Aberto da Austrália Júnior, dessa vez Novak Djokovic também foi acompanhado por Jovan Lilic. Um trecho da conversa que então tiveram prosseguia, devagar, mas firme, para se tornar realidade. "Eu massageava suas pernas, como faço com todos os jogadores, e ele começou a me perguntar: 'Você se lembra de quem foi o primeiro jogador do mundo em 1982?'. Respondi que sim, e ele perguntou:'Lembra-se de quem eram o segundo e o terceiro na lista?'. Eu disse que não sabia, e ele respondeu: 'Então, viu? Ninguém se lembra do segundo e do terceiro, por isso estou interessado em ser campeão'" .

Naquele momento, Djokovic encontrava-se longe do seu objetivo, mas o alvo estava muito claramente desenhado, e suas palavras, de certa maneira, eram verdadeiras. São poucos os que podem hoje, com determinação, se recordar das mudanças que ocorreram na segunda e na terceira posições na esplêndida história do tênis. "E esses jogadores são nada menos do que campeões absolutos, porque é um grande sucesso ficar entre os dez primeiros. Tênis não é um esporte coletivo. Quando você se encontra entre os cem primeiros, é o mesmo que ficar entre os onze melhores jogadores de futebol no planeta, ou no primeiro quinteto de calibre mundial do basquete. Dentro dos dez primeiros, cada um é Messi. Cada um é Michael Jordan. Entre os dez primeiros todos são deuses", afirma Jovan Lilic.

As ambições e desejo de Djokovic, naquele momento, eram os mesmos de sua conterrânea Ana Ivanovic. Conheciam-se desde a época em que treinavam, ainda crianças, em péssimas condições. Durante o inverno, jogavam tênis em piscinas vazias, em cujo fundo era colocada uma cobertura de tapete; não era possível se dar ao luxo de aquecer a água, principalmente durante o bombardeio da Otan.

Ana estreou como tenista profissional em 2003, no mesmo ano em que Djokovic. Em 2004, era finalista do Wimbledon Júnior, e, em 2005, terminou o ano como número 16, um salto de 81 posições do *ranking* da WTA, razão por que na cerimônia "Stars for Stars" oficialmente foi nomeada a tenista que mais avançou em 2005.

Logo no início de 2006, as novas forças do tênis originárias de um país em princípio sem tradição no esporte, Ana Ivanovic e Novak Djokovic, na seleção de Jovan Lilic, participaram da prestigiada Copa Hopman, realizada em 5 de janeiro na cidade australiana de Perth. Esse torneio de exibição é considerado um dos mais bem organizados; dele participam seleções compostas por um tenista masculino e um feminino (nas simples são todos contra todos, e também há dupla mista), e com um prêmio de bolas de ouro enfeitadas com diamantes, cujo valor está entre 300 mil e 500 mil dólares.

"Coincidiu de a véspera do Ano-Novo ser antes da partida. Na manhã seguinte, a disputa seria contra a seleção dos Estados Unidos. Naquela noite, Novak mostrou todo seu charme, angariando todas as simpatias", lembra Lilic. "Tocávamos com a banda *Creedence*. Infelizmente naquele momento seu membro principal, Tom Fogerty, já havia morrido, mas seu irmão, John Fogerty, liderava a banda que nos divertia em Perth. Incentivaram-nos a subir ao palco, e assim fizemos. Eu tocava, e Novak cantava 'Proud Mary', canção que todos conhecem na interpretação de Tina Turner e que, no original, foi gravada exatamente pela banda Creedence. Quando voltamos ao quarto, Novak, influenciado pela música e pelos belos momentos, não conseguia dormir. Mas, quando os esportistas profissionais permanecem acordados após a meia-noite, o corpo, do ponto de vista fisiológico, não consegue funcionar normalmente nas próximas 48 horas. Nosso erro foi que na noite anterior tínhamos avançado 45 minutos a mais. Os norte-americanos ficaram apenas dez minutos. Novak tinha pela frente apenas cinco horas de sono. Os norte-americanos, naquela manhã, se desenvolveram melhor, e perdemos a partida. Foi apertado, mas perdemos".

Taylor Dent e Lisa Raymond, que formaram a dupla norte-americana, ganharam a final da Copa Hopman naquele ano; Djokovic e Ana Ivanovic deixaram uma ótima impressão ao público do tênis. Os patrocinadores se esforçam para que durante os grandes torneios, diversas atrações sejam apresentadas paralelamente, tanto dos representantes principais como dos outros patrocínios. Os organizadores, nos intervalos entre as partidas, gravavam um programa com as câmeras acompanhando os tenistas em Perth, para mostrar como fazem aquilo que mais gostam. "Lembro-me de que Ana foi ao *shopping* e conquistou todos com quem falou. Novak, de uma família com espírito culinário, desejou que fôssemos a um restaurante sérvio onde pudesse preparar suas especialidades, como *cevapcici* ou bife de Karadjordje[1], e assim fizemos", diz Jovan Lilic. "Lembro-me de que o apresentador e o *cameraman* eram vegetarianos rígidos, sequer podiam se imaginar comendo carne. Então, explicamos, no meio da brincadeira, o hábito tradicional da Sérvia de, antes da refeição, para aguçar o apetite, tomar um copinho de aguardente. Por se tratar de aguardente de ameixa, os vegetarianos toparam. Se me lembro bem das suas reações, me pareceu que jamais tinham experimentado bebida mais forte do que aquela. Depois, todos experimentamos a comida que Novak preparara e, como era de esperar, ele se saiu muito bem como anfitrião.

---

1 Cevapcici são rolinhos de carne moída mista (suína e bovina), de 10 a 15 cm de comprimento, assados na brasa, e bife de Karadjordje consiste de carne moída mista (suína e bovina), enrolada, com recheio de nata. (Nota do R.T.)

Naquela Copa Hopman, Djokovic e Lilic fizeram mais um gesto elegante, uma verdadeira surpresa. "Fomos juntos à floricultura vizinha, que pertencia a uma família vietnamita. Quando nos perguntaram se éramos participantes do torneio de tênis em Perth, respondi que sim, e que, se nos dessem um desconto, nós lhes daríamos ingressos. Eles aceitaram a proposta, queriam os ingressos, mas não nos dariam desconto e, sim, insistiram em nos dar as flores como presente. Depois, como cavalheiros, as distribuímos às mulheres que participavam do torneio ou faziam parte da organização, que se emocionaram com a gentileza. Foi uma demonstração de atenção, justamente o que ensinei a ele e a todos os membros da minha delegação. Na verdade, para Djokovic não era preciso explicar muito. Ele sempre foi assim. Acho que não existe viagem da qual não tenha levado alguma lembrança para sua família ou os amigos, as pessoas às quais dedicava cuidados. Ele foi educado assim. E assim são também seu pai e seu tio. Para eles, é preciso dar algum sinal de atenção às pessoas que a merecem", diz Lilic.

Após esse episódio na Copa Hopman, Novak Djokovic e Jovan Lilic viajaram para Melbourne, onde se hospedaram em um apartamento alugado juntamente com Riccardo Piatti e Ivan Ljubicic pouco antes do início do Aberto da Austrália. "Naquele tempo, Ljubicic era o terceiro jogador do mundo, e graças a ele tínhamos a oportunidade de treinar nos melhores períodos do dia, pois os jogadores que se encontram entre os dez primeiros, principalmente os três primeiros, normalmente podem escolher o horário,, pois têm os horários preservados. E isto é muito bom, porque não é necessário se levantar cedo demais", conta Jovan Lilic.

Enquanto Ljubicic, naquele momento, jogava a partida de exibição em Kooyoung Park[2], Riccardo Piatti trabalhava intensamente com Djokovic. "Federer estava presente; lembro-me de que me aproximei e lhe perguntei se queria treinar novamente com Djokovic. Num primeiro momento ele rejeitou, mas, no dia seguinte, se aproximou e me disse: 'Riccardo, nós somos amigos. Já treinei com ele, e ele quis me vencer',

---

2 Antiga sede do Aberto da Austrália, até ser transferido para Melbourne Park. (Nota do R.T.)

lembra-se Piatti". "Vamos deixar claro. Não é que Federer não quisesse treinar com Novak. Somente queria ter, durante as preparações, adversários com os quais pudesse trabalhar em cima do seu jogo, mas não competir. Acho que o que disse nessa ocasião foi muito legal da sua parte. Naquele momento não passei isso para Novak, apenas disse que Roger estava ocupado. Era muito jovem, e supus que não entenderia. Tenho certeza de que hoje, Djokovic, como campeão mundial, compreende do que se tratava. Creio que, agora, ele também prefere treinar com alguém com quem possa trabalhar em cima do próprio jogo, para se preparar da melhor maneira possível para o torneio".

Durante o Aberto da Austrália de 2006, Djokovic, então o 76º. jogador do mundo, novamente entrou direto na chave principal em todas as três categorias: na dupla mista, com Ana Ivanovic, chegou até a segunda rodada, quando foram derrotados pela dupla canadense/russa de Daniel Nestor e Elena Likhovtseva; nas duplas, com Andy Murray, caiu na primeira rodada diante de uma das melhores duplas na época, Nenad Zimonjic/Fabrice Santoro; e nas simples, Djokovic terminou sua participação logo na primeira rodada, depois da partida perdida no quarto *set* para o norte-americano Paul Goldstein. "Djokovic assinara contrato com a Adidas, e acho que naquela partida não se deu bem com a raquete Wilson que tinha de usar por força do contrato de patrocínio", lembra-se Jovan Lilic.

Em Melbourne, de alguma forma, foi apresentada a equipe inteira dos meninos com os quais Djokovic cresceu nos torneios juniores (Andy Murray, Gael Monfils, Stanislas Wawrinka, Marcos Baghdatis). Todos, assim como ele, queriam se afirmar. Era claro que entre os nomes encontravam-se aqueles que iriam, no período seguinte, achar seu lugar entre os *Top Ten*. A presença de novos tenistas, cuja técnica e natureza ainda precisavam conhecer melhor, certamente aumentou a pressão que já existia sobre Djokovic, a mesma que despertava os tenistas experientes com jogo de alto nível. Obviamente, as expectativas para o Aberto da Austrália foram maiores do que os resultados, principalmente pelas intensas preparações que realizou, mas tudo isso para Djokovic não era um obstáculo, e sim um desafio. "Na temporada de 2006, que começamos na Austrália, ele não estreou muito bem. Ele era o 76º. na lista, e depois caiu para o 81º. lugar", lembra-se Riccardo Piatti.

177

Mas as coisas começaram a melhorar no torneio realizado na capital croata Zagreb, no início de fevereiro. Ali, Djokovic, em parceria com Dmitry Tursunov, da Rússia, chegou às quartas de final nas duplas, quando foi barrado pela dupla italiana Danielle Bracciali/Giorgio Galimberti. Quanto à categoria de simples, na primeira rodada venceu o tenista tcheco Robin Vik, e na segunda enfrentou outro tcheco, o sempre complicado Radek Stepanek, então o 21º. jogador do mundo. "Pensávamos em como seria melhor atacar o jogo do adversário, e decidimos basear nossa tática num *return* mais brusco, enquanto Stepanek apoiava-se muito no saque", lembra-se Piatti. "E assim foi. Novak preparou uma dupla surpresa para Stepanek: amadurecimento na resolução dos pontos cruciais e os *returns* mortais, perturbando totalmente a concepção do jogo de Stepanek, que, naquele momento, sequer imaginava que Djokovic fosse capaz de jogar tão bem".

Após a passagem para as quartas de final, Djokovic jogou contra seu compatriota e amigo dos dias de júnior, Ilija Bozoljac, a quem venceu com o resultado de dois *sets* a zero. Em seguida, veio a semifinal; Djokovic e Ljubicic jogaram sua primeira partida oficial. Para Djokovic, era uma das primeiras semifinais que jogava em torneios da ATP, seu primeiro resultado importante. "Ali encontravam-se alguns fatores significativos. Antes de tudo, Djokovic era o primeiro jogador sérvio que, depois da desagregação do Estado comum, não apenas participou como também conquistou sucesso num torneio na Croácia. Em segundo lugar, jogava contra o tenista nacional, e ambos se conheciam muito bem", diz Riccardo Piatti. "Ambos eram meus, era difícil assistir à partida ao vivo. Não sabia para qual lado torcer. Por isso, decidi não acompanhar". Piatti costumava evitar assistir aos duelos em que os tenistas que treinava jogavam entre si, e o primeiro encontro profissional entre Djokovic e Ljubicic não foi exceção. Ele foi à sala de musculação no hotel esperar receber o resultado.

"Lembro-me de que foi difícil jogar contra Novak, mas acreditava que venceria. Naquele tempo, estava perto do meu auge, mas, apesar disso, não foi fácil. Em primeiro lugar, porque sempre é inconveniente jogar contra alguém com quem você treina, e também pela pressão que sentia pelo fato de que era esperado que eu ganhasse a partida. Não somente porque figurava entre os cinco primeiros tenistas do mundo, mas também porque era a primeira vez que esse torneio voltava a ser disputado em Zagreb. Em meados dos anos 1990, quando ainda era disputado, o vencedor foi Goran Ivanisevic, mas seguiu-se a pausa entre 1996 e 2006. Nesse sentido, o sucesso do torneio de alguma forma dependia também do meu triunfo", diz Ivan Ljubicic, que saiu da final como o novo detentor do título. "O primeiro *set* perdi no *tiebreak*, mas não entrei em pânico. Sabia que não estava jogando nem perto do que podia, e vi que tinha muitas chances, muito espaço para jogar bem melhor. O piso da quadra era de taraflex, muito rápido, e Novak e eu treinávamos no cimento em Monte Carlo. Vale salientar que lá gastávamos muito mais tempo fora da quadra do que dentro. Assim foi também com Simone Bolelli e Fabio Fonini, e Piatti trabalha hoje com Richard Gasquet. Ele evita que seus tenistas joguem um contra o outro. Isso porque não consegue se concentrar 100 % em apenas um deles. E, assim, acontecia com frequência que Novak treinava com outro, depois eu com outro, e desse modo Piatti sempre ficava perto do seu jogador".

Durante toda a primeira parte da temporada de 2006, Djokovic e Ljubicic viajavam juntos sob os cuidados do treinador Riccardo Piatti, que queria que Ljubicic transmitisse a Djokovic o máximo possível das experiências que sozinho tinha adquirido no topo do tênis. "Novak, na época, jogava com cordas Tecnifibre, apesar de a maioria dos melhores tenistas ter começado a jogar com as assim chamadas linhas híbridas, que eram uma mistura de cordas de tripa e sintéticas, mais duras. Disse a ele que essas cordas eram ótimas, mas que teria de trocá-las com mais frequência, porque, ao contrário das híbridas, afrouxam e perdem peso rápido, o que exige repetido encordoamento da raquete", lembra-se Ivan Ljubicic. "Parecia-me, às vezes, que ele, em razão das cordas, perdia algumas partidas, e chamei sua atenção, dizendo que elas, definitivamente, teriam de ser trocadas".

Em parte, o problema era que a Tecnifibre era um dos copatrocinadores de Djokovic. "A companhia com a qual algum jogador tem contrato, que trata, por exemplo, apenas das cordas, não pode impedi-lo de trocá-las. Um novo contrato com outro fabricante não podia ser feito, mas diferentes cordas sempre poderiam ser compradas", explica

Ljubicic. "Por exemplo, em relação à raquete, se algum jogador usa uma raquete preta, significa que tem contrato com uma companhia, mas joga com outra raquete que não pode divulgar. Esse é, hoje, o caso de Ivo Karlovic, como há algum tempo foi o de James Blake e Marcos Baghdatis, que também jogavam com uma raquete pintada de preto. Novak me escutou e, no final, trocou as cordas. Sei que ainda hoje se recorda exatamente desse detalhe e o quanto significou para ele. Até testar algo e enquanto não insistir nisso, não é possível saber o quanto pode ser útil".

Em fevereiro de 2006, Djokovic se juntou à seleção da Sérvia e Montenegro na primeira rodada da Copa Davis, tendo como adversária a equipe de Israel. Na lista do time nacional convocada por Dejan Petrovic, além de Djokovic, posicionado no 70º lugar na lista da ATP, estavam Janko Tipsarevic, Viktor Troicki e Ilija Bozoljac. "Para mim, essa Copa Davis ficou na memória, porque a equipe era muito jovem", lembra-se Dejan Petrovic. "Eu era jovem para um técnico, pois tinha 27 para 28 anos. O fisioterapeuta era da minha idade, e os jogadores tinham entre 19 e 22 anos".

A primeira rodada do encontro com Israel foi aberta com sucesso, Tipsarevic ganhou de Dudi Sela por 3-1. Em seguida, Djokovic, na segunda rodada, aumentou a vantagem da equipe, vencendo Noam Okum: ganhou os primeiros dois *sets* em *tiebreaks* apertados, e depois quebrou totalmente a resistência do adversário no terceiro *set*, derrotando-o por 6-2. A partida de duplas, jogada em seguida por Janko Tipsarevic e Ilija Bozoljac, foi perdida por 3-0; depois, Djokovic, na quarta rodada, ganhou a oportunidade de dar o ponto da vitória à sua equipe. O adversário era Dudi Sela, que ofereceu maior resistência no *tiebreak* do terceiro *set*, mas Djokovic não lhe permitiu prolongar a partida. Finalizou com o resultado de 6-1, 6-2, 7-6(3). A seleção da SCG conquistou o primeiro ponto no grupo, e como adversários na segunda rodada foram anunciados os jogadores da seleção da Grã-Bretanha.

Nos últimos dez dias de fevereiro de 2006, Djokovic ocupava a 72ª posição no mundo. Participou do torneio da série ATP 500, disputado em Roterdã, apenas duas semanas após Zagreb e uma semana depois de participar da Copa Davis. Em Roterdã, primeiro passou pelas duas rodadas do *qualifying* e na primeira rodada da chave principal espera-va-o o italiano Andreas Seppi. Djokovic o derrotou por 6-2, 2-6, 7-5. Na segunda rodada, enfrentou um adversário treze anos mais velho, Tim Henman, então veterano, que um ano mais tarde se aposentaria do tênis profissional. Ele conseguiu tomar o primeiro *set* de Djokovic, que se recuperou no *set* seguinte, e, no final, venceu por 5-7, 6-3, 6-4.

Nas quartas de final de Roterdã, seu adversário era Radek Stepanek. Na partida anterior que jogaram em Zagreb, o primeiro encontro nas suas carreiras, Djokovic se saiu vencedor. Agora, o tcheco tinha a oportunidade da revanche, e a aproveitou. Foi a primeira e única vez que Stepanek derrotou Djokovic nos oito encontros que tiveram, incluindo Wimbledon de 2012.

"Djokovic não jogou bem. Ele tinha derrotado Stepanek facilmen-te em Zagreb. Quando se encontraram nas quartas de final, em Roter-dã, eu estava convencido de que o venceria novamente. Mas ele fazia *returns* afiados, não era agressivo. No terceiro *set*, quando se disputava o *tiebreak*, talvez houvesse alguma chance para inverter a história, mas isso não aconteceu", diz Riccardo Piatti. "Djokovic lutava com todas as forças, mas nem ele mesmo estava satisfeito com seu jogo. Todavia, naquele período, aconteceu algo diferente, que, na minha opinião, foi muito importante. Conhecia todas as suas virtudes, com as quais podia virar o resultado contra Stepanek, mas não as aproveitou. Então, sabia quais eram os seus defeitos. Sempre foi daqueles jogadores que estão o tempo todo com a cabeça na partida. Concentração total. Esta é a sua força maior".

O avanço constante de Djokovic dava a Riccardo Piatti uma bri-lhante ideia de quanto o estilo do jogo da nova geração de tenistas se diferenciava da reluzente safra mais velha de Ivan Ljubicic. Mas tam-bém oferecia a noção de como, e em que sentido, andavam a forma-ção e o surgimento dos futuros números 1. "Nunca se discutiu sobre Djokovic como número 1. Por exemplo, após a derrota nas quartas de final em Roterdã, seu pai, Srdjan, chegou ao vestiário, me abraçou e disse: 'Não tem importância'. Para Djokovic e seus pais, era relevante que ele progredisse, sem se preocupar com os resultados, para poder pensar na próxima partida e ir em frente. Isto é algo característico de todos da família Djokovic. Isto também aprendi com eles, e foi muito importante para minha carreira no tênis posteriormente", afirma Piatti. "Naquele momento, Djokovic precisava de todo o apoio dos pais, e eles sempre o ofereceram, sem limites. Acho que essa é a chave do seu sucesso. Sempre que tinha oportunidade, esforçava-me para manter contato com a família Djokovic. Seus pais eram muito importantes. Ensinaram-lhe que a disciplina no esporte pressupõe que as coisas sejam bem entendidas. É preciso fazer alongamento, é importante. *O.* Não pode tomar refrigerante, não lhe faz bem. *OK.* Tem que focar no jogo. *OK.* Isso não significa que seus pais construíram um projeto, mas, sim, ergueram um jovem homem. Porque Djokovic, antes de tudo, é um rapaz educado. E isto é mérito deles".

Analisando todos os seus resultados até então, assim como o progresso que se notava no desenvolvimento dos elementos técnicos do seu jogo, tudo já estava preparado. Djokovic era um jogador cujo talento era reconhecido havia muito tempo, e cujo potencial era nutrido e fortalecido, mentalmente forte e muito maduro, com o apoio adequado da família. Preparado desde o início. Era claro que ele, com todo o direito, queria ser o melhor.

# 16. NO CAMINHO ABERTO

Para Riccardo Piatti, era claro quanto o fator tempo pode ser importante para um jovem tenista que, a passos largos, está caminhando para o topo. Esse era o caso de Djokovic. Para ele, óbvio, o tempo também era muito significativo, mas, ainda mais relevante era usá-lo da maneira correta. Portanto, seu treinador logo se encontraria em um tipo de encruzilhada, porque Riccardo Piatti tinha perto de si dois jogadores excepcionais: um que estava no topo, e outro que mostrava todos os pressupostos para chegar lá.

"Para mim, antes de tudo, existem dois tipos de jogadores. O primeiro que tem um saque bom, e o outro que tem um bom *return*. Sempre disse que Ivan é sacador, enquanto Djokovic é jogador de *return*. Este era seu foco: do *return* passa ao ataque. E assim jogaria seu jogo verdadeiro", afirma Piatti.

Após o torneio de Roterdã, Piatti e sua equipe voltaram para Monte Carlo. O plano que idealizaram supunha a melhor preparação possível para a turnê dos Estados Unidos que estava por vir. Durante as duas semanas até o torneio de Indian Wells, Djokovic foi afetado por um resfriado, que o impediu de treinar no ritmo necessário.

"Apesar de tudo, decidimos, em meados de março, ir para Indian Wells, embora ele não estivesse em sua melhor forma", diz

Piatti, que, no momento, talvez não estivesse pensando no rendimento, ainda que fosse o primeiro torneio da série Masters 1000 em que Djokovic, graças ao seu *ranking*, começaria direto na chave principal. Essa não era uma oportunidade que se podia perder.

Mas, independentemente do 67º. lugar que Djokovic ocupava naquele momento na lista da ATP, os resultados não vieram em Indian Wells. Perdeu logo na primeira rodada, em dois *sets*, para o francês, dezesseis anos mais velho, Julien Benneteau, então o 88º. jogador do mundo. Era o primeiro encontro entre esses dois tenistas, e o único que Benneteau ganhou, das cinco partidas que disputaram até hoje. O torneio seguinte em que Djokovic teria de comparecer foi disputado em Miami. Key Biscayne era o segundo Masters 1000 seguido que, ao lado do nome de Djokovic, estava escrito DA (*Direct Acceptance*).

Ivan Ljubicic, que na época viajava com ele pelos torneios dos Estados Unidos, lembra-se dos primeiros problemas que começavam a aparecer na relação Djokovic-Piatti.

"Na verdade, com Piatti não havia problemas, mas Djokovic encontrava dificuldades de conseguir uma comunicação comum com nosso preparador físico Salvador Sosa. Durante a turnê dos Estados Unidos, queríamos diminuir um pouco os gastos, e Novak ficou hospedado com ele no mesmo quarto. Dou risada até hoje quando me lembro disso. Porque trabalhei com Sosa por muito tempo, até 2009; ele é um ótimo preparador físico, mas de vez em quando é uma pessoa que pode ser um tanto difícil. Sempre tentava mostrar aos jovens jogadores quanto as coisas na vida podem ser pesadas. Acordava Novak às sete da manhã e iam correr, malhar, não o deixava descansar o suficiente, tudo com o objetivo de torná-lo mais forte. Eles não conseguiam se entender".

Jovan Lilic, que acompanhava e conhecia Djokovic como jogador de tempos anteriores a Riccardo Piatti, não duvidava que a cooperação entre eles continuaria em favor do melhor interesse de Djokovic.

"Mas foi apresentada a questão da criatividade. Existia o mesmo programa para Ljubicic e também para ele. Era totalmente compreensível que Piatti, naquele tempo, estava impressionado com o jogo de Federer. Todos estavam. Assim, Ivan e Djokovic, com frequência, jogavam bolas cruzadas que, para o sérvio, não era o primordial. Sentia que nos pontos ele tinha de responder com o seu jogo. O fato de hoje Djokovic jogar ferozes *backhands* cruzados, através dos quais varia o ritmo do seu jogo, não é por acaso, é parte da sua criatividade. Gostava e sabia que precisava trabalhar isso até a perfeição", conta Lilic.

Nesse meio tempo, enquanto Djokovic e Sosa procuravam a mesma sintonia no plano da preparação física corrente, Ivan Ljubicic seguia em boa marcha com o programa. O tenista croata, naquele ano, jogava de forma excelente no continente norte-americano. Em Indian Wells, chegou até as quartas de final, e em Miami até a final; em ambos os torneios foi vencido por Roger Federer. Os resultados de Djokovic eram diferentes. É verdade que na primeira rodada ganhou fácil do francês Paul-Henri Mathieu (6-1, 6-3), mas, na segunda, não conseguiu surpreender o então sétimo jogador do mundo, Guillermo Coria. O argentino o venceu em dois *sets*: 7-5, 6-1.

Colega de Djokovic dos tempos de júnior, Branko Kuzmanovic, que naquele momento estudava nos Estados Unidos, lembra-se da amizade entre eles nesse Masters.

"Novak sempre teve carisma e jeito com pessoas. Acompanhei-o em alguns dos seus treinos em Miami. Para mim, naquela época, foi uma experiência inacreditável, porque me levava para todos os lugares e me apresentava a pessoas que eu apenas sonhara em conhecer e que podia ver somente naquela ocasião na vida. Todo esse tempo ele se comportava com muita calma, fingia que era meu guarda-costas, afastava as pessoas, como que dizendo 'deixem o cara passar livre', enquanto, na verdade, era ele que ia para o treino com Marat Safin. Durante o treino, dava para perceber quanto Safin o respeitava, e naquela época ele estava no topo; o nível do tênis no treino foi extremamente alto. Depois, quando perdeu para Coria, ficamos sentados no vestiário, e ele tirou suas quatro raquetes Wilson e, como um amigo, me presenteou com uma delas. Acho que sua derrota em Miami aconteceu por ter jogado na quadra central, onde estava presente um grande número de espectadores, o que lhe deixou pressionado de uma maneira a que ainda não estava acostumado".

Ivan Ljubicic conta: "Novak, depois de Miami, tomou uma decisão e disse que não queria mais trabalhar com Sosa. Seu modo de trabalho estava em contradição com aquilo que Novak achava que precisava. Queria dedicar mais atenção no *stretching*, enquanto Sosa insistia nos pesos, nos exercícios de cócoras, alcance de força etc. Para mim, um regime de treino assim realmente combina comigo. No tênis diz muito a questão individual, o que é necessário para cada jogador. Eu sou explosivo, preciso de uma força rígida, sólida. Novak não. Mas o que me impressionou foi como ele precisou de tão pouco tempo para entender o que lhe agradava. Sabia disso, até com detalhes, aos 18 anos. Essa fascinante decisão de reconhecer aquilo de que precisava e não precisava nos treinos era totalmente atípica para um jovem jogador que ainda estava se formando".

Djokovic continuou a trabalhar com Piatti (sem Sosa), mas logo ficaria claro que isso não fazia mais sentido, porque Djokovic não se transformava naquilo que era planejado com os treinos. Era claro que queria trabalhar nele próprio do modo como é, ou seja, como o vemos hoje em quadra.

"Salvador era muito rígido, e Novak não conseguiu se harmonizar com ele. Disse abertamente que não queria mais trabalhar com ele. Para mim, era certo que tínhamos um problema. Meu ideal era que nossa equipe fosse composta por Ivan, Novak, o preparador físico e eu. E realmente pensava que essa ideia sobre a equipe era boa. Não existiam muitas pessoas para controlar. Ivan funcionava bem com esse plano, Novak não. Admito que com Ivan eu trabalhava desde 1997, e era muito focado nele, mas disse para mim mesmo: '*Ok*, esse mesmo bom trabalho posso também fazer com Novak; ele é novo, posso ajudá-lo a vencer seu corpo com o apoio do preparador físico'", diz Piatti.

As coisas não fluíram como se esperava. Djokovic, nesses dois Masters, simplesmente não estava em forma. Os resultados não vinham, mas ele cada vez mais amadurecia como esportista; com os olhos abertos assimilava tudo no seu entorno, com atenção assistia aos outros tenistas, analisando seus jogos.

Certa vez, quando ainda tinha seu treinador permanente, mas não o preparador físico, porque o trabalho com Sosa o deixava amarrado, Djokovic chamou para ajudá-lo o antigo fisioterapeuta, Milos Jelisavcic, que conta: "No início de 2006, comecei a trabalhar numa academia em Halle, e devo confessar que não fiquei surpreso quando ouvi que a cooperação com Sosa terminara. Aconteceu exatamente aquilo que eu tinha dito quando essa história ainda estava começando: 'Novak deve se sentir à vontade em quadra, deve ficar flexível para que consiga dar o máximo. Mas eles trabalhavam com o intuito de reforçá-lo. Por conta desse objetivo, em seu jogo apareceu uma rigidez que nunca foi seu atributo. Queriam fazer dele um jogador forte, o segundo Ivan Ljubicic, mas Novak de maneira alguma é esse tipo. Até hoje não tem muito mais quilos em comparação com o tempo em que outros insistiram em aumentar sua massa corporal. Definitivamente, isso não combinava com ele, não conseguia se encontrar nessa situação".

Djokovic queria novamente se sentir leve em quadra, da maneira como gostava de ser. Encontrou-se com Jelisavcic em Belgrado, e a cooperação foi restabelecida.

"Em virtude das minhas obrigações na academia alemã, não podia trabalhar com ele em tempo integral, mas prometi-lhe cada momento livre meu", acrescenta Jelisavcic.

Enquanto isso, chegou a vez da segunda rodada da Copa Davis, que teve início em abril de 2006, na cidade escocesa de Glasgow, contra a seleção da Grã-Bretanha. O técnico da equipe da SCG (em português SMG – abreviação composta das primeiras letras das palavras Sérvia e Montenegro – era o país que substituíra a RFI, mas com nome diferente) ainda era Dejan Petrovic, e a lista dos jogadores que derrotaram na primeira etapa os israelenses (Djokovic, Tipsarevic, Bozoljac) foi reforçada por Nenad Zimonjic, que substituiu Viktor Troicki.

Na primeira partida, disputada na Arena Braehead, Janko Tipsarevic, após muita tensão, perdeu por 3-1 para o veterano canadense naturalizado britânico Greg Rusedski. Em seguida, Novak Djokovic, na segunda partida de simples, empatou a disputa ao vencer com facilidade Arvind Parmar. Na terceira partida, prevista para as duplas, tornou-se evidente o quanto era bom e importante para a equipe da SCG ter um dos melhores jogadores de duplas do mundo – Nenad Zimonjic, que, em parceria com Ilija Bozoljac, conseguiu superar a dupla Rusedski/Murray. A partida na quarta rodada poderia ser decisiva. E foi. Djokovic ganhou por 3-1 um duelo nem um pouco fácil com Greg Rusedski.

O técnico da então seleção da SCG, Dejan Petrovic, diz: "Essa vitória sobre os britânicos tinha múltipla relevância, ainda mais porque desde o início eles figuravam como os favoritos, o que não nos atrapalhava. Antes de tudo era importante porque a nossa equipe, com essa vitória, entrou no *playoff* para completar o Grupo Mundial. Por isso, a vitória contra os britânicos tem ainda hoje muito valor para mim, porque a nossa equipe mostrou ser compacta composta por jogadores do melhor nível".

Logo após o término da Copa Davis, seguiu-se mais um Masters, em Monte Carlo, para o qual, dessa vez, Djokovic tinha de disputar o *qualifying*. Na primeira rodada encontrou-se com seu colega da Copa Davis, Nenad Zimonjic. Milos Jelisavcic se lembra dessa partida: "Era a primeira e única vez que aqueles dois jogavam um contra o outro em algum torneio. Naquele momento, Nenad era o jogador *alternate*, ou seja, o primeiro abaixo da linha dos jogadores da chave principal, que pode entrar no torneio no caso da desistência de alguém. E como isso não aconteceu, na primeira rodada do *qualifying* jogou contra Novak".

Djokovic, então o 67º. no mundo, ganhou o primeiro *set* com relativa facilidade e, em seguida, em um *tiebreak* incerto que jogaram no segundo *set*, conseguiu triunfar por 7-6(8). Na segunda rodada do *qualifying*, o adversário era um italiano dois anos mais velho, Simone Bolelli, que Djokovic venceu por dois *sets* a zero. Fato interessante é que, mais adiante, exatamente Bolelli iria treinar com Riccardo Piatti.

A primeira rodada da chave principal em Monte Carlo era também a primeira partida profissional na qual se encontraram na quadra o primeiro jogador do mundo, Roger Federer, e o garoto que, no futuro, assumiria essa posição no *ranking* mundial, Djokovic. Era o duelo do início de uma grande rivalidade que se tornaria cada vez mais forte nos anos seguintes.

---

1 O playoff da Davis é formado por dezesseis nações, sendo oito que perderam na primeira rodada do Grupo Mundial e outras oito que se classificaram em confrontos. (Nota do R.T.)

"A pressão psicológica era enorme. Não tinha como Djokovic não a sentir. Estamos falando sobre Federer, que naquele momento já era inatingível", lembra-se Milos Jelisavcic.

Roger Federer ganhou o primeiro *set* por 6-3. Tecendo comentários sobre esse resultado, durante a coletiva de imprensa, Djokovic confirmou que sentiu a pressão do encontro com o melhor tenista do mundo: "Estava nervoso demais no início da partida. Todo o tempo pensava em um modo de enfrentá-lo. Ele joga de forma inteligente. É muito calmo. Ele é um bom jogador. É o melhor. Mas não é de outro planeta. Não era possível que ganhasse todos os *winners*[2]. Parei de me torturar com o fato de que estava jogando contra o melhor do mundo, e apenas comecei a jogar".

Esse raciocínio resultou em uma surpresa. Djokovic conseguiu roubar o segundo *set* de Roger Federer. "Acertei alguns bons golpes, e deixei que fosse ele a cometer erros. Tinha a partida sob controle, e tudo corria em meu favor. Acho que joguei muito, muito bem. Lamento apenas não ter continuado assim no terceiro *set*. Ele começou com o jogo mais agressivo, e eu talvez não tivesse suficiente coragem para acertar os *winners*. O início do *set* era decisivo. No segundo *game*, tinha a vantagem de 40-30 no meu saque, e perdi essa chance", Djokovic comentou depois da partida.

Como perdeu o terceiro *set* por 6-3, ficou claro para ele que, contra um jogador como Roger Federer, o melhor do mundo, cada oportunidade deve ser aproveitada ao máximo. Djokovic concordou com a constatação dos jornalistas de que ele, como jogador que ainda estava se revelando, não podia ficar desapontado com o resultado.

"Em princípio estou satisfeito. Se estivesse decepcionado, não seria pelo meu jogo, mas porque sei que tinha chance de ganhar e não a aproveitei".

Riccardo Piatti concorda que a chance de passar para a segunda rodada existia, apesar de ele estar jogando contra o número um do mundo: "Djokovic teve uma grande oportunidade naquela partida.

---

2 Bolas vencedoras. (Nota do R.T.)

O nível do seu jogo estava muito bom, bem perto da qualidade que tinha Federer. Havia muitas chances de vencer, mas Roger era Roger... O importante é que Djokovic percebeu qual era seu potencial. Sabia o que podia, e sabia que podia muito. Sob o aspecto do jogo, já estava preparado para vencer Federer. Mas acho que havia ansiedade, como se faltasse um pouco de sorte naquela ocasião. E sorte não é fator sem importância quando se fala de tênis".

Na verdade, a partida contra Roger Federer encaixava-se perfeitamente à imagem daquilo que, naquele momento, Djokovic enxergava como importante: jogar o maior número possível de torneios de peso contra os melhores jogadores. Objetivo ele tinha, precisava de experiência.

Ivan Ljubicic comenta: "Quando Novak e Federer, aliás, um dos meus melhores amigos, jogaram pela primeira vez em Monte Carlo, lembro-me de que Riccardo foi conversar com Roger, para lhe perguntar o que achava sobre seu jovem jogador. Roger disse que dava para perceber que Novak tinha algo bom em seu jogo, mas que sinceramente não enxergava nada demais. É de se ter em vista que ainda era o ano de 2006, quando Novak ainda estava se formando. Lembro-me da reação do seu pai, Srdjan, quando Riccardo lhe disse que não precisava ficar preocupado com a derrota contra Federer porque se tratava de uma boa partida. Boa no sentido de que perder por 2-1 de Federer não significava um mal resultado. Mas Srdjan não estava satisfeito. Achava que Novak podia vencer. Que deveria ganhar. A princípio isso pode soar estranho, mas não é. Esta é a força da família Djokovic. Sempre querer mais, melhor e mais forte".

Após o Masters de Monte Carlo, no cronograma de Djokovic encontrava-se a ida para Barcelona. Embora naquele momento estivesse melhorando sua posição na lista da ATP, Djokovic perdeu logo na primeira rodada para o espanhol Daniel Gimeno Traver por 2-1. Nem nas duplas a situação foi melhor. Com Dmitry Tursunov, conseguiu chegar apenas até a segunda rodada.

Riccardo Piatti resume: "Para mim, estava claro que ele não estava feliz. Naquele tempo, eu tinha de dar mais atenção para Ivan, e lembro-me de que disse a Novak: 'Escute, se você não está satisfeito, temos de encontrar alguma solução'. Não queria que perdesse seu tempo. Eu o compreendia. Entendia seu descontentamento. Depois de Barcelona, fizemos juntos o torneio de Roma e, após isso, e antes da ida de Novak para a competição em Hamburgo, interrompemos a colaboração. Naquele período, Novak e Ivan tinham o mesmo empresário, Alon Kaksuri, para quem apresentei a proposta de separação".

Os resultados de Roma iriam coincidir com a decisão que estava tomada em comum acordo. Djokovic passou fácil pela primeira rodada, derrotando o italiano Francesco Aldi, mas na segunda, contra mais um italiano, Fabio Fognini, perdeu por 2-1. Fognini era um dos tenistas com o qual Riccardo Piatti trabalharia mais tarde como treinador. Mas na história com Djokovic estava colocado um ponto final.

Ivan Ljubicic se lembra disso: "Riccardo me disse somente: 'Não trabalho mais com Novak'. Não explicou nada além disso, mas a situação estava clara. Ele precisava de um treinador que pudesse acompanhar exclusivamente seu trabalho, sempre e em todos os lugares. Como no momento eu estava no topo, para Riccardo isso era totalmente irrealizável. No que diz respeito ao meu relacionamento com Novak, não foi alterado. Acredito que seja compreensível. Na vida privada, passávamos por fases semelhantes. Eu, por exemplo, me casei com a menina que conheci na escola, e agora Novak está numa relação duradoura com Jelena, que conheceu num período semelhante. Continuamos a amizade como antigamente. Dava-lhe conselhos do mesmo modo como hoje, trocamos experiências e ajudamos um ao outro. Surgimos de meios similares, e por esse motivo nos entendemos bem".

A cooperação Djokovic-Piatti durou pouco menos de um ano. Durante esse tempo, uma coisa ficou muito evidente para todos. Novak Djokovic era um jogador que precisava de atenção absoluta. Seu futuro treinador teria de ser não apenas alguém que fosse um especialista experiente, mas também que motivasse e entendesse sua criatividade no tênis, e, antes de tudo, alguém que pudesse acompanhar somente a ele e a seus resultados durante a temporada.

"No momento em que percebi que estava perdendo tempo comigo, nossa cooperação foi encerrada. Porque, se continuasse a perder tempo comigo, eu iria me sentir mal. Quando trabalho com jovens jogadores sempre presto muito atenção nisso. Não quero desperdiçar o tempo deles, nem que eles desperdicem o meu. Se as coisas andam como o previsto, ótimo, trabalhamos. E se houver um problema, temos de achar a solução, encontrar um desfecho melhor. Novak e sua família estavam muito concentrados no tênis, e por esse motivo precisavam encontrar algo que correspondesse ao seu investimento", afirma Riccardo Piatti. "Apesar do rompimento da nossa colaboração, continuei a acompanhar seus resultados, como acompanhava antes de começarmos a treinar juntos. Eu gosto desse esporte. Dediquei toda a minha vida ao tênis. Para mim, o trabalho com Novak foi uma experiência marcante, mas também era essencial ver o que aconteceria depois, como prosseguiria no seu desenvolvimento. E essa imagem melhorava a cada dia."

# 17. O HOMEM CHAMADO VAJDA

Desde os tempos do juvenil, Djokovic estava entre os tenistas com prognóstico de um futuro esportivo brilhante. No segundo semestre de 2006, depois de ótimos resultados, entrou para os primeiros quarenta do ranking da ATP – e também como o mais novo entre eles, terminando a temporada na excelente posição de número 16, razão pela qual recebeu o prêmio de tenista revelação, pois foi eleito o que mais avançou durante o ano.

A única coisa que lhe faltava, após a suspensão da cooperação com Riccardo Piatti, era o título de um torneio da série ATP. Graças à sua tranquilidade, o progresso da técnica e à qualidade dos variados golpes, Djokovic estava caminhando, devagar, mas seguro, para esse objetivo.

Em maio de 2006, quando chegou ao Masters na cidade alemã de Hamburgo, Djokovic ocupava a 71ª. posição no mundo. Mesmo assim, ainda teve de passar pelo *qualifying*, em que demonstrou uma excelente forma. Venceu Juan Antonio Marini, da Costa Rica, e Fernando Vicente, da Espanha. Depois, na primeira rodada da chave principal, enfrentou Guillermo Coria, que nos encontros entre eles liderava por 2 0 (Roland Garros, em 2005, quando Djokovic teve de entregar o jogo; e Miami, em março de 2006).

Derrotar o ágil Coria, aliás, um especialista no saibro, então vencedor do título em Hamburgo e que de maio a agosto de

2004 ocupou a posição de terceiro tenista do mundo, não era pouca coisa. O argentino tinha a fama de "chegar em todas as bolas e devolvê-las". Mas, dessa vez, Djokovic tinha mais experiência. E coragem. Ganhou o primeiro *set* por 6-3, perdeu o segundo, pelo mesmo resultado, e no terceiro, o *set* decisivo, como verdadeiro vencedor, melhorou o nível do seu jogo e conseguiu quebrar a resistência de Coria.

O próximo adversário, o espanhol Fernando Verdasco, naquele momento era o 34º. jogador do mundo. Djokovic e ele, até então, haviam se enfrentado somente uma vez, no Aberto dos EUA, quando Verdasco venceu depois de cinco exaustivos *sets*.

O tenista espanhol, quatro anos mais velho e bom em todos os tipos de quadra, logo no início conseguiu uma quebra de serviço, abriu vantagem de 2-0 e decidiu o primeiro *set*. No segundo, o espanhol rapidamente abriu 5-2 e, quando se esperava o fim da partida, Djokovic quebrou seu serviço e diminuiu a diferença para 5-3. No *game* seguinte, sem nenhum ponto perdido, Verdasco de novo quebrou o serviço de Djokovic e venceu.

Apesar de não conseguir uma revanche com Verdasco para a derrota no Aberto dos Estados Unidos, as vitórias nas qualificações e depois contra Coria proporcionaram a Djokovic um avanço de oito posições na lista da ATP.

Então o 63º. jogador do mundo, Djokovic, no fim de maio de 2006, chegou para o Aberto da França, em Roland Garros. Passou fácil pela primeira rodada, contra o peruano Luis Horna, que, no segundo *set*, com o resultado 1-0, 5-0 para Djokovic, entregou o jogo. Um desafio real chegou na segunda rodada, quando do outro lado da rede estava o então nono jogador do mundo, Fernando Gonzales, do Chile. Depois de uma única, mas crucial oportunidade, Djokovic ganhou o primeiro *set*, parecendo ser muito mais experiente, apesar de o chileno ser sete anos mais velho. Em seguida, ganhou também o segundo *set* (6-1), ainda mais fácil. Foi inacreditável, porque o adversário era o tenista que a mídia, quando se tratava de jogo no saibro, chamava de Fernando Speedy Gonzales. E com razão. Gonzales também chegou a ser conhecido como "mano de piedra" pela extrema potência de seu golpe de direita.

Esse, no entanto, não foi o fim. Gonzales empatou por 2-2, conseguindo voltar para a partida, e, como começou a chover, o quinto *set* foi interrompido dando uma chance de descanso para ambos os tenistas. Mas, para Djokovic, mais uma chance de praticar o seu "olhar de campeão" do mundo. Na continuação, literalmente explodiu, um jogo agressivo, com abundância de autoconfiança e acabou vencedor.

Ganhou o quinto *set*, velocíssimo, por 6-1. Depois da partida, Gonzales declarou: "Não posso reclamar nada sobre como joguei, mas ele salvou 12 das 15 *break points* e todo o tempo jogou no nível dos cinco melhores tenistas do mundo".

E tinha razão. Na rodada seguinte, Djokovic venceu, e de novo contra um jogador muito mais bem colocado no *ranking*. O alemão Tommy Haas foi derrotado por 3-0.

"Essa sem dúvida foi uma das melhores partidas que joguei", disse o vencedor. "Só não sei o que aconteceria se Haas voltasse para a partida no terceiro *set*. Trata-se de Tommy Haas, um jogador que tem muita experiência e que adora jogar no saibro. Sabia que não podia deixar o controle da partida nas suas mãos, e foi exatamente isso o que aconteceu no início do primeiro *set*, quando vencia por 3-0. Não comecei como pensei e não me sentia confortável. Mas consegui o primeiro *break*, voltar ao jogo e, no final, vencer o primeiro *set*. Desde esse momento me sentia bem e estava focado todo o tempo".

Naquele instante ainda não estava definido se o adversário de Djokovic na quarta rodada seria o francês Gael Monfils ou o norte-americano James Blake, pois ainda teriam de se enfrentar pela terceira rodada.

"Será uma partida difícil, mas em Grand Slam, quando você, depois da terceira rodada, entra para os 16 melhores, nada é fácil. Estou me encontrando pela primeira vez nessa situação, então, em todo o caso, estou muito satisfeito", disse Djokovic na coletiva de imprensa.

Naquele período, surgiram alguns boatos de que Djokovic poderia adotar cidadania britânica, e os jornalistas, como sempre, tinham de perguntar. A resposta foi bem clara:

"Perguntam-me isso com frequência nas últimas semanas. Não sei do que se trata. São somente rumores que surgiram depois das partidas que jogamos na Copa Davis, em Glasgow. Não existe nisso nada sério. Para mim, agora é muito importante me concentrar na partida que me espera."

Gael Monfils, após cinco difíceis *sets*, conseguiu derrotar James Blake e chegar às oitavas de final. Djokovic estava preparado, mas tinha consciência de que a partida contra o francês seria complicada. Desde o primeiro momento em que os dois entraram em quadra, o público ficou louco por Monfils. O estádio estava cheio, e todos lhe deram um apoio enorme. Foi assim a partida inteira, e como havia muito equilíbrio e os pontos frequentemente eram decididos por pequenas diferenças, a atmosfera, como se diz, estava superaquecida.

Os primeiros dois *sets* foram muito apertados. Houve chances para terminar antes, mas em ambos os casos Monfils conseguiu chegar ao *tiebreak*. Djokovic posteriormente comentou: "Tive o saque para fechar o primeiro e também o segundo *set*, e não posso dizer que nessas situações estive no meu melhor momento. Mas isso é normal nos grandes torneios. Talvez tenha estado defensivo demais, e ele aproveitou essa chance. E durante os *tiebreaks* realmente tive sorte em alguns pontos. Monfils estava cansado, era evidente que sentia as consequências das partidas anteriores. E todas em cinco *sets*. Acho que venci porque estava mais agressivo e porque aproveitei as chances que apareceram. O mais difícil foi lutar contra o público, mas de alguma forma consegui. Eu simplesmente não tinha o que perder. Nem tenho na próxima partida, na qual me espera Rafael Nadal, que é o segundo jogador do mundo e todos sabemos que é o melhor no saibro".

Por outro lado, Gael Monfils não escondia o desapontamento: "Não me arrependo. Pensei demais no resultado, e minha forma física também não estava muito boa. Acho que Novak estava um pouco temeroso, principalmente pelo apoio que eu recebia todo o tempo das arquibancadas, mas não demonstrava isso. Arriscava quando era preciso, jogou muitos *drop-shots* aos quais não conseguia chegar, aplicou vários *winners* e todo o tempo se movimentava perfeitamente em quadra, o que me surpreendeu ainda mais, porque o conheço, além de tudo, como jogador do fundo de quadra. Do ponto de vista psicológico ele desejou essa vitória mais do que eu".

Após essa vitória, Djokovic empatou o retrospecto contra Monfils por 2-2, e desde então, nas seis partidas seguintes que jogaram em várias competições, inclusive em 2011, quando se encontraram pela última vez nas quartas de final em Montreal, o tenista francês não conseguiu vencer.

De Roland Garros, em 2006, Djokovic saiu como vencedor de uma crise pessoal. Um ano antes, por problemas, respiratórios tivera de entregar o jogo contra Coria. Esse foi um problema sério, mas o campeão também deve encarar o problema com seriedade: "Estava muito preocupado e tentava encontrar várias soluções", diz Djokovic, "mas, no fim, foi descoberto que somente a cirurgia podia me ajudar. Era o último recurso, e tinha de ser assim. Agora tenho de trabalhar em cima disso. Treinar a respiração. O desvio no septo nasal havia me torturado por toda a vida, e por isso eu respirava pela boca. Agora tenho de dominar a respiração correta pelo nariz. Nas partidas até agora não tive problemas, e estou satisfeito por isso".

Na sua primeira participação em quartas de final de um Grand Slam, Djokovic entrou com muita autoconfiança, embora o adversário fosse o defensor do título, Rafael Nadal. Foi o primeiro encontro entre eles, e a partida que deu início a uma das mais conhecidas rivalidades no tênis moderno (rivalidade que é também parte da assim chamada *trivalidade*, composta por Roger Federer, Nadal e Djokovic).

Milos Jelisavcic, que naquele tempo era o fisioterapeuta de Djokovic, lembra-se de alguns detalhes e da atmosfera antes da partida: "Nadal já era a estrela do tênis. Sei que nos calçados de tênis tinha gravado seu apelido – Rafa, pois as câmeras sempre os focavam quando jogava. Novak, antes do início do jogo contra ele, pegou um marcador e no seu tênis escreveu Nole".

Ele se tornou o que é, por uma característica da sua terra natal: respeito ao adversário, mas também autorrespeito, e um excelente senso de humor. A real dificuldade de jogar contra o "rei do saibro" estava clara desde o início. Tinha de se esforçar muito para fazer cada ponto e merecê-lo. Tentava *winners* para estabelecer o controle da partida, mas não tinha êxito. O famoso Rafa, nos primeiros dois *sets*, fez um *break* em cada, o suficiente para vencê-los. Mas, no início do terceiro *set*, aconteceu algo que ninguém esperava: Djokovic entregou a partida.

"Estou muito triste que tenha acabado assim. Durante o segundo *set* comecei a sentir dores nas costas. Não doeu muito enquanto jogava no fundo de quadra, mas durante o saque essa sensação gerava grandes problemas. Podia dar somente 50 % da minha força. Lutei, mas entendi que no futuro isso não me favoreceria. Este não é o único torneio até o fim da temporada. Há mais, e quero dar o meu máximo neles. Nesse sentido, tenho certeza de que hoje tomei a decisão certa. Não gosto de desistir. Não gosto dessas situações. O que mais pesa para mim é que acho que em alguns momentos joguei muito bem, e que fui um adversário à altura do Rafa, contra quem é muito difícil jogar. Até hoje não tínhamos nos enfrentado. Estou desapontado com esse fim, mas feliz porque percebi que ele não é invencível, e que posso jogar contra ele. Até mesmo do fundo de quadra, onde é o melhor."

Rafael Nadal não estava surpreso por Djokovic entregar o jogo, porque havia percebido que algo estava mal: "Vi que os saques no segundo *set* se tornaram muito mais fracos, e que frequentemente colocava a mão no local doloroso nas costas, mas, apesar disso, jogava os pontos muito bem, então fiquei um pouco surpreso. Isso me deixou parcialmente desconcentrado, porque não sabia do que se tratava. Suponho que realmente estava com problemas, porque ninguém desiste de um Grand Slam se a situação não é grave. Novak é um jogador bastante agressivo. Saca bem. Tem um bom *forehand*. O *backhand* também. Não sei se neste ano conseguirá entrar para os dez melhores, mas tenho certeza de que num momento conseguirá".

Graças aos resultados do Aberto da França, Djokovic ganhou 250 pontos na ATP e entrou na lista dos 40 melhores jogadores do mundo. E cada vez ganhando mais velocidade.

Seguiram-se os torneios nas quadras de grama. No tradicional Queens, em Londres, não participou, pois começou logo depois de Roland Garros, mas para o torneio em s' Hertogenbosch, na Holanda, estava muito bem preparado. E depois dele, Wimbledon.

Enquanto isso, aconteceu algo fundamental para a carreira de Djokovic. Teve início a sua cooperação com Marian Vajda. Ele é hoje seu treinador *full time*, e com ele alcançou seus melhores resultados, inclusive aqueles mais espetaculares durante a temporada de 2011.

*

Marian Vajda nasceu em 1965 na cidade eslovaca de Povazska Bystrica, e como jogador profissional obteve os melhores resultados no fim da década de 1980, quando ganhou os títulos nos torneios ATP em Praga e Genebra. Foi capitão da seleção da Copa Davis da Eslováquia e também do time da Copa Fed, e sua melhor posição na lista da ATP foi o 34º. lugar:

"Talvez pudesse progredir ainda mais", diz Vajda. "Na verdade, com certeza podia. Mas naquela época o tênis não era como hoje. Agora está muito mais profissional, com muito mais treinadores na equipe, preparador físico, fisioterapeuta... Todos eles cuidam do jogador. No meu tempo era diferente. As lesões influenciavam muito mais na carreira, a recuperação era mais difícil. Apesar de tudo, eu curtia jogar, não gostaria de mudar nada. Sinto-me realizado. Com a profissão de treinador prolonguei a carreira de tenista, e, olhando por essa perspectiva, ainda posso fazer muito. Com certeza o tênis é profissão, mas para mim é muito mais do que isso. É estilo de vida, me deixa muito satisfeito, me move. Gosto de trabalhar e de realizar meus sonhos."

A ligação entre Djokovic e Marian Vajda se mostrou um sucesso e era realmente preciosa. Porque Vajda hoje não é apenas o *personal trainer*, mentor e psicólogo de Djokovic; é também seu amigo próximo e parte da família, alguém que o acompanha e apoia, diante da vitória e da derrota.

Mas, se não fosse uma mediação por acaso da filha mais nova de Vajda, Natalia, tudo isso poderia não ter acontecido. Na realidade, quando Djokovic encerrou a cooperação com o então sexto tenista do mundo, Karol Kutcher, o *staff* de Djokovic fez contato com ele no intuito de se encontrarem em Paris. Vajda confessou que não queria aceitar essa proposta, pois não sabia quem era Djokovic, mas a filha o convenceu a fazer a viagem porque queria visitar "a cidade do amor".

E assim, em Paris, em 2006, Novak Djokovic e Marian Vajda se conheceram. Tudo o que veio depois faz parte da história do tênis. Tendo em vista que Natalia Vajdova é também uma tenista talentosa, o pai lhe disse que não abandonaria o cargo de treinador de Djokovic para acompanhar sua carreira. Em vez disso, prometeu-lhe que se esforçaria para lhe encontrar o melhor técnico do mundo. Graças aos resultados que alcançou com Djokovic, Vajda talvez tenha de se olhar no espelho para que possa encontrá-lo.

Palavras de elogio a Marian Vajda também tem Niki Pilic: "Vajda e eu nos conhecemos no passado. Novak nem havia nascido quando nos conhecemos. Quando estavam para decidir dar início à cooperação, a família Djokovic me perguntou o que eu pensava, e os aconselhei a aceitarem-no. Lembro-me de que em 1988, em Monte Carlo, ele ganhou de Boris Becker por 2-1. Eu era presidente da Associação de Tênis da Alemanha, e o chamei para treinar com a seleção alemã da Copa Davis. Estávamos nos preparando nos arredores de Düsseldorf, e ele nos ajudou muito. Com ele, ainda hoje, tenho um excelente relacionamento. Nós nos admiramos e nos respeitamos. Vajda ocupa um lugar especial na história de Novak. Veja, com ele chegou até o Monte Everest do tênis. E quando um tenista, num caminho tão difícil, tem ao seu lado um treinador que o acompanha, que vive para o seu jogador, não há discussão. Além disso, uma coisa é muito importante. Vajda é de origem eslava. Sua mentalidade combina absolutamente com Novak. Todos os outros treinadores não eram adequados ao perfil de Novak. Vajda era perfeito".

Djokovic explica melhor: "Marian Vajda é como se fosse meu segundo pai, e com ele tenho um relacionamento que é muito mais do que uma ligação jogador-treinador. Ele é emotivo. Com ele posso me divertir muito também fora das quadras, o que é muito importante para mim. Ele traz um espírito positivo à minha equipe e possui uma grande energia motriz".

Sobre tudo isso Vajda acrescenta: "A primeira coisa com que me deparei quando nos conhecemos foi o enorme otimismo que o rodeava. Naquele momento, muitos especialistas do tênis prognosticavam que figuraria entre os dez melhores do mundo, mas somente seu pai, Srdjan, acreditava que se tornaria o melhor. Existem jogadores para os quais a força vem da família, e isso é um fator muito importante. Novak é um deles, e estou feliz por fazer parte da sua história. De certa forma meu trabalho foi fácil porque comecei a trabalhar com um garoto que possuía um enorme talento e que aprendia rápido. Tênis é um esporte

A BIOGRAFIA DE NOVAK DJOKOVIC

que não é para qualquer um. Você deve ser uma pessoa forte, ter um caráter íntegro, sentir paixão e ter atitude de vencedor. E se você tem tudo, ainda é preciso trabalhar em cima disso".

No torneio em s'Hertogenbosch, em que oficialmente começou a cooperação com Vajda, Djokovic, na primeira rodada, depois de muita luta, venceu o alemão Alexander Waske por 2-1.

"Waske era conhecido como um sacador perigoso. Eram bombas que soltava. E a partida inteira foi uma luta pela sobrevivência. Novak jogou muito bem, enquanto Waske sacava de forma fenomenal. Não conseguiam chegar à quebra de jeito nenhum. Todos os três *sets* foram concluídos no *tiebreak*", comenta Milos Jelisavcic.

Ao final, Djokovic conseguiu sair vencedor, mas, na segunda rodada, foi eliminado da competição pelo tcheco Jan Hernvch.

E, depois, veio Wimbledon, o primeiro torneio no qual Djokovic, Marjan Vajda e Milos Jelisavcic chegaram juntos.

Na primeira rodada, vitória contra o norte-americano Paul Goldstein, e na segunda, sem um *set* perdido, contra o espanhol Tommy Robredo, então oitavo na lista da ATP. Um começo mais do que bom.

O adversário da terceira rodada foi o tenista russo Mikhail Youzhny. Djokovic começou a partida com um jogo defensivo no fundo de quadra, o que é hoje sua característica. Permitiu a Youzhny impor seu ritmo, e perdeu o primeiro *set*, mas, no segundo, mudou a maneira de jogar, e começou a atuar na quadra inteira, fazendo pontos. Esta também é uma das suas características. Na sua volta ao jogo, não assombrou nem o fato de que seu rival, no início do segundo *set*, pediu a ajuda do médico em razão de dores nos músculos da coxa e, mais tarde, por problemas nas costas. O russo suportou dignamente as dificuldades que o castigavam, mas, caso não as tivesse, a questão era: teria como resistir aos ataques de Djokovic? E assim foi na sequência, Youzhny tentava, mas não conseguia. Graças à firmeza de sua vontade, Djokovic preservou a sanidade nos momentos em que foi preciso, e aproveitou cinco das seis oportunidades de ganhar o *game* no saque do adversário e sempre que estava no seu encalço. Venceu por 3-1 (4-6, 6-2, 6-2, 6-3). Um lugar nas oitavas de final totalmente merecido. Ali o esperava um ótimo tenista croata, Mario Ancic.

Djokovic estava em ótima forma, recuperado da lesão nas costas sofrida em Paris, e o fato de estar participando do maior torneio de tênis na grama, e com sucesso, aumentava sua força.

O desejo de repetir o triunfo de Roland Garros, no qual ficou entre os oito melhores, também não era pequeno. E deste objetivo o separava somente um passo.

"Este é o segundo ano que jogo na grama, e estou muito satisfeito com tudo o que consegui até agora. É uma grande motivação para um jogador participar de um Grand Slam, principalmente em Wimbledon. Hoje, a superfície de grama é talvez mais lenta do que há dez ou quinze anos. Na verdade, os jogadores de fundo de quadra vencem as partidas, o que mostra que não depende apenas de saque e voleio", comentou Djokovic sobre sua participação até aquele momento.

Apesar de ter sido manifestamente divulgado, antes de uma coletiva de imprensa, que Djokovic não responderia a perguntas sobre um possível requerimentio de cidadania inglesa, elas não faltaram. Os jornalistas se justificavam, dizendo que se tratava de notícia que interessava à comunidade do tênis. Djokovic os satisfez: "Vou repetir. Mas devo dizer que estou repetindo desde Paris. Nisso não existe nada de verdade. E tenho que acrescentar que perguntas desse tipo me sobrecarregam, porque preciso focar nesse torneio, um dos que mais gosto. E não tenho nada mais a acrescentar, além de que estava um pouco confuso quando percebi a dimensão atribuída a essa história. Sinceramente estou surpreso porque nem penso nisso. Notei também que alguns dos meus colegas já fazem piadas sobre isso. Por exemplo, quem mais avançou foi Greg Rusedski. Ele brinca sempre que me vê, dizendo: 'O que há de novo, inglês?'. Por outro lado, aqui está Andy Murray, que de vez em quando me diz: 'Onde está você, colega da equipe inglesa?'. Isso é, óbvio, apenas uma piada, e eu entendo. Além disso, Andy é um dos meus melhores amigos entre os tenistas. Nós nos conhecemos desde os tempos de juvenis; ele, diferente de mim, teve um caminho mais fácil até os cinquenta melhores, pelo apoio que recebeu do Estado, dos patrocinadores etc., mas não acho que isso diminui a pressão que sente. Essa sobrecarga está sempre presente, e Andy lida com isso muito bem. Ambos temos a sorte de trabalhar com aquilo que gostamos. Andy é um jogador brilhante, e tenho certeza de que mais cedo ou mais tarde conseguirá estar entre os dez melhores. Espero que nós dois logo consigamos isso".

Djokovic perdeu a partida contra Mario Ancic, que aconteceu depois da coletiva de imprensa, após uma maratona de cinco *sets*.

Milos Jelisavcic explica por que: "Novak, de repente, teve um problema perigoso. Sua lente de contato quebrou, o que atrapalhou a visão da bola, mas, apesar disso, continuou jogando. Durante o *time out* médico, pediu colírio, porque não sabia o que estava acontecendo. Quando percebeu do que se tratava, já era tarde".

Mas Djokovic sabe perfeitamente o que é *fair play*: "Mario é um tenista espetacular. Jogamos no Aberto dos Estados Unidos no ano passado, e ali eu venci. Talvez por causa dessa vitória tivesse uma vantagem psicológica moderada, mas não significou muito. Aqui todos esperavam dele que justificasse sua posição entre os dez melhores, e ele é dos jogadores que em todos os lugares e em todas as ocasiões sabem se superar, então ele fez isso. Simplesmente, desta vez, foi melhor do que eu".

*

Definitivamente, Djokovic tinha mais esperanças para Wimbledon em 2006, mas não foi embora desencorajado. Pelo contrário. Como logo se confirmou, a participação nos dois torneios de Grand Slam anteriores foi somente um prelúdio para o que viria. Já no torneio seguinte, sete dias depois, disputado em Amersfoort, ele mostrou quão rapidamente conseguiu se recuperar da derrota.

Apenas três semanas depois de Wimbledon, Djokovic ganhou seu primeiro título da ATP, em julho de 2006, no Aberto da Holanda, torneio disputado em Amersfoort, que em 2009 mudou para Belgrado e recebeu o nome Serbian Open.De modo simbólico, dessa vez também Djokovic chegou até o título sem nenhum *set* perdido.

Para dizer a verdade, naquele momento, seu novo treinador não tinha um papel tão significativo, porque não passavam muito tempo juntos. Djokovic quis descansar após Wimbledon, mas estava claro que da cooperação com Vajda esperava-se muito.

"Depois do fim da colaboração com Piatti", diz Djokovic, "procurei, em primeiro lugar, um treinador que fosse uma boa pessoa, com quem pudesse ter boa comunicação na quadra e também fora dela, e ele tinha parecia perfeito. Vajda é modesto, tem grande experiência, treinou Karol Kucera (jogador da República Eslovaca) e Dominik Hrbaty, também da equipe eslovaca da Davis, e ele próprio já havia estado entre os trinta melhores do mundo. O que mais precisamos trabalhar é a serenidade durante a partida. Eu gosto de ser aquele que dita o ritmo e ataca. Esta é a minha tática no jogo, e a considero uma virtude. Mas devo trabalhar também a quietude, porque não posso jogar dessa forma contra todos os adversários".

Em Amersfoort, Djokovic passou pelas primeiras três rodadas sutilmente demonstrando a todos por que estava ali: para vencer e ser o melhor.

Na semifinal, novamente enfrentou Guillermo Coria, vencedor de nove torneios da série ATP.

Novak logo conseguiu uma quebra de serviço para abrir uma vantagem de 3-0 facilmente conquistada e a mantinha concluindo vigorosamente o primeiro *set*. O espírito de luta que apresentava era motivo suficiente para o argentino ficar preocupado. De fato, não somente por isso, mas também por causa da lesão no ombro direito que já o ameaçara antes, que motivou a derrota nos torneio de Grand Slam em Paris e em Londres. Após menos de quarenta minutos de jogo, o argentino ergueu a bandeira branca.

Placar de Djokovic contra Coria: 2-2 em vitórias e 1-1 em entregas de jogo.

O fato de o trabalho na semifinal ter sido facilitado não diminuiu sua motivação: "Sempre avanço um passo de cada vez, partida após partida. Mas, nessa semifinal, pela primeira vez pensei que podia ganhar o torneio. Nem eu podia acreditar que jogava tão bem. A vitória seria melhor se Coria não tivesse tido problema com a lesão, mas, em todo caso, vou ficar mais descansado para a final", declarou Djokovic depois da partida.

Sim, a primeira final de um torneio ATP na sua carreira! Nas arquibancadas estava a família, Marian Vajda e a namorada Jelena, e Djokovic tinha de jogar contra o vencedor, por duas vezes, da medalha de ouro das Olimpíadas de Atenas (nas simples e nas duplas), o chileno Nicolas Massu. Até então nunca haviam se enfrentado em simples, e antes dessa final se encontraram somente na primeira rodada das duplas (no mesmo torneio), quando Massu e o argentino Augusto Calleri superaram facilmente a dupla Djokovic-Pasanski.

A premiação do Aberto da Holanda foi 300 mil euros, mas a conquista do título podia dar a Djokovic algo muito mais importante: a colocação entre os trinta primeiros no *ranking* da ATP.

O chileno já havia jogado a final de Amersfoort, em 2003, quando triunfou, e seus resultados de 2006 até o momento, naquela temporada, eram ótimos – um título (Salvador, no Brasil) e duas finais (Casablanca e Viña del Mar), todos no saibro, onde, afinal, tal como todos os sul-americanos, se sentia melhor.

Djokovic se lembra: "Quando entrei com Massu na quadra central antes da final, pensei em uma possível vitória. Senti muita expectativa, não apenas da família, mas em geral. Era grande a pressão, mas sabia que tinha de me desligar e jogar o melhor possível".

E jogou. Durante o primeiro *set*, Djokovic tinha vantagem de 4-2, mas Massu conseguiu empatar e voltar à partida. Depois disso, teve três oportunidades de quebrar o saque de Djokovic, o que não conseguiu.

A decisão do primeiro *set* chegou ao *tiebreak*. No 13º. decisivo *game*, Massu começou melhor. Tinha uma vantagem segura de 3-0, mas de repente aconteceu algo inacreditável: parecia que o chileno estava parando, de vez, enquanto Djokovic voava pela quadra inteira, empatando o resultado e, no fim, vencendo o primeiro *set*, depois de uma hora e meia de jogo.

Ainda na fase inicial do segundo *set*, Djokovic conseguiu uma quebra, e com o resultado de 5-3 alcançou o primeiro *match point*. Estava a um passo das estrelas: "Fiz o sinal da cruz e orei a Deus. Estava feliz demais, mas errei. Não podia pensar antecipadamente na vitória. Já visualizava onde festejaria, e isso eu não podia me permitir. Cometi um erro, porque menosprezei o duelo com Massu, que é extremamente combativo".

Então, perdeu a primeira oportunidade de triunfar, e logo depois a segunda. É bem provável que naquele momento ele tenha ficado, por um breve momento, preocupado, mas, depois, jogou fenomenalmente o *game* com seu saque, e a vitória chegou.

Djokovic dividiu a felicidade pelo primeiro título da ATP conquistado com a família, o treinador e a namorada, Jelena, enquanto sua munhequeira, seu boné e a raquete acabaram entre os entusiasmados espectadores que aplaudiam o novo campeão. O tenista sérvio, também dessa vez, não perdeu a ocasião de destacar quem era mais merecedor dos fenomenais resultados que estava conquistando: "Minha família sempre está comigo, e é, sem dúvida, parte do meu sucesso. Sempre me influencia de modo positivo. Não sou o tipo de jogador que viaja sozinho aos torneios, minha família está sempre por perto. E isto me faz feliz, sinto-me melhor quando, com a minha namorada e o treinador, todos ficamos juntos. Não gostaria de trocar esse meio por nada desse mundo. Essa é a minha combinação vencedora no tênis. Gosto da companhia de pessoas verdadeiras, gosto do apoio quando estou na quadra. Nunca estive sozinho, e espero que nunca passe por isso".

O camarote da família Djokovic é muito barulhento nos torneios, e sua torcida calorosa sempre se fez presente nos anos seguintes. No final das contas, para Djokovic isso é algo sem o qual ele não existe: "O apoio da torcida me faz bem. Sou temperamental, e com frequência tenho explosões de ansiedade. Cada um resolve isso da sua maneira, e eu gosto de companhia. Quando me apoiam me sinto melhor, recebo força".

No torneio em Ameersfoort estava presente outra pessoa extremamente importante, o fisioterapeuta Milos Jelisavcic. Ele cooperou com Djokovic, pela primeira vez, quando conseguiu colocar-se entre os cem melhores tenistas do mundo. Naquele momento, Jelisavcic estava empregado em uma academia de tênis na cidade alemã de Halle, mas, apesar de todas as suas obrigações, foi à Holanda por dois dias, apenas para estimular Novak.

"Milos Jelisavcic significa muito para mim. Não apenas como preparador físico, mas também fora da quadra. Ele é uma pessoa em quem confio, e isso é muito difícil encontrar, é preciso ter sorte."

Um dos elementos do jogo de Djokovic no qual se constatava maior avanço e que, em Amersfoort, foi o principal responsável pelo seu sucesso era o saque.

"O saque nesse momento é a minha arma mais forte, e estou satisfeito por poder me apoiar nele quando mais preciso. Como juvenil, tinha problemas com esse fundamento. Oscilava bastante, em um torneio sacava bem, depois mal em dois. Agora meu saque está ótimo, ficou estável, especialmente nos últimos três, quatro meses. Estou seguro em relação ao meu jogo. Quando você vence, confia mais em si mesmo, a autoconfiança aumenta e muda a abordagem."

Os resultados extraordinários obtidos antes – quartas de final em Roland Garros e quarta rodada em Wimbledon – imprimiam uma grande pressão. Os jogadores mais promissores com os quais crescia, da geração que gradualmente começou a tomar a primazia no tênis, já tinham conquistado títulos. Nadal, Monfils, Gasquet, Murray... Aparentemente esperava-se mais somente de Djokovic, mas parecia que ele não estava muito abalado com isso. Em cada torneio tentava se concentrar o melhor possível no jogo, apesar da pressão externa. Então, quando parou de perseguir a vitória e os resultados, eles vieram por si mesmos. Não se tratava mais de "um jogador promissor". Djokovic começou a se realizar: "Tudo está se encaixando. Posso jogar com os melhores, na verdade, estou nesse grupo, e nele pretendo ficar por mais quinze anos. Espero que seja com saúde e sem lesões, porque, com o calendário como está, viagens frequentes e muito esforço, é extremamente difícil se prevenir. Este é um grande sucesso para mim. Principalmente porque tenho apenas 19 anos, e por ser de um país que não tem uma grande tradição no tênis. Espero que esse torneio seja somente o primeiro degrau na realização do meu objetivo de me tornar o número 1. Sei que isso pode soar irreal, mas acredito que tenho todas as qualidades necessárias".

Depois do triunfo na Holanda, ao se tornar a 28ªa. raquete do mundo, um dos grandes objetivos de Djokovic já estava realizado. Conquistara a meta inicialmente definida de, naquele ano, ficar entre os primeiros trinta. Prognóstico exato de que aconteceria veio, tempos antes, do diretor do torneio de Umag, Slavko Razberger, quando o pai de Djokovic lhe deu de presente um terno.

"Eu ficaria satisfeito se tivesse conquistado isso antes do fim do ano. É um resultado razoável, mas, como consegui antes, agora digo a mim mesmo: 'Vamos em frente'. Estou delimitando o novo alvo. A entrada para os vinte melhores."

Assim pensa um campeão...

# 18. O EPISÓDIO P1

A habilidade de manter a concentração durante as partidas bem como os golpes do fundo de quadra, fortes e precisos de Djokovic, até que não fosse necessário jogar na rede eram um ótimo indicador de como ele estava se transformando em um jogador completo. Progressivamente, mas com segurança, o que foi bem visível no fim de 2006.

Apesar de chegar à 28ª. colocação e ocupar a posição da 1ª. raquete em seu país, a mídia sérvia, num paradoxo, deu bem pouca atenção a seus sucessos. Não fosse pelas páginas dedicadas ao esporte nos jornais diários, raramente alguém no país sabia o quanto, na verdade, Djokovic estava progredindo.

Os canais da televisão local não transmitiram seus jogos e, assim, seus poucos fãs, mas leais, como eu – Blaza Popovic – tinham de se virar de vários modos:

"Na tentativa de acompanhar os jogos de todos os nossos tenistas, e em primeiro lugar de Novak Djokovic, nos diversos torneios dos quais participavam, procurava os amigos que tinham antena de satélite e também os canais com direito de transmitir os torneios de tênis. Em determinada época, quando Novak jogava em Miami, já alta hora da madrugada, minha então namorada e eu tivemos a ideia de viajar para um dos torneios. Queríamos assistir pela primeira vez como os melhores tenistas jogam ao vivo, inclusive Novak. Quatro meses depois de Miami, combinamos de ir a Umag, torneio que é disputado em julho na vizinha Croácia. Lá, aliás, em virtude da situação política, não pisávamos desde o fim dos anos 1980. Começamos a viagem de carro, e lembro-me de que as pessoas nos aconselhavam a prestar atenção, porque tudo que tinha acontecido nos anos 1990 deixara traços sérios e, como tínhamos placas de Belgrado, na Croácia, podíamos passar por experiências desagradáveis. Nada disso evitou nossa partida, e as experiências desagradáveis não aconteceram. Na península de Istra as pessoas não eram obcecadas pelo nacionalismo, não mostravam olhares estranhos nem rostos fechados. Ao contrário, fomos agradavelmente recebidos."

No primeiro dia do torneio, enquanto estávamos sentados no café perto da quadra central, aproximou-se Dragan Belic, amigo e conterrâneo de Srdjan Djokovic da cidade onde cresceram Zvecan e o pai do jovem tenista Luka Belic, com quem Novak iria se encontrar na primeira rodada. Sabendo que havíamos chegado da Sérvia, Dragan nos disse que Novak apareceria logo e teríamos a chance de conhecê-lo. Foi assim. Dragan Belic, que em anos passados havia 'arquitetado' a hospitalidade que a família Djokovic receberia do diretor do torneio, Slavko Razberger, chamou Novak, dizendo: "Eles vieram da Sérvia, para assistir como você joga e torcerem por você". Dava para perceber no rosto de Novak quanto estava feliz, consciente de que estava indo incontinente para o topo e que logo todos falariam sobre ele. Já na época era claro quanto estava seguro de si e do seu jogo, como se soubesse que brevemente seria o melhor. Evidentemente, estava feliz que seus fãs tivessem viajado da Sérvia para conhecê-lo. Quanto aos jornalistas da Sérvia, era como se não existissem em Umag.

*

Umag, uma bela cidadezinha costeira, era um dos destinos preferidos de Djokovic. Já por três anos consecutivos ia ao torneio, e dessa vez havia sido classificado como quarto cabeça de chave. Além disso, fazia-lhe bem a atmosfera descontraída e a hospitalidade que a ele e a sua família oferecia o diretor do torneio, Slavko Razberger.

Apesar de estar sob as fortes impressões da Holanda, Djokovic se mostrava pronto para enfrentar os desafios que podiam lhe trazer o novo título. Estava cheio de autoconfiança, focado e psicologicamente estável, tinha um excelente jogo de fundo de quadra e seu saque, a cada nova partida, ficava mais forte e mais eficaz.

Para seus adversários nas primeiras rodadas, cedeu somente um *set*, ganhando todas as partidas rapidamente, depois de apenas uma hora de jogo. Semelhante foi o duelo da semifinal com o ás espanhol Carlos Moya, cinco vezes campeão do título de Umag, o então primeiro tenista do mundo e vencedor de Roland Garros em 1998. O saque de Djokovic era fenomenal, atacava bem e defendia melhor ainda e, assim, o triunfo não tardaria. O veterano Carlos Moya foi desmoronado com o resultado de 6-1, 7-5.

O adversário seguinte era Stanislas Wawrinka, suíço de 21 anos, para quem esta era a segunda final. Djokovic e ele, até então, haviam se enfrentado por quatro vezes, e o tenista sérvio tinha sido mais bem-sucedido em três delas. A batalha disputada no primeiro *set* esteve empatada todo o tempo. Para cada golpe de Djokovic, Wawrinka tinha a resposta e vice-versa. Cada um deles quebrou o saque do outro por duas vezes e finalmente o primeiro *set* entrou no *tiebreak*. Durante o *set* de 73 minutos, Djokovic parou várias vezes, como se tivesse problemas respiratórios. Depois do 12º. *game* interveio o médico, segurando-o pelo peito, tentando facilitar sua respiração. Com a vantagem de 3-1 durante o *tiebreak*, Djokovic foi ao chão literalmente, lutando por ar. Entre seus torcedores nas arquibancadas pairou o silêncio. O médico e o pai de Novak invadiram a quadra e verificaram seu pulso, carregaram-no e o colocaram sentado no banco. Djokovic foi obrigado a entregar o jogo. Nas arquibancadas, a mãe Dijana, e também muitos torcedores não podiam esconder as lágrimas, assim como Djokovic, decepcionado, sentado no banco com o rosto coberto por uma toalha. Após alguns minutos, ele se levantou. Curvou-se ao público, que o acompanhou para além da quadra com um aplauso frenético. Duas semanas sem nenhuma pausa, participando de mais de dez partidas exaustivas, das quais ganhou as últimas nove, perdendo apenas um *set*, lhe trouxeram um cansaço a ponto de não poder mais continuar.

Hoje, também se recorda dessa situação desagradável o ator de cinema e teatro Rade Serbedzija, um dos mais influentes da região da ex-Iugoslávia que, depois da dissolução do Estado comum, continuou a construir em paralelo sua carreira europeia e *hollywoodiana* (trabalhou com muitos grandes nomes, como Stanley Kubrick, Guy Ritchie, Brad Pitt, Vanessa Redgrave, Tom Cruise etc.): "Ali conheci Novak. Por minha insistência, o diretor do torneio, Slavko Razberger, me levou ao seu vestiário. Quando entrei, vi que estava totalmente exausto, mas quando me reconheceu, saltou do banco, sorriu, ergueu a mão e disse: 'Mas, se soubesse que o senhor estava no público, nunca entregaria a partida'. Disse isso, antes de tudo, porque ele é um garoto muito divertido. E fez essa piada na minha frente, apesar de estar à beira de um colapso. Ele não parou quando estava perdendo, mas ganhando naquele *tiebreak*, e juntou forças para confessar que não podia continuar".

Durante o coquetel, organizado no fim do torneio em nome dos participantes, Djokovic se juntou à festa da vitória do seu adversário, como é apropriado aos campeões que sabem lidar com as vitórias, mas também com as derrotas. O suíço e ele se conheciam desde os dias de juniores, e a felicidade que Wawrinka sentia naquele momento, Djokovic entendia muito bem – esse foi o primeiro título de Wawrinka nos torneios da ATP World Series –, porque era o mesmo que sentira em Amersfoort.Abriram a garrafa de champanhe juntos, brindaram e comemoraram, e a festa durou até altas horas da madrugada.

"Tenho somente 19 anos, e o que aconteceu comigo em Umag é algo totalmente normal. Nos últimos meses trabalhei bastante a preparação física, melhorei muito, mas ainda estou me desenvolvendo, e com o tempo vou conseguir maiores esforços. O mais importante para mim é ficar calmo e não envergar sob a pressão", declarou Djokovic, preparando-se para o retorno a Belgrado, onde foi preciso se recuperar antes da participação no Aberto dos Estados Unidos.

O começo da miniturnê, apesar das grandes ambições, não foi brilhante. Embora tivesse avançado à 24ª. posição, no Masters 1000 de Cincinnati, Djokovic foi parado já na segunda rodada pelo 52º. do mundo, o francês Florent Serra, que o venceu por 2-0.

Mas não havia razão para pânico; o nome de Djokovic, no mundo do tênis, não significava mais somente sinônimo de um jovem jogador que tinha potencial.

No Aberto dos Estados Unidos de 2006, o último Grand Slam daquela temporada, foi designado como um dos 32 cabeças de chave, em razão de sua boa colocação no *ranking*. Um fato duplamente importante. Por um lado, era a confirmação de que estava entre os melhores e, por outro, significava que pelo menos até a terceira rodada não enfrentaria outros cabeças de chave. Mas, como normalmente acontece nos Grand Slams, não existem adversários fáceis.

Para vencer nas primeiras duas rodadas, Djokovic teve de se esforçar muito. Esbarrou em dois norte-americanos, Donald Young e Mardy Fish. Diante de Young cedeu o primeiro *set* por 4-6, mas reagiu e venceu por 6-3, 6-0 e 6-1. Na partida contra o segundo americano teve um jogo bem mais equilibrado e venceu no *tiebreak* do quarto *set* (parciais de 7-6(5), 6-4, 3-6 e 7-6(3)). Apesar das instabilidades no jogo, saiu vencedor de ambas as disputas.

E para acrescentar à estatística, é preciso salientar que esse foi o primeiro dos nove encontros Djokovic-Fish (inclusive em Miami em 2011), e em todos triunfou o tenista sérvio. Na sua segunda participação profissional em um Grand Slam, no torneio de Nova York, Djokovic infelizmente caiu na terceira rodada, derrotado por 3-0 (parciais de 6-3, 6-1 e 6-2) pelo australiano Lleyton Hewitt, então vencedor do Aberto dos Estados Unidos (2001) e de Wimbledon (2002).

Foi a primeira vez que se enfrentaram, e nos anos que se seguiram jogaram por mais sete vezes, sendo esta a única vitória de Hewitt.

Após a participação no Aberto dos Estados Unidos, seguiram-se as preparações para a Copa Davis. A seleção nacional da Sérvia, na segunda quinzena de setembro, aguardava o duelo contra o time da Suíça. O técnico, como antes, era o então treinador *full time* de Djokovic, Dejan Petrovic: "Nossa equipe era composta por Djokovic, Tipsarevic, Zimonjic e Bozoljac. Os meninos estavam muito motivados, conscientes do peso da tarefa à sua frente, mas preparados para a batalha. Quanta pressão existia sobre os nossos jogadores, assim como sobre nossos adversários, porque eram considerados os favoritos e jogavam em casa, sabendo que nós desejávamos também a vitória e que faríamos de tudo para alcançar o objetivo. Assisti naquele dia ao treino completo dos suíços, todos tranquilos, porque tinham Federer na equipe. Mas treino e partida não são a mesma coisa. Não significava que nosso adversário ficaria tão relaxado quando no ginásio estivessem alguns milhares de pessoas e começasse a luta. Nossos jogadores tinham experiência em situações em que é preciso brigar no solo do rival".

*

Além disso, em 2006 finalmente terminou o "processo" de desintegração da ex-Iugoslávia e independência das suas ex-repúblicas. A união entre os Estados da Sérvia e de Montenegro, que sob vários nomes existia desde 1992, se desfez pacificamente, e a seleção nacional da Sérvia, nessa Copa Davis, pela primeira vez na história jogava com seu nome verdadeiro, Sérvia, e também com seu hino oficial "Deus, justiça". Pelas regras, os tenistas sérvios ainda usavam camisas com a sigla SMG e, como para os suíços era importante que tudo ficasse em um ambiente acolhedor, conta a história que os organizadores baixaram da internet o hino sérvio e mandaram músicos para o hotel onde estavam os jogadores sérvios para confirmar se tocavam corretamente a música oficial.

Embora muitos tivessem a expectativa de que Djokovic pudesse ser o primeiro a entrar em quadra, o sorteio em Genebra decidiu que a abertura da disputa pelo *playoff* do Grupo Mundial (o país vencedor subiria no ano seguinte à elite do tênis, na qual estão as 16 melhores nações da competição) começaria com o duelo entre Janko Tipsarevic e o então melhor tenista do planeta, Roger Federer.

"Quero derrotar Federer. Com essa ideia estou entrando na partida, mas sei que ele é o favorito absoluto. O suíço é o mais completo tenista do mundo, é impossível derrotá-lo no 'truque', então, devo jogar agressivamente do início ao fim", disse Tipsarevic antes da partida.

Em depoimento para as mídias suíças, Roger Federer destacou que ele e seus companheiros de equipe deveriam dar o máximo se desejassem vencer o primeiro obstáculo nessa competição: "Aceitei o convite para a seleção porque acredito que a Suíça pode ter um grande resultado na Copa Davis. Sei que com a minha ajuda pode ser mais fácil, mas também estou convencido de que nesse time existe um grande potencial. Stanislas Wawrinka é melhor a cada ano que passa, e este é o mais forte sinal de que o tênis suíço está seguindo numa linha ascendente".

Instigado a fazer um comentário sobre a força do adversário, Federer fez uma série de elogios por conta do tênis sérvio: "Não será fácil para nós. Felizmente, teremos o público ao nosso lado, e acho que isso pode ser de grande importância. Duvido que venceremos de forma convincente. Seria imaturo dar um prognóstico desses, porque no Grupo Mundial simplesmente não existe rival contra o qual com certeza pode-se contar com a vitória. A Sérvia é relativamente desconhecida para o grande público, mas nessa seleção joga um dos mais promissores tenistas mundiais, Novak Djokovic".

A primeira partida disputada foi resolvida a favor dos suíços. Quebrando o saque de Janko Tipsarevic no início de cada *set*, Federer demonstrou sua absoluta supremacia no tênis e tranquilamente guiou o fluxo da partida ao seu porto. Em apenas 87 minutos de jogo, o time suíço garantiu a vantagem de 1-0 (6-3, 6-2, 6-2).

"Não estou satisfeito", confessou Tipsarevic sobre sua partida sem brilho. "Saquei mal e tive um respeito exagerado ao *forehand* do adversário. Federer é o melhor do mundo, e a questão é apenas quanto espaço irá oferecer quando você joga contra ele. Mas realmente não joguei bem." A seleção da Sérvia teria a chance de empatar na segunda partida. Djokovic e Wawrinka se confrontariam mais uma vez.

"Acredito que vai ser difícil para nós dois", disse Djokovic. "Ele é um jogador extremamente talentoso, concentrado e sempre motivado. Desta vez, isso não lhe faltará e, para mim, por essa razão, será um pouco mais difícil. Mas planejo dar o meu máximo. E mais do que isso porque quando o jogo é para a seleção nacional, você se esforça mais."

Ambos os jogadores estavam motivados e decididos a não desistir e, assim, o jogo durou 3h50min. Uma verdadeira guerra tenística. Djokovic abriu o placar com 1-0 mas, na sequência, pelo jogo instável, perdeu muitos pontos, principalmente por causa dos seus erros. Em seguida, no sétimo *game*, ocorreu a quebra. O tenista sérvio vencia por 4-3, mas em vez de continuar com o mesmo ritmo, teve o saque quebrado. A circunstância favorável deu-se também porque Wawrinka deixou de aproveitar sua chance. Djokovic tomou seu saque, chegou à vantagem de 5-4 e teve o direito de sacar para a conquista do primeiro *set*, e não desperdiçou a oportunidade.

Mas o suíço não ficou desanimado com a perda do primeiro *set*. Diferente dele, o jogo de Djokovic nos dois *sets* seguintes entrou em uma séria crise. Em vez de atacar o adversário, ele escolheu aguardar seus erros, o que não aconteceu, porque Wawrinka, levado pela torcida, aproveitou ao máximo essa passividade. Venceu o segundo e o terceiro *sets* por incontestáveis 6-3, 6-2. Djokovic encontrava-se então à beira da derrota.

O quarto *set*, que teria de animá-lo, também não começou como era preciso. Para que pudesse evitar a repetição do cenário dos últimos dois *sets*, teve de se defender desesperadamente. Em determinado momento ainda obteve uma vantagem de 3-0, mas Wawrinka novamente conseguiu alcançá-lo. A partida outra vez estava em uma "gangorra". Ambos os tenistas preservaram seus saques até o *tiebreak*, no qual Djokovic, com saques ferozes, conseguiu terminar aquele jogo de nervos. O placar em *sets* estava empatado.

Veio o *set* da decisão. Djokovic aparentava estar perturbado e apresentava uma lesão no músculo da coxa da perna direita, motivo que o levou a pedir auxílio médico, o que, em Federer e na equipe suíça inteira, provocou revolta. O sossegado suíço, aliás conhecido como um grande *gentleman* e tenista que raramente mostra as emoções em quadra, reclamou com os juízes de que Djokovic abusava do tempo para assistência médica e de frequentes consultas ao treinador. Felizmente, Djokovic não se perturbou com isso. Conseguiu uma quebra de saque no sétimo *game* e, a partir de então, para Wawrinka não havia mais recuperação. A roleta do quinto *set*, com muitas dificuldades, trouxe o primeiro ponto para a seleção da Sérvia.

Novak Djokovic comenta: "Joguei com a raquete, mas ganhei com o coração. Não brilhei, mas não me entreguei. Wawrinka com certeza jogou uma das melhores partidas da carreira, e teve um enorme apoio do público, mas no final não veio o resultado esperado. Meu músculo da coxa doeu, felizmente nada apavorante. Estará pronto para Federer, que confirmou o quanto é superior. Mas a Copa Davis é uma competição específica e surpresas são possíveis. Se queremos ingressar no Grupo Mundial, é necessário pontuar na próxima partida. Zimonjic ganhou contra Federer nas duplas em várias ocasiões, então, por que não acontecerá agora de novo?".

A partida nas duplas poderia fazer a balança pender para o lado do vencedor. Ambas as equipes sabiam disso, e tinham especialistas para o jogo das duplas.

A este respeito, Federer comentou: "Yves Allegro é um tenista que nas duplas pode ser mortífero para qualquer um. Mas sei que os sérvios também têm um desses. Seu mais experiente jogador, Nenad Zimonjic, quase não disputa simples, então isso pode ser um grande problema para nós".

Pela estratégia do técnico sérvio, Dejan Petrovic, os adversários de Allegro e Federer teriam de ser a dupla Nenad Zimonjic e Ilija Bozoljac que, apesar da recente fratura no dedo da mão esquerda deste último, foi escalado para o jogo.

"Não sinto dor e treino normalmente com Zimonjic", disse Bozoljac antes da partida. "De vez em quando me incomoda a peça que imobiliza o dedo, mas nada preocupante. Estou preparado como se tudo estivesse em ordem, e nesse momento acho que posso atuar no sábado e jogar a partida sem problemas."

Nenad Zimonjic, o parceiro de Ilija e melhor jogador de duplas sérvio, foi cauteloso em seu depoimento: "Será uma partida aberta e não somos os favoritos. Federer, é verdade, não joga duplas com frequência e, nessa temporada, participou apenas de dois ou três torneios, e nossa chance é que é difícil se adaptar ao jogo de duplas depois de muita pausa. Mas o melhor jogador do mundo terá ao seu lado um excelente parceiro, Allegr que é, assim como eu, orientado exclusivamente às duplas. Por isso creio que essa partida, muito importante para nós, será difícil, mas vamos dar o nosso máximo para ganhar um ponto no sábado".

A conquista desse importante ponto para a seleção da Sérvia infelizmente não aconteceu. Zimonjic e Bozoljac até que tiveram algumas possibilidades durante o primeiro *set*, conseguiram chegar ao *tiebreak*, mas os suíços jogaram melhor e ganharam por 7-6 (3). Também venceram o segundo e o terceiro *sets* (6-4, 6-4); então, a próxima partida de simples foi da categoria do "ou tudo ou nada". Com vantagem de dois jogos a um, após a vitória nas duplas, a Suíça dependia apenas de mais um ponto nos dois jogos de simples do domingo para consolidar sua classificação para o Grupo Mundial da Davis.

No domingo jogaram Djokovic e Federer. Ambos, evidentemente, desejavam a vitória. Federer, porque com o triunfo carimbaria a dominação da seleção suíça, e Djokovic, porque possibilitaria à equipe da Sérvia uma quinta partida decisiva em simples, com esperanças de lutar pela colocação para seguir adiante.

Quando hoje se olha o resultado desse duelo, as coisas parecem bem simples. Federer foi decisivo: 6-3, 6-2, 6-3. Mas tudo o que aconteceu durante a partida, e depois do seu término, deixou a impressão de perigosas faíscas que anunciavam uma das maiores rivalidades do tênis moderno.

No momento em que Federer tinha a vantagem de 4-3 e com seu saque poderia ampliar a diferença, Djokovic pediu uma pausa para auxílio médico temendo que, ao jogar esse ponto, poderia se machucar seriamente. Mas Federer não estava convencido das boas intenções do seu adversário. Não gostou também quando o público vigorosamente saudou seu retorno ao jogo, nem quando o tenista sérvio, depois de uma breve pausa, jogou como se nada tivesse acontecido. A gota que fez transbordar o copo permanece um mistério, mas é certo que na coletiva de imprensa que se seguiu Federer levantou algumas dúvidas sobre a "tática" de Djokovic.

No sentido inverso daquelas palavras, Djokovic mostrou-se totalmente condizente com aquilo que hoje o torna raro no mundo do tênis profissional: cada boa jogada do seu adversário na quadra ele saúda com aplauso: "Joguei contra o melhor jogador do planeta. Nesse sentido, essa partida foi muito importante para mim. Tentei lutar, mas isso não é o suficiente quando se trata de Federer. Assisti aos seus incríveis *passing-shots*, *forehands* e brilhantes *slice* de *brekhands*, e sinceramente fiquei fascinado. É extraordinário quando você sabe o quanto se esforçou e alguém consegue derrotá-lo por 3-0. Numa situação dessas, você deve se perguntar: 'Em que é preciso trabalhar para jogar como ele?'".

Depois de seis anos desse "trágico" duelo da Copa Davis, Federer comentaria seu relacionamento com Djokovic: "Estava nervoso diante das suas frequentes pausas sem uma clara razão. Certa vez, tivemos uma conversa sobre isso, em Madri, e depois as coisas entre nós dois se acalmaram. Já faz tempo que é assim. Sempre o respeitei. Se alguma vez já jantamos juntos? Não, mas sempre é legal trabalhar com ele".

*

Quando avançou entre os vinte melhores do mundo, e ainda como o jogador mais jovem a alcançar esse feito na era moderna, Djokovic conseguiu conquistar sua segunda taça.

Ao partir de Belgrado para o torneio na cidade francesa de Metz, um ATP com premiação superior a 300 mil euros, em outubro de 2006, Djokovic chegou de jato particular com sua família. Acompanhava-os Jovan Lilic, então treinador de Djokovic, que nessa ocasião foi como amigo da família:

"Srdjan Djokovic se arriscou com o alto montante de dinheiro para o aluguel do avião", lembra-se Lilic. "Mas queria muito estar lá e que Novak mostrasse respeito aos organizadores do torneio. Naquele tempo, tudo o que chegava da Sérvia ainda era visto como um perigo em potencial, e os italianos não deixavam entrar em seu espaço aéreo, não importando se fosse a bordo de um avião privado ou de outra maneira. Era ainda a época das sanções em relação aos vistos, quando tínhamos muitos problemas com a organização das viagens, até quando se tratava da ATP. Por exemplo, acontecia de algumas empresas da Sérvia não conseguirem ir para outro país apesar de ter todos os documentos necessários. Conosco não foi assim, e realmente apenas posso agradecer a algumas embaixadas. Com os eslovenos tudo foi fácil, e sempre nos atenderam, os alemães inclusive; eram bem flexíveis, apesar das regras muito rigorosas, e costumavam respeitar apenas alguns artigos da administração de vistos, como se soubessem que um dia nossos esportistas conseguiriam alcançar o sucesso. Presumo que tivessem seus 'olheiros' do tênis que falavam sobre nós. Com a Austrália, de igual forma, não tínhamos problemas, principalmente quando se recebia o convite oficial do Aberto da Austrália. Os Estados Unidos e o Canadá tinham alguns padrões próprios, mas com os belgas, holandeses e franceses sempre era problemático."

Na apresentação de Djokovic no torneio de Metz, onde havia sido designado como cabeça de chave número três, não existiu qualquer problema. O adversário na primeira rodada foi o francês Nicolas Mahut, e Djokovic o derrotou sem muito esforço por 6-2, 6-3. De maneira semelhante, passou também pelos adversários das segunda e terceira rodadas, o italiano Daniele Bracciali e o alemão Tobias Clemens, e apenas na partida da semifinal, contra o francês Sebastian Grosjean, depois de um *tiebreak* apertado, Djokovic se deu ao luxo de perder um *set*. Somente um, claro, e avançou à final.

Ali o esperava Jurgen Melzer, 48º. jogador na lista ATP que, no seu caminho à final, na segunda rodada, derrotou o então melhor jogador do mundo, o russo Marat Safin.

O melhor tenista sérvio começou mal o duelo da final. Permitiu que Melzer, logo no início, fizesse uma quebra, a vantagem que permitiu ao austríaco ganhar o primeiro *set*. Em seguida, Djokovic respondeu fortemente, ganhou duas de sete *break points*, conseguiu vencer o segundo *set*, e depois, no terceiro, mostrou toda sua qualidade, preparação física e inabalável espírito. Para o adversário antes tão animado, Jurgen Melzer, que despendeu suas forças jogando na noite anterior a semifinal de duplas, não havia mais nenhuma chance.

Depois de quase duas horas de jogo, Djokovic ganhou seu segundo título em torneios da séria ATP 250, com o qual somou 175 pontos e alcançou o 16º. lugar no *ranking*, à frente de tenistas como Andy Murray, Lleyton Hewitt e David Ferrer. E não era somente isso; o então oitavo tenista do mundo, David Nalbandian, por exemplo, estava à sua frente por apenas uma centena de pontos, o que não era inalcançável. Ao contrário. Então, após a vitória em Metz, não havia tempo para festejar.

O torneio em Viena era o próximo e o prêmio, 690 mil dólares. Novak estava como oitavo cabeça de chave. Na primeira rodada venceu fácil o tcheco Tomas Zib, e quando parecia que continuaria com sucesso seu trajeto ao novo título, surgiu no seu caminho, na rodada seguinte, Stanislas Wawrinka, que o parou, derrotando-o por 2-0 em *sets*, com duplo 6-3.

Como o episódio de Viena terminou antes do planejado, Djokovic aproveitou a oportunidade para ir juntamente com os pais até Munique visitar os irmãos Marko e Djordje, que treinavam na academia de Niki Pilic. Ali encontrou seu colega Denis Bejtulahi, com quem, no passado, no time júnior da Sérvia, havia conquistado fantásticos sucessos.

"Naquele momento eu também estava com Pilic", diz Bejtulahi. "E logo quando nos encontramos, ele me disse: 'Como você está, tio, tudo bem? Está treinando? A gente não se via havia muito tempo. O que há de novo? Vá em frente, você consegue!'. De certa forma, naquela época ele já era famoso, mas isso não lhe subiu à cabeça. Às vezes, digo que ele é, no plano nacional, o que Maradona é para a Argentina. Novak conseguiu permanecer o mesmo e nunca foi daqueles que fingem que não se lembram de nada. Em vez disso, ele se lembrava até de detalhes. E fica até estranho que seja assim depois de tudo que passou. Olha, até hoje Novak tem por perto os amigos de infância, com os quais mantém amizade. Simplesmente não ficou vaidoso. Quando éramos moleques, dava entrevistas como se fosse um homem adulto, mas, apesar disso, sabia se distrair. Lembro-me de que naquela noite em Munique combinamos de sair pela cidade. Ele estava hospedado com os pais num hotel fora da academia, jantamos todos juntos, e depois seu pai, Srdjan, lhe deu as chaves do carro e disse: 'Cuidado, não fiquem até muito tarde'. Antes de irmos para a discoteca, fomos a um café, onde nos acompanhou Gulbis, que gosta de beber e fumar, e Novak lhe disse que era uma pena, mas ele não gostava disso. A discoteca onde planejávamos ir chamava-se P1, uma daquelas onde se espera muito na fila. Mas não queriam nos deixar entrar. Tentei explicar que se tratava de Novak Djokovic, o 16º. tenista do mundo mas não adiantou. Novak não ligava. Somente disse: 'Não tem problema. Não sabem agora quem eu sou, mas vão saber. Vamos continuar com a diversão, vamos aproveitar a ocasião enquanto estamos juntos'. Fomos para outro clube, chamado Pasa, e quando voltamos, ele disse que havia sido uma das raras alvoradas que havia visto nessa cidade. Há pouco tempo, numa entrevista, disse que para o sucesso no tênis é importante saber se desligar. Não pensar sempre somente no tênis. E acho que tem razão. Novak desde sempre soube fazer exatamente isso, e muito bem. Na quadra, um profissional, mas, fora dela, um cara que sabe muito bem curtir a vida."

No penúltimo torneio da temporada de 2006, em meados de outubro, disputado em Madri, Djokovic por ser cabeça de chave saiu como *bye* na primeira rodada. Na segunda, com o resultado 2-1 em *sets*, conseguiu derrotar Richard Gasquet, contra o qual antes jogara somente uma vez, em 2005, no Challenger em Shelbourne, quando o francês entregou o jogo.

O rival na rodada seguinte era o inglês Andy Murray, que naquele momento figurava apenas três posições atrás de Djokovic.

Essa partida da terceira rodada do Masters de Madri era o primeiro duelo profissional de dois contemporâneos. A diferença de idade é de apenas sete dias, "a favor" de Djokovic.

Murray ganhou o primeiro *set* por 6-1, de forma surpreendentemente fácil e decisiva. Parecia que o escocês estava marchando inexoravelmente para a vitória, mas, do outro lado da quadra, o adversário não demonstrou que iria se entregar. Em vez disso, com muita garra, Djokovic aumentou o nível do seu jogo ao máximo e ganhou o segundo *set*.

Aliás, uma das curiosidades desta partida é que ambos os tenistas foram igualmente bem-sucedidos com o primeiro e o segundo saques.

Após pouco mais de duas horas de jogo, depois da quebra de Djokovic no *set* decisivo, o vencedor e a participação nas quartas de final estavam definidos. Era a primeira vitória de Djokovic contra Andy Murray, e até 2012 esses dois se enfrentaram por treze vezes. E de novo a favor de Djokovic (8-5).

Fernando Gonzales, sete anos mais velho e um dos melhores "saibreiros" do mundo, também chegou às quartas de final, apesar de, em 2006, o torneio de Madri ser disputado em quadra sintética coberta e não no saibro, e aberta como atualmente. Até então, as maiores conquistas do tenista chileno haviam sido as medalhas olímpicas – bronze nas simples e ouro nas duplas, em Atenas, 2004 (em parceria com o compatriota Nicolas Massu). Djokovic jogara contra ele apenas uma vez, e havia perdido, no torneio de Cincinnati, em 2005. Seu jogo de fundo de quadra não era suficientemente forte para resistir aos agressivos *forehands* de Fernando, porque em questão estava um dos mais ofensivos jogadores da sua geração. Um verdadeiro "bombardeiro" no tênis, que ataca sem medo de erros não forçados. O tenista sérvio se esforçou o quanto pôde. Conseguiu ganhar o segundo *set* (7-5), mas o chileno, no terceiro, mostrou por que naquele momento estava na lista dos dez melhores. A experiência prevaleceu, e para Djokovic restou melhor se preparar para o Aberto de Paris, o último torneio da temporada.

Na capital da França, novamente livre na primeira rodada, saindo como *bye*, antes do início da partida da segunda rodada, fez uma pequena apresentação para o público. Saiu da escuridão com uma máscara preta do Zorro iluminada sob as luzes dos refletores. Essa miniperformance era em comemoração ao Halloween, a noite das bruxas, celebrado no dia 31 de outubro, tradicional agora quando se disputa o Masters em Paris, que mais tarde se tornaria parte da imagem de Djokovic, como "Curinga", e nos cinco anos seguintes entreteria o público colocando, a cada ano, uma máscara diferente.

Para o seu adversário, Paul-Henri Mathieu, como logo ficou demonstrado, absolutamente nada foi divertido. O francês também já tinha sido aluno de Niki Pilic, e desde o início da carreira profissional era conhecido por muitas oscilações, não somente de um torneio para outro, mas também durante o jogo. Por esse motivo, o público gostava dele, porque seus duelos com frequência eram cheios de inacreditáveis reviravoltas. Uma das mais marcantes, sem dúvida, foi quando conseguiu derrotar Pete Sampras (segunda rodada em Long Island, 2002), razão por que é lembrado como o último tenista que conseguiu derrotar essa lenda do tênis (Sampras, com o triunfo no Aberto dos EUA, no mesmo ano encerrou a carreira).

O golpe de maior qualidade de Mathieu, destacavam os especialistas, era o *top-spin forehand*, ao lado de seu estilo de jogo ofensivo, com os pontos raramente terminando na rede. Muitas vezes ele ficava indeciso se iria para a rede ou não e perdia pontos que, na verdade, merecia vencer. Durante essa partida nada de incerteza veio à superfície. Sequer traços. Ainda no segundo *game* do primeiro *set*, graças aos fortes golpes, Mathieu conseguiu uma quebra de serviço. Mas é claro que Djokovic não queria se entregar. Em um ritmo furioso, continuou a perseguir a diferença, e a alcançou, embora não tenha conseguido marcar o ponto. E, assim, o primeiro *set* chegou ao *tiebreak*.

Não se podia dizer que os saques de Mathieu eram arrasadores, mas estavam longe de ser seu ponto fraco. Djokovic, em um momento, teve até a bola de *set*, no saque do adversário, mas, depois de uma longa troca de golpes, não o aproveitou. O drama continuou, até que no placar apareceu o resultado 13-11 para o francês, que estava no saque. O ponto final, ainda inacreditável. O público delirava. Em seguida, Mathic atraiu Djokovic para a rede – tinha de correr e o desequilibrou. Simplesmente, o francês não tolerava erros.

No próximo *set* Djokovic tinha de jogar o melhor possível. Conseguiu uma vantagem moderada de 3-2 e 30-15 no saque do adversário, mas o francês, na disputa de ponto seguinte, golpeou uma bola fantasticamente curta. Djokovic tentou alcançá-la, mas escorregou e caiu, e ficou deitado na quadra lutando para controlar a respiração. Mas nem isso o desanimou, e graças a uma leve queda de concentração do seu adversário conseguiu chegar à bola do *set* com o resultado 5-4. Mas, infelizmente, deixou essa chance passar, então o segundo *set* entrou também no *tiebreak*. Nele, Mathieu conquistou seis pontos, enquanto Djokovic quatro, e depois, o francês, com um golpe sensacional, venceu a partida com 7 a 4 no *tiebreak*.

\*

Apesar dessa sucessão de acontecimentos, Djokovic não tinha razão alguma para ficar insatisfeito. Estava com apenas 19 anos, e um novo treinador, Marian Vajda, com quem obviamente achou a fórmula certa para a viagem ao topo do tênis. Dois títulos muito importantes de ATP conquistados, participação nas quartas de final em Roland Garros, muito boas ou excelentes partidas em todos os torneios dos quais participou foram o suficiente para que ele terminasse a temporada em um ótimo 16º. lugar.

Naquele momento, Djokovic não era mais o único que começava a introduzir a Sérvia no mapa do tênis. As jovens tenistas Ana Ivanovic e Jelena Jankovic também, em 2006, conseguiram se posicionar entre as vinte melhores – Ivanovic terminou a temporada em 14ª., enquanto Jankovic, em 12ª. Seus sucessos naquela época eram somente o preâmbulo do florescimento que o tênis da Sérvia viveria no período que se seguiu.

# 19. DJOKOVIC E AS AULAS DE TÊNIS

Muito antes de conquistar os primeiros títulos ATP, já era evidente que Djokovic tinha todas as chances de se tornar o melhor tenista. E não somente o melhor tenista Sérvio de todos os tempos, mas também no nível mundial. O público, cada vez mais, começou a se interessar pelo seu aparecimento no estrelado céu do tênis, e sentia, de alguma forma, que estava surgindo um novo, jovem e absolutamente completo tenista que não tinha defeitos visíveis e era bom em tudo – talento, força, velocidade, movimentação e todos os tipos de golpes, inclusive um saque poderoso, e o que talvez seja o mais importante: notável estabilidade psicológica. É interessante notar que Djokovic concebe a força psicológica como um elemento do jogo, detalhe técnico que ele aprimora e lapida da mesma maneira como tudo o mais.

Djokovic ressalta: "Força psicológica e estabilidade se treina como todo o resto. São adquiridas com a experiência que o tempo traz. Nada se consegue de um dia para o outro, tudo é resultado do trabalho de anos e da dedicação ao esporte".

E assim chegou 2007, ano em que os torneios em Adelaide, Miami, Estoril, Montreal e Viena tiveram algo em comum: em todos a taça de vencedor foi erguida por Djokovic.

Não se ignora que um grande número de esportistas profissionais, como se fosse regra, tem certas dificuldades para se ajustar no início da temporada. Com Djokovic não foi assim. Depois da derrota em Paris, Bercy tirou duas semanas de férias, que aproveitou para visitar a família e os amigos na Sérvia. Em seguida, se concentrou nos treinos preparatórios básicos, divididos em duas fases.

A primeira abrangeu o trabalho do programa de aptidão física, a fim de adquirir suficiente força para os desafios que o esperavam. Para checar a adequação do programa concluído, Djokovic foi para a Áustria, onde participou de um torneio de exibição. E em Monte Carlo passou as últimas duas semanas de preparação, antes do início da temporada.

Com Marian Vajda, trabalhou o saque, a aproximação de rede, os voleios e tudo o que podia melhorar a qualidade do seu jogo. Além da preparação física e da técnica, cada vez mais prestava atenção em sua alimentação e no seu modo de vida como um todo.

Cada um de nós, independentemente da profissão, precisa fazer isso. E Djokovic seguia essa regra por saber que, para esportistas profissionais, o cuidado com o corpo é essencial. Quem entende isso, tem chance de sucesso. E Djokovic sabia perfeitamente o que era necessário fazer.

Na primeira semana de 2007, como 16º. tenista do mundo, subiu ao pódio como campeão em Adelaide (torneio que tradicionalmente abre a temporada de verão na Austrália).

Rumo ao título, derrotou jogadores cuja colocação era bem mais baixa que a sua, o que em nada diminui o sucesso conquistado porque ele foi implacável tanto nas simples como nas duplas.

Dominou tanto, e foi tão forte, que nas simples perdeu somente um *set*. E apenas na final, contra Chris Guccione, da Austrália, e, para acrescentar, depois do *tiebreak*. Nas duplas, com o tcheco Radek Stepanek, também chegou até a final. Porém, dessa vez não conseguiu o título, que ficou com a dupla Wesley Moodie/Todd Perry.

"Na Austrália, meu maior apoio foi o treinador, porque dos familiares e amigos ninguém estava comigo. Havia muitos torcedores nossos, e eles me ajudaram a terminar com sucesso várias partidas. Minha Jelena também não teve a oportunidade de torcer das arquibancadas, mas assistiu a todas as disputas pela TV."

Durante o torneio de Adelaide, Djokovic decidiu fortalecer o contato com seus fãs, e no seu *site* oficial na internet revelou muitos detalhes de sua vida privada. Começou a escrever um diário destinado a quem quisesse acompanhá-lo, falou sobre seu mais recente apelido, Nokia, e também sobre os adquiridos no passado, como Nole, Noks, Canguru... Explicava como, num continente remoto, não foi massageado por atraentes e jovens moças, e sim por um senhor de 70 anos, afirmando que ama sua namorada e que apenas ela lhe interessa.

"Por enquanto, estou recebendo somente comentários favoráveis em relação ao diário, e talvez, um dia, eu também escreva um livro. Mas apenas quando terminar a carreira profissional do tênis", declarou Djokovic, aos 19 anos.

Ao conquistar esse título, tornou-se o segundo adolescente a conseguir vencer um torneio da ATP na semana inicial da temporada. O primeiro, o australiano Lleyton Hewitt, alcançou idêntico sucesso no ano 2000.

O avanço na lista de classificação da ATP não foi significativo, apenas uma posição, mas a preparação para o primeiro Grand Slam da temporada, o Aberto da Austrália, era intensa.

Nas primeiras duas participações Djokovic não teve muita sorte ao ser derrotado logo no início dos torneios: em 2006 para Paul Goldstein e em 2005, também nas qualificações, para o campeão russo e vencedor do título, Marat Safin.

Para Djokovic, apesar do seu grau de preparação, o Aberto da Austrália, de certa forma, sempre foi o Grand Slam mais azarado. Nos outros três, ele conseguira chegar, no mínimo, até a terceira rodada, mas no Aberto da Austrália, até então, não havia obtido nenhuma vitória.

Considerando que em Wimbledon, em 2006, ingressou entre os dezesseis melhores, e em Roland Garros, no mesmo ano, chegou até as quartas de final, as chances de que o azar da Austrália fosse desta vez quebrado eram mais do que reais.

Quando na primeira rodada derrotou com firmeza o chileno Nicolas Massu (6-1, 6-1, 6-0), o azar foi destruído em mil pedaços. Ele finalmente faturava sua primeira vitória no Aberto da Austrália.

Apesar do sucesso nesse duelo, infelizmente houve um incidente absolutamente antiesportivo.

Apenas uma hora depois do início das primeiras partidas no torneio, em frente à Arena Rod Laver, no parque de Melbourne, dezenas de policiais e membros da segurança tiveram de separar dois grupos de torcedores em conflito: sérvios e croatas.

Os torcedores sérvios vieram dar apoio a Jelena Jankovic, e os croatas, a Mario Ancic. Com uns gritando *slogans* e ofensas contra os outros, a disputa verbal dos grupos vestidos com as cores nacionais fugiu ao controle e chegou ao conflito direto. Lamentável, mas verdadeiro. A abjeta tradição de que nos duelos esportivos entre croatas e sérvios, em regra, vem à tona a manifestação das mais vergonhosas emoções e dos piores instintos, principalmente nas disputas de equipes, agora era transferida ao tênis, pela primeira vez na história do esporte branco.

Jelena Jankovic comenta: "Acho que certamente aqui em Melbourne, onde existe grande diáspora da ex-Iugoslávia, há esse tipo de problema. Em qualquer outro lugar no mundo, tudo está normal. Não gosto quando os torcedores se enfrentam ou quando vaiam algum jogador durante a partida somente por ser de outro país. Acho que esta não é uma conduta esportiva, não é justo".

A crítica de Jankovic a esse comportamento também teve o apoio de Djokovic: "Acho que estou falando isso em nome de todos os jogadores. O tênis é, em geral, um esporte calmo. Por exemplo, não se torce entre os saques, e o público às vezes se esquece disso. A Copa Davis, nesse sentido, é outra história. É uma competição ímpar, na qual se manifestam as emoções, e os torcedores podem ficar mais barulhentos. Mas isso não vale nos torneios. Parece-me que o Aberto da Austrália é único, porque aqui o público dos diversos países apoia seus jogadores com muitas emoções. Fica muito agitado. É bom ver e ouvir isso, mas não pode haver essa situação de violência física. Não posso fazer nada sobre conflitos desse tipo, mas não os aprovo de maneira alguma. Gosto quando existe o apoio das arquibancadas, e creio sinceramente que o público vai torcer por mim em razão do meu jogo e daquilo que demonstro na quadra, quer se trate de sérvios ou croatas. Desejo que todos venham assistir às minhas partidas".

O "furor" da torcida se acalmou e se manteve dentro do aceitável, apesar de já no Aberto da Austrália de 2009 terem eclodido manifestações mais brutais.

O torneio foi em frente, e veio a segunda rodada.

Djokovic estava preparado para o novo adversário, o espanhol Feliciano Lopez.

No início do duelo havia a impressão de que alcançaria a vitória sem nenhum problema. Djokovic ganhou o primeiro *set* por 6-2 e, no segundo, chegou a 5-2, mas, depois, parece que parou. De repente, Lopez, que no ano anterior havia chegado até a terceira rodada do Aberto da Austrália (quando perdeu para Ivan Ljubicic), começou a se aproveitar da nova situação.

Novak Djokovic conta: "Tive o controle durante quase toda a partida. Aos 5-2 tive os pontos para fechar o *set*, no entanto, o saque simplesmente parou de funcionar. Ele sentiu a oportunidade e começou a jogar impecavelmente, e, então, rapidamente, chegou ao empate. Agora, quando olho para trás, acho que tive sorte. Saquei para quebra aos 5-5 e consegui quebrar seu serviço no 6-5. Mas acho que esse foi o único momento em que senti que o resultado era discutível. Não tenho reclamações sobre o jogo que demonstrei no primeiro e no terceiro *sets*. Espero que continue assim".

Apesar de derrotado, Lopez, depois da partida, tinha somente palavras de elogio ao seu rival, apontando-o como o melhor das gerações mais novas, à frente de Andy Murray, Tomas Berdych e Richard Gasquet. Esses elogios não foram um simples agrado. Na verdade, Djokovic mostrava ser um jogador em plena forma, que, inabalável, caminhava rumo ao seu objetivo: ser o melhor.

"É bom ouvir essas coisas quando você tem 19 anos. Tenho grandes esperanças, mas a pressão é grande, por conta das expectativas que os outros depositam em mim. O único fato diferente é que não sinto tanto essa pressão agora. E acho que isso é muito importante. Se não penso no tênis, se penso sobre algo que acontece fora da quadra, não consigo render 100 %. Hoje, no tênis, existem muitos jogadores bons entre os primeiros dez e também entre os vinte melhores. O tênis avançou muito. É por isso que cada um desses meninos trabalha muito individualmente. Seus golpes são fortes, as bolas cada vez mais rápidas. É difícil sobreviver. Estou muito feliz que existam pessoas que acham que sou o melhor nesse grupo que está chegando."

O próximo adversário de Novak era o tailandês Danai Udomchoke, número 102 na lista da ATP e a grande surpresa do torneio.

Logo na segunda rodada foi melhor que o cabeça de chave número quatro, vencendo Juan Carlos Ferrero.

No torneio em Bangcoc, em 2004, Udomchoke e Djokovic jogaram juntos nas duplas (saíram nas quartas de final ao enfrentar a dupla australiana-norte-americana Kerr/Thomas), mas nunca haviam se enfrentado, nas simples ou nas duplas.

O fato de terem treinado juntos algumas vezes e a vitória de Udomchoke sobre o favorito Ferrero – um feito para ser respeitado –, eram suficientes razões para Djokovic, apesar do baixo *ranking* do seu adversário, fazer uma abordagem de jogo muito cautelosa.

Nos primeiros dois *sets* o tailandês foi impotente. Perdeu por 6-3, 6-4. Mas o desconhecimento do jogo do adversário pode ser perigoso, como ocorreu no terceiro *set*. Djokovic, no seu saque e vencendo por 30-0, num momento, teve a chance de finalizar a partida, mas, em vez disso, cometeu alguns pequenos erros, e Udomchoke ganhou o terceiro *set* por 7-5. Pareceu que estava preparando mais uma surpresa, e até podia, pois no quarto *set* tinha 1-0 e a bola de quebra. Mas Djokovic não permitiu. O *game* perdido foi o único, e, de modo rotineiro, terminou o jogo e passou para as oitavas de final.

Depois da partida, Djokovic comentou: "Sinceramente, acho que melhorei alguns elementos do meu jogo, em primeiro lugar o saque. Por outro lado, estou mais calmo. Crio as oportunidades de ganhar pontos e as aproveito, incluindo aquela na saída para a rede. Hoje fiquei muito orgulhoso com essas jogadas. Numa avaliação geral, não estou extremamente satisfeito com meu jogo, principalmente porque cometi muitos erros não forçados. Sem dúvida preciso diminuí-los se quiser ganhar na próxima rodada contra Federer".

Lógico que naquele momento ele já pensava no passo seguinte. Com seus 19 anos e 9 meses, Djokovic era o mais novo tenista naquele torneio. Diante dele, Federer, além de ser o defensor do título, era também o indiscutível número 1. Por três anos consecutivos ocupava o trono do tênis (desde 2 de fevereiro de 2004, por 155 semanas consecutivas), e, em 2006, terminou com doze títulos conquistados, igualando o recorde do austríaco Thomas Muster que, em 1995, brilhou de maneira semelhante.

As apostas, principalmente em Federer, foram muito altas. Se ganhasse a partida por 3-0, seria a segunda vez que passaria às quartas de final do Aberto da Austrália sem *set* perdido (a primeira vez foi em 2005, quando cedeu para o adversário, na semifinal, apenas um *set*).

Djokovic tinha uma visão diferente, e estava satisfeito com sua participação até o momento. Superou o desconforto da passagem para as rodadas seguintes do Aberto da Austrália e se tornou o segundo sérvio a figurar entre os dezesseis melhores da competição.

Seu antecessor, Slobodan Zivojinovic (o Boba) fez o mesmo em 1985. Naquela época, Boba chegou até as quartas de final, quando perdeu para Mats Wilander por 3-0.

Algo semelhante, infelizmente, aconteceu com Djokovic. Perdeu as oitavas de final para Roger Federer também por 3-0.

"Sinto muito ter perdido", ele disse depois da partida. "Mas isso não é estranho. Cada esportista se sente assim depois da derrota. Ainda mais quando se é vencido pelo melhor tenista do planeta. Hoje, de maneira alguma senti meu primeiro saque, e acho que dali começaram todos os outros problemas. Saque é a chave quando você joga contra um oponente que sabe se valer de cada oportunidade que lhe é oferecida, até da menor delas. Federer é assim. Perdi minha autoconfiança e passei a correr atrás dele durante os *sets*. E ele estava sempre uma quebra na frente. No segundo *set* consegui voltar ao jogo. Ele começou a cometer erros que normalmente não comete. Senti que tinha a oportunidade. Principalmente com 5-5 e 30-30. Naquele momento, estava bem apertado. Depois disso, ele ganhava por 6-5, mas eu tinha a vantagem de 40-15. De novo tive a chance, e a perdi. Tenistas como ele simplesmente não perdoam erros desse tipo. Se conseguisse chegar até o *tiebreak*, pode ser que, com um pouco de sorte, o resultado final tivesse sido diferente. Mas não faz sentido agora voltar a essa história. Sinceramente não tenho o direito de ficar insatisfeito."

E tinha razão. A partida contra Federer era uma grande experiência, e uma lição ainda maior. O suíço era a imagem daquilo que precisava ser seguido. Calmo, autoconfiante, superior. Essa é a sua receita de sucesso.

\*

Dejan Vranes, técnico da seleção sérvia feminina e o primeiro treinador de Ana Ivanovic, também assistiu ao torneio da Austrália. Ele conhecia Djokovic desde o tempo de júnior e, depois da partida, no caminho para o vestiário, ambos conversaram brevemente. "Lembro-me de que ainda estava sob pressão, e lhe disse que não precisava ficar nervoso porque Federer, naquele momento, estava no topo, mas Novak apenas respondeu: 'Não, isso não tem importância, o que me falta são os *spins* pesados'. Gravei essa frase e dela me lembro porque ele, apenas em alguns meses, desde que começou a temporada no saibro, já conseguiu melhorar sua técnica e ganhar mais *spin*. Incrível como trabalhou duro consigo mesmo e quão rápido conseguiu conquistar os resultados desejados".

Mas alguns golpes necessitavam de atenção extra, especial. Analisando o jogo nos torneios do ano anterior, Vajda e Djokovic concluíram que, em algumas partidas, ele podia ter sido vitorioso, mas não ganhou porque nos momentos decisivos hesitou ao avançar à rede.

Djokovic ressalta: "O tênis mudou muito nos últimos quinze anos. Hoje existem somente alguns jogadores que apostam tudo no saque e voleio, o que antigamente era uma maneira dominante de jogo. Por exemplo, quando você assiste a Federer, pode ver que ele joga tudo: saque, voleio, do fundo de quadra, ofensivo, defensivo. Esse é o tipo de jogo que traz hoje bons resultados e que é o futuro do tênis. Isso é algo que desejo conseguir. Meu jogo do fundo de quadra é bom, agressivo e bastante consistente, mas tenho de criar mais oportunidades de ataque. Por este motivo planejo trabalhar mais nos voleios".

Desejando aprimorar mais esse segmento do jogo, para que ganhasse mais eficiência ao sair para a rede, o agente de Djokovic, Alon Kaksuri contatou uma lenda do tênis, Mark Woodforde, o ás australiano lembrado na história do esporte como um dos melhores jogadores de voleio.

Woodforde conseguiu os maiores sucessos nas duplas. Seu parceiro era o conterrâneo Todd Woodbridge, e juntos conquistaram onze títulos de Grand Slam – um em Roland Garros, dois no Aberto da Austrália, dois no Aberto dos Estados Unidos, onde Mark ainda ganhou mais um em parceria com John McEnroe em 1989, e um recorde de seis em Wimbledon.

Mark Woodforde e Djokovic se conheceram em 2005. O australiano, naquela época, trabalhava como *cotournament*[1], e o então treinador de Djokovic, Dejan Petrovic, lhe perguntou se seu jogador podia ganhar o *wild card* para ingressar nas qualificações ou na chave principal no Aberto da Austrália. Naquele momento, Woodforde não sabia de quem se tratava, e, mesmo que soubesse, estava com as mãos amarradas, porque os *wild cards* tinham sido reservados somente para os tenistas australianos.

Mas, quando foi convidado para cooperar com a equipe em 2007, aceitou: "Kaksuri me disse que seria bom que alguém com a minha experiência ajudasse Novak sobre seu jogo e tática, principalmente o ataque saque-voleio, quando e como aproveitá-lo, objetivando jogar contra os melhores jogadores do mundo os pontos mais curtos possíveis. Naquele tempo, Novak avançava bem, mas perdia partidas contra Federer e Nadal, e de vez em quando acontecia de ser derrotado por algum tenista com baixo *ranking*, sobretudo quando se jogavam os pontos longos durante os quais não tinha bastante autoconfiança para buscar o jogo de rede. Achavam que, em razão dos meus sucessos de Wimbledon, podia ser útil, e aceitei. Como eu morava nos arredores de Indian Wells, nos Estados Unidos, combinamos de começar a cooperação nesse torneio e continuar em Miami. Como foi confirmado que durante Roland Garros, em 2007, eu trabalharia em Paris como comentarista de TV, concordamos em trabalhar lá e também durante a temporada de grama, em Queen's e Wimbledon".

Apesar de Djokovic ser o 14º. tenista do mundo naquele momento, em fevereiro, no torneio na cidade francesa Marselha, logo na primeira rodada, ele foi derrotado por um jogador de pior *ranking*, o russo Mikhail Youzhny.

No fim do mesmo mês, no torneio de Roterdã, Djokovic alcançou sucesso maior. Graças à vitória contra o entao sétimo tenista do mundo, Tommy Robredo, chegou às semifinais. Lá conquistou o primeiro *set*, mas um velho adversário, Mikhail Youzhny, de novo saiu como vencedor.

---

1 Codiretor que divide a função de diretor do torneio. (Nota do R.T.)

O fato de que Djokovic avançava em direção ao topo do mundo não era o suficiente, foi preciso superar aqueles que lá já se encontravam. E isso não parecia nada simples.

No torneio em Dubai, onde pela primeira vez jogou com o irmão Marko, novamente alcançou um sucesso parcial e entrou nas quartas de final. Mas não prosseguiu, porque Roger Federer faturou mais uma vitória.

Algo no jogo de Djokovic tinha de ser corrigido.

O torneio em Indian Wells era uma ótima oportunidade para isso. Djokovic, como o 12º. cabeça de chave, estava confiante por contar com um treinador como Marian Vajda e um consultor especialista em voleios, Mark Woodforde.

A mudança no jogo, obviamente, não podia aparecer de um dia para o outro, mas havia muita vontade de implementar as alterações. Era preciso apresentar resultados concretos e sem demora.

O início de Indian Wells foi exatamente assim, quase furioso, derrotando os adversários um após o outro. Depois de sair como *bye*, venceu Robby Ginepri, Evgueni Korolev, Julien Benneteau, sem perder nenhum *set*.

Na semifinal superou Andy Murray. Na verdade, é preciso ressaltar que na partida anterior, contra Tommy Haas, este sofreu uma lesão no pulso e não conseguiu jogar como sabia.

"Não é nada agradável quando você vê que seu adversário está com dores, sofrendo", declarou o tenista sérvio depois da vitória. "Foi difícil para mim, especialmente porque Andy e eu somos bons amigos, gosto de jogar com ele, é um tenista excepcional. Mas dessa vez não conseguiu dar o seu máximo, andava devagar, jogava devagar, cometia muitos erros. Estou feliz porque entrei na semifinal, mas triste porque o jogo contra Andy não foi emocionante como poderia ter sido. A lesão que sofreu não é pequena, e apesar disso não se retirou do torneio. Esse fato mostra sua grandeza como lutador e o tipo de profissional que é".

Na sua primeira final num torneio da série Masters 1000, Djokovic se deparou com um adversário sério, Rafael Nadal.

Nas arquibancadas estavam presentes mais de 15 mil torcedores. Esperava-se um espetáculo. Mas, em vez de as vitórias das rodadas anteriores lhe servirem como estímulo, Djokovic parecia agir com receio.

Nadal logo conseguiu duas quebras, e rapidamente chegou à vantagem de 4-0. E quando você perde de modo tão convincente, e ainda contra o segundo tenista do mundo, realmente é difícil voltar para a partida.

Todo o tempo Djokovic estava defensivo, até demais, não conseguia jogar os *spins* no *forehand* do adversário, e o *backhand* de nada lhe servia, os erros não forçados desse golpe seguiam-se.

Com um jogo assim, no primeiro *set* não tinha nada a esperar. Perdeu por 6-2.

Na continuação do jogo, o tenista sérvio começou a se parecer consigo mesmo, um vencedor. O jogo ficou mais agressivo, e apareceram três oportunidades para quebrar o serviço de Nadal. A primeira quando a partida estava 3-3, em seguida 4-4 e 5-4. Mas, infelizmente, perdeu todas.

Nadal é ainda Nadal... Já estivera em mais de vinte finais, tanto de torneios de Grand Slam, como de Masters. A vantagem psicológica e a experiência o levaram à nova vitória.

Novak Djokovic saiu da sua primeira final de um Masters como perdedor, é verdade, mas o torneio em Indian Wells era um importante trampolim para sua carreira: figurou entre os dez melhores na lista da ATP e era o 18º. adolescente na história do esporte branco que conseguiu o feito.

Mark Woodforde testemunha: "Como em Indian Wells ele jogava todos os dias, não podíamos treinar muito e trabalhar nos voleios, ou, pelo menos não tanto quanto planejei. Mas discuti muito com ele e Vajda sobre o tema, o jogo ofensivo, a escolha do momento em que é preciso ir para o ataque e os efeitos que esse tipo de jogo causa. Não gostei do seu voleio de *backhand* e achava necessário que se dedicasse muito mais a isso. Por outro lado, logo deixei bem claro que não tinha vontade de transformá-lo em jogador de saque-voleio, mas tinha de se esforçar para entender o uso tático desse tipo de jogo. Por exemplo, Novak, às vezes, saía para a rede muito devagar e tinha problemas com o primeiro voleio, porque o pegava muito baixo. Por isso, também perdia a autoconfiança nessa parte da quadra. E mais, quando conseguia chegar até a rede, ficava muito perto, então se tornava alvo fácil para um *lob*, ou seja, uma bola por cobertura. Quando o ponto era mais importante, ele chegava mais perto ainda da rede, o que não o ajudava. Desse modo, apenas ficava mais vulnerável. Tudo que falávamos na teoria, era preciso aplicar no treino e na quadra, para que Novak e Vajda vissem isso, percebessem visualmente, e, o que era mais importante, sentissem".

A primeira chance de testar os conselhos de Woodforde na prática chegou apenas três dias depois de Indian Wells.

Mais um torneio de série Masters 1000, desta vez em Miami.

O décimo jogador do mundo, Novak Djokovic, ficou livre na primeira rodada, saindo como *bye*.

Quando começou, conseguiu três vitórias – contra o italiano Daniele Bracciali, o francês Michael Llodra e, nas oitavas de final, sobre o espanhol Feliciano Lopez. Nas quartas de final, de novo o mesmo adversário, o inquebrável Nadal.

Desde pequeno Novak fora instruído sobre a necessidade de assistir às gravações das partidas para se lembrar dos detalhes, dos quais, na quadra, não teria consciência. Antes da partida contra Rafa, Djokovic aproveitou a oportunidade para verificar que tipos de erros cometera na partida anterior.

É interessante saber o que disse sobre isso: "Tenho as gravações de todas as partidas que já joguei. Não as vasculho como nos tempos de juvenil, mas, de vez em quando, realmente é bom estudá-las. Acho que é importante, apesar de às vezes nem gostar de fazer isso. Ninguém gosta de assistir a seus próprios erros. Mas é bom ver o que é preciso trabalhar, o que deve ser melhorado e o que seu adversário está fazendo, quais são os seus pontos fracos. Assisti para que, da próxima vez, possa derrotá-lo. Assisti à partida anterior contra Rafa, e senti a mesma coisa quando estava na quadra. Fui agressivo demais, impaciente demais, cometi muitos erros não forçados. E era necessário ficar tranquilo, mais consistente no jogo, criar oportunidades para os *winners*, as bolas vencedoras. Algumas vezes, conseguia aplicar isso, o que vi na gravação, e quando fazia, os movimentos foram perfeitos".

A tática com as quais atacaria o espanhol parecia preparada.

Além disso, antes do encontro com Nadal, Djokovic jogou contra Llodra e Lopez, que também são canhotos. As partidas contra eles foram uma ótima preparação para o duelo que se seguiria.

Tudo o que Djokovic queria colocar em prática durante o duelo foi executado. O saque que o atormentara em Indian Wells agora funcionou de forma excelente, de tal modo que foi o melhor elemento do seu jogo. Rafa esperava os erros de Djokovic, mas não os encontrava. O sérvio mandava o adversário correr pela quadra inteira, o espanhol se esforçava muito, mas algumas bolas simplesmente não podia alcançar.

O placar final: 2-0 (6-3, 6-4). A primeira vitória de Djokovic sobre Rafael Nadal, e também a maior vitória na sua carreira até o momento, tendo em vista que o espanhol, como a 2ª. raquete do mundo, era o tenista mais bem cotado que ele conseguira vencer.

O nível da autoconfiança de Djokovic naquele momento não tinha fronteiras. E seu próximo adversário, Andy Murray, sentiu isso. O público, sem dúvida, esperava um duelo mais atrativo dos dois jovens tenistas, principalmente porque havia um grande contraste. O jogo do tenista sérvio foi baseado na ofensiva, enquanto o do escocês era defensivo. Mas o ritmo imposto por Djokovic mudava sem parar, com o grande número de surpreendentes curtinhas, os *drop-shots*, que, de maneira alguma, agradava Murray. Djokovic, com frequência, ficava longe do fundo de quadra e, antes de Andy entender o que estava acontecendo, venceu a semifinal. E por 6-1, 6-0.

O argentino Guillermo Cañas, apesar de ter saído do *qualifying*, também chegou à final, o que foi uma grande surpresa. Passou por adversários como Tim Henman, Juan Carlos Ferrero, Richard Gasquet, Tommy Robredo, Ivan Ljubicic e até mesmo Roger Federer – nenhum deles tinha a solução contra Cañas.

Mas Djokovic encontrou o caminho: "O único item com que não fiquei satisfeito é como sacava. Não podia dar o máximo, porque o sol batia direto nos olhos, então nesse lado da quadra sempre tinha problemas. No último *game*, com a vantagem de 30-0, devo confessar, pensei que venceria. E, assim, cometi dois erros, e isso não podia acontecer. Mas, durante o último ponto, disse a mim mesmo: 'Vou ao *forehand*, não me importo'. Se errar, quebro a raquete... Depois percebi que tomei a decisão certa, e caí na quadra de felicidade. Era um momento muito emocionante para mim, com esta vitória por 6-3, 6-2 e 7-5".

No camarote das arquibancadas encontrava-se sua família inteira. Logo depois do término da partida, Djokovic voou para os braços dela:

"Gostei muito de que todos estivessem juntos comigo nos momentos que, para minha carreira, foram os mais importantes. O que mais gosto é de jogar quando as pessoas mais próximas estão nas arquibancadas, mas isso nem sempre é possível. Não me lembro o que pensava enquanto corria até eles, porque naquele momento estava muito emocionado e feliz. Num instante desejei tirar a camiseta e o calção e jogar para o público, mas de alguma forma consegui me controlar".

Depois da conquista do primeiro título no torneio, frequentemente chamado também o "quinto Grand Slam", Djokovic se aproximou de Cañas e o abraçou. "O ato de abraçar o adversário, aliás, é um hábito espanhol", comentou um dos jornalistas durante a coletiva de imprensa. "É verdade? Então, daqui para a frente é sérvio também", acrescentou Djokovic, rindo.

Com 19 anos e dez meses, Djokovic se tornou o mais novo vencedor na história do prestigiado torneio de Miami, o segundo tenista a conquistar o título sem perder um *set* sequer, e o quinto tenista na história do esporte branco que, como adolescente, conseguiu ganhar um torneio da série Masters.

Além disso, ficou automaticamente no sétimo lugar na lista da ATP, e assim, com letras douradas, escreveu seu nome na história do esporte do seu país. Tornou-se o melhor tenista sérvio de todos os tempos, e a mídia ao redor do planeta, inclusive a sérvia, tinha somente palavras de elogio.

E mais ainda. A mais importante vitória de sua vida foi dedicada aos seus fãs na Sérvia, que saudou na frente de mais de 10 mil pessoas na quadra central em Miami: "Obrigado, meus companheiros sérvios, estejam onde estiverem, que torceram por mim todos esses dias. Estou orgulhoso com meu país e meu povo".

Depois, de volta a Belgrado, no aeroporto Nikola Tesla, o esperavam os fãs mais fanáticos. Da Associação de Futebol da Sérvia ganhou uma camisa com o número simbólico: 007.

Graças aos seus sucessos, foi homenageado com uma recepção, na frente da Assembleia da cidade de Belgrado, onde tradicionalmente são festejadas as conquistas de todos os esportistas sérvios.

"Ainda não estou totalmente consciente do que realmente consegui, mas, quando vi quantas pessoas me esperavam na frente da Assembleia, meu coração ficou enorme. Fiquei superemocionado quando vi no aeroporto um bebê com um *banner* no carrinho: 'Nole é o meu ídolo'. Estou extremamente feliz, pois festejei minha vitória na minha cidade natal, e espero que tenha muito mais boas-vindas assim, e que isso seja apenas o começo."

Como se confirmaria no decorrer de 2007, Djokovic tinha toda a razão.

# 20. A CAMISETA AMARELA

Cinco dias após o triunfo em Miami, que lhe trouxe mil pontos e o 7º. lugar na lista da ATP, Djokovic se juntou aos seus conterrâneos na equipe da Copa Davis. Na disputa da segunda rodada da zona euro-africana, o adversário da Sérvia era a Geórgia. O técnico, o mesmo de antes, era Dejan Petrovic, e os jogadores, Djokovic, Tipsarevic, Zimonjic e Bozoljac.

Dejan Petrovic recorda: "Conhecíamos bem o adversário. A Geórgia tinha somente três jogadores na lista da ATP, e dois jogavam na Copa Davis. O melhor jogador deles, Irakli Labadze, tinha conquistado o melhor resultado na semifinal de Indian Wells em 2005, quando era o 42º. no mundo. Então, achei que o obstáculo em nosso caminho não era insuperável. Éramos os favoritos, e isso tínhamos de provar. Depois de uma pausa de dois anos, jogaríamos novamente diante da torcida nacional, o que era ótimo e significava muito para nós. Estávamos indo pelo caminho ascendente, e era preciso continuar assim. Esperei o triunfo e a classificação para o *playoff* em setembro".

As partidas foram disputadas no subúrbio de Belgrado, no centro esportivo Kovilovo, e os jogadores sérvios justificaram as expectativas. Nas arquibancadas estavam 1.500 apreciadores do tênis quem tinham ido torcer para o seu time e lhe dar apoio. Isso é sempre importante, e a Sérvia, depois do primeiro dia das competições, ganhava por 2-0.

Djokovic obteve a vantagem inicial sem muitos problemas. Ganhou o primeiro *set* por 6-1. Quando, no segundo, tinha a vantagem de 5-0, seu adversário, Giorgi Chanturia, em virtude de uma lesão no tornozelo, entregou o jogo.

Janko Tipsarevic teve de se esforçar mais, mas também foi seguro, e por *sets* 3 a 0 derrotou Lado Chikhladze.

No segundo dia, foi a vez das duplas. Zimonjic e Bozoljac jogaram contra a dupla georgiana Lado Chikhladze/George Khrikadze. Os visitantes mostraram forte resistência, e em alguns momentos tornaram a partida indefinida, mas nada mais do que isso. A seleção da Sérvia liderou por 3-0, e a vantagem convincente no terceiro dia confirmou a vitória de Ilija Bozoljac e Janko Tipsarevic nas suas partidas de simples.

Com o resultado máximo de 5-0 a seleção da Sérvia garantiu a participação no *playoff* a ser disputado no mês de setembro para classificação ao Grupo Mundial da Copa Davis.

Nenad Zimonjic foi quem melhor avaliou o jogo da equipe sérvia: "Agora podíamos esperar tranquilos o sorteio para o *playoff*. Tínhamos jogado tanto quanto necessário. Para mim, as partidas foram um pouco tediosas, porque não havia incerteza, e talvez por isso nem foi apresentado um tênis de alto nível. Nossa equipe, no *playoff*, provavelmente não figuraria como uma das favoritas, apesar do meu bom *ranking* na lista da ATP dos jogadores de duplas. Ainda não tínhamos um ótimo jogo de duplas, podíamos fazer várias combinações, mas, além de mim, ninguém jogava duplas com frequência. Tínhamos muito poucas chances de jogar juntos em algum lugar. Possivelmente até poderia jogar com Novak Djokovic, mas com certeza não nos torneios mais fortes".

O técnico Dejan Petrovic não quis dar palpites: "Ainda era muito cedo para falar sobre o sorteio, era preciso ver quem seria o adversário, mas as ambições dessa equipe eram as mesmas, talvez um pouco maiores depois do sucesso de Djokovic nos torneios da ATP".

As ambições da equipe sérvia realmente eram grandes, aumentavam em razão dos resultados que seus tenistas tinham conquistado, e a Copa Davis de 2007 era a última na qual Dejan Petrovic estaria na liderança da equipe nacional. Já em setembro do mesmo ano, seria o técnico Bogdan Obradovic que, com assessoria especial de Niki Pilic, levaria a seleção à liderança da Copa Davis.

A BIOGRAFIA DE NOVAK DJOKOVIC

\*

Depois de uma breve estadia em Belgrado, Djokovic retornou a Monte Carlo. Seu desejo era simples: dedicar-se plenamente, em cada elemento, ao jogo no saibro.

No principal torneio de saibro do planeta, o Aberto da França, em Roland Garros, Novak Djokovic alcançou as semifinais. Suas esperanças de título no Grand Slam francês terminaram, mais uma vez, na genial raquete de Roger Federer. O suíço venceu em três *sets* apertados, parciais de 7-5, 7-6 e 7-6.

Chegara o momento de se "apoderar" de todo o esforço, da energia e dos pontos da ATP ganhos nos torneios menores nos anos anteriores. E quando parecia que finalmente tudo começava a andar e se encaixar, como frequentemente ocorre com jovens jogadores, aconteceu uma queda de desempenho.

Para um bom e moderno tênis não é suficiente jogar uma partida com qualidade ou fazer uma sequência de dois ou até três bons jogos. Os tenistas, antes de tudo, tinham de ser bons atletas, ter resistência e agilidade nas pernas. Daí começa tudo: a técnica, e também o caráter. Se você não tem velocidade nem é resistente, ou seja, se é fraco demais, nunca se tornará um campeão. Djokovic percebeu isso do modo mais difícil. O caminho ao trono do tênis era incerto e longo, e o objetivo estava ainda embaçado.

Quando começou a temporada de 2007, Djokovic estava muito mais forte. Sua forma física melhorou significativamente, e com ela vieram as mais do que necessárias autoconfiança e motivação.

Em Monte Carlo, ficou livre na primeira rodada e, na segunda, enfrentou o argentino Gaston Gaudio, nove anos mais velho e vencedor de Roland Garros em 2004, que, naquele momento, não se encontrava em boa forma, mas no saibro, graças à sua experiência, nunca se sabia claramente o que poderia acontecer. Na quadra, simplesmente, ele sabia explodir.

Djokovic estava ciente disso. Ganhou o primeiro *set* por 6-1, mas na sequência ficou bem claro por que Gaudio conquistara Roland Garros.

Cada golpe de Djokovic, não importava a força nem a precisão, era devolvido como se fosse um bumerangue. Parecia que tinha se esquecido de uma das coisas mais importantes do jogo nas quadras de terra batida: a paciência. Tentava fazer um *winner* de qualquer posição em que se encontrava, mas isso era impossível, como se lhe fosse impossível resistir à tentativa de golpear cada bola com a maior força. Diferente dele, o argentino esperava, paciente, pelos erros, e logo tinha conquistado uma série de ótimos pontos, que lhe possibilitaram ganhar o segundo *set* (6-3).

"Seu jogo no segundo *set* brilhou tanto quanto eu errei", disse Djokovic depois. "Ele aproveitou isso e entrou no terceiro *set* com mais autoconfiança do que eu. Por este motivo, o primeiro *game* do terceiro *set* foi extremamente importante. Precisei me convencer a ficar no jogo e lutar. Foi difícil me acostumar, porque esse pico é muito diferente, e o estilo de jogo e a movimentação também. Consegui salvar um *break point* no início do *set* decisivo, e desde esse momento tudo deu certo. Quando consegui, todo o resto foi rotina."

E, assim, ganhou facilmente o terceiro *set* por 6-1 e a partida contra Gaudio, mas a falta de foco continuou na próxima rodada. O que lhe custou a derrota para David Ferrer, por 7-5, 6-4, uma revanche das quartas de final em Indian Wells.

Para Djokovic sobrou a esperança de que, no decorrer da temporada de saibro, mostrasse partidas melhores. Não sem razão. Em meados de março de 2007, pela primeira vez na carreira, entrou na lista dos dez melhores, e logo no dia 30 de abril do mesmo ano tornou-se o 5º. tenista do mundo.

O ingresso na elite da elite foi alcançado durante o torneio de Estoril, perto da capital portuguesa, Lisboa, famosa por seus cassinos, hotéis de luxo e campos de golfe.

Ali Djokovic encontrou seu jogo no saibro. Definitivamente. E aproveitou todas as vantagens. O que puderam reconhecer Igor Andreev, Santiago Ventura, Guillermo García-Lopez, seus adversários, além de Tommy Robredo, então 7º. jogador do mundo, derrotado por Djokovic depois de quase duas horas de jogo por 7-5 e 6-1.

No caminho ao seu terceiro título da temporada, Djokovic encontrou-se com o francês Richard Gasquet. Por conta da pouca idade de ambos os tenistas, a final ficou marcada como a mais jovem na história de oitenta anos do torneio de Estoril.

Novak começou de forma brilhante, com uma quebra de serviço logo no início do primeiro *set*. Já no segundo *game*, Gasquet conseguiu devolver a quebra. Depois, ambos estabilizaram-se e não perderam mais o saque, chegando ao *tiebreak*.

O francês ganhava por 6-4, e tinha duas bolas para terminar o *set*, mas Djokovic conseguiu a reviravolta e, por 9-7, liquidou o primeiro *set* a seu favor, após uma hora e quinze minutos de jogo.

O seguimento do jogo foi, no mínimo, muito estranho. Não havia sinal do espírito vencedor de Djokovic, como se estivesse disputando uma partida totalmente diferente. Conquistou somente sete pontos, e, ainda assim, graças ao bom saque. E isso foi tudo. O francês aproveitou três das cinco oportunidades para quebra, e em apenas 23 minutos, por 6-0, ganhou o segundo *set*.

"Eu tinha tido uma semana extremamente difícil", comentou Djokovic. "As partidas que disputei nas rodadas anteriores aparentemente foram fáceis. Devo confessar, quando Gasquet pressionou no início do segundo *set*, que decidi tentar poupar as forças para o terceiro. E comecei com a quebra. Essa foi a minha meta".

O domínio de Gasquet no segundo *set* não foi ocasional. Era sua primeira final desde a vitória em Lyon (outubro de 2006), e queria muito faturar mais uma conquista em um torneio da ATP. Para sua infelicidade, Djokovic tinha o mesmo plano, e sabia como colocá-lo em prática. Parecia que a resistência do francês deu início a uma revolta, o que lhe tinha faltado na fase anterior. Começou ganhando por 4-1, obteve uma quebra para 5-1 e, no final, ganhou por 6-1, calmo e sossegado.

Gasquet ficou impotente, e o retrospecto entre eles ficou em 3-0 em favor do tenista sérvio.

Após a partida, Djokovic tirou a camiseta amarela que parecia lhe trazer sorte (com ela venceu também em Miami), jogou-a para o público e vestiu o traje esportivo no qual estava escrito Sérvia. Eusébio (o ex-craque da seleção portuguesa de futebol) foi quem lhe entregou a taça, e Djokovic aproveitou a oportunidade para ganhar um autógrafo de uma verdadeira lenda do futebol. Em honra ao vencedor foi aberta uma garrafa de champanhe, que, ao chegar a Gasquet, imediatamente lhe deu um banho da cabeça aos pés, enquanto Djokovic ria, feliz da vida.

E o sorriso era justificável. Aquela era a terceira taça que erguia desde o início da temporada e, ainda havia embolsado um cheque no valor de aproximadamente 76 mil euros.

Mas o tempo para celebração e descanso ainda não tinha chegado. Esperava-o o Masters 1000 em Roma, no Foro Itálico, com prêmio no valor de 2,45 milhões de dólares.

Novak foi designado como cabeça de chave número cinco e, caso tudo corresse bem, nas quartas de final, pela quarta vez na carreira, poderia encontrar-se com o segundo jogador do mundo, Rafael Nadal.

O torneio na capital italiana é visto como um tipo de "pequeno Grand Slam". Ele é disputado no começo de maio, numa superfície de saibro considerada muito semelhante à de Roland Garros. Nele é testado o preparo dos melhores jogadores para o torneio maior, e, entre os frequentadores, Roma é considerado um ensaio para a grande apresentação no saibro em Paris.

Depois da chegada à "cidade eterna", tendo ficado livre na primeira rodada e saindo como *bye*, Djokovic tinha um dia a mais para descansar. Seu primeiro adversário, três anos mais velho, era o sueco Robin Soderling, contra quem nunca se defrontara.

Soderling era conhecido pela fama de gostar de ritmo acelerado e longas trocas de golpes, o que, para o estilo agressivo de Djokovic, em princípio, foi bom, assim como o grande número dos seus torcedores que logo abriram a "tricolor"[1]. Mas, no início do jogo, nada disso o ajudou. Soderling estava curtindo o jogo no saibro, e ganhou o primeiro *set* por 6-3. Como que em regra, Djokovic voltou ao jogo e empatou por 1 a 1, ao vencer o segundo *set* por 6-4.

Depois, no *set* decisivo, um brilhante voleio na rede lhe possibilitou, após duas horas de jogo, a ter duas bolas para decidir a partida. Como não queria permanecer mais tempo na quadra, aproveitou a primeira, vencendo por 6-3.

---

1 Maneira de se referir à bandeira sérvia composta pelas três cores horizontais: vermelha, azul e branca, que são também as cores do pan-eslavismo, porque, nas diversas combinações se encontram no maior número das bandeiras dos países eslavos, simbolizando sua origem comum.

Embora nesse duelo estivesse longe do seu máximo, não havia razão para desespero. Nem tempo também. Na segunda rodada esperava-o Marcos Baghdatis, de Chipre, na época 18º. do mundo, que também era para Djokovic terreno desconhecido.

Eles, na verdade, já tinham jogado, em 2002, em uma disputa de juniores em Orange Bowl, nos Estados Unidos. Baghdatis triunfou na ocasião por 2-1.

Agora, em Roma, as circunstâncias eram significativamente diferentes. O cipriota, dois anos mais velho, talvez tivesse um pouco mais de experiência, mas Djokovic estava entusiasmado, e parecia que nada poderia pará-lo, e venceu por 6-2, 7-5.

Em seguida, aconteceu o que os especialistas tinham prognosticado. O quinto jogador do mundo e cabeça de chave número cinco em Roma, Djokovic, chegou às quartas de final, e lá o esperava exatamente Rafa, o "rei do saibro".

E o rei jogou com as qualidades de sua nobreza. No final das contas, naquele momento já havia conquistado Roma duas vezes, em 2005 e 2006, e ganharia também naquele ano, 2007, e, ainda em 2009 e 2010.

Djokovic tentou muitos *drop-shots*, queria impor seu ritmo, mas, para o veloz Rafa, este não era um desafio muito grande. Sem dúvida, valeu a tentativa de tirar Nadal da sua "zona de conforto", mas ele não permitiu, e assim foi à desforra da até então única derrota, em Miami, por categóricos 6-2, 6-3.

Mas a vida continua... Das derrotas lembram-se aqueles que não têm suficientes vitórias. E Djokovic sempre acha motivo para felicidade: "Eu adoro futebol, e em Roma tive a sorte de ficar hospedado no mesmo hotel que os jogadores da Inter. Conheci todos, o time inteiro. E ainda tive a oportunidade de conhecer e bater papo com Figo. Falamos sobre minhas experiências em Portugal e do meu sucesso em Estoril e, claro, também sobre o Benfica. Foi ótimo, uma imensa honra conhecer de perto uma grande lenda de futebol".

Quando chegou a vez do torneio de Hamburgo, na Alemanha, o último Master 1000 no saibro antes de Roland Garros, Djokovic caiu um degrau no *ranking*. Mas a 6ª. posição não era tão ruim, pois lhe deu a possibilidade de novamente ficar livre na primeira rodada, jogando como cabeça de chave número quatro.

Na segunda, pelo fácil placar de 2-0, venceu o francês Julien Benneteau, mas a partida seguinte, contra o finlandês Jarkko Nieminen, foi razoavelmente dramática, e durou mais de duas horas e meia.

Djokovic conseguiu vencer, mas foi preciso lutar, não somente contra um oponente muito a fim de jogar, mas também contra o cansaço e as câimbras que o atormentavam, principalmente no final do jogo.

Mas, sem intervalo, foi a vez das quartas de final que traziam a lenda espanhola Carlos Moya, então 36º. na lista da ATP. Antes disso, Djokovic havia jogado somente uma vez contra ele, em Umag, em 2006, quando conseguiu a vitória. A camisa amarela com a qual novamente entrou na quadra não deu a ele tanta sorte.

Diferentemente do torneio de Roma quando, nas quartas de final, encontrou o inviolável Nadal, desta vez conseguiu evitar o adversário mais difícil no saibro. Isto não foi o suficiente, porque se confirmou que, naquele momento, Moya também foi uma mordida maior do que a boca.

O primeiro *set* ocorreu sem quebra de saque, mas Moya foi melhor no *tiebreak*. No começo do segundo, Djokovic logo devolveu a quebra e depois mais uma, ganhou o segundo *set* e chegou ao empate.

No *set* decisivo, Moya vencia por incontestáveis 5-2, mas Djokovic, com seu jogo incrível, conseguiu salvar algumas bolas decisivas e empatar por 5-5. E isso foi tudo, perdeu por 7-5. Faltou-lhe força para uma reversão total, e o adversário era mais experiente, em todos os sentidos.

*

A derrota de Hamburgo não era muito importante, porque o excelente início da temporada fez com que a mídia, antes do início do torneio de Roland Garros, pela primeira vez apontasse Djokovic como possível favorito.

Parecia que não importava o fato de ter entregado os jogos que disputava nas duas primeiras participações. Na verdade, dava a impressão de que todos finalmente tinham percebido que Djokovic não era somente um bom jogador, mas, sim, um tenista de primeira linha.

Agora participava como cabeça de chave número seis, sua melhor posição em um Grand Slam. Além disso, naquela temporada já havia obtido três títulos, o mesmo número que Federer e um a menos que Nadal. Seu objetivo de, em 2007, ingressar nos dez primeiros, tinha sido conquistado, embora a temporada ainda não tivesse chegado à metade. Só isso já era encorajador. Djokovic provou que podia ser igualmente perigoso em todas as superfícies. A história sobre a rivalidade FEDAL (palavra que a mídia inventou juntando Federer e Nadal) começou gradualmente a ser questionada.

Mark Woodforde testemunha: "Federer e Nadal tinham uma espécie de monopólio. E Novak se aproximava perigosamente. Era bom assistir ao surgimento de um novo nome, o novo desafio para esses dois campeões. Era como se o dueto FEDAL, naquele momento, se virasse para ver quem estava chegando. E lá estava um grupo de jovens tenistas liderado por Novak. Porque ele se tornava cada vez melhor, e o que era mais importante, sabia lidar com a pressão".

Antes do início de Roland Garros, a mídia cogitava que, na final, se encontrariam Federer e Nadal. Davam para o espanhol uma leve vantagem, porque brilhara em Paris em dois anos consecutivos, mas, como sabemos, Federer também tinha chance. Depois da ainda fresca vitória contra Rafa em Hamburgo, conquistaria mais autoconfiança, e Roland Garros era o único Grand Slam que não havia vencido. Para um ás do tênis do seu calibre, era uma motivação que valia ouro.

Na verdade, não apenas para Federer. O fato de que alguém tenha conseguido derrotar Nadal no saibro, ainda que fosse o primeiro tenista do mundo, dava força também para todos os outros jogadores. Rafa, então, não era invencível. Mesmo no saibro.

Djokovic se lembra: "É um pouco frustrante quando se sabe que, todo o tempo, você joga um ótimo tênis e não se fala o suficiente sobre isso. Estou brincando, claro. Enxergaram esses dois na última rodada porque isto é lógico. Estamos falando sobre o primeiro e o segundo jogadores do mundo. Eles são favoritos em todos os torneios, não somente em Paris. Em 90 % dos casos, Roger e Rafa estão na final. Na verdade, tento não pensar muito sobre isso, preciso ficar focado em mim. O caminho é longo. Mas é Roland Garros, onde 128 jogadores têm sua chance, até aqueles que não têm possibilidade de jogar as outras grandes competições. E isso é uma grande coisa, principalmente para os classificados. Eles, nos torneios de Grand Slam, dão seu máximo, e as surpresas são sempre possíveis".

O sexto lugar na lista da ATP dava impressão de que o sorteio, em todo o caso, não podia ser complicado. Mas a esperança, às vezes, é uma faca de dois gumes; e a colocação, a teoria e a estatística, um favor de urso, como diz o povo sérvio.

Santiago Giraldo, colombiano, que pela primeira vez participava de um Grand Slam, deu muito trabalho para o campeão sérvio. Chegou a Paris como *Lucky loser*, depois da decisão de Andy Murray, Tommy Hass e Mardy Fish de não jogarem Roland Garros.

Djokovic não se encontrara antes com ele, não sabia o que o esperava, qual era seu tipo de jogo, e se poderia surpreendê-lo. E este era o problema.

O novato da América do Sul perdeu o primeiro *set* por 6-3, recusou-se a desistir e continuou mostrando forte resistência. Mas não forte o suficiente.

Graças à sua calma, depois do *tiebreak*, Djokovic ganhou também o segundo *set*.

O avanço para a segunda rodada estava ali, perto, ao alcance das mãos, mas ele não pegava o ritmo do jogo.

E, para piorar, Giraldo continuou atacando; movia-se rapidamente pela quadra, acertava muitos *winners*. Em alguns momentos, até parecia ter mais chance de ganhar o terceiro *set* e ficar no jogo.

Então, Djokovic decidiu. Reorganizou-se, obteve uma quebra e venceu, conseguindo manter a tradição. Em Roland Garros nunca perdeu a partida da primeira rodada.

De novo, esbarrou em um jogador do *qualifying*, um dos onze franceses que ingressaram na segunda rodada de Roland Garros.

Laurent Recouderc tentava, pelo terceiro ano consecutivo, entrar na chave principal, mas não conseguia. Naquele ano, como o jogador mais mal ranqueado (306º. do mundo), conseguiu passar para a segunda rodada da chave principal, depois de ter furado o *qualifying*. Após as três determinantes partidas nas qualificações e um duelo típico de maratona da primeira rodada contra o norte-americano Sam Querrey, sua colocação era merecida.

Quando entraram em quadra, tudo estava a favor do tenista sérvio, que ganhou fácil o primeiro *set*, por 6-3. Mas depois as coisas começaram a mudar. Foi difícil acreditar que um jogador que se encontrava na 306ª. posição pudesse oferecer tanta resistência ao 6º. jogador do mundo.

Djokovic se recorda: "Cometi muitos erros no segundo *set*. Esta foi a coisa mais negativa que me aconteceu durante a partida. No começo estava cético, porque não sabia nada sobre Recouderc. Então, ele quebrou meu saque 3-1, e, de repente, parei e cometi alguns deslizes, e ele voltou para o jogo. Naquele momento, ele começou acreditar em vitória mais do que eu. A coisa fugiu de controle. Recouderc não mais se defendia, só atacava. Por isso, ganhou o segundo *set*. Eu estava muito nervoso, mas felizmente consegui me acalmar e me manter positivo. Refleti sobre o que era preciso melhorar no meu jogo e corrigi. No final, consegui vencer".

Depois dessa partida, na coletiva de imprensa, pela primeira vez foi apresentada uma questão atípica sobre as longas batidas de bola de Djokovic antes do saque. Um dos jornalistas conseguiu contar quinze batidas.

"Sei que todos acham isso estranho", respondeu Djokovic. "Na partida da primeira rodada eu batia tanto a bola, que num momento ela deslizou e quicou para o lado. Todos riam, e não me senti confortável. Mas essas batidas acontecem somente quando jogo no saibro, acreditem se quiser. Acho que é questão de foco. É assim que me forço a focar no meu saque. Sei que no saibro é preciso jogar longos pontos e longas partidas, então por isso o saque se torna muito importante. Esse fundamento me ajudou muito nas primeiras duas rodadas. Tive uma porcentagem excelente no primeiro serviço, e creio que este é o meu melhor golpe nesse Roland Garros. Vou me esforçar para bater menos a bola, simplesmente para que o público não ria mais."

Quando citou as longas partidas, provavelmente não podia sequer imaginar que isso lhe aconteceria já na rodada seguinte. E ainda contra Olivier Patience, o 129º. jogador do mundo.

Djokovic, naquele período, jogava o melhor tênis da sua carreira, e não tinha qualquer razão para se sentir inseguro. Mas, naquele dia, era impossível explicar. Jogar contra o último francês que permaneceu na competição, na frente de 10 mil pessoas que o apoiavam, foi muito difícil. E isso ficou claro logo no primeiro *set*.

Patience, de modo persistente, protegia seu saque, e cedeu somente no *tiebreak*. Sua resistência e a torcida frenética nas arquibancadas fizeram-no sentir como se tivesse oportunidade de se tornar uma sensação. A crença em si aumentava a cada novo golpe, "tirava" uns voleios muito difíceis e sacava bem, enquanto Djokovic parecia sumir da quadra. Como se estivesse ausente, e não apenas no segundo, mas também no terceiro *set*. Patience ganhou ambos, por 6-2, 6-3.

Parecia que Djokovic terminaria sua participação em Roland Garros: "Uma situação assim não é algo que se deseja na segunda semana de um Grand Slam. Cometi, inaceitavelmente, muitos erros. A estatística não estava do meu lado. Não joguei nem a metade do que posso. E no quarto *set* tudo estava nas minhas costas. Ou começava a jogar da maneira que sei, ou, se continuasse jogando como até aquele momento, ele sairia como vencedor. Percebi que o problema era que me defendia todo o tempo e esse não é meu estilo. Não posso me defender quando, em princípio, sou um jogador agressivo. Tinha de atacar. Tinha de entrar no jogo. Isso sou eu. Essa é a minha maneira. E foi a única chance de ganhar o quarto *set* e aguentar o quinto".

O *set* que o devolvia à vida trouxe um novo drama.

O francês mostrava que merecia um *ranking* muito melhor na ATP, e a qualquer custo quis levar a partida ao fim. Seu adversário, Djokovic, ainda não se sentia muito confortável. Mas também não se entregava. De novo *tiebreak*, e novamente incerteza. O público estava em pé.

E exatamente nesse momento, quando era mais necessário, veio à tona a vantagem de Djokovic em relação ao adversário: estabilidade psicológica. Ela o ajudou várias vezes, salvando-o de situações quase impossíveis. Reconhecia esse aspecto e o aproveitou. Graças à sua concentração nos momentos cruciais, ganhou o quarto e decisivo *set*.

Quando Djokovic volta ao jogo, dele só sai como vencedor. E assim foi.

Ganhou o quinto *set* por 6-3, terminou a partida a seu favor, e mais uma vez provou que era um tenista de nível mundial. Apesar de ter jogado abaixo das suas possibilidades, demonstrou que sabia lutar como um leão, o que na verdade é sinal de um verdadeiro campeão.

*

A BIOGRAFIA DE NOVAK DJOKOVIC

Apenas uma semana depois de completar 20 anos, o mais novo tenista que ficara na disputa tornou-se mais sério e se preparou para Fernando Verdasco, o primeiro adversário ranqueado acima dos cento e vinte da lista. O espanhol na época era o 51º.

Djokovic ganhou a partida em três *sets*, muito mais facilmente do que em qualquer outro duelo das rodadas anteriores.

Foi a quarta participação de Verdasco em Roland Garros. Estava em ótima forma, e pela primeira vez conseguiu ficar entre os dezesseis melhores. Ali, teve de parar e se contentar com o fato de que na rodada anterior derrotara o cabeça de chave número 12, David Ferrer, com quem não tinha tido sorte nos últimos seis embates.

Como o 125º. tenista do mundo, Igor Andreev, da Rússia, era o jogador mais mal posicionado que sobrara na competição. Djokovic o esperou, preparado, para as quartas de final. Era a segunda vez que jogavam um contra o outro em apenas cinco semanas. Do outro encontro, em Estoril, Djokovic saiu vencedor.

Andreev, durante sua participação anterior em Roland Garros, demonstrou tudo, menos que fosse um adversário ingênuo. Agora, pela primeira vez, chegava às quartas de final em um Grand Slam e os resultados foram categóricos: derrubou o terceiro cabeça de chave, Andy Roddick, ainda na primeira rodada, provocando uma grande surpresa e, depois, capitularam diante dele Nicolas Massu, Pau-Henri Mathieu e o cabeça de chave número 16, Marcos Baghdatis.

Andreev foi, também, por algum tempo, o último jogador que conseguiu derrotar Rafael Nadal no saibro (Valência, 2005), depois do que, o espanhol, na mesma superfície, faturou 81 vitórias. E continuaria mais além, mas a série furiosa foi interrompida por Federer em Hamburgo, em 2007.

Contra um adversário desse tipo, você tem de atuar de modo ofensivo, desde o começo. Djokovic assim fez, esforçando se para jogar os pontos mais curtos possíveis, e conseguiu. E encontrou a chave.

No primeiro *set*, nos primeiros *games*, sofreu um pouco, mas logo deu para perceber que estava com muita vontade de jogar, e pronto para vencer.

Até 3-3, cada tenista "segurava" seu saque, e após uma quebra crucial e vantagem de 4-3, Djokovic chegou facilmente aos 6-3. Ganhou o primeiro *set*, após 44 minutos de jogo.

O segundo *set* começou com a perda do primeiro *game* com a quebra de saque; então, devolveu da mesma maneira e logo chegou à vantagem de 3-1. Em seguida, não houve mais quebras, e com 42 minutos do jogo Novak chegou até o mesmo resultado: 6-3. Parecia que o russo, no meio do *set*, ficou sem "acelerador".

"É verdade", confirmou Andreev. "Essa foi minha primeira vez em quartas de final no Grand Slam, e pela primeira vez ganhei as quatro partidas seguidas. Isso gasta muita energia, principalmente quando se leva em consideração que não jogava há longo tempo. Talvez por isso fosse mais difícil para mim. Mas esses jogos são importantes, neles se adquire experiência, você se torna mais forte para o futuro. Estava cansado psicológica e fisicamente, e Novak foi forte e bom em tudo. Defendia-se muito bem. Sacava com precisão nos momentos importantes, e devolvia muito bem os saques nos pontos decisivos. Acima de tudo, ele é extremamente forte no plano psíquico, o que me surpreendeu, ainda mais quando se tem em vista sua idade."

O terceiro *set* foi semelhante aos anteriores. Djokovic aproveitou todas as fraquezas do adversário, e logo chegou à vantagem de 3-0, e a manteve até o fim, ganhando novamente por 6-3.

Apesar do resultado, Andreev lhe tomaria ainda mais força. A partida durou mais de duas horas, mas Djokovic estava disposto a lutar a cada ponto. Naquele dia não cometia falhas. E, além disso, tinha uma ajuda fenomenal do seu camarote, onde dominava a cor amarela: "Surpreenderam-me", confessou Djokovic, "minha equipe inteira vestiu as camisetas amarelas. Não esperava que fizessem isso. Mencionaram hoje de manhã que fariam algo antes do início do jogo, mas não entendi exatamente o que disseram. Aliás, essa camisa amarela é o meu talismá. Com ela ganhei muitas partidas neste ano. Queriam brincar... e acho que conseguiram".

Claro que conseguiram. Djokovic chegou à sua primeira semifinal em um Grand Slam!

E apenas um dia antes, o mesmo sucesso foi alcançado por mais três jogadores sérvios: Ana Ivanovic e Jelena Jankovic nas simples, e Nenad Zimonjic nas duplas.

"Para onde você olhava tinha um sérvio ganhando uma partida", disse Jelena Jankovic depois da vitória contra Nicole Vaidisova. "Isso é inacreditável."

Era o maior sucesso da Sérvia desde o início do tênis, e, sem exagero, as partidas de Roland Garros eram assistidas literalmente por todo o país.

Naquele ano nenhum dos tenistas sérvios masculinos e femininos ganhou o título. Ana Ivanovic e Nenad Zimonjic (nas duplas mistas) chegaram à final. Mas não importava, a nação estava louca de felicidade.

O que nenhum desses quatro sabia, naquele momento, era que tinham, de repente, se tornado as pessoas mais famosas do seu país, e sua marca registrada mais brilhante.

Nem em Paris foi diferente. Na coletiva de imprensa, que aconteceu depois da partida contra Andreev, os jornalistas se empurravam para entrar.

"Então, agora todos vieram? Onde estavam na primeira semana do torneio?", eles perguntaram, brincando, a Djokovic.

Fosse como fosse, ele esperava a semifinal contra Nadal.

Uma partida importante e interessante por vários motivos. Dos 128 jogadores que começaram na chave principal, Djokovic era o 9º. (20 anos e 19 dias), enquanto Rafa, o 12º. mais novo (21 anos e 7 dias) e, considerando as idades, era a terceira semifinal mais jovem na história de Roland Garros na Era Aberta. Djokovic nasceu em 22 de maio de 1987 e Nadal, em 3 de junho de 1986. Curiosamente, desde os 17 anos, na sua primeira participação em Roland Garros, ele sempre comemora seu aniversário no Grand Slam francês.

Há jogadores ainda mais jovens que Novak que estiveram em semifinais: Bjorn Borg (18 anos e 10 dias) e Harold Solomon (21 anos e 272 dias) na semifinal, em 1974; e Michael Chang (17 anos e 109 dias) e Andrei Chesnokov (23 anos e 129 dias), em 1989.

Os ótimos resultados da primeira parte do torneio davam vantagem a Rafa em comparação com Djokovic. Era o único jogador que tinha chegado à semifinal sem um *set* perdido, o que acontecia pela primeira vez na sua carreira. Seu objetivo era se tornar também o primeiro jogador depois de Jim Courier (1993), que conseguiria chegar três vezes em seguida à final de Roland Garros.

Na chamada Era Aberta do tênis, que começou em 1969, quando os profissionais foram aceitos em todas as competições, além de Courier, conquistaram esse sucesso somente Bjorn Borg (1978, 79, 80 e 81) e Ivan Lendl (1984, 85, 86 e 87).

O placar de Djokovic era muito mais modesto. Era o segundo sérvio que chegava à semifinal de um Grand Slam (depois de Boba Zivojinovic, no Aberto da Austrália, 1985, e Wimbledon, 1986), e, no caso de vencer Nadal, seria o primeiro sérvio a chegar à final.

Havia um motivo adicional que trabalhava a seu favor: na competição em Miami conseguira derrotar Nadal. Na verdade, ali jogaram numa superfície dura, mas, no saibro Nadal tinha velocidade. As bolas que no concreto não podia alcançar, nas quadras de terra chegava brincando.

No primeiro *set*, Djokovic se segurou bem, forçando os *drop-shots* que eram suficientes para o jogo. Mas somente por pouco tempo. Na sequência, de repente, não apareceram mais.

"Tentei ficar agressivo, mas sem exagero. Esforcei-me para encontrar oportunidades e ganhar o ponto, então tentava alterar o ritmo com *drop-shots*, chamá-lo para rede e mandá-lo correr para frente e para trás, e não somente para a esquerda e a direita. Acho que a ideia foi boa, pena que não deu certo", constatou Djokovic após a partida. "O primeiro *set* foi apertado, cheguei a 5-5, mas é assim no tênis. Tudo muda de um instante para outro. Acredito que no segundo *set* também tinha chance. Tive a bola para quebra quando ele ganhava por 5-4, mas naquele momento sacou um *ace*. Esse ponto era muito importante, mas não o ganhei. Depois, no segundo *game* do segundo *set*, cheguei à vantagem de 0-40 no seu saque, e acho que foi o momento decisivo. Mas nem esse aproveitei. Se tivesse... Quem sabe o que teria acontecido. Resisti o quanto pude, e depois, no terceiro *set*, perdi a energia. Não me movimentava bem, joguei os três *drop-shots* malsucedidos, e a concentração diminuiu. Cada saque meu, tanto fazia se fosse forte ou colocado, ele conseguia devolver, e todo o tempo seu saque funcionou bem. Quando conseguiu a segunda quebra de serviço no terceiro *set*, percebi que não havia mais volta para mim."

*

As partidas que Djokovic jogou em Roland Garros eram o grande desafio e a grande experiência e, portanto, é irrelevante dizer que foi embora desanimado. Tinha um estilo diferente, caía, como muitos outros também, mas sabia se levantar. Provavelmente, sem isso nunca teria se tornado o que é.

O público curtiu seu jogo, principalmente nas partidas importantes. Muitos ficaram encantados com aquela tensão e incerteza, coragem e prontidão de lutar até o fim, e o número de admiradores aumentava sem parar.

Havia algo, entretanto, extremamente importante: Djokovic percebeu que nos grandes torneios podia chegar até as últimas rodadas, podia lutar igualmente contra todos, não importava quem fosse – Nadal, Federer, ou qualquer outro. Gradualmente, e com trabalho persistente, colocou o foco sobre si mesmo, relaxou, e começou mostrar serviço. O espírito é o que constrói um vencedor, não apenas a força e a técnica. Então, não é somente o ofício, mas também o caráter.

Mas, quem diria, em algum lugar da sua alma estava escondido um *showman*.

Roland Garros, em 2007, além de outras coisas, ficou na memória também pelas famosas imitações de Djokovic de alguns dos seus colegas. Foi a primeira vez que isso aconteceu, oficialmente, porém mais tarde se tornaria sua marca registrada.

Em um dos treinos leves, durante o torneio, Djokovic simplesmente começou a brincar. Naquele momento, nem sonhava que suas imitações de Nadal, Roddick e Maria Sharapova rodariam o mundo inteiro. Sua intenção não era essa, senão se distrair e divertir os outros, porém as gravações, de algum modo, foram divulgadas. Levantou-se uma grande onda, e a mídia a repetia.

Surgira uma nova estrela, em todos os sentidos da palavra.

A TV francesa levou ao ar um concurso de karaokê, do qual participaram muitos tenistas, de ambos os sexos. Cada um deles selecionou um número de sua escolha: Federer se apresentou com a canção de Tina Turner "Simply the best"; Ana Ivanovic optou por Diana Ross e seu grande sucesso dos anos 1980, "Upside Down", enquanto Djokovic escolheu o lendário *one-hit-wonder* de Gloria Gaynor, "I will survive". Cantou certinho, inteira, e, ao final, tirou a camiseta, dando à sua apresentação uma nota *punk*. Não havia vencedor nessa disputa, mas o clipe de Djokovic, em pouco tempo, virou um dos mais procurados no You Tube.

Na coletiva de imprensa, ele explicou sua escolha: "Creio que ficou claro para todos por que cantei exatamente essa canção. Estou brincando, evidente. Ela não tem nada a ver com o que estou sentindo. Simplesmente a melodia estava na minha cabeça alguns dias antes do torneio, e por isso a escolhi".

Os jornalistas perguntaram se alguém já o havia convidado a gravar aquela canção, e ele respondeu na sua, já conhecida, maneira de *Curinga*: "Ninguém ainda me convidou para gravar um CD. Pessoal, estou sinceramente decepcionado".

\*

Depois de retornarem à Sérvia, mesmo sem o título, Ana, Jelena, Djokovic e Nenad foram recebidos como heróis. Cobertos com a bandeira da Sérvia, todos, com exceção de Nenad, apareceram na varanda da Assembleia da cidade de Belgrado.

"Os operários temporários da terra batida, ou seja, os jogadores de saibro", apresentou-os comicamente o locutor do programa, enquanto milhares de belgradinos os receberam com ovações retumbantes.

Os três jovens tenistas estavam encantados, e a troca da energia positiva com seus conterrâneos foi completada com o discurso na varanda: "É uma experiência incrível estar aqui. Obrigado aos que acharam tempo para vir nos saudar. Todas as nossas conquistas são dedicadas a vocês e a todos que afetuosamente treinam e jogam tênis. Prometemos melhorar, e no ano que vem um de nós três vai trazer um título de Grand Slam".

Essas foram as palavras de Djokovic, mas, naquele momento, falava também em nome dos outros, cada vez mais bem-sucedidos, tenistas sérvios, masculinos e femininos. A promessa foi cumprida, mas a missão desses jovens – de mover o tênis da Sérvia do ponto morto, e popularizá-lo – já havia sido cumprida.

Eles fizeram tudo o que estava ao seu alcance e, assim, o tênis, na Sérvia, viveu um verdadeiro *boom*, e no curto prazo, pela popularidade, encontrou-se no mesmo nível do basquete e do polo aquático, havia muitos anos os esportes favoritas dos sérvios.

Evidente que essa não foi a única coisa que começou a mudar.

A imagem infame dos sérvios como os "meninos maus", não merecida, mas espalhada pelo mundo inteiro, começou gradualmente a se transformar. Esta marca tinha durado duas décadas, e estava na hora de ser apagada.

# 21. O CURINGA E A FORTUNA

O torneio em Queen's, na Inglaterra, que tradicionalmente abre a temporada na grama, era a oportunidade ideal para Djokovic se testar antes do início da mais antiga competição do tênis: Wimbledon.

Depois de ter chegado às semifinais em Roland Garros, aconselhou-se com seu time como deveria ser seu cronograma para essa parte da temporada. Não havia muitas razões para preocupação, mas sua forma física, apesar de trabalhada com dedicação, naquele momento era inferior à de Nadal e à Federer. As primeiras duas raquetes do mundo pareciam incansáveis.

Djokovic ainda precisava adquirir o ritmo extremo, tão específico do tênis, como se sua experiência ainda não fosse suficiente. Sustentar o nível do seu jogo o mais alto possível, semana após semana, mês após mês não era fácil, e a pressão que sentia não era pouca.

Assim é a vida de um esportista profissional. Se existem expectativas, a pressão é inevitável. Se a pressão não existe, algo está errado.

Estava no caminho certo, sem dúvida. A temporada estava ainda pela metade e ele, até o momento, já jogara mais partidas do que no ano anterior inteiro. Foi preciso partir para ações estratégicas.

Tendo em vista os esforços que fizera no período anterior, surgiu a ideia de evitar a participação em Queen's, a fim de descansar e organizar as impressões de Roland Garros e chegar a Londres mais tarde do que estava planejado.

Mark Woodforde, seu consultor, especialista em jogo de saque-voleio, não achava uma boa ideia: "Era extremamente importante que Novak passasse devagar para a quadra de grama. Sentir a grama embaixo dos pés. Testar seu movimento e consolidar a tática de ataque. Se tivesse abandonado Queen's, acho que daria um passo atrás, e com essa atitude, daria clara vantagem aos seus adversários, porque eles chegariam a Wimbledon com a constatação de que Novak ficara mais fraco ou cansado demais. Não sei se meu palpite foi decisivo, mas sei que viajamos para Londres logo depois do fim de Roland Garros".

Apesar de ficar livre na primeira rodada, o que lhe deu mais um dia de descanso, não se podia dizer que o tenista sérvio tivera sorte em Queen's.

Seu adversário era o norte-americano Robert Kendrick, que naquela temporada já tinha participado de torneios na grama, o que se pôde notar no seu jogo, principalmente no primeiro *set*, em que Djokovic perdeu. Kendrick sacava forte, os golpes eram precisos, e não permitia que a partida ficasse em um ritmo que favorecesse o sérvio.

A passagem de uma superfície mais lenta como o saibro para uma mais rápida como a grama não é fácil para nenhum tenista treinando somente alguns dias. Sozinho, tentando encontrar seu jogo, Djokovic ficou plenamente ciente disso, ainda mais em Queen's, durante a primeira partida. Esforçava-se para ter cuidado com os movimentos, porque sabia que escorregar, algo útil no saibro, ali pode ser contraproducente, e até perigoso.

No segundo *set*, o norte-americano começou a cometer erros, e a devolução de serviço de Djokovic se tornava cada vez melhor. Encontrara seu eixo, dava para perceber, e o resultado veio. Ganhou o segundo *set* por 6-3, e depois de duas quebras no terceiro, ganhou também.

Passou para a próxima rodada, mas foi parado pelo francês Arnaud Clement por 2-1.

"Fiquei insatisfeito quando ele perdeu em Queen's", diz Mark Woodforde. "Os resultados de Novak na grama eram bons, e tive a impressão de que perdeu com alguma premeditação, como se soubesse que não estava mal neste piso, e quisesse ir para a Sérvia por alguns dias. Foi assim. Quando, no meio da semana, voltou para Londres, o tempo estava instável, e treinamos muito pouco, o que não era o meu plano."

*

Graças à mudança do estilo do jogo nos últimos quinze anos, globalmente, as quadras de Wimbledon tornaram-se "mais lentas", a bola agora não quicava, e era possível jogar pontos mais longos. Tudo isso estava a favor de um jogador como Djokovic, que naquele momento não era nem o melhor sacador, nem um típico jogador de saque-voleio.

Mas estava preparado para Wimbledon, e tinha muito mais chance do que nas duas últimas participações, quando seu melhor resultado for a classificação entre os dezesseis melhores.

O mesmo valeu para muitos outros jogadores da sua geração. No torneio mais cobiçado, todos agora tinham chances maiores.

Para alguns tenistas, femininos e masculinos, o campeonato extraoficial do mundo, como Wimbledon é frequentemente chamado, garantiu fama eterna. Para Boris Becker e Maria Sharapova, era o "lugar do nascimento no tênis", e a lendária Martina Navratilova, com nove pratos de vencedora – como os jornalistas gostavam de dizer –, "podia servir o jantar de campeã para os amigos".

Alguns dos maiores campeões e lendas do esporte branco nunca o ganharam, como Ivan Lendl, por exemplo.

Sua majestade Wimbledon sempre era o torneio onde se preservava a tradição, e as mudanças eram mínimas. Tendo isto em mente, o ano de 2007 era uma prerrogativa.

Os organizadores, finalmente, começaram a construção do teto móvel na quadra central, enquanto na número um foi instalado um *hawk-eye system*[1], e pela primeira vez na história os prêmios eram iguais para a chave feminina e masculina.

---

1 Sistema computadorizado em que um telão na quadra exibe se a bola foi boa ou não, em caso de dúvida levantada pelo tenista. (Nota do R.T.)

Também pela primeira vez, depois de duas décadas, apareceu um campeão nacional: o escocês James Murray. Na verdade, não nas simples, mas nas duplas mistas, junto com Jelena Jankovic.

Na época, Jankovic era apenas uma parte da força tenista dos Bálcãs, ao lado de Djokovic, Ivanovic, Tipsarevic e Zimonjic. Essa fenomenal e imparável onda ameaçava sacudir as fundações dos grandes torneios, principalmente naquele ano.

O tênis sérvio nunca na história tivera tantos prováveis favoritos para ganhar um dos maiores títulos do tênis. A favor disso falavam também os prognósticos da famosa casa das apostas William Hill, em cujos números podia-se perceber que a "febre sérvia de Paris podia se mudar para a zona sudoeste de Londres".

*

Djokovic chegou a Wimbledon como o 5º. tenista do mundo, e provavelmente esperando que o sorteio da chave para o torneio fosse favorável, o que não aconteceu. Diferente de Roland Garros, onde nas rodadas iniciais encontrava-se com os jogadores colocados depois do número cem na lista da ATP, agora, já na primeira rodada, se depararia com o 47º. jogador do mundo, o italiano Potito Starace, contra quem nunca tinha jogado.

Apesar de seu *ranking* não ser ruim, o italiano, nas três tentativas anteriores, não tinha conseguido passar à segunda rodada de Wimbledon.

Djokovic jogou o primeiro *set* em um nível extraordinário. Acertava de todas as posições e conseguiu três quebras de serviço. Ganhou, sem *game* perdido, por 6-0. Starace não teve chance, e conquistou o primeiro *game* apenas no início do segundo *set*, quando igualou em 1-1.

É preciso dizer que Djokovic não jogava com força máxima, mas confirmou-se que não era preciso. No sexto *game* obteve a quebra para 4-2 e, tranquilo, terminou o *set* em 6-3.

Assim continuou. Somente um golpe, uma excelente devolução de *backhand* foi o suficiente, e crucial, para que Djokovic obtivesse a quebra. Chegou à vantagem, e não tinha intenção de perdê-la; sacou, ganhou a partida por 3 *sets* a 0, e passou à segunda rodada.

O triunfo logo no início de Wimbledon foi um bom estímulo para o tenista sérvio, sobretudo porque seu próximo adversário tinha o saque muito forte, o que nas quadras de grama é uma virtude que pode ser de especial importância.

O norte-americano Amer Delic, nascido na cidade bósnia de Tuzla, estreou naquele ano, mas isto não o impediu de atacar com toda solidez. Não teve força suficiente no primeiro *set*, e perdeu por 6-3.

Mas, além do saque, o alto norte-americano era bom na rede. Surpreendentemente bom, na verdade, e o segundo *set* foi dele.

Inesperadamente, Djokovic de novo começou a dominar, e, no quarto *set*, com o resultado de 5-4, chegou à primeira bola de jogo. Se a tivesse aproveitado, seria poupado do *tiebreak*, mas não finalizou. Delic novamente ganhou asas, porque Djokovic tinha problemas com os tênis e a grama escorregadia, e em algumas ocasiões até caiu, tentando chegar às bolas do adversário.

Mas chegava. E, no final, ganhou.

Passou para a terceira rodada. Seu adversário, dez anos mais velho, era o alemão Nicolas Kiefer. Foi uma verdadeira guerra mental, não apenas entre os adversários na quadra, mas também entre eles e a e chuva.

Na estatística oficial consta que a partida durou três horas e trinta e nove minutos; mas, na realidade, durou três dias, porque em várias ocasiões foi interrompida em razão do mau tempo.

Como se fosse regra, aos 20 anos e 39 dias, Djokovic era o mais novo tenista a permanecer na disputa. Sua juventude e força mental foram expostos a um sério teste. Era preciso ficar calmo durante as pausas, por três dias, e o adversário, pelo menos no que diz respeito à experiência, tinha vantagens.

Kiefer era conhecido como um jogador que sempre jogava acima das suas possibilidades, principalmente contra os favoritos e, apesar da lesão no pulso, que o afastou das quadras por mais de um ano, já tinha nove participações em Wimbledon. Em 2005 conquistou seu maior sucesso, quando passou para a terceira rodada. Na verdade, não foram resultados excelentes, mas sim interessantes, porque, naquela época, como 25º na chave, foi o único tenista que conseguiu ganhar um *set* de Federer, que então conquistou seu terceiro título de Wimbledon, e, portanto, o sucesso de Kiefer não foi tão pequeno.

Agora, novamente em boa forma, insistindo com o jogo no fundo de quadra e perseverante no ritmo durante a partida, era um nível para Djokovic.

Infelizmente, a técnica e a tática de ambos os tenistas ficaram impotentes ante as condições do tempo.

Nicolas Kiefer, já no segundo *game* do primeiro *set*, obteve uma quebra; depois, com um saque fenomenal, conquistou vantagem significativa de 3-0.

Djokovic demonstrava insegurança, e as chances de reverter a situação eram mínimas, pelo menos era o que parecia. Mas aconteceu exatamente assim. No primeiro momento, diminuiu para 3-1, e depois respondeu da mesma forma, quebrando o serviço do adversário, e chegou ao empate: 3-3.

Até o fim do *set*, nos próximos seis *games*, ambos os tenistas conseguiram preservar seu saque, e, assim, foram ao *tiebreak*. Djokovic foi melhor, ganhou o *set* por 7-6(4), e a insegurança inicial que demonstrava desapareceu totalmente.

E foi como se deixasse o alemão bravo. O segundo *set* começou mais forte ainda do que o primeiro.

O resultado chegou a 2-2, e começou a chover.

Foi a primeira interrupção das muitas que acompanharam o duelo. Algumas horas mais tarde, a partida recomeçou, e com os dois mantendo seu saque, o segundo *set* também anunciava o *tiebreak*. Quando Djokovic ganhava por 6-5, e Kiefer estava sacando, a partida parou novamente.

Começava assim um "jogo de nervos".

As nuvens acima de Wimbledon não queriam se dispersar de maneira alguma. Os organizadores decidiram transferir o jogo para o dia seguinte.

Os tenistas sabem que, nessas situações, aquele que é psicologicamente mais bem preparado, no final, se sai melhor. E assim foi também dessa vez.

Quando o jogo foi reiniciado, Kiefer era quem comemorava; nos três *games* salvou as três *set points*, e depois, impondo seu ritmo, chegou ao empate por 1-1.

E a chuva de novo voltou a cair. O duelo foi suspenso pela terceira vez.

Chuva em Londres, evidente, não é nenhuma novidade, mas parecia que naquele ano chovia mais persistentemente do que nunca, e que aquele seria o mais longo Wimbledon dos seus 130 anos de história.

O cronograma das partidas na fase inicial do torneio estava totalmente bagunçado e, para piorar, a previsão do tempo anunciava mais chuva.

Muitos dos participantes começaram a ficar impacientes, e alguns, como Rafael Nadal, não hesitaram em reclamar: "Por tudo isso comecei a ficar um pouco enjoado. Você vai à quadra, joga alguns *games* e de novo vai para o vestiário. Este não é um tratamento digno. Estou ciente de que não existe maneira de parar ou evitar chuva, mas existem modos de minimizar essa angústia. Para mim, é totalmente inacreditável a falta de atitude que mostram os organizadores".

Semelhante opinião tinha também o temperamental argentino David Nalbandian, finalista de Wimbledon em 2002: "Os organizadores nem estão preocupados conosco. E assim é cada vez que estou aqui. Fizemos uma pausa no domingo quando o tempo estava bom para, em seguida, sermos obrigados a jogar todos os dias. Não vejo razão para esse tipo de comportamento. E percebi também que todos estão insatisfeitos".

Forçar o "domingo livre[2]" representa uma parte da tradição de Wimbledon, quebrada apenas em três ocasiões, 1991, 1997 e 2004. Mas, dessa vez, os organizadores nem pensaram nessa possibilidade, embora os custos pudessem subir até vários milhões de libras.

Quando as condições do tempo finalmente melhoraram, Kiefer e Djokovic novamente entraram em quadra, esperando que não houvesse interrupções, não importando o resultado.

O intervalo, claramente, caiu melhor para o tenista sérvio, que obteve uma quebra já no primeiro *game* e, em apenas dezenove minutos de jogo, chegou à vantagem de 4-0.

O resto do terceiro *set* foi rotina, e Djokovic ganhou por seguros 6-2. Mas, em seguida, Kiefer começou a mostrar maior resistência e a

---

2 Tradicionalmente não se joga no primeiro domingo do torneio de Wimbledon, um dia reservado à recuperação da grama nas quadras. (Nota do R.T.)

dar o seu máximo, tentando tornar a partida ainda mais interessante. E teve êxito. As viradas seguiram uma atrás da outra, e foi difícil acompanhá-las, tanto quando a liderança entre os dois tenistas.

Como resultado lógico em razão dos acontecimentos, chegou-se ao *tiebreak*, dessa vez decisivo.

Óbvio, não sem uma nova indecisão.

Quando o tenista sérvio perdeu a primeira bola da partida, parecia que o fim havia chegado. Mas, em vez disso, Kiefer cometeu um erro não forçado, e Djokovic confirmou o ditado: "Se quiser ver o arco-íris, é preciso passar pela chuva".

Djokovic venceu. E o duelo de três dias finalmente terminou.

*

O próximo rival de Djokovic era Lleyton Hewitt, o 19]. tenista do mundo e campeão de Wimbledon em 2002. Os dois haviam se enfrentado uma única vez, no Aberto dos Estados Unidos, em 2006, quando o australiano ganhou por 3-0.

Hewitt não era somente um preferido de Wimbledon, mas também um jogador que sabia se comportar muito bem na grama. Era o campeão de s'Hertogenbosch (2001), e em Queen's ergueu a taça por quatro vezes (2000, 2001, 2002 e 2006).

A partida que ele e Djokovic começaram na quadra número um, com o tempo se transformou em uma verdadeira maratona de *tiebreaks*. Dos quatro *sets* que jogaram, três foram assim decididos, e cada um levantava o conservador público londrino.

O primeiro *set*, em que quase nenhum ponto foi resolvido sem a troca de golpes de no mínimo dois minutos, acabou no *tiebreak*: 10-8 em favor de Djokovic.

O *set* seguinte começou com a dupla alternando quebras, novamente terminando em *tiebreak*. Djokovic foi melhor também dessa vez, porém mais firme, perdendo somente dois pontos.

No meio do terceiro *set*, provavelmente em razão de uma leve lesão, o jogo de Djokovic apresentou uma queda. Um profissional como Hewitt aproveitou, e ganhou por 6-4. Este foi o único *set* que conseguiu conquistar até o fim da partida.

Mas o quarto *set* demorou oitenta minutos inteiros. Ambos os tenistas perderam dois de seus saques, e Djokovic tinha de se safar de uma situação nada invejável quando o australiano alcançou a vantagem de 5-4 e também seu saque. E conseguiu, e mais um *tiebreak* foi inevitável.

Seguiu-se um novo drama. Djokovic chegou à vantagem de 5-1, mas Hewitt, de maneira inacreditável, em um piscar de olhos salvou duas bolas e ganhou uma enorme vantagem, diminuindo para 6-5.

Ganhar uma partida como essa, depois de quatro horas e onze minutos, e ainda contra Lleyton Hewitt, foi uma verdadeira façanha. Djokovic se tornou o rei dos *tiebreaks*.

Ele sofreu um desgaste enorme, fortes dores nas costas, e ainda assim enfrentou um adversário muito inspirado, mas aguentou tudo, venceu e chegou à semifinal: "Sinceramente, esperava que a partida fosse difícil, mas não tão desgastante. Isso é incrível. Não sei explicar o quanto essa vitória significa para mim", disse Djokovic após o triunfo, enquanto para Lleyton Hewitt restou esperar a oportunidade para uma revanche.

Ela iria aparecer muito rápido, já em setembro do mesmo ano, quando foi marcada uma partida da Copa Davis entre a Austrália e a Sérvia.

\*

O cipriota Marcos Baghdatis também passou para as quartas de final. E, merecidamente, ganhou de Ernest Gulbis, Nicolas Devilder, David Nalbandian (23º. cabeça de chave) e Nikolay Davydenko (6º. cabeça de chave). Essa foi sua terceira participação em Wimbledon, e sua melhor colocação tinha sido em 2006 quando chegou às semifinais, sendo eliminado por Rafael Nadal.

Aquele ano foi excelente para o tenista cipriota. Além das brilhantes partidas que fez em Londres, no Aberto da Austrália jogou sua primeira final de Grand Slam. Naquela ocasião, derrotou três jogadores *top* 10: Andy Roddick (3º.), Ivan Ljubicic (8º.) e David Nalbandian (4º.). Depois, avançou 44 posições na lista da ATP, e chegou à 12ª. colocação, e, ao final da temporada, à 8ªa.

Naquela época, tornou-se conhecido como um jogador cujo jogo depende muito da maneira como começa a partida. E, provavelmente por isso, caiu para a 16ª. posição em 2007.

Desde o momento em que veio para a quadra, dava para perceber que Baghdatis estava "afiado", e a partida contra Djokovic, que durou cinco horas inteiras, ficou na memória como uma das mais atrativas daquele ano.

Se pudessem escolher, certamente optariam por uma partida mais curta. Mas, por outro lado, ambos sabiam perfeitamente como pode ser doce o gosto da vitória quando tudo é indefinido e se jogam cinco apertados *sets*.

O tenista sérvio teve um começo agressivo, e logo chegou à vantagem de 5-2. Mas, quando todos pensavam que o resultado do *set* estava definido, aconteceu a primeira virada.

Devagar, mas com segurança, o cipriota diminuía a vantagem e conseguiu o *tiebreak*. E, graças à rodada anterior e à partida contra Hewitt, esbarrou em um verdadeiro especialista em *tiebreaks*.

Djokovic recuperou a concentração, usou sua experiência, não lamentou a vantagem perdida, e gradualmente venceu o primeiro *set* por 7-6(4).

Na sequência viu-se um jogo um pouco diferente.

As chances para quebra de serviço não foram criadas, e os adversários foram iguais, correndo pela quadra, acertando bolas nas linhas um do outro. E, de novo, um *tiebreak*.

O cipriota teve três *set points* no *tiebreak* (6-3), mas Djokovic não perdeu a concentração. O saque o ajudou em ambas as vezes, e a vantagem do adversário diminuiu para 6-5.

Mas o perigo não desapareceu. Baghdatis estava no saque, e dessa vez pretendia aproveitar a bola do *set*.

O próximo ponto, um dos mais longos nessa partida, foi finalizado com um erro do tenista cipriota.

Djokovic tirou de si os últimos vestígios de força, e de novo estava no jogo. E de novo "caía", e novamente voltava. Salvou mais alguns *set points* e, no fim, conseguiu chegar à sua primeira oportunidade de fechar o *set*.

Era preciso um saque fenomenal, ou um jogo de fundo de quadra que obrigasse o adversário a ceder. Fez assim. Baghdatis, nervoso com seus próprios erros, jogou a bola para fora.

Djokovic ganhou o segundo *set*, e parecia que ganharia também o terceiro. Chegou à vantagem de 3-1, mas naquele momento começou a sentir o cansaço que se desenhava em seu rosto. A esperada consequência do esgotamento foi também uma queda psicológica, e Baghdatis notou isso. Surgiu, assim, a oportunidade que esperava.

Conseguiu duas quebras, e, depois, ambos os jogadores, com muito esforço, levaram o terceiro *set* ao 6-6.

Se pudesse triunfar naquele *tiebreak*, Djokovic passaria para a próxima rodada. Mas o cipriota ganhou o terceiro *set* por 7-6(3). Para ele, havia somente uma direção: o quarto *set*, no qual entrou em condições muito melhores, psicológica e fisicamente, do que seu adversário.

Seria errado dizer que o nível do jogo do tenista sérvio caiu bastante, mas estava claro que não era suficientemente agressivo. Movimentava-se devagar, estava passivo, diferente do seu estilo típico. Em todo caso, não demonstrava nada além de um jogo sólido.

Até que se levantou novamente. E daí em diante Baghdatis não pôde mais acompanhá-lo.

Djokovic acertava tudo o que queria, principalmente com o *backhand*, e chegou à primeira quebra e à vantagem de 6-5. Bastava apenas sacar com sucesso para o *game*.

Óbvio que não perdeu a chance, e depois de cinco horas na quadra saiu vencedor, direto para a semifinal.

*

O cansaço e a felicidade, evidente, tinham sido os fatores importantes desse jogo. Djokovic, como no torneio inteiro, sacava bem e obtivera 12 *aces*, além de vencer pontos de saque nos momentos decisivas, como contra Hewitt.

Por outro lado, a estatística mostrou que Baghdatis também era mais agressivo, e fez 16 pontos diretos a mais com bolas vencedoras (74-58), porém, cometeu também dez erros não forçados a mais (60-50).

Fosse como fosse, o público em Wimbledon estava muito contente. E Djokovic idem: "O público, especialmente nos últimos dois *sets*, foi fantástico. Naquele momento, o estádio estava superlotado. Ficou claro para todos como a partida estava indefinida, e o quanto estávamos jogando um tênis de alta qualidade. Eu tive, ontem e hoje, partidas incríveis. Ninguém espera duelos tão longos na grama, e é difícil jogá-los também em superfícies mais lentas. Felizmente, meus torcedores são maravilhosos, mas é preciso dizer que os do Marcos não ficam atrás. Ambas as torcidas fizeram a festa nas arquibancadas, e para mim isso é muito importante. Sinto-me feliz quando percebo que tenho apoio. E em Londres isso até agora significou muito para mim, especialmente nos momentos difíceis, que foram muitos".

Baghdatis não escondia sua decepção pela derrota em uma partida que ficaria conhecida como a quarta mais longa na história do torneio até então, mas não poupava elogios ao adversário, que a mídia, agora, por causa do jogo atrativo, do coração valente e da alegria, chamava de o novo Agassi: "Sou um dos primeiros que o 'renomearam' Andre. Ele definitivamente merece ser o sucessor de Agassi, e não importa que não se pareçam fisicamente. O estilo semelhante de jogo, não batem muito forte na bola, mas sabem mandá-la da maneira mais incômoda para adversário. Sacam bem, têm ótima devolução de saque. Além disso, Djokovic é um menino excelente, tem um grande senso de humor, assim como Andre, e muitos tenistas têm uma opinião muito boa sobre ele".

Enquanto os louvores da mídia sobre o tenista sérvio eram mais intensos que a chuva da primeira semana de Wimbledon, ele próprio não tinha tempo de pensar sobre isso. Na semifinal, como em Roland Garros, o esperava Rafael Nadal.

Mark Woodforde diz: "Falava-se muito sobre as chances de Novak em Wimbledon, e naquele momento ele estava cheio de autoconfiança. Eu me esforcei para aproximá-lo o mais possível do fenômeno de Wimbledon. Levava-o pelos atalhos do vestiário à quadra para treinar, às quadras onde se joga e, evidente, à quadra central. Lembro-me de que por algum tempo só ficávamos parados ali. Queria que ele sentisse bem aquele espaço, se acostumasse com aquele meio, principalmente se pensava em levar o título. Então, apareceram algumas pessoas importantes do All England Club, e Novak e Vajda demonstraram respeito, porque eu conhecia todos pelo nome quando lhes apresentava. Disse-lhes que Novak estava ali para respirar a grandiosidade da quadra central, e que esperava que um dia ele também erguesse o troféu de vencedor. As pessoas do clube acenavam com a cabeça, e nos deixaram ficar o tempo que precisávamos, assegurando que Novak não precisava se preocupar, por ter um treinador experiente que o ajudava, e me perguntaram, brincando, quantas vezes venci em Wimbledon."

*

O duelo entre Djokovic e Nadal era a terceira semifinal mais jovem na história de Wimbledon na era aberta. O espanhol, naquele ano, pela terceira vez, tinha conquistado Roland Garros, e o eventual triunfo em Londres lhe garantia o lugar ao lado de Bjorn Borg e Rod Laver, os únicos jogadores que na mesma temporada ganharam Wimbledon e também Roland Garros, dois dos mais prestigiados torneios de Grand Slam.

Diferentemente de Nadal, Djokovic, que jogava as duas mais longas partidas no torneio até então, tinha um pouco menos de pressão nas suas costas. Com o ingresso na semifinal, aguardava-o a posição de terceiro tenista no mundo, e até o objetivo final, apenas dois obstáculos se interpunham.

Um deles era Rafa, que permaneceu na quadra três horas a menos do que Djokovic, pois derrotou com facilidade, nas quartas de final, o tenista tcheco Tomas Berdych.

Djokovic não tinha o que temer, mas também não estava em sua melhor forma.

"Sabia que naquele momento tinha um problema nos pés, com calos dolorosos", contou depois Mark Woodforde. "Ainda hoje balanço a cabeça quando me lembro das injeções que o ajudavam com a drenagem dos dedos sangrentos, que aliviava a insuportável dor que sentia. Mas isso era Wimbledon, e temos de repetir todas as renúncias quando se trata desse torneio. Se não me engano, os pais de Novak também achavam que seria muito perigoso para ele jogar essa partida contra Nadal. Expressaram suas mais sinceras dúvidas sobre a participação. Eles se condoíam quando viam como ele sofria por conta dos problemas que o obrigavam a se encolher cada vez que dava um passo".

Apesar de tudo, Djokovic decidiu ir para a quadra. E começou bem. Esforçava-se para que os pontos não fossem longos, sacava e colocava bem as bolas curtas, o que não agradava Nadal. Depois do brilhante início e da vantagem de 3-0, após manter com êxito seu saque, em 37 minutos chegou a 1-0.

Para Nadal, esse não foi um obstáculo intransponível. No *set* seguinte, devolveu na mesma moeda e chegou a 3-0, e depois, ainda mais rápido, a 6-1. Logo a seguir Djokovic pediu tempo, e o médico remediou-lhe as bolhas no pé esquerdo. Mas era óbvio que não aguentaria por muito tempo.

Mark Woodforde se lembra: "Na época, eu tinha contrato com o *Canal 9*, da TV australiana, atuando como comentarista de Wimbledon, e os produtores queriam que fizesse comentários sobre as chances de Novak vencer Rafa. Lembro-me de que os avisei como estava a situação de seus pés e que isso, com certeza, influenciaria no resultado, mas meus colegas John Newcombe e Fred Stolle não acreditaram em mim. Achavam que eu estava protegendo Novak. Isso até ele pedir o tempo médico e depois, a câmera focalizar seus pés. Estavam totalmente ensanguentados. Mas nem isso os convenceu. Disseram: 'São somente bolhas, todos os tenistas, de vez em quando, sofrem com esse problema. Não precisa nos enganar dizendo que a situação está pior do que realmente é'".

Claro que ele não estava convencido, continuou a jogar, mas se movimentava mal.

Com a vantagem para Nadal de 4-1, Djokovic decidiu que a saúde, apesar de tudo, era mais importante e se retirou, tornando-se o primeiro jogador da Era Aberta que, por cauda de uma lesão, não pôde terminar a partida da semifinal.

"Meus colegas do estúdio ficaram chocados", relembra Mark Woodforde. "Ninguém se retira na semifinal de Wimbledon, mesmo que lhe caiam as pernas. E Novak fez exatamente isso. Disseram-me que eu estava convencido por ele, porque justifiquei sua saída em razão das bolhas. Eu vi como a lesão era séria. Mas, por outro lado, estava um pouco surpreso, porque os dois *sets* tinham sido disputados, e o terceiro estava correndo já havia um bom tempo. Devo confessar que eu não desistiria. Para mim, seria mais esportivo persistir até o fim e perder por 3-1."

Roger Federer foi para sua quinta final consecutiva, e também se lembra desse momento difícil: "Encontrei Novak no vestiário antes da partida contra Nadal. Não parecia bem, e não estou surpreso que tenha entregado o jogo".

Rafael Nadal relembra também e mostra compreensão: "Jogar na semifinal depois de tudo o que ele passou nos últimos dias e do excelente tênis que demonstrou era realmente difícil. Lamento que isso tenha acontecido".

E, como sempre, Djokovic se esforçava para ser otimista.

O fim da participação em Wimbledon 2007, para ele, era um novo começo. Tornou-se o terceiro jogador do mundo, e era claro que ainda haveria muitos torneios de Wimbledon e partidas contra Rafa: "Mostrei que mereci estar em uma semifinal. É verdade que em razão das dores pensei em desistir antes de entrar na quadra. Fiquei surpreso por ter ganhado o primeiro *set*. Não me sentia bem, e me movimentava mal. E sabia que, se o Rafa começasse a me mandar para todos os lados, estaria perdido. E isso aconteceu no segundo e no terceiro *sets*. Quando se fala assim, a distância, que meu problema eram as bolhas, talvez soe como algo pequeno, mas não é. Trata-se de uma infecção que contraí durante a partida anterior, e que se espalhou com o tempo. A noite inteira não dormi, porque as bolhas começaram a sangrar, e de manhã, quando acordei, mal consegui andar. Queria evitar maiores complicações, e é preciso considerar também minha exaustão. Se olharmos apenas a quantidade de horas que percorri na quadra durante esse Wimbledon, acho que tudo fica claro. Joguei partidas muito longas e, por causa dos adiamentos em razão da chuva, fiquei com a impressão de que quase todos os dias estive em quadra. Sou um ser humano, é comum sentir problemas após tudo que consegui nos últimos dias".

\*

A dor e o cansaço naquele momento eram mais fortes do que Djokovic, mas, felizmente, veio-lhe uma curta pausa durante a qual conseguiu descansar.

Enquanto isso, houve mudança na equipe. Mark Woodforde foi embora.

"Acho que os resultados que Novak conquistou enquanto trabalhávamos juntos são indiscutíveis", diz Mark. "Com muita vontade e confiança em si mesmo, seu jogo se consolidou. Eu literalmente curti a cooperação com Vajda, nós nos entendíamos perfeitamente, pelo menos do meu ponto de vista. Os pais de Novak eram muito gentis comigo, e ele reagia bem às minhas sugestões. Em seu desejo de progredir e aprender o máximo possível sobre tênis, transformou-se em estrela mundial e o primeiro pretendente ao trono do tênis. Acredito que sentia que havia algo que podia aprender com alguém novo ou mais conhecido, e acreditei que continuaríamos com a cooperação devido à aproximação da turnê norte-americana, inclusive o Aberto dos Estados Unidos. Ele tirou férias – realmente merecidas – e ouvi dizer que apareceu no torneio de Umag, jogou contra Viktor Troicki e perdeu. Eu não assisti a esse jogo, mas me disseram que Novak estava abaixo da média. Por que escolheu um torneio no saibro praticamente embutido entre a temporada de grama e piso duro? Não sei. Quando falei com seu diretor, Alon Kaksuri, perguntando quando Novak viria a Cincinnati – onde também participei nas partidas de veteranos –, para criar um plano para Nova York, me disseram que não teríamos nada disso. Como comprovado, a culpa pela derrota em Umag foi transferida para as minhas costas, porque Novak, supostamente, saía demais para a rede. Nunca descobri se Novak pensava assim também, se Vajda estava insatisfeito, se Srdjan e Dijana pensavam que eu não lhe dava os bons conselhos, nem qualquer outra coisa sobre esse tema."

Certamente, em Umag Djokovic não brilhou.

Ganhou a primeira partida contra o tenista espanhol Pablo Andujar por convincentes 6-1, 6-3, e depois, na segunda rodada, por 2-1 em *sets*, perdeu por 2-1 para Viktor Troicki, seu conterrâneo que, na 176ª. posição, estava com pressa de se juntar aos "tufões da Sérvia", como a mídia chamava os tenistas masculinos e femininos do país.

"Os sérvios já estão pensando como vão ocupar todas as dez posições do *top* 10 do tênis mundial", escreveu o *Guardian* inglês.

*

Confirmou-se que a derrota de Umag não foi somente isso, mas também a oportunidade para descanso e encontro com algumas pessoas queridas. Uma delas era o então treinador de Djokovic no clube de tênis Partizan, Marko Djokovic: "Nessa época comecei a trabalhar mais com seus irmãos, primeiro com Djordje, e depois, quando a situação financeira deles melhorou, também com o irmão do meio, Marko. Novak e eu nos encontramos em Umag, onde seus irmãos trabalhavam como pegadores de bola no torneio, e treinava com ele porque Vajda, naquele momento, não podia estar presente. Como sempre até então, nos divertimos muito, mas passávamos pela preparação física, e armazenávamos energia para os Estados Unidos".

Outra pessoa presente naquele mês de julho em Umag era o mentor de Djokovic, Niki Pilic: "Para mim, a comunicação com Novak sempre foi fácil, e raramente acontecia que treinador e jogador assim se entendessem. A síntese entre nós era boa, e não me surpreendi nem um pouco quando ele e seu pai me perguntaram se me juntaria à equipe da Sérvia na próxima Copa Davis. A pergunta foi feita ao meio-dia, e à noite já dei a reposta. Aceitei. Naquele momento, Dejan Petrovic tinha renunciado à posição de técnico, e no seu lugar veio Bogdan Obradovic, que trabalhava nas categorias jovens com todos da equipe da Sérvia, e com quem tinha uma relação excelente. Bogdan era um intelectual que sabia admirar minha experiência. E como o tempo mostrou, nos encaixamos muito bem".

A ligação específica que existia entre Niki Pilic e seu então predileto, que caminhava ininterruptamente para o topo, era um dos mais fortes motivos para que esse respeitado especialista decidisse, como consultor, ajudar a equipe sérvia. O objetivo não foi apenas o ingresso no grupo mundial, mas também de chegar o mais rapidamente possível ao troféu, o que logo aconteceria.

# 22. 3, 2, 1 – NOVAK

Os treinos e as partidas forçadas, a falta de tempo e as viagens permanentes geram uma pressão enorme, e contra ela deve-se ter pensamento positivo. E sorrir.

Assim é Djokovic. Tênis é a sua escolha profissional, mas, apesar do trabalho, não se recusa a curtir a vida.

*

Antes da abertura da Copa Roger, um Masters 1000 disputado na segunda metade de agosto, em Montreal, os organizadores preparavam a tradicional "Noite de moda para jogadores", um desfile do qual também participam os tenistas. Alguns deles, como James Blake, Marcos Baghdatis e, claro, Djokovic, desfilaram na passarela na companhia de belas modelos.

O tenista sérvio primeiro saiu ao estilo "Embalos de Sábado à Noite" (*Saturday Night Fever*) e, em seguida, para surpresa geral, desfilou na passarela em trajes íntimos.

Apesar de esse evento não ter sido gravado, pelo menos não oficialmente, a imagem logo veio a público.

Djokovic se esforçou para não comentar, mas não conseguiu evitar as perguntas dos jornalistas: "Nada foi planejado. Quis somente brincar e distrair os presentes. O clima nos bastidores foi ótimo, andamos pela passarela, e perguntei a James Blake quanto me pagaria se saísse mais uma vez apenas com a roupa de baixo. Ele respondeu: 'Muito'. E eu disse: 'Ok, mas não sozinho'. Baghdatis estava por perto, e o convidei para me acompanhar. No primeiro momento ele topou, mas depois voltou atrás. Pressuponho que já percebia que depois passaria por esta chatice com jornalistas, como está acontecendo agora comigo. Marcos desistiu, mas o tenista italiano Adriano Biasella decidiu sair comigo. As pessoas na plateia estavam totalmente confusas, mas logo começaram os aplausos e as exclamações, e para nós foi fenomenal. Blake me disse depois que tinha separado o dinheiro, e que tinha valido a pena assistir à miniapresentação que fizemos. Mas claro que não peguei o dinheiro, foi apenas uma brincadeira. E acho que nenhum dos meus colegas ficou muito surpreso. Eles me conhecem. Apenas ficaram tristes porque não dancei. Então... Talvez numa próxima ocasião".

Numa TV canadense local essa performance foi incluída entre os dez eventos mais interessantes que ocorreram no torneio.

Mas, quando se trata de tênis, com Djokovic não tem brincadeira. Era uma semana para guardar na lembrança, e ele jogava como se estivesse em transe. Com um jogo muito forte, de ataque, bem orientado e devoluções excelentes, derrotou Nicolas Kiefer e David Nalbandian, e passou às quartas de final.

Ali, o esperava Andy Roddick, a raquete número cinco do mundo. O norte-americano, que naquele momento estava entre os melhores sacadores no mundo, senão o melhor, esperava ganhar o maior número dos pontos com os golpes iniciais, inclusive o que lhe daria a vitória. Mas não esperava uma devolução de saque tão boa. O americano sacava bem e Djokovic conseguiu fazer o inacreditável: obrigar Roddick a jogar pontos longos.

O primeiro *set* passou com trocas de golpes pouco decisivos. Aproximava-se o *tiebreak*.

Roddick não estava acostumado com esse tipo do jogo, e tentava se manter calmo. Seus saques foram ótimos, mas não o suficiente. Djokovic sacava igualmente bem, e até melhor, o que pôde confirmar: "O saque foi o melhor segmento do jogo. Quando você joga contra um jogador como Roddick, o saque é extremamente importante. Isso lhe possibilita ter uma boa base para continuar. Acho que desse modo lhe impus um ritmo que o surpreendeu. E na minha mente, todo o tempo, pensava que, depois da devolução do seu saque, devia jogar o melhor possível no fundo de quadra".

*Tiebreak*. Djokovic ganhou o *set* 7-6(4), e para Roddick não havia mais solução.

Depois da quebra no décimo *game*, no segundo *set*, Djokovic entrou na semifinal.

Derrotou o rival seguinte no piso duro (quartas de final em Miami), e na partida contra Nadal entrou confiante.

Mas partida fácil contra Rafa, independente do tipo de superfície, simplesmente não existe.

*

Djokovic e Nadal já se conheciam bem, sabiam tudo sobre o jogo um do outro; ali não havia mais segredos.

O tenista sérvio, com todo direito, se apoiou no seu saque. E ainda bem que assim fez, pois ganhou 80 % dos pontos no primeiro saque.

O primeiro *set* foi decidido em detalhes e nas últimas jogadas da série com placar de 7-5 para Djokovic, mas o espanhol não se sentiu desencorajado. Nas duas rodadas anteriores também tinha perdido o primeiro *set*, e no fim saiu vencedor.

Aliás, parecia que a vantagem do adversário despertava nele uma gana de ganhar, então, no quinto *game*, com o resultado 2-2, tinha ainda juntas as três bolas de quebra.

Esperava-se que Djokovic demonstrasse a força dos nervos de aço, ou então, o fracasso.

Ele escolheu a primeira opção. Salvou o primeiro *break point* uma vez, depois a segunda e no fim também o terceiro ponto de quebra para que, no final, ganhasse o *game*, dado como perdido.

Nadal tinha, durante a partida, nada menos do que oito bolas de quebra de serviço a seu favor, mas não aproveitou nenhuma.

Ao contrário disso, Djokovic tinha a metade das chances, mas realizou duas das quatro oferecidas. E uma delas foi a chave. No oitavo *game* do segundo *set*, com a vantagem de 4-3, quebrou o saque do oponente e no *game* seguinte sacou soberanamente para sua segunda vitória na temporada contra Rafa.

"Vi que estava sofrendo com o saque", Djokovic disse depois, "principalmente no primeiro *set*, e foi somente questão de tempo para surgir minha chance verdadeira. Sabia que ele nunca desiste, nem quando perde por 5-0. Tinha de aproveitar as oportunidades que ganhei nesses momentos cruciais."

Com essa vitória, Djokovic emendaria a terceira final de um Masters 1000 em seguida, no continente norte-americano, após Indian Wells, onde perdeu exatamente para Nadal, e Miami, onde ganhou o título de campeão.

Em Montreal, o sucesso veio após derrotar o segundo do mundo, Rafael Nadal, e Roddick, um especialista em quadras duras. Faltava apenas um intocável, o defensor do título, Roger Federer.

Todos os prognósticos foram a favor do suíço. Era o primeiro jogador do mundo, e Djokovic nunca conseguira uma vitória contra ele. Mais do que isso, a vitória em Montreal daria para Federer o jubileu do 50º. título. É possível imaginar quanto ele o desejava...

Claro que Djokovic também estava motivado, e muito. Se derrotasse Federer pela primeira vez, não somente ganharia o segundo Masters na carreira, mas também se tornaria o primeiro tenista a vencer, no mesmo torneio, Roger e Rafa desde quando se tornaram os números 1 e 2 do tênis. Acima de tudo, com a vitória em Montreal, se tornaria um dos poucos tenistas a conseguir vencer o número 2 e o 1 da lista da ATP, em sequência, na mesma competição.

Tal feito havia sido alcançado apenas pelo lendário Boris Becker (Estocolmo, 1996) com a vitória sobre Ivanisevic, Stich e Sampras.

Djokovic começou muito bem a partida. Ganhou seus dois *games*, fez a quebra, e começou vencendo por 3-0, mas o suíço devolveu na mesma moeda. Empate: 3-3. Nos quatro *games* que se seguiram, cada tenista venceu dois, com ambos segurando seu saque, e o resultado estava em 5-5.

No *game* seguinte, de maneira muito estranha, Federer conseguiu a quebra. Djokovic tinha uma bela vantagem de 40-0, mas perdeu os cinco pontos seguintes. Qualquer outro, em uma situação dessas, perderia não somente pontos, mas também a cabeça.

Exatamente quando todos esperavam um saque seguro e um *game* novo para o suíço, Djokovic demonstrou uma impressionante força mental. Salvou as três bolas consecutivas do *set* e conseguiu o *tiebreak*. E nesse desempate, que poucos esperavam, de imediato conquistou a vantagem de 3-0.

Esta grande vantagem não foi desperdiçada, e Djokovic triunfou merecidamente por 7-2, enquanto o público se mostrava totalmente confuso.

No jogo do primeiro tenista do mundo algo não funcionava, cometeu quatorze erros não forçados e não tinha nenhuma bola vencedora, os *winners* do seu famoso *backhand*. O trono do rei do tênis estava abalado, mas o sangue frio não o abandonava, e por decisivos 6-2 Federer ganhou o segundo *set*.

Djokovic comenta: "É comum ter, durante a partida, altos e baixos, principalmente quando você joga a final contra o número 1. Federer se sente à vontade em todos os lugares onde joga, em qualquer piso e contra todos os adversários. Para ele, isso é mais ou menos a mesma coisa. Para mim, essa partida foi, antes de tudo, um grande estímulo. Nunca antes joguei uma final contra ele, mas por isso aprendi, das nossas partidas anteriores, algumas coisas muito importantes".

Uma delas, seguramente, foi: depois do empate em *sets*, não se pode deixar o adversário ficar muito tempo em vantagem psicológica. Exatamente deste modo, e para surpresa geral, Djokovic logo fez a quebra. Ou podemos dizer: Federer perdeu seu saque.

Mas, como ele conhecia esse tipo de situação, a vantagem do tenista sérvio não durou muito. Com um jogo fora do comum, Federer conseguiu voltar para a partida, e depois de pouco mais de duas horas de jogo, ficou claro que o novo campeão de Montreal, fosse quem fosse, seria decidido em mais um *tiebreak*.

"A final que quase causou infarto", anunciavam as manchetes dos jornais sérvios.

E foi mais ou menos assim mesmo, porque, nos primeiros três pontos, não havia como ter a menor ideia do resultado. Progressivamente, a imagem ficava cada vez mais clara. Djokovic acertava de todas as posições; criou uma série brilhante de golpes e chegou a 6-1.

O espírito vencedor de Federer teria sua prova de fogo. Será que o gênio de Basileia, cidade natal de Federer, poderia marcar cinco pontos consecutivos contra o garoto que ameaçava tirar seu título?

Em razão da possível derrota, os músculos do seu rosto contraíam-se involuntariamente.

Djokovic não conseguiu de primeira, e o suíço ficou no jogo. Valia cerrar os dentes e tentar de novo. Federer esperou, preparado, o novo saque, e em um piscar de olhos estava perto da rede.

Talvez esse tenha sido o mais bonito ponto nessa partida épica. Djokovic fez uma estimativa correta da situação em que se encontrava e se defendeu com um *lob*, uma bola por cima do adversário. Federer começou a correr para o fundo de quadra, mas seu plástico golpe entre as pernas[1] acabou na rede.

Djokovic caiu na quadra, de tão feliz, levantou e triunfalmente jogou a raquete para o público em êxtase.

*

Olhando as estatísticas, Djokovic tinha o porcentual de aproveitamento de primeiro saque muito mais fraco (59 % contra 80 % de Federer), mas foi melhor e mais habilidoso nos momentos cruciais.

No Masters 1000 em Montreal, era evidente o quanto tinha amadurecido como jogador, pois sabia reagir perante as situações mais desagradáveis, tanto na quadra como fora dela.

Aliás, no momento de entrega das taças, os organizadores do torneio cometeram um grave erro. O apresentador da cerimônia anunciou o vencedor: "Novak Djokovic, da Croácia".

Uma surpresa desagradável para todos os amantes do tênis na Sérvia que assistiram à partida pela TV, mas também para todos os torcedores do tênis sérvio que se encontravam naquele momento nas arquibancadas.

---

1 Este golpe foi batizado de Grand Willy, em homenagem ao argentino Guillermo Vilas, que o executava com primor. (Nota do R.T.)

Djokovic, de imediato, percebeu que estava em um "campo escorregadio". Permaneceu tranquilo pois não era momento para euforia. De modo diplomático, como fazia tão bem, explicou quem era e de onde vinha, quebrando, tranquilamente, a sensação de embaraço geral. "Primeiro, tenho certeza de que o senhor não quis cometer esse erro.

Eu sou da Sérvia, e não da Croácia. Não estou zangado, não precisam ficar com medo, é a mesma coisa". A tensão diminuiu um pouco, e ele continuou: "Gostaria de agradecer a todos que ficaram do meu lado, patrocinadores, treinadores, o público... Foram brilhantes a semana inteira. Estou feliz, meu sonho se realizou. Conquistar um torneio tão grande e vencer talvez o melhor jogador de todos os tempos, era realmente meu grande sonho. Espero que Roger, que foi excelente, não fique bravo por eu dizer que não se pode ganhar tudo. Alguém deve derrotá-lo! Obrigado a todos. Venho no próximo ano para defender esse troféu!".

Até Federer sorriu.

*

A semana fenomenal de Djokovic no Canadá foi conquistada pelo número três: em três dias venceu três grandes jogadores e manteve-se na terceira posição da lista da ATP.

Seu sucesso em Montreal, na verdade, era realidade, e não sonho. Na lista das proezas do tênis de 2007 que a ATP montou, a sequência das vitórias contra Roddick, Nadal e Federer ocupou a 5ª. posição.

"O que você acha de essa competição talvez mudar de nome?", perguntou-lhe um jornalista, fazendo alusão à situação, no terceiro *set*, quando um torcedor de Federer gritou: "Essa é a Copa Roger!"[2], ao que ele respondeu, rindo: "Isso foi engraçado. Não tenho nada contra os patrocinadores, mas é óbvio que preciso ativar alguns contatos para que o nome do torneio deste ano mude para Copa de Novak".

*

---

2 Roger é a marca do patrocinador do Masters do Canadá. (Nota do R.T.)

Cheio de autoconfiança depois de Montreal, Djokovic continuou a turnê pelos Estados Unidos. Seu próximo destino era Cincinnati, onde, na primeira rodada, ficou livre, saindo como *bye* e graças à derrota para Carlos Moya na segunda rodada, por 6-4 e 6-1, totalmente inesperada, ganhou férias prolongadas antes do Aberto dos Estados Unidos (US Open).

*

Quando no final de agosto começou o quarto e último Grand Slam da temporada, os olhos do mundo do tênis estavam voltados para o palco no qual desfilaram, orgulhosos, Ana Ivanovic, Jelena Jankovic e Novak Djokovic.

Na Sérvia, o US Open 2007 foi recebido com uma atenção que até então não contava em nenhuma competição do tênis. Os excelentes resultados do melhor tenista sérvio e das duas tenistas sérvias conseguiram tornar o tênis um dos esportes mais assistidos no país (na verdade, naquele momento, ainda somente na televisão).

As expectativas dos torcedores eram enormes! E com razão.

Ana, Jelena e Djokovic conseguiram quase tudo o que é possível conquistar no tênis. Tudo, e algo mais, aquele triunfo mais importante que consagra o lugar inesquecível na história do esporte branco: a conquista do título no torneio de Grand Slam.

Parecia, em razão dessas diversas circunstâncias, que o tênis sérvio poderia atingir seu ponto culminante exatamente no US Open. As esperanças e desejos eram grandes, mas o sorteio não era fácil.

As maiores chances, claro, foram dadas para Djokovic, o 3º. jogador do mundo, que naquele ano já vencera em uma superfície semelhante, dura, os maiores favoritos. Dos seis títulos ATP na sua carreira, durante 2007, conquistou quatro e, destes, dois foram nos torneios da série Masters 1000, o que tinha um peso especial quando dos prognósticos de quem poderia ser uma surpresa.

Em uma das suas entrevistas, Federer declarou que no Aberto dos Estados Unidos ainda não enxergava Djokovic como um obstáculo sério, porque não ganhara nenhum título de Grand Slam. Não se tratava de falta de respeito ao jogo do tenista sérvio, ao contrário, pois o suíço sabia exatamente de onde vinha o perigo. Parecia uma tática elaborada com precisão.

Sobre esse comentário, Djokovic disse: "Cada um tem direito à sua opinião, e não posso julgar isso. Respeito o que disse, e sobre ele realmente tenho somente palavras de elogio. Ele é um *gentleman* na quadra e também fora dela. E tem razão, até agora certamente não consegui chegar até a última rodada nos Grand Slams. Mas joguei uma quarta de final e duas semifinais, então acho que a experiência de final está se aproximando rapidamente. Não me preocupo com isso, tenho apenas 20 anos. Estou me esforçando em ficar feliz com os novos desafios, um passo de cada vez. Estou chegando devagar".

No seu terceiro US Open, a sorte brincou com Djokovic logo no início. Pelo sorteio foi decidido que na primeira rodada jogaria contra o croata Mario Ancic, que só não era um dos cabeças de chave porque havia enfrentado problemas com as lesões durante toda a temporada. No início de 2007 havia sido diagnosticado com mononucleose, motivo pelo qual teve de ficar parado alguns meses e, quando finalmente começou a atuar, machucou o ombro. Com a desistência de Ancic, Djokovic ganhou como primeiro adversário o *lucky loser* Robin Haase, tenista da Holanda que não tinha nenhuma chance, e perdeu por 3-0.

A rodada seguinte trouxe mudança. Em vez do adversário que não podia acompanhá-lo em nenhum segmento do jogo, agora chegava Radek Stepanek, jogador cuja maior força se encontrava em um saque de canhão, acompanhado por rápidas subidas para a rede.

Tendo isso em vista, era lógico que Stepanek preferia as quadras rápidas, como as do US Open. Mas as chances de Djokovic estavam no lado contrário – as longas trocas de bola do fundo de quadra com as quais o tcheco lidava mal, razão pela qual, com bolas curtas, atraía seus adversários para a rede.

A partida disputada era extremamente estranha para o início de um Grand Slam. A batalha durou 4 horas e 40 minutos, como se o jogo fosse para a conquista do título, e não valendo vaga para a terceira rodada.

Jogava-se num nível altíssimo, o tempo todo. Os primeiros dois *sets* foram finalizados em *tiebreak*, um para cada jogador, e os saques vencedores serviam a ambos. Stepanek chegava aos seus pontos com voleios, enquanto Djokovic normalmente esperava os erros do outro, ou quando Stepanek ia para a rede e tomava passadas.

No terceiro *set*, Djokovic começou a diminuir sua movimentação, sem se posicionar para os golpes, errando muitos *passing shots*. Para aumentar a angústia, nos momentos mais críticos o saque o abandonou também, exatamente o golpe que brilhava no período anterior, agora parecia evaporar.

Numa continuidade lógica dos acontecimentos, o jogo sem vigor levou à falta de autoconfiança, o que trazia consequências, piorando ainda mais o jogo.

Os golpes de Djokovic, cada vez mais passivos, e um grande número de *slices* de *backhand* mal jogados permitiram ao tcheco a vantagem de 2-1 em *sets*.

E o cansaço os contagiou.

As dificuldades físicas se manifestaram principalmente no quarto *set*, quando ambos os jogadores solicitaram atendimento médico. Apesar de tudo, a tensão não diminuiu.

Stepanek e Djokovic jogavam sem descanso, mas, como já estavam no fim das forças e sem possibilidade de se apoiar na tática, muitos pontos foram totalmente arriscados. A aptidão de arriscar, a cabeça fria e, obviamente, a sorte decidiram o vencedor desse *set*. Djokovic conseguiu a vantagem de 3-1, com parcial equilibrada de 7-5.

O público assistia à partida com a respiração presa, e no quinto *set* o contato com os jogadores foi fortalecido. Depois de alguns pontos, ambos estavam tomados por muitas emoções e erguiam as mãos pedindo o apoio da arquibancada.

Os torcedores não os decepcionaram. Afinal, assistiam a um espetáculo raro, e agora se disputava o *set* decisivo. Quando, finalmente, chegaram ao *tiebreak*, graças aos muitos golpes atrativos, o clima esquentou.

No momento do desempate, saiu-se melhor o jogador sérvio. Tinha a vantagem de 6-2 no *tiebreak* e estava a um passo de terminar uma das mais emocionantes partidas de sua carreira. Somente mais um ponto, e finalmente acabaria.

Após uma breve troca de golpes, Stepanek correu para a rede, Djokovic alcançou a bola e a golpeou com toda força. O tcheco se deslocou para o lado, pensando que seria bola fora. Mas se enganou.

O público estava em pé, e Djokovic, feliz, caiu de joelhos. Depois, ele declararia: "Estou satisfeito, porque nem sei como consegui vencer. Existiam muitos elementos negativos no meu jogo, e sei que não demonstrei o meu máximo. Stepanek tinha um saque perfeito, e também os voleios, e devo dizer que também melhorou drasticamente o jogo de fundo de quadra em comparação com a última vez quando jogamos um contra o outro. Ele gosta de jogar nesse tipo de piso, e mostrou isso hoje. Foi uma verdadeira batalha. Ambos podemos ficar orgulhosos".

Djokovic disputou a partida seguinte no estádio Arthur Ashe, o maior do mundo, e pela primeira vez à noite. O adversário era o mais jovem tenista que permanecera na disputa, Juan Martin Del Potro, de 18 anos.

Os especialistas anunciaram o argentino como o representante da nova onda. Mas, apesar de mostrar seu talento, não teve qualquer chance. Djokovic o derrotou por 3-0 (6-1, 6-3, 6-4).

Foi uma vitória fácil, daquelas que propiciam a oportunidade para um pouco mais de descanso antes da próxima rodada.

*

Juan Monaco tinha enfrentado uma temporada muito bem-sucedida. Conquistara os três torneios e chegara ao seu *ranking* recorde: 23º. lugar na lista da ATP. Agora, entrava na quarta rodada do US Open, e fez seu melhor resultado em Nova York. Nas suas duas primeiras participações tinha saído logo no início.

Além de tudo isso, contra Djokovic jogou apenas uma vez e perdeu (Wimbledon, 2005) e, por isso, parecia que o tenista sérvio não tinha razões para preocupação. Mas, em relação à qualidade das partidas já disputadas nesse US Open, Djokovic estava muito abaixo do seu máximo, principalmente quando se tratava do saque.

Na verdade, essa partida foi bastante vacilante, simplesmente porque Djokovic, com frequência, entregava os pontos, cometendo erros atípicos para um tenista do seu calibre. Mas, quando foi preciso finalizar o duelo, a dinâmica do jogo de repente caiu. E graças aos dois tenistas.

O terceiro *set* passava devagar. No primeiro Djokovic venceu por 7-5, ganhou o segundo no *tiebreak*, com 7-6(2). E novamente houve a disputa de um *tiebreak*, quando a partida mudou radicalmente.

Graças à excelente antecipação na rede, Monaco chegou à vantagem de 4-3, no desempate e logo a 5-3. Em seguida, aconteceu algo incomum: do bolso do argentino caiu a bola de reserva e, como já tinha acontecido uma vez, ele perdeu o ponto.

Monaco estava zangado, e Djokovic, depois de dois pontos ganhos em seguida, chegou ao *match point*. Mas não conseguiu. O argentino neutralizou com sucesso, e, com um brilhante saque, teve a oportunidade de ganhar o *set*.

A troca dos golpes ferozes durante o ponto durou tempo demais, e o primeiro a errar foi o tenista sérvio, quando jogou um *backhand* cruzado para fora, dando o *set* para seu adversário. O resultado foi de 7-6(7) para o tenista argentino.

Monaco ficou sem energia, e no decorrer da partida mostrou isso. Movimentava-se lentamente e não conseguia se preparar para os golpes. Cometeu uma série dos erros de *backhand*, e Djokovic aproveitou. Depois de duas quebras em sequência, o sérvio chegou a 6-1 e à nova vitória, devagar, como se não tivesse tido nos *sets* anteriores uma luta indefinida.

*

Logo depois apareceu a chance da revanche contra Carlos Moyá, da derrota sofrida na segunda rodada de Cincinnati. O espanhol era quase onze anos mais velho, a maior diferença de idade entre os jogadores desde 2004, quando Agassi perdeu para Federer, também nas quartas de final.

Quando Carlos Moyá ganhou o primeiro Grand Slam (Roland Garros, 1998), Djokovic era garoto. Agora, aos 31 anos, o espanhol era o mais velho tenista do torneio.

Djokovic diz sobre ele: "Moyá é um jogador de topo. Essa é a sua grande volta, basta ver o que conquistou durante o ano. Acho que no momento joga o mais maduro tênis da sua carreira, talvez o melhor. Agora tem experiência. Ele sabe como se joga para a classificação para a semifinal, como se joga na quadra central e nas grandes partidas, e nos pontos importantes. Além disso, considero que ele tem certa vantagem, porque ganhou de mim nas últimas duas partidas. Espero que dessa vez eu esteja à altura do desafio".

Com a vitória contra Moyá, Djokovic se tornaria o segundo jogador, além de Federer, que no mesmo ano disputou as três semifinais nos torneios Grand Slam.

Tendo isso em vista, a tática para o jogo das quartas de final foi baseada na disposição de assumir riscos – e sempre que teve oportunidade Djokovic arriscou. Um pouco graças à sorte, mas também aos saques, neste momento do campeonato bem melhores e extremamente velozes, ganhou o primeiro *set* (6-4). E, na sequência, Moyá conseguiu se adaptar, e chegou o *tiebreak*.

Djokovic ganhou o primeiro ponto com um *ace*, mas, por causa de alguns erros, dos quais dois poderiam ser fatais, perdeu logo a vantagem, e Moyá assumiu a liderança.

A sorte para Djokovic veio do saque. Assim, conseguiu se manter até 7-7, quando finalmente assumiu a vantagem. Conseguiu ainda defender os três maravilhosos *forehands* de Moyá, alcançou uma bola curta e mandou uma indefensável, curta, cruzada, para a vitória no *tiebreak* por 9-7. No terceiro *set*, Djokovic liquidou a partida ao vencer por 6-1.

*

Enquanto isso, a gravação no vestiário, em que Djokovic fielmente imitava os movimentos dos seus colegas, enquanto todos riam até não poder mais, se tornou a sensação da internet, batendo todos os recordes de acesso.

Durante um breve depoimento ao público após a partida contra Moyá, o locutor oficial lhe pediu que mostrasse seus talentos de ator.

Djokovic sorriu e aceitou: "Quem você deseja?". "Vamos começar com Sharapova", respondeu o locutor.

Depois da surpresa pela escolha, o espetáculo começou.

Djokovic levantou bem alto o *short*, como se fosse uma saia, baixou as meias até os tornozelos e começou a pular pela quadra com modos femininos; movimentando os dedos, afastou as mechas imaginárias acima das orelhas, e com detalhes imitou o saque de Sharapova.

Não menos convincente foi a imitação de Rafael Nadal. Dobrou as mangas da camiseta, para mostrar os fortes bíceps de Rafa, e depois, antes do saque, arrumou o *short* puxando a cueca, o que é a reconhecida característica do incomum estilo do espanhol.

O Curinga voltara, e o público em Flushing Meadows foi ao delírio.

Desde Agassi e McEnroe não havia aparecido um tenista que fosse brilhante na quadra e igualmente soubesse mostrar seu lado divertido, suas emoções, seu temperamento.

Gustavo Kuerten se lembra: "Estava no vestiário quando foi feita a gravação. Ali vi quanto talento possui para várias coisas. Nem sabia que eu estava no seu repertório, e fiquei surpreso porque ninguém me imitara antes. Reproduziu fantasticamente meu saque, o *backhand*, e também o som que soltava quando golpeava. Era realmente muito convincente".

O mentor de Djokovic, no campo e fora dele, Marian Vajda, descobriu mais tarde que a criação do clima positivo na "equipe de Djokovic" é o ingrediente chave da receita para a vitória: "Quando o conheci, não tinha ideia de como era divertido, mas logo começou com as imitações e outras brincadeiras. Para ele, isto traz paz, o relaxa, e também distrai as outras pessoas, e passa a mensagem de que o tênis não é um esporte que anda somente numa direção. Outros treinadores trabalham apenas na quadra, mas eu tive sorte de enxergar que existe também o outro lado de Novak. Sei muito sobre sua vida particular, e essa é uma grande responsabilidade, mas acho que a vida privada reflete também na vida do tênis".

"Será que alguém imita você?", os jornalistas perguntaram a Djokovic durante uma entrevista. "Roddick", ele respondeu. "Eu o copiei, e ele imitou os meus movimentos durante a longa batida da bola antes do saque. Fez isso várias vezes quando treinamos em Wimbledon e também aqui, no US Open, logo depois da minha chegada. Comigo essas imitações nasceram já no início da prática do tênis. Naqueles anos, aspirava reproduzir os melhores golpes dos principais tenistas do mundo, como Pete Sampras, Stefan Edberg, Andre Agassi, Patrick Rafter, Goran Ivanisevic... E continuei a fazer isso depois, mas hoje chama muito mais atenção".

\*

Quando a mídia se acalmou em relação ao *show* que o Curinga tinha mostrado na quadra, foi a vez dos fatos.

Djokovic se tornou o primeiro tenista da Sérvia que passou para a semifinal do US Open, e também um dos mais jovens semifinalistas da era aberta (logo depois de Hewitt, que tinha 19 anos quando conseguiu isso no ano 2000).

Seu adversário na semifinal seria David Ferrer, da Espanha. O espanhol era um enigma. No caminho à sua primeira semifinal de um Grand Slam, Ferrer fez algo que poucas pessoas esperavam, derrotou o cabeça de chave número dois e grande favorito, Rafael Nadal.

Antes de começar a partida, muitos consideravam que o resultado do jogo dependeria da qualidade do saque de Djokovic.

A princípio era verdade, e o saque do campeão sérvio esteve em alto nível durante as duas horas e quatorze minutos do jogo; acertou 65 % do primeiro saque, sem deixar passar a devolução, o melhor golpe de Ferrer, destaque-se.

Além disso, conquistara oito *aces* e para o espanhol restaram apenas três quebras de serviço. Outro ponto positivo foi que Ferrer estava pressionado para conseguir o melhor resultado possível em Nova York, pelo menos assim pareceu, e jogou a partida toda sob pressão; fez somente três subidas para a rede e 17 pontos diretos.

Ao contrário dele, o *forehand* de Djokovic foi bom durante a maior parte da partida, e o esperado *backhand* também funcionou; o único aspecto fraco foram as bolas curtas.

Em outras palavras, apesar de um calor insuportável que torturava ambos os jogadores, Djokovic jogou muito bem e conseguiu manter, com certa facilidade, a vantagem e vencer por 3-0, parciais de 6-4, 6-4 e 6-3.

Pelo estádio Arthur Ache ondulavam as bandeiras tricolores, e o maior aplauso chegava do camarote onde, em três filas – vermelha, azul e branca –, estavam sentados sua família, a equipe e os torcedores, todos vestindo camisetas com a cores da bandeira sérvia.

Djokovic não sabia que isso iria acontecer. Seu camarote novamente lhe fazia uma surpresa. Foi como na semifinal de Roland Garros, quando dominava a "camisa da sorte" amarela. Mas a atenção da mídia foi despertada por um torcedor sentado na "fila branca", o famoso "Taxi driver", "Don Corleone" e "Touro indomável", o superstar *hollywoo-diano* Robert de Niro. Os jornalistas foram pegos da surpresa. Como um dos melhores atores de todos os tempos estava ali, comportando-se como um fanático fã de Djokovic?

"Nós nos conhecemos por acaso", explicou Djokovic. "Eu estava sentado num café quando ele apareceu. Não, não estou brincando. Ele e sua esposa são grandes admiradores do tênis, e me convidaram e a Ana Ivanovic para jantar no restaurante japonês de sua propriedade. Nós nos conhecemos, batemos papo, foi muito agradável. São pessoas maravilhosas, e estou muito contente que estejam me dando apoio."

Mas a admiração de De Niro à Sérvia remontava ao distante ano de 1967, quando viajava de carona pelo sudoeste da Europa. Por coincidência, na época, o jovem ator, ainda não reconhecido, encontrou-se perto da cidade sérvia de Nis, onde pediu um local para dormir a um morador da aldeia Cokot, Radovan Djokic. Radovan o levou até sua casa e o hospedou como um convidado muito querido, e no dia seguinte lhe desejou boa viagem com pão e queijo, de acordo com a tradição sérvia.

Exatamente um ano depois, De Niro voltou a Cokot e ali permaneceu por três dias. Ao lado do anfitrião, colhia tomate, levava os legumes para a feira local e os vendia. Depois, continuou a viagem rumo à Grécia, mas logo voltou, porque em um posto de gasolina deu carona a uma pessoa que lhe roubou a carteira. Radovan o ajudou mais uma vez, deu-lhe o dinheiro para viagem e De Niro, em troca, lhe deu a câmera, que já havia oferecido em troca de dinheiro a outra pessoa.

Passaram-se alguns anos e, quando reconheceram De Niro na tela do cinema, o homem bondoso e sua família pela primeira vez entenderam quem era aquele hóspede.

Durante o famoso festival de cinema de Belgrado (FEST) o astro *hollywoodiano* falou sobre isso. Disse ter ficado impressionado com a hospitalidade sérvia e, depois de ler o romance de Ivo Andric, *A ponte sobre o Drina*, ganhador do Prêmio Nobel, decidiu dar o nome Drina à sua filha, em homenagem a um dos mais bonitos rios que correm nas Bálcãs.

Em 2008, De Niro também demonstraria seu carinho pela Sérvia. Por ocasião do encontro com o então presidente da Sérvia, Boris Tadic, no hotel Waldorf Astoria, de Nova York, ele comentou suas experiências na Sérvia, ressaltando que Novak Djokovic, de quem é um verdadeiro fã, é um "menino excepcional", e acrescentou, brincando: "Talvez eu seja um pouco sérvio, quem sabe, pode ser que de lá venha a minha raiz".

*

Durante a grande final de US Open, o famoso astro não foi a única estrela mundial sentada no camarote de Djokovic. Ali se encontrava também a tenista russa Maria Sharapova, que todo o tempo torcia muito. Como normalmente acontece, a mídia começou com insinuações de que estava por surgir um novo romance no tênis, mas logo ficou claro para todos que eles eram apenas bons amigos, e que Sharapova sabe encarar brincadeiras com sua pessoa.

A pressão que naquele momento Djokovic sentia era enorme, jogou a final contra Federer e cada apoio era bem-vindo. E muito necessário.

Era o primeiro tenista da Sérvia que chegava à final de um Grand Slam, e o terceiro mais jovem finalista do US Open (logo atrás de Bjorn Borg, e do seu ídolo do tempo de adolescência, Pete Sampras).

Naquele momento, pouca importância tinha o resultado da partida que o esperava. Não tinha nada a perder, a posição de terceiro tenista do mundo era garantida.

A primeira posição de Roger Federer também não estava ameaçada e, com Nadal, os três tinham lugar no Masters Cup – hoje chamado de ATP Finals – na prestigiada Copa Masters, realizada no fim de cada temporada, na qual competem os oito melhores jogadores do ano.

Depois da breve apresentação musical de Liza Minnelli e o sobrevoo obrigatório dos aviões a jato, os dois jogadores líderes no *ranking* de quadras duras entraram no estádio Arthur Ashe, onde foram saudados por 23 mil torcedores. E, então, o "duelo" já podia começar.

Em relação às muitas finais do "deus do tênis", como a mídia chamava Roger Federer, Djokovic era o estreante. Por este motivo, não era de se admirar que o público estivesse do seu lado, do início ao fim da partida, por duas horas e vinte e quatro minutos.

Nesta final, não havia um tenista norte-americano, e os espectadores tinham de escolher entre dois europeus. E a escolha foi Djokovic.

O apoio que recebeu provavelmente o ajudou a fazer uma quebra no primeiro *set*. Ele começou bem, mas a pressão era muito grande; perdeu cinco bolas para fechar o *set*, e tudo em um *game* só, no seu saque.

Os quatro erros não forçados e uma dupla falta eram a verdadeira imagem da chance real desperdiçada no primeiro *set*. No rosto dos torcedores de Djokovic dava para ler a descrença, e nem ele mesmo acreditou no que havia acontecido. Então, viu-se seu nervosismo, e o arremesso da raquete.

O *set* que tinha nas mãos se transformou em um *tiebreak* e, para piorar as coisas, perdeu também. Apesar de tudo, não estava desanimado nem derrotado. A final do primeiro *set*, no qual sentiu que tinha chance contra o melhor jogador do mundo, despertou a vontade no seu coração.

Logo Djokovic voltou com o reconhecido, e corajoso, jogo de fundo de quadra, e Federer, naquele momento, não estava nem perto da imagem do dragão do tênis que permanentemente controla o jogo e "devora" seus adversários. Mas seu incrível controle mental não permitia que qualquer erro o perturbasse.

Evidente, é preciso dizer que Djokovic estava nervoso o tempo todo, o que era plenamente compreensível. Até quando sabia o que era preciso fazer, o erro acontecia, e para si mesmo, bravamente, dava o conselho: "Solta o braço!".

E soltou...

Novamente conseguiu ganhar uma quebra de vantagem. Agora, tinha duas oportunidades de quebrar o saque de Federer e fechar o *set*. A primeira, o suíço salvou com um *ace*.

Djokovic se preparava para a segunda chance, com o público encorajando-o o tempo todo. "Vamos, filho" – Dijana Djokovic sussurrou naquele momento do jogo.

Na segunda bola para fechar o *set*, Djokovic decidiu arriscar. Apontava a linha, mas errou. Por um milímetro, exatamente o que o separava do empate.

Perder sete chances é demais quando se joga contra o primeiro tenista do mundo.

O segundo *set* também entrou no *tiebreak*, e Djokovic o perdeu. Parece que Federer tirou o peso das costas, e sua enorme experiência, no final, lhe trouxe a vitória.

O resultado de 3-0 soou exagero brutal por tudo o que Djokovic demonstrou na quadra central, mas não dava para voltar no tempo. As diferenças entre eles foram mínimas, principalmente durante os *tiebreaks*; na verdade, apenas alguns pontos decidiram quem no final seguraria o troféu principal.

\*

Depois da partida, porém, o tenista perdedor recebeu o maior prêmio, algo que raramente se vê. O estádio inteiro estava em pé, e o aplauso e as ovações espontâneas com que foi homenageado duraram tanto que o sorriso não saía do seu rosto.

Djokovic resumiu: "Tenho porquê me lamentar, mas tudo faz parte desse esporte. Tive menos sorte. Além do conhecimento e da habilidade mental, e também física, é preciso ter um pouco de sorte. Mas é compreensível. Pela primeira vez na carreira tive a oportunidade de jogar uma final de Grand Slam, na frente de 23 mil pessoas presentes no estádio, e quem sabe quantos milhões na frente da TV. Por tudo, fiz algo que me deixa orgulhoso, e estou feliz por ter representado meu país da melhor maneira possível. Lamento não ter deixado felizes os fãs do tênis na Sérvia, mas espero que tenham curtido. Tenho de olhar tudo pelo lado positivo, porque não esperava uma temporada tão bem-sucedida. Consegui algo que poucas pessoas no tênis conquistaram aos 20 anos. Trabalhei muito, e fiz de tudo para que as coisas se desenvolvessem da maneira como estão se desenvolvendo".

\*

"*If I can make it there, I'm gonna make it anywhere*", os famosos versos de Sinatra na canção 'New York, New York', definitivamente não eram o hino de Djokovic em Nova York.

Ou seria exatamente o contrário?

A presença na final do US Open era o melhor indicador de que estava absolutamente preparado para enfrentar não apenas Federer, mas também todos os outros ases do tênis ao redor do mundo.

# 23. ENCONTRO DAS ÁGUIAS

A prestigiada revista de moda *Vogue*, em setembro de 2007, apresentou Novak Djokovic como o futuro jogador número um e anunciou seu domínio no esporte branco.

O tenista sérvio voava nas asas do seu maior sucesso, a final do US Open, mas não tinha intenção de parar por aí.

Exatamente por isso, depois de Nova York juntou-se à sua equipe o fisioterapeuta esportivo Miljan Amanovic. Ele tinha vasta experiência no trabalho com os jogadores de basquete sérvios, e em uma época trabalhou também como fisioterapeuta no Clube de Tênis Gemax. Novamente, por intermédio de Nenad Zimonjic, naquela ocasião conheceu Djokovic.

Assim começou a cooperação oficial de Djokovic e Miljan, que com o tempo se tornaria uma amizade muito próxima, que dura até hoje.

Miljan Amanovic diz: "Não posso dizer que houve período de experiência no trabalho com ele. Comecei a trabalhar com o intuito de ajudá-lo, e desde então sou parte da sua equipe. Da minha perspectiva, e de acordo com minha experiência profissional, que não é pouca, posso dizer, sem hesitação, que Novak é o maior profissional que já conheci. Portanto, meu trabalho, de mantê-lo forte e saudável, é muito mais fácil. Ele sabe exatamente o que quer, e eu exijo muito dos meus clientes. É um enorme prazer trabalhar com ele, porque tem uma confiança absoluta em mim. Eu sou dez anos mais velho, mas em tudo o mais somos como irmãos gêmeos. Simplesmente, nos ajustamos como pessoas e como profissionais". A nova dupla ainda se preparava para os resultados brilhantes, um passo de cada vez.

Agora chegava o momento de algo novo, de Djokovic brilhar também no terreno nacional, defendendo o país na Copa Davis e não só no circuito profissional da ATP.

Após a vinda para Belgrado, ele e sua família resolveram chamar 50 crianças de Kosovo como seus convidados durante a Copa Davis entre Sérvia e Austrália. A família Djokovic, com origem na província do sul da Sérvia, queria que as crianças que moram nesse território turbulento, pelo menos por alguns dias, esquecessem as preocupações cotidianas e também conhecessem Djokovic, que para muitas delas era um ídolo.

Naquele momento, a Sérvia, pela primeira vez na história, ganhava a oportunidade de ingressar no grupo mundial. A Austrália, seu adversário, nunca saiu desse grupo.

O desafio era enorme, mas a equipe nacional, do lado de Djokovic, tinha mais alguns bom jogadores e uma boa comissão técnica.

Em primeiro lugar, naquele ano ocorreu uma mudança no banco do técnico. Dejan Petrovic foi substituído por Bogdan Obradovic, até então coordenador das seleções juniores na Associação de Tênis da Sérvia, e seu consultor se tornou Niki Pilic, um dos maiores profissionais do tênis, que aceitou com prazer o convite de se juntar à equipe da Sérvia.

Bogdan Obradovic testemunha: "Conheço todos os nossos meninos desde o tempo em que eram moleques. A minha história como técnico começou em 2003, quando trabalhei com Janko Tipsarevic e o aproximei de Dirk Hordorff, que passou a treiná-lo. Acho que isso foi uma boa jogada para Janko. As coisas para ele começaram a mudar, como mostram seus resultados. Da posição de 136º. jogador do mundo, conseguiu chegar entre os dez primeiros. Mas naquele tempo, com nossos jogadores da seleção trabalhava Dejan Petrovic. Ele é um moço excelente, mas não tinha tanta experiência, e havia ainda o problema de comunicação, porque nasceu na Austrália. Sua educação e seu ritmo de crescimento eram muito diferentes da formação dos nossos jogadores. Por isso houve uma barreira entre eles. Por outro lado, o papel do técnico pressupõe também a atuação na parte administrativa, um terreno que conheço muito bem". Obradovic não quis se intrometer na decisão sobre a escolha do técnico, iniciativa tomada pelos jogadores. Janko chamou Djokovic para lhe dar uma sugestão, e este conversou pessoalmente com os demais integrantes do time. Tomaram a decisão, por consenso, de apresentar sua posição à Associação de Tênis da Sérvia.

"E, óbvio, qual escolha a Associação podia fazer quando meu nome era o que os jogadores queriam?", diz Obradovic. "Era uma sequência lógica de acontecimentos, porque, em vários momentos, eu era incluído nas suas histórias nos diferentes períodos de amadurecimento. Não há nenhum com quem não tenha trabalhado ou que não tenha cruzado o novo caminho em algum momento. E tudo isso aconteceu rapidamente, exatamente na época da nossa possível entrada no Grupo Mundial. E tudo se encaixou como era preciso, felizmente. Graças à família Djokovic, juntou-se a nós também Niki Pilic. Ele me ajudou muito na introdução ao ofício de técnico. É diferente quando você trabalha com juniores ou como treinador de um tenista profissional, quando viaja com ele aos torneios, mas ser o técnico da seleção da Copa Davis... É outra dimensão."

Pilic conhecia Djokovic havia muito tempo, e acreditava que sua nomeação era uma ideia muito boa, pois com os jogadores ele não tinha nenhum problema: "Minha comunicação com Novak, claro, era particularmente boa, cooperávamos melhor porque ele aprendia comigo, mas se dava bem também com outros. Respeitavam-me e acreditavam em mim. Era importante conseguir a harmonia e criar uma boa logística. Tudo era feito de comum acordo, e andava de acordo com o cronograma. Bogdan exercia seu papel como era preciso, e eu me esforçava para ajudá-lo quanto ao ritmo adequado para a Copa Davis".

Com muita conversa sempre é possível chegar à melhor solução, e a ajuda frequentemente é valiosa, como atesta Bogdan Obradovic: "O ritmo da Copa Davis era completamente diferente de tudo o que fizeram até então. Por exemplo, no caso dos torneios profissionais, a chave principal começa na segunda-feira ou no fim da semana, dependendo se você precisa jogar o *qualifying* ou não, e aqui você tem os treinos até quinta-feira, e no fim da semana disputa as partidas. Tudo é o contrário: o ritmo, os treinos, as conversas, o trabalho sobre a preparação psicológica e principalmente a escolha dos jogadores, o que é de extrema importância".

O mais relevante de tudo, ainda, era a crença firme de que havia grande possibilidade de que a Austrália fosse derrotada, apesar de a tradição e a experiência estarem do seu lado, por ter jogado a final por 47 vezes e ganhado 28.

A Sérvia podia se apoiar em uma equipe excelente, composta de Djokovic, Tipsarevic, Zimonjic e Pasanski, e também apoiada pelos torcedores nacionais, dos quais se esperava muito. A vantagem de jogar em casa nunca é pequena, isto não podia ser esquecido.

As partidas da Copa Davis foram disputadas na Arena de Belgrado, um ginásio enorme, que recebia eventos esportivos, além de concertos, congressos e feiras. Trata-se de um dos maiores edifícios desse tipo na Europa, que levou treze anos para ser construído, de 1991 a 2004, quando foi oficialmente inaugurado, com capacidade de 20 mil a 25 mil espectadores, dependendo do evento.

Uma campanha de marketing muito bem preparada dava garantias de que o ginásio ficaria totalmente lotado. Era preciso criar uma atmosfera que deixasse claro para os visitantes que mais de 20 mil pessoas não poupariam suas cordas vocais no apoio leal aos seus queridos esportistas.

Sob o *slogan* "Um país contra o continente inteiro", a disputa para o ingresso no Grupo Mundial podia começar.

*

No primeiro dia das competições, Djokovic entrou em quadra para seu primeiro jogo de simples. Parecia um pouco nervoso. Mas o problema não era seu adversário Peter Luczak, nem qualquer dúvida em relação às suas próprias qualidades, mas, sim, a consciência de que ele e seus companheiros de equipe se encontravam diante de uma chance histórica, que jamais tinham tido. A questão era: a teriam novamente?

A geração jovem dos tenistas sérvios queria bons resultados, com toda a força de vontade, primeiro na Copa Davis.

As arquibancadas estavam repletas, e o barulho que faziam 20 mil pessoas criava uma onda incrível de energia positiva, como se fossem trovões que literalmente invadiam a quadra.

Diante de um público assim não era fácil jogar, e o australiano caiu muito rápido. Perdeu por 3-0. E a Sérvia assegurou seu primeiro ponto, com Djokovic.

A atmosfera de vitória que reinava naquele momento criava a impressão de que na próxima partida também não haveria problemas.

Mas Janko Tipsarevic tinha um adversário muito mais complicado: o melhor tenista com que a equipe australiana podia contar naquele momento era Lleyton Hewitt.

Sobre Janko, há algum tempo, não se sabia se faria parte da equipe, pois tinha problemas de lesão. Mas logo todas as dúvidas se dissiparam: "Quando cheguei às preparações, disse que me retiraria se sentisse qualquer dor. A semana inteira treinei e me esforcei, mas não senti nada. Passei vinte dias na Alemanha em reabilitação, sem jogar tênis, mas durante esse tempo trabalhei a preparação física, e posso dizer que estou preparado. Devo confessar que me convém agora jogar contra Hewitt, porque, enquanto minha equipe está ganhando, é muito mais fácil para mim jogar contra o número um".

E como quase sempre acontecia em suas partidas, essa também se tornou uma verdadeira maratona. Janko jogou por quatro horas inteiras, perdeu o primeiro *set*, mas em seguida conseguiu mostrar por que foi considerado um dos mais talentosos jogadores no mundo.

Um jogo excelente nos próximos dois *sets* lhe trouxe a vantagem de 2-1, e parecia que já no primeiro dia a Sérvia concluía o trabalho. Até o público pensou assim, e diminuiu a energia.

Infelizmente, o mesmo aconteceu com a força de Janko Tipsarevic. Lleyton Hewitt, campeão experiente, logo aproveitou a situação. Empatou o resultado em *sets* e levou a partida para um indefinido quinto *set*, do qual saiu vencedor. O público ficou em estado de choque.

Na sequência, seguiu-se mais um choque. Depois da partida, de forma totalmente inesperada, Djokovic saiu na quadra, pegou o microfone e se dirigiu aos torcedores: "Vocês precisam torcer. Se querem que vençamos, devem torcer para nós. Devem ser mais agitados, não podem se comportar como se estivessem na escola. Devemos torcer todos juntos".

O técnico sérvio, entretanto, não estava insatisfeito com o que tinha conquistado: "Janko deu o seu melhor, e isso é o mais importante, porque, não importa o resultado, dava para perceber que Hewitt estava num declive, e que a seleção da Austrália, de certa forma, não acreditava mais na vitória. Isso se mostrou mais ainda no segundo dia. Hewitt reclamava da lesão e da quadra, mas isso é comum quando você joga fora, e é um tipo de pressão que, às vezes, se usa, mas que nunca permiti aos meus jogadores".

No dia seguinte, na disputa da partida das duplas, a Sérvia tinha uma vantagem significativa. Primeiro, Djokovic estava mais descansado do que Hewitt, porque seu colega Janko, podemos dizer até taticamente, lhe tirara muita força. Segundo, o público acatou o conselho de Djokovic, e a atmosfera nas arquibancadas de novo estava animada.

Era a primeira vez que Nenad Zimonjic e Novak Djokovic se apresentavam como dupla tendo como padrinho Niki Pilic que, com sua presença e seus conselhos, trazia harmonia à gestão da equipe.

Nenad era o melhor jogador de duplas na Sérvia e um dos melhores do mundo, Djokovic era a 1ª. raquete da Sérvia, e também estava entre os melhores do mundo, mas a dupla australiana formada por Lleyton Hewitt e Paul Hanley começou a partida muito melhor. Cada um conquistou um saque e ainda obtiveram duas quebras. Confirmou-se que uma vantagem tão importante era o suficiente para ganhar o primeiro *set*.

O público sentia que algo estava faltando, algo que somente ele podia oferecer. A verdadeira erupção de euforia da torcida não somente encorajou a dupla sérvia, mas também fez com que a equipe australiana decrescesse sob pressão.

A Sérvia ganhou por 3-1, e o resultado parcial do confronto chegou a 2-1.

Bogdan Obradovic opinou: "Isso é inacreditável! A Austrália é um país rico, que possui uma infraestrutura fenomenal e um dos maiores torneios, que já há anos é considerado um dos mais bem organizados torneios de Grand Slam. Em comparação com eles, não tínhamos nada, mas nossa grande vantagem era que Djokovic e eu nos conhecíamos muito bem. Isso ajudou o resto da equipe a ficar mais relaxada, conversar comigo e dessa maneira me possibilitar ajudá-los. Nesse sentido, essa dupla era o ponto da virada".

Faltou apenas um ponto. E fim! Ou podemos dizer o começo... O começo de novos desafios no Grupo Mundial.

Esperava-se a luta dos titãs: Djokovic contra Hewitt

Se pensavam levar a disputa à quinta rodada, os australianos teriam de triunfar. Mas, em meio aos cálculos e à tensão, aconteceu algo que ninguém esperava, menos ainda o técnico do time australiano, John Fitzgerald.

O melhor tenista do seu grupo, Lleyton Hewitt, retirou-se em razão de uma doença, e no seu lugar entrou Chris Guccione, naquele momento o 94º. jogador do mundo.

A diferença entre as posições na ATP dos dois jogadores era enorme, e de novo veio a sensação de que Novak não teria nenhum problema, e que a vitória da Sérvia já estava garantida.

O início do duelo pareceu isso mesmo, porque, no primeiro *set*, Djokovic rapidamente chegou à vantagem de 3-0.

Seguiu-se algo inesperado, mas não incomum: os altos e baixos. Mas o público saiba o que tinha de fazer. O vento nas velas. Isso era a única coisa que os torcedores podiam oferecer, e se entregaram por inteiro. Não queriam que Djokovic chamasse a sua atenção mais uma vez. Por isso, a cada momento, independentemente do resultado, aquelas 20 mil pessoas davam seu apoio.

E foi impossível não sentir tanta energia!

Djokovic estava agradecido; não se entregava e vencia com habilidade todos os obstáculos, conseguindo confirmar o terceiro e decisivo ponto para o seu país.

O vencedor do duelo estava decidido, e a próxima partida, entre Pasanski e Luczak, foi disputada em melhor de dois *sets*. O tenista sérvio ganhou por 2-1, e o resultado final contra a Austrália subiu para fantásticos 4-1.

Estava concretizado um avanço histórico no tênis sérvio. E Bogdan Obradovic estava ciente disso: "O que é bom para um país tão pequeno como o nosso é que, de certa forma, todos fomos orientados um para o outro. Por exemplo, eu entendo muito bem os problemas que têm muitos dos colegas, os técnicos das seleções norte-americana ou espanhola. Apesar da boa escolha dos jogadores, eles não conseguem resultados porque cada um é de uma cidade, enquanto conosco tudo é Belgrado. Este foi um ponto a mais para nós. Por outro lado, todos sabemos qual é nossa infraestrutura do tênis. Inexistente. Tínhamos de nos virar, improvisar, e, apesar de tudo isso, conseguimos um resultado extraordinário".

\*

Graças à vitória contra a Austrália, a seleção de tênis da Sérvia subiu cinco posições na lista das melhores segundo o *ranking* da Federação Internacional de Tênis (ITF). Subiu para a 15ª. posição, mas nem isso foi suficiente para condição de cabeça de chave no Grupo Mundial.

Para que a situação se complicasse ainda mais, o sorteio decidiu que a primeira disputa seria contra a Rússia, naquele momento a primeira seleção do mundo.

Desde as partidas contra a Austrália havia se passado sete dias, o suficiente para que Djokovic estivesse preparado para a participação, em outubro, no torneio em Viena. Foi designado como cabeça de chave número um, e os favoritos eram Ivan Ljubicic, Carlos Moyá e Marcos Baghdatis, o trio defensor do título.

O torneio internacional BA-CA Tennis Trophy existe há mais de duas décadas. Em 2007, foram vendidos 5 mil bilhetes a mais do que no ano interior, e 2 mil a mais do que na época de Pete Sampras, Boris Becker, e o então ás austríaco, Thomas Muster.

Ao todo, foram vendidos 57 mil ingressos, e o diretor do torneio, Peter Feigl, avaliou que a participação de Djokovic tinha estimulado esse número recorde de público.

A comunidade sérvia, presente havia décadas na Áustria, correu para dar o apoio ao seu conterrâneo, e em alguns setores do ginásio não se ouvia uma palavra em alemão.

Aqueles que torcem para Djokovic não erram, e isto foi confirmado também aqui. Cada um dos seus fãs voltou para casa satisfeito.

Robby Ginepri e Tomas Zib, os adversários das primeiras duas rodadas, foram derrotados em apenas, aproximadamente, setenta minutos de jogo.

O público austríaco, naquele momento, em menor número, mas muito paciente, não podia acreditar com quanto fervor os torcedores de Djokovic esquentaram a atmosfera nas arquibancadas. O maior apoio, obviamente, lhe deram nas quartas de final, contra Juan Ignacio Chela, da Argentina, 16º. na lista da ATP.

Uma partida excessivamente difícil, e o apoio, na verdade, era importante. Chela conseguiu ganhar o segundo *set*, e, no terceiro, com o resultado 5-4, chegou a dois *match points*. Djokovic salvou ambos, o primeiro com um saque maravilhoso, e o segundo, com brilhantes voleios. Os jogadores teriam de enfrentar o *tiebreak*.

O argentino abriu a parte decisiva da partida, mas com uma dupla falta, o que o deixou nervoso. Para Djokovic, o dilema não existia mais, correu para a vitória, e ela o esperava de braços abertos. Assim como a nova semifinal.

Enquanto isso, várias surpresas aconteceram. Andreas Seppi eliminou o oitavo e o terceiro cabeças de chave, Marcos Baghdatis e Ivan Ljubicic. Encorajado com essas vitórias, Djokovic partiu para cima. Esse era o segundo encontro entre o tenista sérvio e o italiano Andreas Seppi. No primeiro, jogado no ano anterior em Roterdá, o tenista sérvio saiu vencedor. Perdeu um *set*, e isso foi tudo.

No encontro em Roterdá, Seppi era o 53º. jogador da ATP, mas até Viena caiu mais vinte posições. Djokovic estava em sua melhor forma, da antiga 72ª. posição, conseguira chegar à 3ª. Sob essa perspectiva, pode-se dizer que a resistência que o italiano demonstrou na semifinal nem podia ser muito grande. Perdeu por 6-4, 6-3. Mais de 8 mil torcedores esperavam para assistir a uma batalha feroz, que não aconteceu.

Nada ali foi estranho nem por acaso. Naquele ano, Djokovic conseguiu estar em seis finais, e tinha o saldo positivo de 4-2 em favor dos títulos obtidos.

Era iminente também o quinto. Precisava apenas derrotar Stanislas Wawrinka, o jogador que, no ano anterior, na segunda rodada, o derrotara exatamente em Viena.

O suíço Wawrinka tinha bons resultados, mas ainda não alcançara um sucesso verdadeiro. Desde sua participação em Viena no ano anterior, quando era o 44º. na lista da ATP, até essa final, conseguira avançar somente três posições.

Talvez este tenha sido o maior motivo para que a final do campeonato da Áustria naquele ano tenha terminado em dois *sets*. E que *sets*! Depois de uma hora e quinze minutos de jogo, e aproveitadas 14 (das 18) subidas à rede, Djokovic conquistou seu quinto título em 2007. Ganhou a partida por 2-0 (6-4, 6-0).

"Quanto mais o sérvio pode avançar?", perguntava a mídia mundial, sequer imaginando que tudo aquilo era apenas "aquecimento".

Depois de muitos sucessos alcançados, Djokovic, já naquela época, podia fazer sua lista dos "mais preciosos". Numa disputa dura, a escolha ficou com Montreal, a final do US Open e as partidas da Copa Davis, em Belgrado: "No Canadá, derrotei os dois melhores do *ranking*. O Aberto dos Estados Unidos é uma competição única, e a vitória contra a Austrália algo especial, porque não tenho, com frequência, a oportunidade de sentir esse espírito de equipe. No geral, acho que este ano superei todas as minhas expectativas, o que é o melhor indicador de que meu trabalho valeu a pena. Dei o meu melhor para aprimorar meu jogo, mas tenho ainda muito espaço para progredir".

Na lista dos seus sucessos logo tentou acrescentar também o título do torneio que em outubro aconteceria em Madri. Antes da partida da segunda rodada (na primeira ficara livre), para a coletiva de imprensa, preparou uma pequena surpresa. Vestiu o traje esportivo de Raul Gonzales, o capitão do Real Madrid, com o número sete às costas: "Espero que os torcedores do Atlético não me interpretem mal", disse, rindo.

Da sua partida contra Verdasco, que derrotou, apesar de perder o primeiro *set*, hoje raramente alguém se lembra do resultado, mas, sim, do que então aconteceu no segundo *set*, que viria a se tornar marca registrada daquele duelo: de repente, depois do saque de Verdasco, Djokovic, com toda força, castigou a bola – mais do que uma forte devolução –, e acertou a cabeça de uma das meninas pegadoras de bolas, que lá já são tradicionais[1].

---

1 O torneio de Madri usa nas quadras principais modelos como pegadoras de bola. (Nota do R.T.)

A moça estava ajoelhada ao lado da rede, aturdida e desagradavelmente surpresa, e Djokovic de imediato se aproximou para verificar se tudo estava bem, a abraçou e a beijou no rosto. Um belo gesto de um verdadeiro *gentleman*, que foi saudado com um estrondoso aplauso do público.

Agora, Djokovic estava no saque, e acertou a rede. A mesma moça pegou a bola e se retirou para o fundo de quadra. Ele, sem palavras, acompanhou seus movimentos, e falou somente com sua expressão facial: "Ok, agora está suficientemente longe de mim, está segura". O público caiu na gargalhada, a menina também, e logo se seguiu um aplauso.

O único que não estava com vontade de rir era Fernando Verdasco. Das dez chances de quebra que apareceram, não aproveitou nenhuma, e sofreu a derrota em sua casa por 2-1.

E assim também aconteceu com Juan Carlos Ferrero e Mario Ancic, 23º. e 49º, respectivamente, na lista da ATP.

O argentino David Nalbandian que chegou a estar entre os cinco primeiros naquele momento, ocupava a 25ª. posição. Chegou à semifinal e derrotou Djokovic por 2-0.

A conquista de Madri foi adiada para a próxima temporada. E assim também aconteceu no Aberto de Paris, onde caiu já na primeira rodada, derrotado pelo francês Fabrice Santoro.

A máscara do Zorro que Djokovic usou na saída da quadra, homenageando assim o Halloween, não lhe proporcionou nenhuma vantagem. Era preciso achar um novo herói.

*

O torneio em Viena era interessante, pois o povo sérvio guarda algumas características que não são exatamente vantajosas, nem positivas. Temperamento impetuoso, "pavio curto" e a súbita mudança de humor com frequência influenciam nos resultados conseguidos, desde a política, a economia até o esporte.

Por isso, era interessante acompanhar o caminho de Djokovic. Por um lado, ele é totalmente diferente, sabe ficar calmo e o quanto isso é importante, sabe se tornar o diplomata e se esforça para enfrentar as situações mais complicadas com a cabeça fria. Quando é assim, com o apoio do seu talento e trabalho duro, alcança grande sucesso. E ele frequentemente é assim. Mas pode ser também diferente, claro.

Não por acaso, para muitos na Sérvia, ele é um verdadeiro exemplo. As pessoas reconhecem nele também uma parte de si mesmas, sem importar qual lado do "temperamento e caráter sérvio" prevaleça nelas. Seus conterrâneos reconhecem o que é melhor e também o que é pior, como quando Djokovic fica nervoso e reage brutalmente, de maneira não adequada. Mas isto acontece com todo mundo, inclusive com os melhores, e exatamente essas suas imperfeições se tornam um exemplo, porque, apesar delas, ele se esforça e consegue superá-las.

\*

Para Djokovic, por todos os padrões e medidas, a temporada 2007 foi fenomenal. E isto podia ser constatado antes mesmo de terminar a Masters Cup de Xangai, o ATP Finals.

Ali ele teve a oportunidade de medir forças com os sete melhores tenistas daquela temporada, o que é a característica básica da competição, cuja sede muda ao longo dos anos.

Naquele 2007, a elite do tênis era composta por David Ferrer, Richard Gasquet e Rafael Nadal, que se encontravam no grupo de Djokovic, enquanto Andy Roddick, Nikolay Davydenko, Fernando Gonzales e Roger Federer estavam no outro grupo.

As regras exigem que todos joguem contra todos dentro do seu grupo, e os primeiros dois de cada grupo vão para a semifinal.

Para Djokovic ficou claro que não teria partidas fáceis, mas no que dizia respeito às estatísticas daquela temporada, as chances não eram poucas.

Djokovic se encontrou naquele ano com Ferrer três vezes, e ganhou por 2-1; contra Gasquet tinha somente uma vitória, em Estoril, quando ganhou o título; e contra Nadal jogou seis partidas e ganhou duas.

Em todo caso, chegou à China como um dos favoritos. Esperava-se que, como o terceiro tenista do mundo, seguramente buscaria seu lugar no topo, e também estava muito motivado, pois 2006 lhe dera o direito de esperar pelo melhor.

Como frequentemente acontece, grandes esperanças geram enorme pressão, difícil de suportar. O excesso de partidas que Djokovic disputou durante o ano, mais de cem em diferentes cantos do mundo, afetou seu jogo.

No torneio em Xangai, estava longe do seu máximo. Das três partidas que jogou no seu grupo, perdeu todas por 2-0, e ficou sem chance de disputar o prêmio de 4,45 milhões de dólares.

Em lugar do prêmio e de vitórias, Djokovic aprendeu que o cansaço é mais perigoso do que muitos adversários. Era preciso se proteger. Precisava de descanso, curto, mas um descanso mesmo assim.

Depois de Xangai, Djokovic deu um ponto final na temporada de 2007 nas quadras. Foi um ano mais do que bem-sucedido e isso todos sabiam. Mas, mesmo assim, ele não encerrou suas atividades.

Decidiu se dedicar ao trabalho voluntário e, após a chegada a Belgrado, iniciou a organização do espetáculo esportivo na Arena de Belgrado. Além dele, participaram Ana Ivanovic, Jelena Jankovic e Janko Tipsarevic.

Para os jovens ídolos, esta não era a primeira vez que faziam atividades humanitárias. Ana e Jelena já eram embaixadoras da Unicef para a Sérvia e Djokovic doara a um centro esportivo em Belgrado a instalação de duas quadras de piso rápido para tênis, semelhantes ao do Aberto dos Estados Unidos. Ele e Ana também organizaram uma partida para reconstrução da Torre de Avala, símbolo reconhecido que foi derrubado durante o bombardeio da Otan em 1999.

Jogaram um contra o outro, mas o resultado não importava.

No início tímido, à sombra dos esportes coletivos, o tênis na Sérvia se tornou muito importante, para o que contribuiu, principalmente, o ano de 2007

As meninas e os meninos com as raquetes nas mãos traziam a felicidade de todos os meridianos.

Quando foram disputadas as partidas nos outros continentes, não se dormia na Sérvia muitas noites, e quando eles e elas voltaram com títulos, milhares de pessoas seguiam para a frente da Assembleia de Belgrado para saudar os tenistas pelos sucessos.

Ana, Jelena, Janko, Nenad e Djokovic se tornaram uma marca nacional. E exatamente por isso, o "Dia Humanitário do Tênis – NAJJ" (as iniciais de Novak, Ana, Jelena, Janko), atraiu mais de 20 mil torcedores.

A Arena, de novo, estava superlotada, mas o público não estava lá por causa das partidas que o deixaria com os nervos à flor da pele, como quando o quarteto "NAJJ" participa nos maiores torneios, na

Copa Davis ou na Fed Cup. Dessa vez, apesar do caráter de exibição das partidas, o público tinha sido motivado pela ação humanitária.

Com a ajuda de Bogdan Obradovic, foi decidido por sorteio que Ana e Janko jogariam contra Jelena e Djokovic. Duas excelentes duplas. E, claro, um evento fenomenal. Não faltaram nem as imitações que Djokovic fez de Sharapova e Nadal, e, especialmente para aquela ocasião, várias vezes, o repertório foi enriquecido pela "felicidade de Ana Ivanovic", um tipo de comemoração de estilo reconhecido: o punho feminino fechado.

Era uma boa diversão, mas o mais importante era a renda, bastante significativa, vinda da venda dos ingressos. A soma angariada, de quase 200 mil euros, foi divida em quatro partes, depois de cada um escolher para quem entregaria o dinheiro.

Ana escolheu o programa da Unicef "Escola sem violência"; Janko, o hospital em Brus, município que o ajudou a participar do Orange Bowl quando adolescente; Jelena, um conterrâneo seu que perdera, no incêndio, a casa em Toronto enquanto assista ao seu jogo em um café próximo; e Djokovic, cujas raízes são de Kosovo, o hospital da parte norte de Kosovska Mitrovica, para o qual faltava ambulância.

Nos últimos vinte anos, foram poucas as pessoas das quais a Sérvia podia se sentir orgulhosa, e esses cinco jovens esportistas, sem qualquer dúvida, estavam entre elas. Ganhando ou perdendo, eles se tornaram os pilares do otimismo, sentimento que faltava havia muito tempo no país. Eram a imagem de persistência, responsabilidade e dedicação, exatamente aquilo que Sérvia quer ser.

E se seus tenistas masculinos e femininos podem, não existe objetivo inatingível, não existe imagem que não possa ser transformada.

*

Infelizmente, o incomum encontro entre Ana, Jelena, Janko e Djokovic na capital da Sérvia não demorou muito. O tempo para arrumar as malas, com ainda mais esperanças e ambições, chegou logo depois do espetáculo na Arena.

Assim os sérvios começaram a temporada rumo ao topo das listas da WTA e da ATP.

# 24. OS ETERNOS RIVAIS

De um menino que tinha um enorme talento e era encantado com a raquete e as bolas, Djokovic transformou-se em um dos heróis do esporte branco.

A temporada anterior, quando completou 20 anos, tinha sido tão bem-sucedida, que seu nome se tornou um marco.

No "grande esporte branco" ainda havia certa dose de receio porque, para os padrões das estrelas, dizem que é necessário pelo menos um título de Grand Slam. Djokovic ainda não o tinha, mas na sua pátria nem pensaram que era preciso. Na verdade, no seu país as pessoas estavam seguras de que ele viria logo, muito rápido, e provavelmente mais do que um. Enquanto isso, já era respeitado pelos sucessos que alcançara.

Seus conterrâneos, testemunhando os muitos êxitos que alcançou, de novo começaram a acreditar que esforço, disciplina e dedicação fazem sentido, que ser paciente mostra virtude, e que é bom quando não se voa muito alto. No caminho sempre há obstáculos, mas permitir que o paralisem não é bom, é preciso superá-los, ou pelo menos tentar. Tudo é possível quando existe uma grande vontade.

Djokovic sabia isso, desde pequeno sabia exatamente para onde ir.

\*

Os planos para a próxima temporada eram muito sérios, o que era visível desde o início.

Na Copa Hopman, na cidade australiana de Perth, Novak Djokovic e Jelena Jankovic foram colocados como cabeças de chave número 1. Ocupavam a 3ª. posição do *ranking* mundial, e a Sérvia, tendo em vista a colocação dos seus representantes, teve a melhor posição de todos os tempos nessa copa.

Grande privilégio, mas também uma grande responsabilidade. Pelo jogo demonstrado contra as seleções de Taipé, França e Argentina, o *status* de serem os melhores estava confirmado, da melhor forma possível.

Djokovic ganhou todos os jogos das simples que disputou e, depois de Jelena sofrer uma lesão no músculo da coxa, tomou para si também a parte do trabalho dela na hora de jogar as duplas mistas. Jelena não conseguia correr atrás das bolas que voavam pelas diagonais na quadra, mas seu parceiro, em seu nome, chegava a todas.

A tática, infelizmente, não rendeu na final contra os norte-americanos. Em outra situação, talvez o resultado fosse diferente. A equipe norte-americana Mardy Fish e Serena Williams levou para seu país o quinto título da prestigiada competição. Djokovic e Jelena, porém, não ficaram insatisfeitos.

As partidas da Copa Hopman, na verdade, eram somente um aquecimento para o que os esperava. Aproximava-se o Aberto da Austrália[1], o 96º. consecutivo e o 50º. da era aberta[2], e a Sérvia seria representada por cinco tenistas. E todos tinham chances de fazer sucesso.

O Aberto da Austrália de 2008 foi disputado em novo piso. O verde *Rebound Ace*[3] era usado desde 1988, mas os jogadores reclamavam do incômodo que provocava no clima quente e úmido, por isso

---

1 O Aberto da Austrália teve início em 1905. De 1916 a 1918 e de 1941 a 1945 não foi disputado em razão das Grandes Guerras (Nota do R.T.)

2 A era aberta teve início em 1969, quando o torneio esteve aberto para todos os tenistas, incluindo os profissionais. Desde 1988 é disputada em Melbourne Park. (Nota do R.T.)

3 Superfície emborrachada que se torna muito aderente com o calor, causando torções nos tenistas. (Nota do R.T.)

foi trocado pelo *Plexicushion*, uma superfície mais rápida e mais rígida, azul, batizada pela mídia como "Australian Open True Blue".

A frase que se ouviu mais vezes nessas novas quadras era simples e inequívoca: "*Game, set, match* – Djokovic!". E com ela, e em todos os duelos do caminho, alcançou o maior sucesso da sua carreira, a conquista do primeiro Grand Slam.

No ano anterior, quando chegou à 3ª. posição, Djokovic evidentemente aprendeu uma lição importante: se se pensa em conquistar grandes resultados, deve-se ter mais força do que seus adversários, pelo menos para conseguir permanecer na quadra cinco minutos a mais do que eles.

Os títulos que conquistou aumentaram sua autoconfiança e abriram seu apetite. Agora, era totalmente diferente em comparação a épocas anteriores. Sabia como lidar com a alta tensão, presente principalmente nas últimas rodadas nos torneios Grand Slam.

Dava para sentir que estava muito bem preparado. Nas primeiras seis partidas, inclusive na semifinal contra Roger Federer, não perdeu nenhum *set*.

Uma das razões de um desempenho tão bom, com certeza, era porque passava seu tempo livre com a família, agora completa, que em Melbourne não acontecia com frequência.

Dijana Djokovic testemunha: "Essa é realmente uma rara oportunidade de ver meus filhos juntos. Novak, durante o ano inteiro, está nos torneios, e Marko e Djordje treinam na academia de tênis em Munique. Quase sempre estão na estrada. Tentamos ficar juntos o máximo possível, mas não é nada fácil. Essa é a primeira vez que nós cinco estamos na Austrália. Para Novak é difícil ficar sozinho quando está longe de nós, então este ano decidimos acompanhá-lo".

Os momentos juntos em Melbourne sem dúvida lhe lembravam o período quando todos moravam em Kopaonik e traziam de volta lembranças do lar.

Sabendo o quanto é importante para ele uma atmosfera positiva, sua família se empenhou para cercá-lo. E o resultado do torneio mostra como isso foi benéfico para ele.

Até a semifinal.

Naquele momento o semifinalista mais velho, antes da vinda ao Aberto da Austrália, não tinha participado de nenhum torneio. O último jogador que triunfou em Melbourne sem passar por qualquer tipo de preparação anterior, profissional ou de exibição, fora Andre Agassi, em 1995.

Será que o suíço podia repetir esse sucesso? Pelo jogo demonstrado até o momento do campeonato, podia.

Houve um único problema sério na terceira rodada. Durante o duelo épico de quatro horas e meia e cinco *sets* – evidentemente contra Janko Tipsarevic – Federer sofreu bastante. Os demais, com mais ou menos resistência, caíram todos. E, no dia previsto para a semifinal, o papel de ceifeiro foi desempenhado por outro.

Djokovic declarou após o jogo: "Desde o início acreditei que podia vencer. Apenas quis preservar essa sensação e os pensamentos positivos na cabeça, de ter menos altos e baixos, o que antes acontecia com frequência quando jogava contra ele. Por exemplo, nos momentos mais importantes da nossa final no Aberto dos Estados Unidos, não conseguia permanecer focado. Acho que era por medo de ganhar o *game*, o *set* ou a partida... e isso me custou. Apesar de realmente ter feito tudo certo. Aprendi muito em Nova York. Em primeiro lugar, o que tinha de modificar para que o resultado fosse positivo".

Olhando-se objetivamente, não se podia achar nenhuma queixa em relação ao jogo de Djokovic. Por outro lado, poucos podiam reconhecer até então o imbatível Federer. Quatro vezes perdeu seu saque, nos 10º. e 12º. *games* do primeiro *set*, e no quarto e quinto *game* no segundo *set*. Aquela era uma imagem que raramente se vê. Roger estava sob pressão, e Djokovic só a fazia piorar.

Resultado final: 7-5, 6-3, 7-6(5).

Era a primeira derrota do suíço em três *sets* em um Grand Slam desde Roland Garros de 2004, quando foi derrotado pelo brasileiro Gustavo Kuerten. Mas não era somente isso. Pela primeira vez nos últimos três anos, o melhor tenista do planeta não conseguiu passar à final do Grand Slam.

Enquanto isso, o tenista sérvio, em Melbourne, brilhava com grande esplendor.

Nenad Zimonjic conseguiu classificações para a final de duplas mistas – que posteriormente ganhou em parceria com a chinesa Tiantian Sun. Ana Ivanovic chegou à final feminina de simples, tendo como companhia Djokovic, mais uma vez.

Seu exemplo era muito bom. Tinha aprendido a passar o menor tempo possível na quadra em grandes e importantes partidas, gastar o mínimo de energia e conseguir o máximo proveito. Até então, no tênis masculino, isso era reservado somente a Federer, mas o defensor de dois títulos desta vez não conseguiu executar isso.

Ninguém é imbatível, nem ele.

O conto sobre a invencibilidade dos favoritos confirmava também o exemplo do último adversário de Djokovic, Jo-Wilfried Tsonga, que conquistou seu lugar na final um dia antes. Até esse momento "especial", absolutamente ninguém podia esperar que o jovem francês conseguiria obter tanto sucesso. Essa foi apenas mais uma das muitas provas do quanto o esporte branco é imprevisível.

Afinal, esse é um dos seus encantos.

Graças ao saque fenomenal e aos golpes extremamente fortes ao fundo de quadra, a nova esperança do tênis francês jogou como se estivesse em transe. "A versão tenista de Mohammad Ali", assim o chamava a mídia, em razão de sua semelhança física com o ex-pugilista americano.

E estava certa. Tsonga deixou para trás três cabeças de chave – Andy Murray, Richard Gasquet e Mikhail Youzhny – e também o segundo tenista do mundo, Rafael Nadal, que na semifinal, em menos de duas horas, derrotou por 3-0.

O público o adorava, e era a primeira vez que o apoio das arquibancadas não era para Djokovic. Salvo seu camarote, obviamente.

A família, os amigos e os colaboradores o incentivavam sem parar e, novamente, seu pai, sua mãe e os irmãos mais novos vestiam trajes esportivos brancos nos quais estava escrita, em cada um, uma letra do seu apelido: NOLE. Seu camarote, contagiado de emoções e energia, representava uma das principais atrações do torneio. E assim foi durante a mais importante partida.

Ambos os jogadores logo demonstraram por que na final não estavam Federer nem Nadal.

317

Após algumas fantásticas trocas de bolas, Djokovic conseguiu uma quebra ainda no primeiro *game*, mas, em seguida, cometeu alguns erros, e permitiu que o adversário empatasse. Até o décimo *game* não aconteceram grandes desvios, e cada um jogava bem no seu estilo. Mas Tsonga aguentou mais, chegou à bola para fechar o *set*, e bateu, correndo, um *lob* de *forehand* fantástico.

Djokovic perdeu o primeiro *set* no torneio. A vantagem psicológica e também o público estavam ao lado do tenista francês. Estava mais perto do título, pelo menos a um passo dos grandes.

Era apenas o início. Djokovic, de repente, começou a jogar como se tivesse mais que seus 20 anos. Assumiu a iniciativa, no sétimo *game* obteve uma quebra e ganhou o segundo *set* por 6-4.

Desde esse momento, o melhor tenista sérvio de todos os tempos assumiu totalmente o controle do jogo. Quando ganhou o terceiro *set* (6-3), Tsonga não conseguiu mais voltar. Mas ele é um grande lutador também, e não se entregaria fácil.

A decisão sobre o vencedor aconteceu no *tiebreak* no quarto *set*. No assim chamado 13º. *game*, Tsonga cometeu alguns erros não forçados e uma dupla falta, o que aumentou ainda mais a já grande vantagem de Djokovic. Agora, vencia por 5-1, e estava no saque. E alguns pontos mais tarde tudo terminou, com placar de 7-6 com 7-2 no *tiebreak*.

A festa em Melbourne podia começar. Djokovic tornou-se o primeiro tenista sérvio a conquistar um título de Grand Slam nas simples masculina.[4]

Todos acompanharam sua felicidade quando caiu na quadra e cobriu o rosto com as mãos. Respirava rápido, mas sem perder o fôlego. Estava consciente, conquistara o sucesso, mas não se esquecia do essencial. Alguém poderia pensar que ele guardaria até o fim da vida a raquete com a qual escreveu sua história do tênis, mas Djokovic a jogou ao público fazendo alguém feliz. Depois disso, ajoelhou-se no chão, beijou a quadra e correu para o seu camarote onde reinava a euforia, e todos estavam à beira das lágrimas, de felicidade. Era compreensível.

---

4 Alguns meses depois, em junho, Ana Ivanovic ganhou Roland Garros de 2008. (Nota do R.T.).

A vida inteira todos tinham se dedicado ao tênis, e, agora, seu Novak era o vencedor do Aberto da Austrália, aos 20 anos de idade.

Os vencedores mais novos que ele, na era aberta, eram somente Mats Willander (1983 e 1984) e Stefan Edberg (1985).

"Antes de agradecer a todo mundo, primeiramente tenho de agradecer ao meu camarote e à minha família, que me apoiou, não somente nessas duas semanas, mas pela minha vida inteira. Eu amo vocês!", disse o novo campeão, e logo se dirigiu a Tsonga: "Jo, fique orgulhoso pelo jogo que mostrou. Se ganhasse hoje, acredite em mim, seria merecido".

O público saudou, com aplausos, aquelas bonitas e sinceras palavras, e Djokovic, ao seu estilo, continuou: "Sei que queriam mais que ele vencesse, não tem importância, ainda amo vocês", mandou esse recado rindo, o que de novo provocou aprovação e aplauso.

Ao dizer que Tsonga tinha motivo para estar orgulhoso, Djokovic realmente tinha razão. O fato de que esses dois jovens tenham permanecido no jogo até o último dia e o último respiro dizia muito; a mudança que lentamente surgia no mundo do tênis se tornava realidade. Um Grand Slam, claro, não podia mudar a história inteira, mas a "época dourada" do tênis masculino, como mais tarde os especialistas a descreveriam, agora podia começar.

A dominação da fase "FEDAL" (Federer e Nadal) estava entrando na reta final. Chegava a nova geração, que trazia o frescor para as quadras e logo começaria ganhar, independentemente do tipo de piso. Com eles todas as surpresas seriam possíveis.

"Para você isso é realidade ou sonho?", mais tarde, na coletiva de imprensa, perguntaram a Djokovic. "Eu sempre acreditei. Sempre. Nunca pensei diferente. E sempre tive um apoio enorme da minha família, principalmente do meu pai. Acho que ele também era diferente nisso, a tal ponto que às vezes acreditava no meu sucesso mais do que eu. Para alguns isso é surreal, para outros não."

Com o primeiro troféu de Grand Slam nas mãos, o jovem cavaleiro tenista agora tinha o direito de lutar pelo trono real. Mas mais relaxado, claro.

*

Antes de continuar a caminhada rumo ao topo, pelo cronograma preestabelecido, em fevereiro de 2008 Djokovic se juntou à seleção. Foi a Moscou, onde a equipe sérvia jogaria contra a russa na Copa Davis.

Para essa ocasião, Bogdan Obradovic fez uma pequena alteração – além de Djokovic, Tipsarevic e Zimonjic, no lugar de Boris Pasanski entrou Viktor Troicki, que melhorara significativamente o seu ranking e merecia ser convocado para o time nacional.

Como primeira na lista, a Rússia era a favorita, mas os resultados dos tenistas sérvios no início da temporada lhes deram todo o direito de esperar o sucesso. De repente, porém, tudo começou a dar errado.

No primeiro treino, Tipsarevic correu para devolver um difícil *drop shot* que Djokovic mandou, chegou perto da rede, e parou. Sentiu uma forte dor. Seu quadríceps estava rompido. Teria de parar pelos próximos dois meses.

Bogdan Obradovic se lembra: "Para que o mal fosse ainda maior, logo todos sofríamos com um vírus gastrointestinal. Ziomonjic e Djokovic tinham febre muito alta, e por alguns dias não podiam nem treinar, até a mãe de Novak, Dijana, chegou para lhe trazer algumas vitaminas para que melhorasse mais rápido. E ele assim, meio doente, ainda voltou a treinar, e sua imunidade caiu em razão dos esforços físicos".

Infelizmente para o tênis sérvio, Zimonjic e Troicki perderam as partidas de simples. A Rússia estava em grande vantagem ganhando por 2-0.

A dupla Zimonjic e Djokovic tentou melhorar o resultado. Para surpresa geral, apesar do mau estado de saúde, os dois tiveram sucesso. Mas o enorme esforço na ocasião se refletiu nos jogos de simples do domingo.

Djokovic jogou contra Nikolay Davydenko. Começou muito bem, mas não tinha mais força, tendo que se retirar.

"O resultado podia ser totalmente diferente", disse Obradovic. "Se nossa equipe estivesse com saúde... Os jornalistas russos nos respeitavam muito, já escreviam sobre Novak e nos atribuíam grandes chances. Antes de todos os acontecimentos, Marat Safin aproximou-se e disse: 'Espero que deixem pelo menos algum ponto para nós'. O que é preciso ressaltar é que a atmosfera na equipe, apesar de tudo, era boa, e que todos nos recuperamos rápido da derrota. Não existia nenhum tipo de culpa ou energia ruim. Continuamos em frente."

## A BIOGRAFIA DE NOVAK DJOKOVIC

*

Até a partida contra a Eslováquia, marcada para setembro de 2008, havia bastante tempo. Até lá, tinham de jogar torneios.

Djokovic não perdia tempo. Três dias após Moscou, decidiu aparecer em Marselha, onde foi designado como primeiro cabeça de chave. Privilégio e responsabilidade, já sabia muito bem o que isso significava.

Seu estado de saúde era o grande problema. Ainda não estava recuperado, e foi derrotado na segunda rodada pelo defensor do título, Gilles Simon. Conseguiu ganhar o segundo *set*, mas, no final, era alvo fácil para o 30º. jogador do mundo. O saque, as bolas precisas e as rápidas subidas para a rede no momento certo não perdiam a qualidade, mas era preciso poupar as forças para que os pontos já quase ganhos não fossem perdidos. Djokovic não tinha medo da derrota nem da vitória. Aprendeu a entender ambas, a respeitar e não aceitar nada disso como certo.

A participação no torneio em Dubai mostrou que tinha voltado à forma. Os adversários nas primeiras três rodadas (Marin Cilic, Fabrice Santoro e Igor Andreev) foram derrotados facilmente, cada um por 2-0. Mas, depois disso, praticamente do nada surgiu Andy Roddick.

O norte-americano, depois do Aberto da Austrália, se retirou, por pouco tempo, ao "anonimato", jogou alguns torneios mais fracos nos Estados Unidos e, de repente, voltou ao grande palco. E com estilo. Na semifinal, em menos de uma hora, ganhou de Djokovic por 7-6(5), 6-3.

*

O primeiro lugar na lista da ATP ainda era inalcançável, assim como o segundo, porque a diferença entre os tenistas espanhol e sérvio não era pequena.

No centro da história de Djokovic havia um jovem com uma persistência imensa, mas faltava algo novo, e era urgente. Faltava um novo impulso, e o ator principal da história decidiu buscá-lo no deserto da Califórnia.

Ele gostava do torneio de Indian Wells por vários motivos. Ali jogara o primeiro Masters 1000, quando entrou na lista dos dez melhores e, além disso, seu jogo no piso duro era eficaz, e não havia motivo para não ser assim mais uma vez.

Ele tinha razão. Saiu coroado com mais um título.

Sua conquista tinha algumas semelhanças com o padrão de Melbourne. Primeiro, seus adversários até a final não conseguiam ganhar sequer um *set*, incluindo o defensor do título, Rafael Nadal, contra quem foi à desforra pelo resultado na final no ano anterior.

A semelhança com o adversário da final também era grande. Em Melbourne, a comunidade do tênis ficara surpresa com Tsonga, e em Indian Wells, com Mardy Fish, norte-americano que no caminho à final derrotou Roger Federer em apenas sessenta e três minutos. Fish ainda conseguiu pegar Djokovic, em um certo momento, na "perna errada", e lhe tirou o único *set* no torneio.

Ana Ivanovi também triunfou em Indian Wells. Ganhou o título derrotando Jelena Jankovic na semifinal. Por causa de todas essas vitórias, muitos acharam que o nome do torneio podia ser mudado para "Serbian Wells".

*

A enorme popularidade de Djokovic ficou comprovada quando a rede de TV NBC enviou um helicóptero para levá-lo a um dos mais assistidos programas, *Tonight Show*, cujo apresentador, Jay Leno, insistiu no seu desejo de ter o tenista sérvio como seu convidado. Djokovic aceitou, e da melhor maneira possível, se apresentou para o público norte-americano.

Relaxado, sorridente e bem-humorado, respondia com habilidade às rápidas e curtas perguntas que não tratavam de tênis. Ele demonstrava gostar daquilo, e conquistou todas as simpatias.

Já que estava na Califórnia, aproveitou a oportunidade para assistir aos Los Angeles Lakers. Na famosa Staples Arena, onde se desfrutava um basquete de altíssimo nível, durante o intervalo Djokovic teve uma surpresa, 20 mil pessoas nas arquibancadas o saudaram em ondas de ovação.

Rade Serbedzija comentou: "Era a segunda vez que nos encontrávamos depois de nos conhecer em Umag. E passamos um bom tempo juntos. Ali eu vi como é inteligente e um homem diferente. Lembro-me de que ligou e disse que gostaria de assistir aos Lakers, e eu, com a ajuda de Vlade Divac, consegui ingressos especiais. Ele estava sentado na segunda fila, atrás de Jack Nicholson, ocasião em que se conheceram. Eu não fui, porque dei meus ingressos para minha filha Nina, que foi com Djokovic e a namorada dele, Jelena. Mas, depois, os levei ao Dan Tana's, o famoso restaurante de propriedade do nosso conterrâneo, onde frequentemente se reúnem astros do cinema".

O triunfo em Indian Wells era um sinal certo de que Djokovic tinha voltado à forma, a autoconfiança era visível em cada um dos seus gestos e palavras. Estava preparado para defender o título em Miami.

Mas Miami não estava preparada para ele.

Depois da primeira rodada livre, na segunda "o jogo novamente era imprevisível". E aconteceu a grande surpresa. A participação de Djokovic no chamado quinto Grand Slam, com a derrota para o sul-africano Kevin Anderson, terminou já na segunda rodada.

A sorte mudou de lado de repente, pois o favorito absoluto havia perdido para um *outsider*, um jogador fora da lista dos cabeças de chave. Não lhe restou nada além de homenagear o adversário: "Simplesmente não reconhecia seu jogo. Era nosso primeiro encontro, e ele me surpreendeu em diversos aspectos. Seu saque foi difícil. Um jogo agressivo, ia para os *winners*, as bolas vencedoras, e se defendia muito bem no fundo de quadra. Esperava que em razão da sua altura não pudesse se movimentar tão rápido, mas percebi que sua coordenação é fenomenal. Ele é um bom jogador, e eu não aproveitei as chances que tive nos momentos cruciais".

※

Os resultados do tenista sérvio desde o início da temporada alternavam entre "quente e frio". Do topo ao fundo do poço. Mas isso em nenhum momento o atrapalhou para continuar a trabalhar. O desejo de melhorar não o abandonou, e a motivação, pelo menos quando se trata do tênis, nunca lhe faltou.

Sua próxima chance chegou na temporada no saibro, e seu primeiro destino era sua segunda casa, Monte Carlo.

Nos grandes torneios no piso de saibro Djokovic dava o seu máximo, porque exatamente neles vencia com frequência. Parecia que seu sonho de ganhar em um "saibro grande" podia certamente começar em Monte Carlo.

Recuperou-se rápido de Miami e seguia adiante "escorregando" pela terra vermelha. Derrotou Ivan Ljubicic, Andy Murray e Sam Querrey; chegou à semifinal, e novamente esbarrou em Federer. Era o primeiro encontro deles após o Aberto da Austrália, e em todas as coletivas de imprensa antes da semifinal o nome do suíço.

A partida começou bastante equilibrada. Djokovic teve três chances para quebra, mas não aproveitou nenhuma. Roger foi melhor. Teve somente uma dessas oportunidades e não a perdeu.

No último *game* do primeiro *set*, no seu saque, o suíço jogou muito bem e merecidamente chegou à vantagem. O início do segundo *set* de novo foi equilibrado. Ambos obtiveram uma quebra, e, depois do quinto *game*, com o resultado de 3-2 para Federer, o tenista sérvio entregou a partida.

Djokovic explicou o motivo: "Já há três dias que não me sinto bem. Acordo com dor na garganta. Pensei que não aconteceria nada de especial, mas quando você joga com o melhor do mundo, os pontos se tornam mais longos; ele devolve muito mais bolas, e simplesmente não podia juntar energia suficiente. No início, me sentia bem, e decidi tentar, mas já no fim do primeiro *set* vi que não daria. Infelizmente, hoje não estava suficientemente preparado. Lamento que tenha acabado dessa maneira. Lamento por causa do público, que esperava assistir a um bom jogo. Mas eu, em primeiro lugar, preciso me preocupar com a minha saúde. Passar para a semifinal é um resultado ótimo, então não estou decepcionado. Não é pouca coisa ficar entre os quatro melhores jogadores num torneio tão importante".

Visivelmente Djokovic estava procurando a maneira certa de jogar no saibro e, se achasse, podia obter sucesso em um dos maiores torneios. Sabia que era preciso superar as consequências negativas da derrota, manter a autoconfiança e buscar forças para continuar. Mas como encontrar o jogo certo?

De alguma maneira, esse jogo sempre escapava por pouco. Decidiu procurar por ele em Roma e achou.

Seria injusto dizer que o fator sorte não tenha trabalhado em seu favor, apesar de seu jogo novamente ter sido soberbo. Mas certas surpresas obviamente o ajudaram, e Djokovic conquistou o jubileu do 10º. título.

Rafa, o "rei de saibro", caiu já na segunda rodada derrotado por Juan Carlos Ferrer. Federer não se saiu melhor, caindo na terceira rodada diante de Radek Stepanek. E, somando-se o fato de que seus adversários nas quartas de final e semifinal, Nicolas Almagro e Stepanek, entregaram as partidas, o primeiro Masters 1000 no saibro tinha de ser conquistado.

Stanislas Wawrinka, o adversário da final, mostrou forte resistência, conseguiu ganhar o primeiro *set*, mas não foi além disso, principalmente graças aos excelentes saques do terceiro jogador do mundo. O sexto duelo entre os tenistas terminou pela quarta vez, em favor de Djokovic.

A ex-tenista argentina Gabriela Sabatini lhe entregou a taça de campeão. Djokovic agradeceu a todos pelo apoio em um italiano fluente, e provocou emoção da plateia, enquanto o sorriso não saía do seu rosto. E o motivo era claro. Com essa vitória, ele diminuía a diferença em relação a Nadal para apenas 310 pontos.

Começou assim batalha pela 2ª. posição. A rivalidade Djokovic-Nadal, iniciada nos anos anteriores, começou a ganhar proporções mais sérias. Djokovic correria em busca do segundo lugar de Rafa, mas este não entregaria sua posição tão fácil. Nada vem sem luta.

Quando jogaram a primeira partida, nas quartas de final de Roland Garros, em 2006, Nadal conseguiu sua primeira vitória. Naquele tempo, Djokovic desistiu no terceiro *set*. Já no ano seguinte, tornou-se evidente que a trajetória das partidas seria histórica.

Dos sete duelos em 2007, cinco terminaram em favor do espanhol, mas, nas duas ocasiões, o tenista sérvio lembrou-lhe de que com ele não haveria brincadeira. E assim mostrou no Masters em Miami, quando pela primeira vez derrotou Rafa, e em agosto, em Montreal, quando derrotou todos os primeiros jogadores do mundo.

Mas é interessante que Djokovic e Nadal, apesar da rivalidade crescente, naquele período tinham o mesmo RP (relações públicas), o espanhol Benito Perez Barbadillo, mestre do seu ofício: "Abandonei a ATP em 2006, em razão de algumas discorrências. Fundei minha empresa, a B1PR, cujos trabalhos começaram logo com Rafa, aconselhado por sua família. Ele foi meu primeiro cliente. Isso foi em janeiro, e em março fiz um acordo com Novak Djokovic. Novak é um moço muito inteligente, e sabe que a relação com o público é uma área muito importante. E eu sou muito bom nisso, o que facilita muito a tarefa de todos que trabalham com ele. Com pessoas sensatas é fácil trabalhar. No que se refere ao relacionamento com Rafa... Eu me esforcei para que se conhecessem melhor. Conhecia um e outro, e ambos são pessoas excelentes, então os ajudei a se aproximarem. Disse-lhes que precisavam se conhecer melhor, principalmente porque, no futuro, passariam muito tempo juntos, na quadra e também fora dela".

Benito sabia bem que nenhum dos seus clientes tinha surgido de repente. Vinham de anos e anos de treinos e muitos sacrifícios, e o objetivo era o mesmo: ser o melhor. Por isso, no momento em que a rivalidade começou a crescer, deixou de existir qualquer relaxamento. Ambos treinavam ainda mais, e mais pesado. O caminho até o que desejavam era uma parte do processo para o qual deveriam estar preparados.

No início de 2008, Djokovic estava em melhor forma. Na semifinal de Indian Wells, derrotou Rafa, e pela primeira vez ameaçou mais seriamente sua posição de 2º. lugar.

Seguiu-se então a lógica. Rafa fez tudo para dificultar a caminhada de Djokovic. Fora da quadra eram amigos, mas não dentro dela. Não havia moleza. E Djokovic assim constatou logo depois de Roma. Em cada um dos próximos três torneios que disputou, foi Rafa quem o parou.

O espanhol não tinha outra opção, dava o seu melhor e provavelmente nem pensava que Djokovic estava atrás dele. O espanhol jogava o melhor que sabia, e por esse motivo era o campeão.

No torneio em Hamburgo, o tenista sérvio não teve problemas no começo, mas, na semifinal, a disputa contra Rafa relembrava uma luta de gladiadores (do tênis). Djokovic mostrou que era mais do que um digno rival, apesar de sua verdadeira natureza não ser a de um gladiador.

Perdeu o primeiro *set* por 7-5, cheio de energia, e respondeu cedendo ao adversário apenas dois *games* do segundo *set* (2-6). Era a primeira vez que conseguia lhe "tirar" um *set* no saibro.

A partida "quebrou" no sétimo *game* do terceiro *set*, com o resultado 4-2 para o tenista espanhol, graças a alguns erros de Djokovic. Para Nadal era o suficiente. Teve cinco bolas para fechar a partida, das quais o tenista sérvio conseguiu salvar todas. Mas ao final, Nadal venceu por 7-5, 2-6 e 6-2.

Digamos que o despeito do tenista sérvio acordou tarde demais. Depois de três horas de jogo, a disputa pelo 2º. lugar estava perdida. Mas, no que diz respeito a Djokovic, a luta somente tinha começado.

Antes de continuar, passou uma breve temporada na Sérvia. Os cidadãos de Belgrado tinham a honra de organizar na Arena o maior espetáculo musical na Europa, o *Eurosong*, do qual participam 43 países do velho continente, no fim de maio. A tarefa de Djokovic era, como visitante de honra, jogando a bola de tênis para o público, anunciar a votação da melhor canção. Mas, antes desta tarefa, aproveitou a oportunidade para, ao lado dos apresentadores, cantar a melodia popular que celebra o nome da sua cidade natal.

Finalizada a cerimônia, Djokovic seguiu rumo a Roland Garros!

\*

Será que ficaria mais fácil para Djokovic se não existisse Rafa no palco do tênis? Provavelmente sim, mas o contrário também poderia ser verdade. E caso ele não existisse, seus sucessos seriam lembrados, analisados e acompanhados? Seguramente não, pelo menos não com tanta intensidade. A essência da história de Djokovic era certamente isso, o fato de ambos existirem, um por causa do outro, e vice-versa.

O cenário do Aberto da França era idêntico ao do ano anterior. O mesmo alvo, a mesma distância, a mesma rodada, o mesmo adversário. Na tensa semifinal, Nadal era novamente mais forte, apesar de Djokovic apresentar uma resistência pouco maior, principalmente no terceiro *set*. Mas, de novo, insuficiente. O espanhol passou e ergueu seu quarto troféu em Paris.

\*

Começava a temporada das disputas na grama, em Queen's, uma nova chance para a revanche. Talvez com a troca de piso Djokovic pudesse quebrar os cadeados das portas de Rafael Nadal.

Nas "Quadras da Rainha", durante do prelúdio para Wimbledon, Djokovic derrotou todos os adversários; em dois *sets* o único a oferecer resistência foi Janko Tipsarevic. Para conseguir vencê-lo é preciso mais do que dois *sets*, pelo menos três...

A nova final com Nadal estava cada vez mais perto. E Djokovic declara: "O caminho para Wimbledon ainda é longo, mas gostaria que jogássemos a primeira partida aqui, em Queen's. Estou curioso para ver o que mudou no seu jogo na grama em relação ao ano passado, para ver como vou jogar contra ele nessa superfície. Acho que todos os tenistas sentem que na grama têm mais chances quando jogam contra ele. E acredito que tenho".

Realmente havia chances, embora a vitória tenha escapado por poucos pontos. No placar constava: 7-6(6), 7-5 em favor de Rafael Nadal. Além de levar o título, o vencedor se tornou o primeiro espanhol a conquistar o torneio de Queen's.

O público, em uma final tão tensa, podia apenas ficar agradecido, porque até o último ponto não se podia adivinhar quem ganharia. No começo, parecia que podia ser Djokovic, porque ganhava por 3-0, mas Nadal chegou ao empate, e no final veio o *tiebreak*.

Djokovic começou o desempate com vantagem e teve a bola para fechar o *set*, mas, como tantas vezes antes na sua carreira, Rafa deu uma reviravolta e triunfou por 8-6 no *tiebreak* do primeiro *set*.

Levado por esse resultado, o espanhol, no segundo *set*, chegou à vantagem de 2-0, mas logo a perdeu. A partida continuou indefinida até o fim.

Graças à quebra no 11º. *game*, Nadal chegou ao título, fechando por 7-5. Conseguiu preservar a 2ª. posição, e Djokovic tinha de esperar a próxima oportunidade.

No esporte branco, Djokovic e Nadal representam o que Partizan e Estrela Vermelha são para a Sérvia, ou Barcelona e Real Madrid são para a Espanha

# 25. A PARTICIPAÇÃO DE BRONZE

Apesar de no torneio em Queen's ter sido sua primeira final na grama, a participação de Djokovic em Wimbledon, em 2008, estava longe de ser brilhante, principalmente quando se tem em vista que no ano anterior chegara à semifinal.

Pela pontuação da ATP, poderia se tornar desde já o 1º. do mundo, sob a condição de ganhar o título e Federer cair na primeira rodada.

Como sabemos, não aconteceu nem uma coisa nem outra. Ele foi derrotado logo na segunda rodada, e Federer chegou à final, quando perdeu para Nadal, que iniciou o seu "reinado" após o primeiro Wimbledon.

A pedra no sapato de Djokovic era o veterano russo Marat Safin, então 65º. jogador do mundo, para quem esta era a última tentativa de obter sucesso no All England Club. Apesar de num momento ter sido o melhor jogador do planeta, em Wimbledon nunca conquistou a glória. O mais longe que chegou foi às quartas de final em 2001, quando perdeu para Goran Ivanisevic (que na final ergueu o troféu).

Além dessa partida, Djokovic jogou contra Safin somente mais uma vez, na sua estreia do Aberto da Austrália.

Quando Safin estava no topo da carreira, Djokovic era júnior, e admirava seu jogo. Talvez isto tenha sido uma das principais barreiras, ou a causa da derrota foram também as duplas faltas, ou o fato de que todo o tempo esperava os erros do adversário em vez de atacar, que era a principal característica do seu jogo.

Fosse como fosse, naquele dia nada aconteceu como deveria, e o russo ganhou merecidamente.

\*

A saída inesperada de Wimbledon criou uma nova oportunidade: uma preparação prolongada para a próxima Copa Rogers no Canadá; em Montreal, no ano anterior, derrotara os três primeiros jogadores do mundo e levara o título.

Em Toronto, 2008, nas quartas de final, Andy Murray, o então 9º. jogador do mundo, o barrou. Até essa partida, Djokovic derrotara Dancevic e Soderling, com idêntico resultado: 6-4, 6-4.

As quartas de final em Toronto eram o anúncio de uma rivalidade que, com o passar do tempo, aumentaria cada vez mais.

O jogo de Murray surpreendeu Djokovic, que o parabenizou: "Às vezes, realmente é difícil estar preparado para cada torneio e demonstrar a melhor atuação. Nas últimas semanas passei por três cidades diferentes, joguei em pisos diferentes, em condições muito diferentes. Ainda estou tentando entender o que aconteceu. Andy, antes, jogava principalmente de maneira defensiva, e agora me atacava desde o primeiro ponto. Alguns golpes foram excelentes, mudava a tática com frequência. Normalmente, ele tem uma extraordinária percepção de bola, motivo pelo qual pode fazer essas mudanças. Jogou de forma inteligente, me obrigava a cometer os erros, e eu os cometia. Mereceu a vitória".

Deve ser dito que o escocês certamente mostrou um jogo esplêndido. Movimentava-se muito bem pela quadra, sacava bem, chegava às bolas que a maioria dos jogadores apenas acompanharia com os olhos. Djokovic não tinha ideia de como enfrentá-lo, e ainda cometeu 36 erros não forçados, dos quais 20 de *forehand*. Bastante atípico para o 3º. do mundo.

Na verdade, com o resultado de 5-4, no saque de Murray, Djokovic teve a bola para fechar o segundo *set*, mas não aproveitou. No *tiebreak*, o escocês continuou a brilhar.

Isso era drasticamente diferente do que antes acontecia nos seus encontros, sempre nos torneios da série Masters, o que é bem curioso. Ele jogaram sua primeira partida em Madri, em 2006, e foi a única ocasião em que Murray ganhou um *set*, até essas quartas de final. Entre Madri e Toronto encontraram-se em duas semifinais em 2007, em Miami e Indian Wells e, depois, no início de 2008, em Monte Carlo. Nessas três partidas Murray conseguiu conquistar somente três *games*. Por este motivo ele não era visto como vitorioso quando chegou às quartas de final.

Andy e Djokovic são da mesma idade, nasceram no mesmo mês, e Andy é apenas uma semana mais velho, diferente de Federer e Nadal, que são mais velhos do que Djokovic – o suíço seis, e o espanhol um ano.

Um carismático, o outro calmo; juntos passaram por todas as categorias dos torneios de juniores, ambos inclinados ao jogo de fundo de quadra, e praticamente no mesmo momento ingressaram entre os primeiros cem.

Esperava-se muito deles, um pouco mais de Murray, pois a Grã-Bretanha investia sério no seu desenvolvimento. Apesar de tudo, faltavam resultados. Mais uma vez Andy "calou a boca" de todos que balançavam a cabeça com ceticismo. De novo ganhou de Djokovic; dessa vez em Cincinnati, diminuindo a diferença no retrospecto para 4-2. Este foi seu primeiro título dos torneios da série Masters.

Mas Djokovic também era excelente. Depois de terminado o primeiro *set* e de uma batalha mais difícil no segundo, na semifinal derrotou Nadal, que vinha de uma série incrível de 32 vitórias na sequência, inclusive Roland Garros e Wimbledon. E exatamente quando todos achavam que era indestrutível, mostrou-se que "até acima de Rafa tinha Djokovic".

Era a primeira derrota do espanhol canhoto depois de quase três meses, desde maio, quando, no torneio de Roma, foi derrotado pelo seu compatriota Juan Carlos Ferrero.

Com essa vitória e a classificação para a final de Cincinnati, Djokovic "avisou" o primeiro e o segundo jogadores que não haveria dúvida sobre quem seria o melhor no mundo.

Na verdade, Rafa já era considerado o melhor, mas esse *ranking* ainda não era oficial. Federer, pelo menos até meados de agosto, desfrutaria do trono.

Mas o rei de Basileia, no fundo, já era passado.

Menos de vinte horas após a vitória contra Rafa, Djokovic se encontrou com Murray, desta vez sem êxito. Em dois *sets* e nos *tiebreaks*, cometeu 54 erros não forçados e, após duas e horas e vinte minutos de jogo, Murray venceu por 7-6(4), 7-6(5).

Quando tudo acabou, os dois tenistas deixaram a rivalidade de lado e trocaram elogios. Djokovic, obviamente, não se esqueceu de agradecer aos torcedores pela excelente ajuda no torneio inteiro, principalmente na "noite espetacular da luta contra Nadal", quando disse: "Talvez tenha gastado munição demais para que pudesse jogar a final com Andy da mesma maneira".

Em princípio, nem um nem outro tinham razão para ficar insatisfeitos. Um pulou para a 6ª. posição na lista ATP, e o outro, já com a conquista do lugar na final, diminuiu a diferença em pontos em relação a Federer e Nadal.

As coisas definitivamente começaram a mudar, e essa mudança, para os observadores objetivos, tornava o tênis masculino cada vez mais interessante. Cada título nos maiores e grandes torneios estava agora ao alcance não somente para o par "FEDAL", mas também para muitos outros jogadores.

\*

Uma das particularidades de 2008 eram também os Jogos Olímpicos em Pequim, que aconteciam pouco antes do US Open. Os tenistas masculinos e femininos tinham diferentes percepções em relação à "quebra" do cronograma comum, que era bem apertado, independente da Olimpíada, e por isso alguns decidiram não aparecer.

Djokovic não estava entre eles. A participação na maior competição esportiva, para ele, era a prioridade que o enchia de entusiasmo: "Para mim, os Jogos Olímpicos são de extrema importância. Figuram no topo da minha lista. Olha, Olimpíada! Existem tantos torneios, e esse acontece somente uma vez a cada quatro anos. Quem sabe o que vai acontecer com todos nós até os próximos jogos? Não tenho intenção de perdê-los, e será uma honra participar do evento que tem a mais rica tradição esportiva. Sinto que a atmosfera será fantástica, e espero somente que eu esteja com saúde e em minha melhor condição".

No individual participaram 64 tenistas masculinos e femininos; nas duplas, 30; foram selecionados de acordo com a posição que ocupavam no *ranking* mundial, divulgada depois da disputa de Roland Garros.

Nos primeiros Jogos Olímpicos modernos, em Atenas, disputados em 1890, o tênis era uma das 19 modalidades originais, mas em 1924 deixou de fazer parte dos jogos, para voltar somente em 1988, em Seul.

A diferença de jogar tênis nas Olimpíadas e em todos os outros torneios era enorme. Não havia prêmios em dinheiro, somente medalhas, oferecidas pelas associações nacionais. Os jogadores competiam exclusivamente por sua bandeira e seu hino.

Novak Djokovic diz: "Quando você espera o melhor ou espera algo extraordinário, normalmente se decepciona. Mas os jogos extrapolaram todas as minhas esperanças! É difícil descrever com palavras. Não estou pensando apenas na cerimônia da abertura, mas nas Olimpíadas, em tudo. Cada dia, durante as refeições, você tem a oportunidade de ficar no mesmo espaço com 15 mil dos melhores atletas do mundo. E pode-se trocar experiências, bater papo sobre esporte ou qualquer outra coisa, sobre o tênis também, mas não é preciso. Acho que essa experiência acontece uma ou duas vezes na vida, então, quero tirar o melhor dela".

Mas nem todos gostavam. Por exemplo, para Federer era desconfortável que muitos esportistas quisessem tirar foto com ele ou pedissem um autógrafo, e por isso não ficou na Vila Olímpica, mas optou por se hospedar em um prestigiado hotel. Diferentemente dele, Djokovic curtia isso, era a oportunidade única de ver e conhecer alguns dos seus esportistas preferidos. E eram milhares!

Kipketer, LeBron James ou Kobe Bryant estavam ali, bem perto, e ele quis gravar cada encontro para sempre na sua memória.

Já que o tênis é disputado em dez de doze meses por ano, e as partidas podem ser assistidas também pela TV ou internet, os tenistas, além dos jogadores de basquete e futebol, eram um tipo de "estrela" diferente, que as pessoas mais reconheciam.

Na delegação sérvia, como dirigente do time da equipe, estava também Jovan Lilic, que se lembra muito bem dessa euforia: "Acho que Novak, naquele momento, pela primeira vez, entendeu o quanto vale a paz que lhe oferecia a vida em Monte Carlo. Porque, em Pequim, não tinha sossego. Muitos áses do esporte queriam tirar foto com ele, e ele era não o 1º., mas o 3º. jogador do mundo, não podia acreditar que fora do mundo do tênis tantas pessoas o conheciam! Por exemplo, quando íamos para os treinos, até no ônibus que nos levava até as quadras ele tirava fotos com simpatizantes, no mínimo cem vezes. Por um tempo, isso pode ser gratificante, mas depois se torna cansativo. Há até jogadores que não gostam de tirar fotos antes das partidas, porque acham que isso, de certa forma, tira a alma. Por isso nós, os homens da operação, prestávamos atenção quando eles estavam ou não com vontade de dar autógrafos. Novak, em alguns momentos, tinha de colocar um capuz na cabeça para que as pessoas não o incomodassem. E isso também era totalmente diferente em relação aos torneios, principalmente os Grand Slams, nos quais os jogadores chegam à quadra através de um túnel e ninguém pode se aproximar, nem o treinador. Fazem as últimas preparações e a equipe técnica vai para as arquibancadas, enquanto os jogadores vão para a quadra acompanhados somente por seguranças. Aqui não era o caso".

Nos Jogos Olímpicos, obviamente, tudo era diferente, e Djokovic em nenhum momento escondia sua ambição de conquistar uma das medalhas, apesar das falhas dos organizadores, pois às vezes as partidas terminavam às duas horas da madrugada, e as próximas começavam já às onze da manhã. Nadal e Federer, além de outros tenistas, reclamavam.

Djokovic sempre seguia firmemente o planejamento: depois da partida seguia para o alongamento, gelo ou massagem, e também ia se alimentar. O corpo não descansa até de madrugada. Mas, apesar de tudo, o otimismo era latente, o que se percebia em quadra.

Ele ganhou os quatro jogos no caminho à semifinal, sempre em dois *sets*, mas em Pequim faltava-lhe o ar. Era uma condição nova, especial, e todos tinham de se adaptar.

Djokovic se lembra: "Nunca na carreira joguei em condições climáticas mais difíceis. A umidade é catastrófica. Mal consigo respirar, mas, fazer o quê? Nada de choradeira, é o mesmo para todos. As condições climáticas são estas, não dá para fazer nada".

Na semifinal contra Nadal, o tenista sérvio entrou com grande esperança. O espanhol dominou no primeiro *set* e ganhou por 6-4, mas Djokovic revidou, com convicção, no segundo, com o resultado de 6-1.

No *set* decisivo se desenrolou uma luta equiparada, sem quebra de serviço, até o último *game*, no saque do ás sérvio. Como cometeu vários erros, encontrou-se na situação de salvar a primeira bola do jogo, o que conseguiu. Mas, depois... Um erro tolo e um *smash* aparentemente fácil que jogou para fora marcaram o fim do sonho de Djokovic de chegar à final e conquistar a medalha de ouro.

Deixou a quadra com lágrimas nos olhos, e visivelmente abatido foi à coletiva de imprensa. Para todos era claro que sonhara por muito tempo com essa partida: "Não sei o que posso dizer sobre o último ponto além do que simplesmente aconteceu. Minhas pernas pararam, o público gritava, golpeei a bola de maneira errada, e ponto. É uma sensação terrível quando você perde dessa maneira, mas o que dá para fazer? Acho que fiz uma série das partidas boas e tenho de terminar minha participação da melhor forma. Pelo meu país".

A vitória de Nadal era apenas mais uma comprovação de que o ocupante do trono do tênis já era certo.

Com a eliminação nas quartas de final das Olimpíadas, o ano continuou ruim para Federer, que não havia conquistado nenhum Grand Slam, perdera o título de Wimbledon e, no fim, depois de quatro anos e meio, também a primeira posição na lista da ATP.

Djokovic não ficou preocupado com essa história. Não estava bem com nada. Jovan Lilic, seu treinador da época de júnior, tentou melhorar seu humor: "Estava muito triste depois da semifinal, e no dia seguinte era preciso jogar contra James Blake para o bronze. Não dormiu a noite toda; eu estava do seu lado, esforçando-me para animá-lo, fazê-lo sorrir de alguma forma. E às quatro horas da madrugada finalmente vi um sorriso no seu rosto, soube então que venceria".

Dias antes, na Sérvia, as pessoas viam outros atletas conquistando medalhas e, de repente, num dia só, receberam, não uma, mas duas.

Numa extremamente excitante e muito injusta final nos cem metros estilo borboleta, o nadador sérvio Milorad Cavic conquistou a medalha de prata, apesar de ter chegado em primeiro, mas Phelps tinha de vencer! E, óbvio, Djokovic, pela primeira vez na história do tênis sérvio, conquistou o bronze. Essas duas medalhas, apesar de tudo, brilharam como se fossem ouro.

Logo após a vitória sobre o então 7º. jogador do mundo, Djokovic correu até os torcedores e os demais esportistas sérvios já fora da quadra central, que o apoiaram durante a partida inteira.

"Olá Sérvia, aqui está para você mais uma medalha!", saudou a todos, em meio a aplausos frenéticos e beijos, tendo a sua volta muitos torcedores chineses, que se debatiam ao seu redor.

"E ele, incansavelmente, dava autógrafos, enquanto eu estava totalmente perdido na multidão", lembra-se Jovan Lilic. "Sei que lhes falava em Sérvio-Croata: 'Calma pessoal, com licença, pelo amor de Deus', e vi como ria e gritava: 'O que está acontecendo com você, estamos na China, como podem entender o que está falando?'"

*

"Como se sente?", perguntaram-lhe os jornalistas logo depois da partida. "Feliz. Estou muito feliz", respondeu Djokovic. "Conquistar qualquer medalha nos jogos Olímpicos é algo com que sonha qualquer esportista. E essa oportunidade não aparece com frequência. E não ganham todos. O evento foi um choque para o meu organismo, mas aguentei. Dormi muito pouco nos últimos dias, mas agora esqueci tudo isso. Alegrei a Sérvia. Vou me lembrar de tudo que aconteceu comigo aqui até o fim da minha vida".

*

Apesar do cansaço que sentia após Pequim, Djokovic partiu para Nova York, para o US Open, com muito otimismo. Tinha boas lembranças desse torneio, principalmente do ano anterior, quando o público literalmente ficou apaixonado por ele. Gostavam do seu estilo, garra e atitude, e especialmente seu lado divertido.

Os norte-americanos gostavam do *show*, e Djokovic sabia criá-lo, na quadra e fora dela. Mas as imitações com quais antes "recepcionava" o público agora começavam a pesar. As perguntas frequentes dos jornalistas sobre o tema tinham tirado todo seu charme, e decidiu não executá-las mais. Contra suas imitações ninguém reclamava, pelo menos abertamente, mas parecia que Sharapova era a única que sabia sinceramente aceitar a brincadeira.

No que diz respeito ao jogo, foi exatamente do nível que se espera de um ganhador de Grand Slam. Os adversários das primeiras rodadas não trouxeram problemas, que somente apareceram na quarta rodada, na partida contra Tommy Robredo, quando Djokovic conseguiu a vitória somente no quinto *set*. Mas o que se seguiu colocou uma sombra no excelente jogo de ambos os tenistas.

Como diz o povo sérvio: "Quem perde tem direito de ficar bravo". E, na coletiva de imprensa depois da partida, Robredo acusou Djokovic de ter pedido *time out* médico para descansar, e foi contundente em suas declarações, de um modo incomum: "Eu também sofria com dores. Corria como louco, os pés queimavam, mas não quis reclamar. Se o tenista não está suficientemente preparado, não deve jogar. E, depois de cada pausa, corria inacreditavelmente rápido e golpeava forte. Acho que precisamos nos preocupar com essas coisas. Se eu acredito que realmente houve problemas? Não. Acho que solicitava as paradas porque estava cansado, e o cansaço é parte do jogo. Mas não deveria me espantar, ele já fez isso várias vezes".

A acusação do espanhol de que Djokovic, nos momentos mais importantes da partida, pede *time out* não era inédita. Muitos tenistas o criticaram ainda em 2006 e 2007, inclusive Roger Federer.

Durante o US Open de 2008, o tenista sérvio deixou bem claro o que pensa sobre esses rumores. Primeiro destacou que, após a terceira rodada e a partida contra Cilic, não podia dormir porque a adrenalina "borbulhava" em seu organismo, motivo pelo qual pela manhã acordou com inflamação dos músculos e dores no quadril. Depois, esclareceu ainda mais o acontecimento: "Não é nada agradável quando você ouve esses depoimentos, mas nunca quis me defender na frente dos jornalistas. Acho que não havia necessidade, porque tenho o direito de solicitar *time out* médico, e faço isso somente para melhorar meu estado físico, para que possa continuar com um bom jogo. Nunca pedi a pausa para perturbar o adversário ou mudar o resultado. Nunca. Jamais pensei nisso. O *time out* médico existe para que o fisioterapeuta ou o médico vá a quadra para ajudar, e o pedi no momento quando senti que necessitava. Talvez as pessoas pensem que exagero, mas não houve má intenção."

De certa forma, a declaração de Robredo obviamente era o gatilho para Andy Roddick entrar na história, ainda quando esperava a partida das quartas de final contra o tenista sérvio. Um dia antes do encontro, na coletiva de imprensa, o norte-americano repetiu palavras semelhantes, muito sarcasticamente: "Eu me sinto fenomenal, e Novak, nesse momento, tem algo em torno de dezesseis lesões. Está com dor nas costas, quadril, tem cólicas... gripe aviária... antrax... SARS... tosse comum e constipação..."

Este foi o início da avalanche. Mas, primeiro, era preciso ir para a quadra.

Ainda no duelo contra Robredo, Djokovic sentiu que o público de Nova York não estava do seu lado, e por isso esperava, sabiamente, o mesmo na partida contra Roddick. A luta durou mais do que duas horas e meia; os primeiros dois *sets* foram marcados pelo domínio do tenista sérvio, mas no terceiro ele deixou o norte-americano voltar e ter mais uma chance. Roddick quis, a qualquer preço, permanecer, porque já havia cinco anos que estava sem títulos de torneios de peso, tinha o público nova-iorquino que o encorajava, e tinha também o vento.

Djokovic diz: "É mais fácil quando você joga no 'sentido do vento', porque assim não é preciso usar muita força. É quase impossível quebrar o saque de Roddick quando saca do lado melhor da quadra, mas por algum milagre consegui fazer isso no *game* crucial do quarto *set*. Nem acreditei que escaparia. Ele estava no lado melhor e tinha 30-0 e 5-4. Parecia que entraríamos no quinto *set*. Talvez sua concentração tenha caído um pouco naquele momento, mas aproveitei a oportunidade e venci. Ambos estávamos sob muita pressão, mas joguei uma série de pontos certos nos momentos certos".

O fim do quarto *set* mandou Roddick para casa. Comentando o jogo verbal que antecipara a partida, com certa dose do cinismo, se dirigiu ao público, e a situação no estádio esquentou mais do que em qualquer outro momento: "Andy disse que eu tinha dezesseis lesões, e agora foi confirmado que não era verdade, gostem vocês disso ou não".

Os presentes no Arthur Ashe começaram a reclamar abertamente, e Novak continuou: "Vocês já estão contra mim porque acham que manipulo tudo, então, não tem importância. O que ele fez, em todo caso, não foi bonito".

Em que momento a situação se descontrolou fica uma incógnita. Durante as partidas de recreação e exibição, antes do início dos torneios, Djokovic e Roddick se encontraram. Imitavam um ao outro e tudo aparentemente era boa diversão. Mas, depois das quartas de final, a situação não era divertida, mas bem tensa.

Benito Perez Barbadillo comentou: "Novak é jovem. Ainda está aprendendo algumas coisas. Aprende com derrotas e também com vitórias. Aprende com a vida. Ontem não foi o seu dia, e quando vem da mídia algo que supostamente seu amigo falou, ou alguém que você pensava que era seu amigo, é lógico que se sente ferido. Escolheu um mau momento para dizer o que disse, e tenho certeza de que aprendeu muito com essa experiência. Ele é um profissional que sabe lidar com as consequências do seu comportamento, não importa se é bom ou mau".

Depois, numa conversa particular, os tenistas lavaram a roupa suja, e assim tentaram esclarecer aos jornalistas. O primeiro a fazer uma declaração foi Roddick: "Aqui está a questão. Não era a primeira vez que brincava na coletiva de imprensa. Sabem muito bem que os comentários eram uma brincadeira. E como vocês estão sempre a fim de imitar as pessoas, e assim fazem, é preciso aceitar brincadeiras sobre vocês. Lamento que tenha sido mal interpretado. Não acho que exagerei. Não tive intenção de ridicularizá-lo, e lamento que tenha entendido assim".

Djokovic também estava calmo: "Estou passando por muitas emoções esses últimos dias. Para deixar tudo bem claro, Andy sempre foi muito bem-educado comigo, foi apenas um mal-entendido. Seu comentário não foi malicioso, somente fez uma brincadeira que não entendi, e à qual reagi erradamente. Isso é tudo. Peço desculpas por isso".

A poeira desse conflito inexistente logo baixou, e Djokovic finalmente podia se dedicar à semifinal contra Roger Federer. Se ganhasse, como no último encontro na Austrália, não somente diminuiria a diferença no retrospecto entre eles, mas também se tornaria o 2º. tenista do mundo. Mas não venceu.

E por duas razões. Primeira, o saque. Federer fazia *aces* e *winners* exatamente como sabe, foi fenomenal. Com Djokovic isso acontecia raramente, cometeu cinco duplas faltas em momentos bastante inapropriados. Segunda, a preparação física que o suíço mostrou era incomparavelmente melhor, e é preciso destacar o comportamento incorreto do público em Nova York, que em algumas ocasiões influiu diretamente no resultado contra o tenista sérvio.

Independentemente disso, Federer era novamente aquele velho conhecido. No primeiro *set*, ganhou quase todos os pontos no *forehand*, e não perdeu as bolas curtas. Somente no segundo *set* Djokovic mostrou melhor jogo, e no 12º. *game*, com sua agressividade, conseguiu obrigar o adversário a cometer erros, e merecidamente chegou ao empate. Em seguida, para melhor avaliarem o jogo do rival, ambos fizeram uma pausa.

Continuando o duelo, nos *games* iniciais, graças ao brilhante *backhand* paralelo e aos saques precisos, Djokovic salvou duas quebras e ficou no jogo. Mas movimentava-se mal, e o 11º. *game* no terceiro *set* lhe custou muito. Após obter a quebra, sem dificuldade, Federer sacou para a vantagem de 2-1. Djokovic caiu no "contrarritmo", provavelmente por falta de força. Esforçava-se ao máximo para encurtar os pontos, sempre, e as vezes precipitadamente, tentando fazer o ponto direto. Na ida à rede se saiu melhor, então, com voleios conseguiu se manter no jogo até a metade do *set*. Exatamente nesse momento, Federer obteve uma quebra (3-5, 7-5, 5-7, 2-6). E o episódio do US Open 2008 terminou assim.

Sem se importar com o que havia acontecido, Djokovic mostrou que tinha bastante maturidade. Sabia como resolver problemas, até mesmo quando não conseguia resolvê-los favoravelmente, e o mais importante era que não deixava que o drama do momento o abalasse.

\*

Pouco mais de duas semanas após Nova York, Djokovic se juntou a Bogdan Obradovic e seus amigos em Bratislava. Esperava-os a disputa contra a Eslováquia.

Passaram sete dias juntos, principalmente na famosa sala de massagem, onde os jogadores se recuperam e passam o tempo se socializando. Além disso, receberam alguns conselhos muito valiosos de Marian Vajda.

Bogdan Obradovic comenta: "Derrotamos os eslovacos por 4-1 na Sibamac Arena, na casa deles. Novak jogou somente uma partida no primeiro dia, contra Dominik Hrbaty. Ganhou por 3-0. Depois, Janko também triunfou contra Lukas Lacko, e isso significou muito para ele, porque de certa forma voltou para o palco mundial. Acho que fomos muito bem preparados a Bratislava, estávamos focados nas partidas e não no que acontecia nas arquibancadas, porque os eslovacos trouxeram torcedores de hóquei e que praticamente não sabiam como se torce quando se joga tênis".

A seleção da Sérvia subiu para o 10º. lugar entre os melhores do mundo, mas, apesar desse avanço, não foi o suficiente para ficar entre os cabeças de chave no sorteio para a primeira rodada do Grupo Mundial.

Os cabeças de chave eram as oito melhores seleções, e por sorteio foi decidido que uma delas seria o adversário da Sérvia.

Se tivesse como escolher não iria escolher o mais complicado. O adversário era a Espanha, e por ela jogava o 1º. tenista do mundo, Rafel Nadal. Mas, na Sérvia havia alguém que tinha coragem de enfrentá-lo.

*

A vitória; depois a derrota, o período "quente-frio"; então, novamente a vitória, e de novo a derrota, e o "quente-frio"... Assim podia se descrever brevemente o jogo de Djokovic em 2008, que começou com a conquista de um Grand Slam, mas a sequência estava indefinida.

A temporada se aproximava do fim, e sobrara um pequeno número de torneios, poucas ocasiões para brilhar, e ele sentia que isso tinha de acontecer. A falta de sucessos nos últimos seis meses, de Wimbledon em diante, não o deixara desencorajado. Pelo contrário, sabia que podia mais. Tentava, mas a cada tentativa terminava sem êxito. Para que a situação ficasse ainda mais estranha, o responsável pelo fracasso sempre era o mesmo: Jo-Wilfried Tsonga.

Desde quando tinham jogado pela primeira vez no Aberto da Austrália em 2008, não se encontraram mais. Enquanto isso, o mundo inteiro tomou conhecimento do francês, e apesar de ser dois anos mais velho que Novak, seu nome constava na lista da nova geração. Corpulento, mas pacífico, com sua aparência trouxe algo novo, e com seu jogo, de força e persistência, provou que era capaz de lidar com os adversários mais bem ranqueados. Tinha as características que eram a garantia de grandes resultados, que não faltaram.

No torneio de Bancoc, na final, derrotou Djokovic por 7-6(4), 6-4, e no Aberto de Paris, na terceira rodada, por 6-4, 1-6, 6-3.

Foi curioso que Tsonga, pela primeira vez, tenha erguido um troféu da série Masters, e Djokovic, na capital francesa, antes, chegara apenas até a segunda rodada.

Entre Bancoc e Paris, disputou somente o Masters em Madri. Durante a abertura, foi entregue a Nadal o troféu da ATP para o melhor jogador do mundo, e Djokovic foi parado nas oitavas de final pelo croata Ivo Karlovic.

A Copa Masters em Xangai era a última chance para a "grande explosão". No fim de cada temporada, nessa também, pela regra, jogariam os oito melhores jogadores do mundo. Era uma grande chance.

\*

Juntamente com Nikolay Davydenko, Jo-Wilfried Tsonga e Juan Martin Del Potro, Djokovic estava no Grupo de Ouro. No outro, Grupo Vermelho, eram dois Andys ( Murray e Roddick), Roger Federer e Gilles Simon, que ganhou o direito de participar depois da retirada de Rafael Nadal por lesão.

Logo houve mais uma mudança. No último momento, Roddick desistiu, em razão de uma lesão no tornozelo, e no seu lugar entrou Radek Stepanek, que foi surpreendido enquanto passava férias na Tailândia. Ele aceitou de imediato, mas sua bagagem foi barrada na alfândega até o início da partida contra Federer. Por conta disso, teve de contar com a generosidade de seus colegas. Djokovic lhe emprestou as raquetes, e assim, os duelos entre os oito melhores puderam começar.

No Grupo de Ouro, o primeiro adversário foi Juan Martin Del Potro. Até então, o placar Djokovic-Del Potro era 1-0 em favor do tenista sérvio, graças à vitória na terceira rodada do US Open 2007. Del Potro, desde aquela época, avançara e chegara até a 8ª. posição da lista da ATP. O duelo entre os dois jogadores no fundo de quadra foi intenso e de alto nível.

Quando alguém tem somente 21 um anos, como Djokovic tinha, é estranho dizer que tem experiência, mas foi exatamente assim. Somente o fato de no ano anterior, no mesmo torneio, ter perdido todas as quatro partidas o tornava mais experiente do que Del Potro, que era novato em Xangai.

Como sempre, Novak trabalhava no sentido de tirar o melhor das situações positivas, e mais ainda das negativas, por isso tinha a vantagem psicológica que o fez vencedor. Mas só isso não era o suficiente. Ele devolvia muitos saques fortes e ótimos *passing shots*, como se soubesse que o torneio de Xangai seria seu. E foi.

Veio a segunda rodada, e um rival nem um pouco fácil, Nikolay Davydenko. Djokovic o conhecia desde a Copa Davis, e se naquele momento Davydenko não tivesse tido problema gastrointestinal, que o fez entregar a partida, quem sabe o que poderia ter acontecido.

Agora estava a todo vapor, e queria a semifinal. O duelo durou duas horas e vinte minutos, e ficou indeciso até o fim. O primeiro *set* seria resolvido no *tiebreak*, e Djokovic era um mestre nisso. Ganhava por 4-0, e com um jogo seguro preservou a vantagem. Ganhou por 7-3.

No segundo *set*, era vista na quadra uma imagem totalmente diferente. Davydenko começou a jogar, obteve três quebras, e ganhou com decisivos 6-0. No *set* seguinte, decisivo, devido à grande tensão, o público começou a "ferver".

Até o 11º. *game* e a primeira quebra no *set*, nada estava definido. Djokovic ganhava por 6-5, ganhou também o *game* seguinte com saques fortes, e merecidamente passou para a semifinal da Copa Masters.

Em razão das regras diferentes, quando em comparação com os demais torneios, o duelo seguinte contra Tsonga não podia mudar nada, nem para o tenista francês nem para o sérvio. Tsonga venceu por 2-1, mas perdera as duas partidas anteriores no grupo, e, assim, para ele, a semifinal era inalcançável.

Quando lhe perguntaram, na coletiva de imprensa, como via sua terceira derrota consecutiva para o francês, Djokovic respondeu: "Venceu porque foi melhor". "Será que havia mais uma razão?", insistiram os jornalistas. "Não", Djokovic respondeu, de modo lacônico, e colocou um ponto final nessa história. Era preciso poupar energia para a partida seguinte.

*

O semifinalista que tinha de derrotar no caminho à coroa em Xangai era uma surpresa.

Gilles Simon, o francês que em 2008 jogara as melhores partidas da sua carreira, no Masters final simplesmente explodiu, derrotando até Roger Federer, o que foi a 15ª. derrota do suíço na temporada, quando perdeu a coroa do tênis.

A partida da semifinal entre o 3º. e o 9º. jogadores do mundo foi repleta de jogadas bonitas e teve muita qualidade. Simon deu o seu melhor, mas o resultado acabou sendo justo, pois o tenista sérvio foi muito melhor. Derrotou o francês lutador por 4-6, 6-3, 7-5, e foi à final.

Lá o esperava novamente Nikolay Davydenko. Graças à vitória na outra semifinal, quando foi melhor do que o britânico Andy Murray, o russo garantiu para si mais uma chance.

Da, porém, podia parar Djokovic. Logo obteve uma quebra e começou com 2-0, o que lhe possibilitou ficar mais relaxado. Assemelhou-se aos *games* seguintes, e Novak chegou a uma grande vantagem de 5-0. Davydenko diminuiu a vantagem para 5-1, mas perdeu o primeiro *set*.

O prosseguimento do duelo foi cheio de surpresas. A primeira quebra foi de Novak, 3-1 em seu favor, mas Davydenko, com um jogo cheio de autoconfiança, diminuiu a vantagem. A luta continuou, e chegou a 5-5. O russo esperava virar o resultado, mas não conseguiu, perdeu o saque. E isso foi tudo.

Novak Djokovic comenta: "Estou muito satisfeito com a vitória em Xangai, principalmente porque perdi as últimas três finais que disputei em Queen's, Cincinnati e Bancoc. Agora, de certa forma, recuperei tudo. Conquistei o último grande troféu do ano, e isso com certeza será meu grande incentivo para o início da próxima temporada".

Sim, a próxima temporada realmente prometia. Não apenas porque era o 3º. tenista do mundo, mas também porque só dez pontos o separavam de Federer, 2]. colocado. E, pensando nisso, não se esqueceu do seu objetivo: "Creio que não vou repetir os erros que cometi neste ano, e tenho qualidade para chegar em 1º. lugar, mas isso é algo que pode acontecer na próxima ou próximas temporadas. Em todo caso, meu objetivo permanece o mesmo: o 1º. lugar. Desde o início foi minha meta. No período anterior aprendi algumas lições muito importantes. Agora sei: quando presto muito atenção no *ranking*, as coisas normalmente vão por outro caminho".

A BIOGRAFIA DE NOVAK DJOKOVIC

\*

Comentando o fato de que a sérvia Jelena Jankovic naquele momento ocupava o lugar da 1ª. tenista do mundo, e que na mesma posição nas duplas masculinas se encontrava Nenad Zimonjic, dupla com Daniel Nestor, aliás nascido em Belgrado, Djokovic fez uma das suas piadas: "Já que a Sérvia agora está acostumada com os primeiros lugares, fica claro que devo me esforçar e trabalhar um pouquinho mais para me tornar também o número um".

# 26. NOVA RAQUETE/ VELHA RAQUETE

O ano anterior tinha sido o mais bem-sucedido da carreira de Djokovic. Conquistou o primeiro Grand Slam, realizando seu sonho de menino, mas havia algo ainda mais importante: a essência, ou seja, aquilo que o velho ditado diz: "o homem feliz é somente aquele que suporta igualmente bem os sucessos e os fracassos".

Djokovic tinha altos e baixos, e as quedas e os períodos de crise são comuns para esportistas profissionais. E soube aceitar isso. Acima de tudo, vivenciou uma enorme popularidade, de nível mundial, com a qual também conseguiu lidar. Quando há bons resultados como consequência da dedicação e da estabilidade nas vitórias e também nas derrotas, e quando o vencedor tem otimismo e carisma contagiante, fama é consequência inevitável.

Pelo segundo ano consecutivo, o melhor tenista sérvio era indicado para a disputa do prestigiado prêmio Laureus, na categoria "revelação do ano", tendo como concorrentes diretos a conterrânea Ana Ivanovic, o piloto alemão de fórmula 1 Sebastian Vettel, o golfista norte-americano Anthony Kim, o ginasta chinês Zou Kai e a nadadora britânica Rebecca Adlington, ganhadora de duas medalhas de ouro em Pequim e que, no final, levou o prêmio de revelação.

Realmente, tudo o que conquistava no tênis, e tudo que fazia além disso, era vigiado pelos olhos atentos do público, mas

Djokovic permanecia o menino com pés bem firmes no chão. Papel importante nisso, evidentemente, tinha sua família. Devotado a ela desde pequeno, era a sua base.

"Sempre que preciso de conselho, incentivo ou consolo procuro as pessoas que amo", explica Djokovic. "Meus pais me ensinaram que, se alguém me faz algo de bom, é preciso devolver dez vezes melhor. Desejo dar alguma coisa, e fico mais feliz quando vejo que arranquei um sorriso de alguém. Sou perfeccionista, e as pessoas no meu meio devem ficar satisfeitas, então faço tudo para conseguir isso. Apesar de me sobrecarregar um pouco, não posso mudar".

A família Djokovic se manteve unida, e passou, com sucesso, por várias provações; uma delas, a tendência de tornar a capital sérvia anfitriã de um torneio proeminente. No início de 2009, veio a aprovação da ATP.

O Aberto da Sérvia entrou no calendário no lugar do torneio holandês Amersfoort, e as mais calorosas boas-vindas foram dadas pelo jogador croata Ivan Ljubicic, em nome da ATP (Associação dos Tenistas Profissionais). Djokovic estava muito feliz, cruzando o planeta e divulgando a fama do tênis sérvio. Agora, sua cidade e seu país ganhavam a oportunidade de mostrar ao mundo toda a sua beleza.

As notícias de que Belgrado seria incluída no mapa do tênis não era a única novidade. Djokovic iniciou a nova temporada com uma nova raquete. Em vez das Willson, que usara nos anos anteriores, agora escolhia as Head: "Essa é uma das mais difíceis decisões que um tenista pode tomar. Troquei a raquete com a qual tive muitos bons resultados. A nova raquete é excelente, mas vai ser preciso mais tempo para me acostumar com ela".

Era o início da temporada com uma decisão muito arriscada. Mas as grandes conquistas incluem também grandes riscos, e por isso não havia lugar para indecisão.

Bogdan Obradovic testemunha: "Ele, ainda com seus 13 anos de idade, já sabia o que queria. Na época, jogava com raquete Prince, que eu tinha trazido de uma das viagens aos EUA. Com ela jogava também o australiano Patrick Rafter, naquele tempo um dos seus ídolos. Mas há uma curiosidade. As raquetes que são fabricadas especialmente para determinado jogador, ainda mais quando se trata da mesma empresa, são balanceadas de forma muito diferente. O grafite, a explosão do jogador, a velocidade, o desempenho de cada jogador é levado em conta para o tenista que as usará. Essa que eu trouxe para ele foi criada para as necessidades de Rafter, e era uma versão mais pesada, porque todos sabemos que ele jogava no estilo saque-voleio. A Prince branca de Novak aparentemente era a mesma, mas na verdade era totalmente diferente, e muito mais pesada do que a raquete com a qual estava acostumado. Lembro-me de que testou na quadra o presente que ganhou e disse: 'Então, agora sei por que Rafter tem bons voleios, sua raquete tem muito mais estabilidade'. Sempre gostava de comentar tudo. E de experimentar. Eu, por exemplo, tinha a raquete Head, com a qual jogava Gustavo Kuerten, que ganhei de uma excelente amiga, Zeljka, que trabalhava para a representação deles na Áustria (país de origem das raquetes Head), o que me ajudava muito, porque ela mandava as raquetes para os nossos jogadores. Gustavo Kuerten jogava com a raquete produzida especialmente para ele, e o material da Head com o qual Novak joga hoje é exatamente o da raquete de Guga. Aliás, a velocidade obtida com o uso desse grafite é excelente, é uma raquete produzida com a tecnologia destinada aos melhores, e a raquete de Novak é feita dos melhores materiais. Todos os torneios Futures ele jogou com Head, e passou para a Willson porque tinha um contrato de três temporadas, depois voltou para a raquete que o impressionava desde moleque".

A mudança não significava que Djokovic procurasse a perfeição, mas, sim, a solução.

*

Cada temporada, e esta não foi diferente, começa com torneios na Oceania. Antes do Grand Slam em Melbourne, são disputados torneios menores, que para muitos servem como preparação. O primeiro destino de Djokovic era Brisbane. Mas caiu logo na primeira rodada diante de Ernest Gulbis

Procurando um "novo começo", em meados de janeiro foi a Sydney, e faturou sua primeira vitória com a nova raquete, contra Paul-Henri

Mathieu. Se naquela ocasião conquistasse o título, automaticamente tomaria a 2ª. posição de Federer no *ranking* mundial, mas chegou "somente" à semifinal, quando perdeu para o finlandês Jarkko Nieminen.

Novak Djokovic afirma: "Em comparação com a semana anterior, agora tenho muito mais autoconfiança. Em Brisbane me atormentava também a grande diferença de fuso horário (*jet lag*) e a necessidade de me adaptar às condições climáticas. Mas agora é outra história, e espero que esteja preparado para o mais importante evento do tênis na Austrália".

Ele se referia ao Aberto da Austrália, onde conquistara o título em 2008. No mesmo ano, tendo em vista os fantásticos resultados dos tenistas sérvios masculinos e femininos, a Sérvia se tornou a superpotência mundial do tênis. Literalmente.

Agora, em 2009, os preparativos começavam novamente. Os organizadores prometeram aos vencedores nas categorias masculina e feminina uma premiação recorde de 2 milhões de dólares australianos, enquanto os finalistas podiam contar com 1 milhão. Apesar de ser uma proposta atraente, muitos tinham queixas. Para começar, o calor insuportável (até 45 ºC), fazendo-os propor que a competição fosse transferida para fevereiro, em razão dos riscos de lesões e do pouco descanso.

Um dos que apoiavam as iniciativas era também o campeão sérvio: "Acho que os jogadores têm de se preocupar com a saúde. Muitos tenistas desistem de participar, e torcedores, patrocinadores e organizadores não ficam satisfeitos quando isso acontece com um dos dez melhores. Sei que é impossível mudar tudo radicalmente, porque é preciso muito trabalho e energia. E também a tradição está em jogo. Mas é importante que os melhores jogadores em cada torneio joguem no mais alto nível, por isso acho que deve ser feita uma programação que sirva para todos".

Assim também pensava a lenda do tênis Martina Navratilova, que na sua coluna descreveu o Aberto da Austrália como "perigoso": "Alguém poderia morrer até as coisas mudarem, mas acredito que o Aberto da Austrália pode mudar dentro de um mês".

Mas, já que nada tinha mudado, era preciso continuar com o esquema previsto. E Djokovic assim fez. Na verdade, sua atuação nas primeiras duas rodadas começou bem devagar, mas sempre voltava à partida, interpretava os saques dos adversários, subia à rede e com um conjunto de ótimos golpes transformava-se numa "parede móvel". Problemas um pouco maiores começaram a aparecer na terceira rodada, contra Amer Delic, mas sem nenhuma ligação com o tênis. Como nos anos anteriores o problema eram os torcedores.

Após o término da partida na Rod Laver Arena, depois de um cumprimento amigável entre Djokovic e Amer na rede, houve uma briga no complexo Melbourne Park. Os torcedores bósnios e sérvios jogavam cadeiras de plástico e outros objetos uns contra os outros; duas pessoas foram presas e uma menina sofreu ferimentos leves. Uma ocorrência estranha e vergonhosa para o tênis. Felizmente, a polícia reagiu, e com uma ação rápida evitou um confronto maior.

"Na quadra as coisas não saíram do controle", comentou Djokovic sobre a situação desagradável. "Nesses momentos, os torcedores sérvios e bósnios também se comportavam bem. Foi um verdadeiro prazer jogar, e diria que o público também ficou satisfeito. Amer e eu nos respeitamos. Ele é um menino brilhante, nos relacionamos também fora da quadra. Tento não pensar sobre as coisas que acontecem lá fora. Isso é algo que não pode nos influenciar. Se os torcedores se comportam mal, isso é assunto para as autoridades responsáveis".

A fervente atmosfera da torcida, dessa vez sem incidentes, continuou durante a estranha partida contra Baghdatis, que começou no domingo, às 23h15, e terminou na segunda-feira, às 02h30. Mas isso não impediu que a Rod Laver Arena, a quadra central, ficasse lotada e que o grupo de entusiasmados torcedores cipriotas apoiasse seu favorito. Em dado momento, o Melbourne Park parecia mais um campo de futebol em vez de um estádio de tênis.

No ano anterior, Baghdatis também esperou pela alvorada, na mesma quadra, na partida contra Lleyton Hewitt, que terminou às 04h34. Haveria mais avanço da história do torneio em Melbourne.

Baghdatis perdeu no duelo por 3-1, mas não ficou decepcionado. "Não é fácil jogar até a madrugada, claro, mas isso também faz parte do nosso trabalho. Estou satisfeito, porque perdi os últimos sete meses da temporada anterior por causa de uma lesão, e deve ter dado para perceber que me faltou autoconfiança. Meu objetivo foi esperar pela segunda semana em Melbourne, e tive êxito nisso. Porque nossa partida terminou às três e meia", brincou o cipriota.

O próximo adversário de Novak era Andy Roddick. Djokovic começou a partida muito bem, mas logo apareceram os problemas. Estava pálido e esgotado, e havia também o problema com a lesão do ombro direito, que o fez pedir *time out* médico. Tentou se recuperar com a massagem de gelo, mas nada ajudou. Com o resultado 2-1 em *sets* e 2-1 em *games* a favor de Roddick, após duas e horas e quarenta minutos, Djokovic consultou o médico e decidiu entregar o jogo. A estatística foi positiva para o primeiro semifinalista: fez o dobro de *aces* (16-8) e cometeu menos da metade dos erros não forçados (14-39), enquanto ambos aplicaram 43 *winners* cada um.

Como de costume, a mídia "bombou" o assunto.

Divulgou-se que se tratava do "quarto jogo de Grand Slam que entregava" e que, de certa forma, Djokovic se tornara "especialista em desculpas médicas". Acrescentou-se também que isso podia ser visto nos meios profissionais como "comportamento inadequado", pois Nadal e Murray nunca entregaram partidas num Grand Slam, e Federer nunca abandonara nenhuma das 775 partidas de sua carreira profissional.

Havia também aqueles que foram mais brandos, citando que Djokovic não teve tempo para se recuperar da partida anterior, ressaltando que os organizadores não facilitaram em nada nem adiaram a partida, e que isso se refletiu na sua preparação física.

Então, Federer se pronunciou: "Olha, se você não está preparado não vá. Se Novak estivesse ganhando por 2-0, acho que não se retiraria. Isso aconteceu graças a Roddick. Ele o empurrou até os últimos limites. Salvas para Andy".

Andy, por sua vez, demonstrou uma compreensão surpreendente: "Essas são situações decepcionantes. Estou com pena de Novak. Trabalhou muito para conquistar esse troféu no ano passado, e é uma pena que não tenha tido uma chance real de defender o título. Eu o respeito muito. E lhe disse isso".

O norte-americano confessou que quis se aproveitar das circunstâncias: "Sabia que seu corpo estava sofrendo, mas... Sinceramente, nessas situações você só quer liquidar tudo o mais rápido possível. Não quer continuar a partida perguntando-se se o adversário conseguirá voltar ao jogo ou não. Estou feliz de no *game* antes do intervalo ter obtido uma quebra. Isso me deixa com a consciência tranquila".

Uma versão do "derretimento de Djokovic ao sol australiano" tinha também seu então treinador e amigo da base de Belgrado, Jovan Lilic: "Pena... Acho que é preciso respeitar quem conquistou o torneio no ano passado e lhe permitir o privilégio de, com o supervisor e o diretor do torneio, combinar, caso uma partida termine muito tarde, que a próxima seja adiada por algumas horas, o que significa muito. Não somente para Novak, mas sim para todos os outros. Mas eles não deixaram. Jogou no maior calor, e Roddick já tivera um dia de pausa, segundo a programação do torneio. E Novak nem sabia onde estava. Para mim, isso não é somente desrespeito ao campeão, mas também à nossa nação. O norte-americano é respeitado, mas o sérvio não. Na verdade, pode ser que os patrocinadores também tenham exigido assim, isto porque procuram 'sensações' para quebrar o monopólio que sustenta os quatro melhores tenistas. Porque, se aparecerem um deles pode ganhar o torneio. Por esse motivo procuram 'zebra'".

Após a rendição, Djokovic confirmou que estava num impasse com os organizadores: "Estava exausto, num calor de mais de 40 °C. Além disso, não me recuperei bem da partida anterior, que foi à noite. Seria lógico transferir a partida das quartas de final para o período noturno, mas isso não foi feito. Acho que, às vezes, os organizadores também precisam ouvir os jogadores, e prestar atenção aos interesses dos apreciadores do tênis que frequentam as partidas. Eles não pagaram ingressos para as quartas de final para assistir à minha desistência. Este é um fato sobre o qual é preciso pensar".

Por ter perdido para Roddick, Djokovic teve de descontar os 2 mil pontos conquistados com o título do ano anterior, mas ainda assim não tinha sua terceira posição na lista da ATP ameaçada. Como Roger Federer disputou a final na Austrália, voltou a aumentar a diferença para o terceiro colocado, o tenista sérvio. Rafael Nadal, com a conquista do título, carimbou seu domínio como número um do mundo.

\*

Após uma pausa de três semanas, Djokovic voltou à cena e foi para Marselha, para o ATP Tour 250, chamado de Open 13. E, como era o mais bem ranqueado de todos que confirmaram presença, foi designado como cabeça de chave número um.

Era a sua terceira participação seguida, e até aquele momento não tinha tido sorte. Na primeira, em 2007, foi parado por Mikhail Youzhny, e em 2008, na segunda rodada, perdeu para Gilles Simon. Agora, na semifinal de 2009, a série ruim continuou, tendo como protagonista Tsonga. Djokovic perdeu por 2-0 nas semifinais, mas não houve nenhum problema: "Perdi do jogador que foi melhor do que eu. Tsonga realmente teve um jogo brilhante. Ele tem o saque e o *forehand* fortes, e melhorou muito na devolução de serviço. Além disso, está cheio de autoconfiança. Para ele se tornou normal acertar o primeiro e o segundo *aces*, e resolver o *set* com o saque, e isso é incrível". A última frase, dita com um sorriso, referia-se ao fim do primeiro *set*, quando Tsonga aplicou cinco *aces*.

*

Fevereiro de 2009 estava chegando ao fim, e Djokovic continuava sem título. Era preciso encontrar um novo desafio, e ele escolheu Dubai. E novamente foi colocado como cabeça de chave número um, mas, agora, teve um pouco de sorte.

Federer saiu por causa de lesão, Nadal cancelou sua participação a conselho médico, a fim de se recuperar da lesão do joelho e se preparar para a Copa Davis. E para que a situação ficasse ainda mais interessante, o defensor

do título, Andy Roddick, também não disputou o torneio. Ele o boicotou, decepcionado com os Emirados Árabes Unidos, que se recusaram a emitir o visto para o tenista israelense Shahar Peer (por causa dessa decisão, o torneio de Dubai foi multado em US$ 300.000). As condições do ginásio, onde no ano anterior chegara à semifinal, agradavam ao tenista sérvio, mas era preciso "transferir" o jogo.

"É mais difícil ir das quadras abertas para um espaço fechado, ou deste para aquelas?", os jornalistas perguntaram a Djokovic antes da competição. "Acho que é mais difícil quando você sai do ginásio para a quadra aberta, porque nela há elementos nos quais você não pode interferir, como, por exemplo, o vento, o calor e o sol. Nas quadras fechadas você tem condições mais calmas, e é muito mais fácil estabelecer o ritmo de jogo."

Como visto já nas primeiras rodadas Novak reencontrava o ritmo, tinha velocidade e estava agressivo.

Djokovic aproveitou o pouco tempo livre entre as partidas para brincar com o simulador de voo "A380". A rota que escolheu foi Belgrado-Dubai: "Sempre é divertido participar de uma atividade como essa. No ano passado esquiei ao ar livre, apesar de em Dubai a temperatura ser alta. Isso é tão divertido que parece real".

O tenista croata Marin Cilic, então 12º do mundo, o esperava na terceira rodada. O resultado da partida, 6-3, 6-4, diz tudo. Com lugar garantido na semifinal, Djokovic defendeu os pontos do ano anterior, e agora, com a possibilidade de chegar à final abria a porta para somar ainda mais pontos. Mas era preciso passar pelo francês Gilles Simon.

Simon era um enigma para a maioria dos tenistas, porque não tinha, aparentemente, domínio físico, mas com isso escondia seu verdadeiro potencial. Seu jogo era único e muito forte, sólido em todos os quesitos, com golpes bons e equilibrados. O que foi confirmado também na semifinal. Funcionavam seus *backhands* e *forehands*, cometia poucos erros não forçados, movimentava-se muito bem, e ganhou o primeiro *set* por 6-3. Nos próximos dois *sets* houve equilíbrio, e com um pouco mais de sorte o tenista sérvio venceu.

"A sorte tem que ser merecida. Ela não cai do céu. Todo o tempo tive de lutar, e não parei de crer no sucesso. Sob o aspecto psicológico, essa vitória é muito importante para mim. Se quero permanecer no topo do tênis mundial, tenho de ganhar esse tipo de partida, porque Simon é um jogador único e um dos melhores do mundo", Djokovic confirmou o favoritismo como cabeça de chave número um, garantindo um lugar na primeira final naquele ano.

David Ferrer já estava pronto. A partida não só foi assistida pelos espectadores nas arquibancadas, como também pela imprensa da península Ibérica e da cordilheira dos Pirineus. À espera da partida Espanha-Sérvia na Copa Davis, a final em Dubai era a oportunidade ideal de checar quem dispunha de quê. Viu-se um tênis fantástico, e a mídia espanhola não poupava elogios. Foi este o aperitivo antes do combate em março das duas equipes pela Davis.

Em razão do jogo no primeiro *set*, o espanhol, com todo merecimento, prolongou o duelo, mas não o venceu. Interrompeu-o Djokovic, que foi melhor nos momentos decisivos, e no final festejou o placar de 7-5, 6-3.

Dubai era significativo para ambos os tenistas. Para o vencedor do duelo, porque conquistou o 1º. título na temporada e o 12º. na carreira. Para o derrotado, porque lhe devolveu a autoconfiança abalada; no final do ano anterior, caíra para o 12º. lugar na lista da ATP, mas antes disso já havia estado, por um longo tempo, entre os cinco primeiros.

"Todo o tempo sabia que tinha chance no saque", disse Djokovic depois da partida. "Fazia bem as devoluções e sabia que era preciso me concentrar no saque. Joguei bem, principalmente no final e durante o último ponto".

Ferrer concordou: "Joguei bem, e estou feliz por isso, mas talvez a razão da vitória de Novak se encontre no fato de que ele é melhor tenista do que eu. Ele é realmente rápido e saca melhor nos momentos importantes. O saque é a chave e fez a diferença".

*

Domingo à tarde Djokovic chegou a Belgrado, e já na segunda-feira juntou-se aos demais jogadores da equipe sérvia na Copa Davis. Os preparativos para a primeira rodada do Grupo Mundial estavam em andamento, visando ao duelo contra o atual campeão.

A Sérvia e a Espanha nunca tinham se enfrentado na Copa Davis, mas a Espanha e a antiga Iugoslávia jogaram oito vezes, e o placar era de 6-2 para a Espanha. O último triunfo espanhol foi em 1977, depois do que a Iugoslávia foi melhor nas duas ocasiões, 1983 e 1989.

Mas até 2009 aconteceu muita coisa. A equipe Sérvia, compostos por Djokovic, Tipsarevic, Zimonjic e Troicki, não perdia a esperança, apesar de o sorteio, já por dois anos seguidos, não ter sido favorável. Na temporada anterior, o adversário da primeira rodada foi o vice-campeão, e naquele ano, o atual campeão. Em ambos os casos jogaram como visitantes e, por isso, tinham de se adaptar às condições do anfitrião.

"Djokovic, Troicki e Tipsarevic sacaneavam Zimonjic sem parar, chamando-o de 'tio', mas lhe pediam muitos conselhos porque era o mais experiente. Havia uma atmosfera fenomenal, apesar de a maioria dos jogadores ser muito jovem. Eles amam seu país, e nos jogos da seleção querem deixar seus conterrâneos orgulhosos", dizia o técnico Bogdan Obradovic.

Jogavam em Benidorm, uma cidade de veraneio ao nível do mar, o que prometia condições ideais para jogo. O piso, obviamente, era saibro.

"É uma sensação diferente quando você representa o seu país e não pode escolher as condições sob as quais vai jogar", declarou o melhor tenista sérvio. "O saibro serve muito mais para eles, porque praticamente cresceram nele, está no seu sangue. E no nosso não".

Realmente, os jogadores da Espanha, especialmente Nadal, obtiveram seus melhores resultados no saibro. Esse piso mais lento era extremamente confortável para os espanhóis, fisicamente muito bem preparados. Mas as condições favoráveis para jogar – assim anunciadas – não foram encontradas. Em razão de uma grande avaria do estádio montado em Benidorm, provocada por um vendaval, o início da competição foi adiado por 24 horas. Voaram os painéis de propaganda, os assentos foram destruídos, as grades ficaram retorcidas, e uma parte das arquibancadas de um dos lados da quadra desabou. Era preciso sanar os problemas, e para os jogadores não restou nada além de esperar.

Bogdan Obradovic se lembra: "Passávamos mais tempo em reuniões com organizadores do que com os jogadores. Tudo que aconteceu foi inesperado. Na sua longa carreira, nem Niki Pilic viu algo assim. Por causa das condições climáticas, não tínhamos a quantidade suficiente de treinos e, ao contrário dos espanhóis, que depois descobri iam para Valência e treinavam, nem pegamos na bola. Fomos para uma sala, e eu e Pilic encontramos os jogadores para que batessem algumas bolas, mas jogávamos mais basquete, porque o piso era duro, e eles não queriam treinar. Por causa do vento, de certa forma tudo mudou, e acho que foi a única vez que a Copa Davis não foi disputada na sexta-feira. Em vez disso, no sábado, jogamos duas simples e uma dupla".

Como sempre, as regras eram as mesmas. A classificação para a próxima fase seria da seleção que primeiro conquistasse três vitórias.

Diante dos "águias" – como é chamado o time nacional sérvio, por causa da marca no brasão nacional – estava a "armada" espanhola.

Djokovic e Ferrer foram os primeiros a entrar na quadra, diante de um público de 10 mil torcedores, que promovia uma atmosfera de carnaval. A partida durou duas horas e cinquenta minutos. Djokovic tinha problema com o saque, e cometeu muitos erros não forçados, terminando a partida com 15 *winners*, 11 a menos que seu rival.

"Em maio ou junho do ano passado joguei pela última vez no saibro", disse Djokovic, "e aqui, por causa do tempo, não tivemos sequer dois treinos completos. É evidente que não mostrei minha melhor partida, e que ainda não adquiri o ritmo nesse piso. Procurei-o durante a partida, mas ele jogou com muita solidez os primeiros dois *sets*, e me forçou a errar. Nesses momentos não tive paciência, e Ferrer chegou à vitória com merecimento".

Na partida seguinte, o 1º. do mundo aumentou a vantagem dos espanhóis para 2-0. Em apenas noventa e cinco minutos, Nadal, de maneira rotineira, derrotou Janko Tipsarevic: 3-0 (6-1, 6-0, 6-2).

"Perdi o controle na metade do primeiro *set*", disse Janko. "Pode ter parecido que eu quis perder de propósito, mas, se tivesse só defendido, Nadal aumentaria a correria pela quadra, o que seria uma verdadeira humilhação. Por isso continuei atacando, mas simplesmente não deu. Sentia-me muito mal na quadra. Esta semana, com certeza, foi a mais estanha na minha carreira. Antes da partida, os colegas espanhóis me falaram sobre Benidorm, nunca tinha ouvido falar na cidade. Disseram que o tempo é sempre agradável, que o sol brilha. E eu, numa semana inteira, passei na quadra somente duas horas e meia."

Duas partidas nas simples foram perdidas, mas Troicki e Zimonjic reaviveram a esperança ao derrotar, nas duplas, Tommy Robredo e Feliciano Lopez. As "águias" permaneceram no jogo. E chegou a hora da "sobremesa": Djokovic e Nadal.

O tenista sérvio esforçava-se para não cometer os erros que cometera no duelo contra Ferrer; jogou com mais agressividade, movimentava-se melhor, estava motivado e, realmente, a partida foi aberta, apesar de o resultado final deixar uma impressão diferente. O líder do *ranking* da ATP triunfou por 6-4, 6-4, 6-1.

"Deixando de lado o fato de ter perdido", declarou Obradovic, "essa partida ajudou Novak a entender o que é preciso fazer nesse piso contra Rafa, principalmente em relação ao saque. Ele mesmo me disse: 'É incrível como saco mais fraco contra ele em relação aos outros jogadores'. Tudo que aconteceu, ele aceitou com a cabeça fria. Vimos que Nadal joga de forma inteligente, taticamente, que deixa a quadra limpa e raramente entra nela. Notável também o fato de que a quadra foi feita de um jeito que, se você tenta entrar um pouco mais, para responder aos *spins*, você deixa o terreno tão ruim que a bola pula de maneira incontrolável. Acho que essa foi a grande vantagem de Nadal. Novak percebeu que é preciso tentar subir à rede e neutralizar do fundo da quadra os *spins* de Rafa. Diria que nessa partida esteve no caminho para entender o que é necessário fazer para que finalmente derrote Nadal no saibro".

Os espanhóis conquistaram uma vantagem inatingível, mas no hotel Asia Gardens, onde estava hospedada a seleção sérvia, a atmosfera não era ruim, apesar do resultado. A derrota por 4 a 1 foi aceita como uma realidade, um tipo de "acidente isolado que dá para consertar", como descreveu Niki Pilic: "Faltaram-nos pelo menos oito horas de treino, jogamos no saibro deles, no qual Nadal não perde, a quadra tinha muito pó de saibro, estava também muito úmida, mas é necessário ser objetivo e dizer que nossa equipe é mais fraca do que a deles. Se jogassem em Belgrado, no piso rápido e diante do nosso público, creio que teríamos ganhado".

Para que no ano seguinte participasse do Grupo Mundial, a Sérvia tinha de passar pelo *playoff*, mas isso não significou perda de motivação. Ali estavam o 3º. jogador do mundo, um dos melhores duplistas do mundo e mais dois entre os primeiros 50. Com um time desses, eram possíveis resultados muito melhores.

\*

Djokovic logo deixou a Espanha. No seu bolso, a passagem para os EUA, onde o esperava o Masters 1000 de Indian Wells. Era preciso defender o título do campeão.

No ano anterior, na final, tinha sido melhor que o norte-americano Mardy Fish. Quando começou o torneio em 2009, mostrou desempenho suficiente para vencer. Nas oitavas de final, durante o duelo contra o suíço Stanislas Wawrinka, pela primeira vez teve sérios problemas. E os resolveu, depois de duas horas e vinte e oiti minutos de incerteza.

"Realmente foi uma grande luta a cada ponto. No geral, não acho que fiz um jogo brilhante, mas ganhei dois *sets* no *tiebreak*, e consegui suportar toda a pressão. Isso mostra a importância do espírito lutador como um dos aspectos do jogo", declarou o defensor do título.

As notáveis oscilações do seu jogo anunciavam que a próxima partida contra Roddick, nas quartas de final, podia ser muito desconfortável. Djokovic, evidentemente, não jogava no nível costumeiro. Em toda a partida, que demorou pouco mais de uma hora, o controle do jogo estava nas mãos do tenista norte-americano. Conseguiu duas quebras em cada um dos dois *sets* e venceu, graças aos erros do adversário, entre outras coisas.

Para Djokovic aquele foi um daqueles dias quando nada dá certo: "Não tinha reação na quadra. Sem sentido da bola, nem boa movimentação. Simplesmente não havia solução. Cometi um enorme número de erros não forçados".

A derrota contra Roddick custou-lhe 820 pontos ATP. A 3ª. posição ainda não estava ameaçada, mas precisava equilibrar seu jogo. Se não conseguisse, não avançariam no *ranking* mundial.

\*

De imediato Djokovic foi para Miami, para mais um torneio da série Masters. No ano anterior tinha sido derrotado logo no começo e, assim, não precisava ficar preocupado com a defesa de pontos. Em razão de seu bom *ranking*, na primeira rodada estava livre, e passou pelas três seguintes sem um *set* perdido.

Enquanto isso, ele deu uma entrevista para o canal de televisão *CBS4*, e revelou alguns detalhes da sua vida particular. O público norte-americano descobriu que, na infância, tinha medo de cobras e aranhas, que seu herói favorito dos desenhos animados era o Pernalonga, e gostava de sorvete de morango; que gastou seu primeiro prêmio em um torneio em um lanche com os amigos (o cheque para um menino de 16 anos tinha valor bastante baixo), e que seu melhor presente tinha sido o nascimento de Marko e Djorjde, seus dois irmãos.

A BIOGRAFIA DE NOVAK DJOKOVIC

Chegou então a semifinal. O adversário, mais do que difícil, era Jo-
-Wilfried Tsonga. Djokovic o derrotara somente uma vez, no primeiro
encontro entre ambos no Aberto da Austrália, em 2008. E em todas as
partidas posteriores – em Bancoc, Paris, Xangai e Marselha – Tsonga
saiu vencedor.

Na coletiva de imprensa antes da partida, o tenista sérvio explicou sua situação: "Perdi quatro partidas consecutivas contra ele, então
Tsonga tem uma pequena vantagem. Mas as partidas são indefinidas.
Será um grande desafio para mim. As vitórias são necessárias para que
a autoconfiança volte, e é exatamente isso o que acontece comigo nos
últimos tempos. Felizmente, ganho com mais frequência do que perco.
Conquistei Dubai, ganhei alguns duelos em Indian Wells, e agora estou
nas quartas de final em Miami. Está bom".

Na verdade, estava ótimo. Key Biscayne em 2009 o presenteou
com um triunfo total. Djokovic esperava por esse momento havia seis
meses, e conseguiu. Sob condições climáticas extremamente difíceis, em
uma hora e cinquenta e cinco minutos, a sequência de quatro derrotas
contra Tsonga finalmente foi interrompida, e de forma convincente:
6-3, 6-4. Encorajado com esse triunfo, na semifinal contra Federer
Djokovic entrou cheio de energia.

No retrospecto entre ambos, o suíço ganhava por 7-2, e no jubileu
do 10º. ganhou o primeiro *set*. Mas não teve força para ir além. Depois
de uma hora e quarenta minutos, Djokovic venceu pela terceira vez.

Mas ele não era o único que pretendia levar o título. Andy Murray
tinha o mesmo sonho. Na temporada anterior tinha melhorado significativamente, não somente o jogo, mas também a condição física,
e apesar de nunca ter tido um corpo "sarado", ficou muito mais forte. Mas, falando com franqueza, golpes fortes nunca tinham sido sua
principal característica, ele tinha, sim, uma combinação inteligente de
golpes. "Sinto-me fenomenal", ele declarou, "creio em mim e no meu
jogo. É muito bom ter conseguido encontrar uma maneira de derrotar
Novak depois de muita tortura, mas sei que no domingo tenho de ser
muito bom se quiser vencer de novo. Ambos jogamos bem, e por isso
espero uma final excelente. Tenho certeza de que Novak também pensa
de maneira semelhante".

Quando a partida acabou, mas também no seu decorrer, ficou bem claro por que o escocês saiu com a taça nas mãos. Ganhou por 2-0, e dos 134 pontos jogados, 77 foram dele. O suficiente para que fosse o campeão de Miami. Djokovic ainda levava vantagem no retrospecto, mas as três derrotas seguidas diminuíram a diferença para apenas um ponto: 4-3.

\*

Em meados de abril, em Monte Carlo, oficialmente foi aberta a temporada de saibro. Para os tenistas ao redor do mundo a situação ficou bem clara: não importava o grau de preparação nem a posição na lista da ATP, no piso de terra, contra Rafael Nadal, não tinham qualquer chance. O espanhol derrotava a todos no "piso vermelho" como se estivesse brincando, o que por duas vezes consecutivas Djokovic pôde conferir; ambas nas partidas finais, primeiro em Mônaco e em seguida em Roma.

Em Monte Carlo, pela primeira vez, Djokovic passou à final, e a única coisa da qual podia se orgulhar era de ser o único tenista que naquela temporada tinha tirado um *set* no saibro de Nadal, o que não impediu o espanhol de ganhar o 5º. título consecutivo no elegante principado.

O público teve duas horas e quarenta e três minutos para apreciar as extraordinárias acrobacias do 1º. e do 3º. jogadores do mundo. Os detalhes decidiram o campeão. Houve inacreditáveis doze quebras e o resultado permaneceu indefinido até o fim.

Djokovic aprendeu algo muito importante: quando estava em boa forma, apesar de o piso ser de terra, havia como competir com Nadal. Mas, nessa partida, a preparação física deixou a desejar. Cometeu 47 erros não forçados, e Rafa, 24, apesar de nos *winners* terem sido quase iguais: 26 para o espanhol e 27 para o tenista sérvio.

O torneio de Monte Carlo trouxe mais uma novidade. A equipe de Djokovic foi reforçada por mais um membro, Gebhard Fil Gric, então treinador de Thomas Muster, na época em que era o 1º. tenista do mundo e dono de 44 títulos da ATP.

Djokovic disse: "Senti que não podia aprender nada mais com os atuais membros do time, e decidi mudar algo. Na próxima temporada preciso de preparação física. É necessário me preparar para Roland Garros e tudo o que segue depois dele, e todos sabemos que o tempo de adaptação do saibro para a grama é muito curta. Ninguém desejou fazer uma mudança radical, porque poderia afetar nosso esquema, Gric se adaptou ao que posso oferecer, e me encaixei na sua rotina. Agora, tudo está andando como previsto. Estamos investindo muito na minha movimentação, porque é assim que me sinto bem durante o jogo. Minha vantagem é a velocidade. Gosto de ser dinâmico e de mostrar agilidade na quadra".

Gebhard Gric assim confirmou: "Tornando-se cada vez melhor, você precisa trabalhar cada vez mais nos detalhes, nas coisas pequenas. Tirando o máximo de cada aspecto do jogo. Nesse momento, se for possível melhorar 1 %, para ele pode ser um avanço enorme". Didi, como todo mundo no time o chamava, estava certo, e o resto da equipe também procurou melhorar.

*

O tempo passa rápido, e rápidas também são as mudanças de cidades, países e continentes. Assim é a vida dos esportistas profissionais, principalmente dos tenistas.

Agora, era a vez de Roma.

Antes de começar a competição, os melhores do mundo prestaram homenagem ao falecido colega Federico Luzzi. Roger Federer, Tommy Robredo, Marat Safin, Potito Starace, Andreas Seppi, Simone Bolelli, Filippo Volandri e Djokovic jogavam não somente em homenagem a Luzzi, mas também para angariar fundos para a luta contra a leucemia. Em outubro de 2008, aos 28 anos de idade, seu amigo não resistira a essa doença. A exibição passou ao público uma atmosfera divertida, e foi muito emocionante.

Djokovic estava no seu conhecido e engraçado elemento. Durante a partida contra Seppi, deu um pequeno *show*. Brincou com os meninos boleiros, fez de conta que não estava satisfeito com as decisões dos juízes, e, em determinado momento, quando começou a chover, emprestou um guarda-chuva vermelho do público e com ele jogou um dos pontos.

Mas isso não diminuiu sua percepção do tamanho da tarefa à sua frente. Defendia o título do ano anterior, e se quisesse permanecer na 3ª. posição da lista da ATP, não havia espaço para erros. A diferença entre ele e o 4º. jogador do mundo, Andy Murray, era de somente cem pontos.

Foram necessários nervos de aço e *winners* de todas as partes da quadra. E que ele estava à altura dessa tarefa confirmaram Albert Montañes, Tommy Robredo, Juan Martin Del Potro, e até Federer na semifinal. Na final, do outro lado da rede estava ninguém mais que seu "rival eterno", Rafael Nadal. O público prendia a respiração a cada ponto, e por duas horas durou o combate entre os mestres. Mas nesse episódio clássico, a luta mental tinha muito mais importância do que a física.

O tenista sérvio oferecia forte resistência, e foi melhor nos *winners*, 23 contra 19, e se não tivesse cometendo ainda 40 erros não forçados, tudo poderia ter sido diferente.

No final, a vitória foi do melhor jogador de saibro do mundo: 8ª. vitória em oito partidas no piso de terra, e 13ª. do total de 17 disputadas entre ele e Djokovic.

Rafa chegou ao 4º. título em Roma (depois de 2005, 2006 e 2007), 3º. nas últimas três semanas, e 5º. no ano. Já havia conquistado o Aberto da Austrália, Indian Wells, Monte Carlo e Barcelona.

Na cerimônia de encerramento, após a entrega das taças aos vencedores e prêmios em dinheiro (€ 434.000 para o 1º. e € 203.000 para o 2º.), a apresentadora pediu ao tenista sérvio que repetisse mais uma vez sua já legendária imitação do seu grande rival e amigo, Rafael Nadal. O menino de Belgrado, num primeiro momento, se recusou, dizendo que não queria imitar os colegas, porque alguns tinham ficado incomodados. Mas quando Nadal concordou com a ideia, ele cedeu.

Primeiramente, Djokovic se dirigiu ao público, e disse, num fluente italiano: "Esta será realmente a última vez que farei isso, e peço a todos que respeitem essa decisão".

\*

Mais ou menos na mesma época, quando ficou bem claro que estava prestes a perder a 3ª. posição, na qual se encontrava desde agosto de 2007, começaram as especulações sobre os supostos problemas na comunicação com Marian Vajda. Havia rumores de que o tenista sérvio não estava satisfeito com seu treinador, motivo por que chegara a hora de contatar alguém mais conhecido.

Djokovic negou tudo, explicando o segredo de uma relação bem-sucedida: "Uma coisa é ter consciência sobre a troca de treinador, e outra é implementá-la de fato. É o mesmo que trocar de raquete. Para mim, Vajda serve porque sabe me deixar equilibrado – quando devemos focar o tênis e quando é hora de deixá-lo e dar espaço para piadas. O tênis de alto nível pressupõe uma enorme pressão, e é necessário que você tenha pelo menos um pouquinho de tempo para relaxar".

\*

Entre março e abril de 2009, foi construído o complexo onde seria disputado o Aberto da Sérvia. Nesse período, Djokovic jogava torneios pelo mundo, EUA, Mônaco etc. Na mesma época, enquanto terminava o torneio em Roma, em Belgrado começaram as qualificações e, no dia da final italiana, já haviam sido disputadas as partidas da primeira rodada na Sérvia.

As arquibancadas da quadra central ficavam somente a alguns passos de distância, mas toda a atenção, obviamente, estava voltada para a TV, que transmitia a final em Roma, entre Djokovic e Rafa. Entre os presentes eram muitos os membros da família Djokovic, seus amigos e pessoas famosas, inclusive o autor deste livro.

Estava ali também o tenista sérvio Janko Tipsarevic, que me contou alguns detalhes sobre a partida que disputara alguns dias antes em Roma. Ele perdera na segunda rodada para o chileno Fernando Gonzales, que depois chegou à semifinal e perdeu exatamente para Rafa. Janko disse que Gonza fugia tanto no lado de *forehand* que quase subiu nas arquibancadas para que pudesse devolver a bola. Golpeava com muita força, e ia bem longe só para não jogar *backhand*. Enquanto falava, Janko estava visivelmente agitado, e me lembrei como em várias ocasiões, em Roma, tinham medido a velocidade de *forehand* de Gonzales, em torno de 190 km/h.

\*

Em razão da mudança no calendário dos torneios, a troca do 3º. lugar da lista ATP foi antecipada. Nisso influiu o Aberto da Sérvia, previsto para o início de maio na capital, Belgrado.

A Sérvia esperava por esse dia havia muito tempo. O primeiro torneio ATP na sua história foi aberto com fogos de artifício e cerimônia solene no recém-construído centro de tênis Milan Gale Muskatirovic (MGM) situado numa das melhores localizações da cidade, à margem da confluência de dois rios, Sava e Danúbio.

Djokovic testemunha: "Nós, como a nação do tênis, merecíamos ter o torneio. As imagens de Belgrado vão rodar o mundo inteiro. Não se trata aqui somente do torneio, este é o lugar onde as pessoas, antes de tudo, precisam se divertir. Para mim é importante que todos que venham, jogadores e espectadores, se sintam satisfeitos e se divirtam bastante".

Goran Djokovic, tio de Djokovic, diretor do Aberto da Sérvia, explica como Belgrado recebeu o torneio: "Nossa família considera a organização dos torneios como a obra da sua vida. A licença foi comprada de Amersfoort, o torneio em que Novak conquistou seu primeiro título da ATP. Nosso amigo e o dono da competição, Hans Felius, que foi nosso conselheiro, desempenhou um papel muito importante. No ano passado, em Roland Garros, conversamos, e ele disse que a Holanda, depois de Richard Krajicek, não tem mais um tenista que possa atrair o público, e também tem problemas com patrocinadores. Ele nos aconselhou a começar as negociações com a ATP para que pudéssemos deixar claro que queríamos comprar a licença antes que outro a pedisse. E assim fizemos. No torneio final, em Xangai, colocamos a oferta na mesa. Novak apresentou a ideia com entusiasmo, e a votação do conselho de diretores foi 7-0 em nosso favor".

Obter a licença não foi fácil, é evidente, mas, com a colaboração do seu diretor, Alon Kaksuri, e da empresa Family Sport, que sua família fundara ainda em 2005, Djokovic trabalhou duro para que isso acontecesse.

A agenda dos torneios mundiais estava lotada, mas, apesar disso, a família Djokovic conseguiu. O Aberto da Sérvia seria disputado em maio, na mesma semana dos torneios de Estoril e Munique. Os organizadores acreditavam firmemente que podiam concorrer com torneios com tradição muito mais longa, e não se enganaram.

Como tinha uma grande experiência, Djokovic sabia perfeitamente o que era preciso oferecer para que todos os participantes do torneio, tanto tenistas como também a equipe operacional, fossem hospedados corretamente.

A quadra central moderna, com capacidade para mais de 7 mil visitantes, os prédios administrativos com restaurante, tendas semelhantes às de Dubai e Monte Carlo, pequenas praças e ameixas secas com marzipã (especialidade sérvia, tal como morangos com chantili são tradições de Wimbledon), festas de Carlsberg, serviço de bufê, vila de promoções... Estes eram somente alguns dos detalhes que enfeitaram o Aberto da Sérvia.

Em poucos dias, Belgrado realmente tornou-se um dos centros do tênis mundial. E o vencedor foi o favorito: Djokovic.

No caminho para a final, derrotou dois compatriotas, Tipsarevic e Troicki, não sem esforço, e ainda enfrentou algumas dificuldades com Andreas Seppi na semifinal.

Depois da vitória, Djokovic confessou: "É óbvio que tenho problema em começar cada partida aqui, porque, para mim, é muito difícil jogar diante da torcida nacional. Sou o principal favorito do torneio, e isso tem grande peso, mas preciso de um pouco mais de tempo para esquentar. Na semifinal me esperava um adversário complicado, que foi agressivo. Não tinha ideia de como responder ao bom jogo de Seppi, ele aproveitava todas as chances, e sem os torcedores duvido que venceria".

Para surpresa de todos, o outro finalista era o *lucky looser* Lukasz Kubot, 179º. jogador do mundo, que antes disso derrotara o "colosso" da Croácia, Ivo Karlovic, que os colegas tenistas, na brincadeira, diziam que sacava "do terceiro andar".

No primeiro duelo com o tenista sérvio, Kubot não teve chance, apesar de no segundo *set* conseguir chegar ao *tiebreak*. Perdeu por 6-3, 7-6(0).

\*

O título que Djokovic conquistou na sua cidade natal foi o 13º. na sua carreira, o 2º. em 2009, e sem dúvida um dos mais favoritos.

# 27. A QUESTÃO DO ESPÍRITO É ALGO *COOL*

Não existe receita para o sucesso. O desejo de conseguir algo, somado à força pessoal e ao caráter, é necessário e o que prevalece são o talento e a sorte. É preciso que se encaixem muitas peças para que as coisas andem, mas no final o sucesso é cruel, relativo. Todos gostam dos vencedores, enquanto aos perdedores reservam-se uma ríspida crítica e, frequentemente, o esquecimento. A verdade é que nada dura tão pouco como o sucesso.

No mundo do tênis, como também dos outros esportes, o desânimo por causa da derrota não é bem-visto. O que obriga os esportistas profissionais a conquistar resultados excelentes é a consciência de que não é importante se perdeu, mas como perdeu, e o que se aprende depois disso, o que é que se adquire com a derrota e como isso muda o indivíduo. Às vezes você ganha, às vezes perde. Djokovic sabia disso muito bem porque, depois do triunfo no torneio na sua cidade natal, nas próximas oito competições não conseguiu levantar nenhum troféu. Caminhava sobre brasas, mas com a cabeça erguida.

Afinal de contas, não se diz sem razão "você nunca é tão bom como dizem quando vence, nem tão ruim como dizem quando perde". Desde o início da carreira, praticamente desde o momento quando entrou para a lista da ATP, Djokovic caminhava para a frente.

A 3ª. posição em que se encontrava em 2007 era um sucesso enorme, o que lhe dava esperança de que logo se depararia com a 2ª., e, por que não, com a 1ª. Mas, na segunda metade de 2009, logo depois do Aberto da Sérvia, passou a ocupar a 4ª. posição, com 8.920 pontos. Andy Murray, que passou para a 2ª. posição, estava à sua frente por algo em torno de 70 pontos. Sustentar-se num campo sobre o qual desfilavam as "velha forças", Federer e Nadal, e as "novas esperanças", Murray, Tsonga e Del Potro, era cada vez mais complicado. O único remédio para essa situação era avançar.

Com essa disposição, somente um dia após a final em Belgrado, Djokovic chegou a Madri. O Masters de Hamburgo havia sido rebaixado no calendário do ATP Tour, deixando de figurar como Masters 1000, e foi substituído pelo torneio de Madri, que naquele ano foi disputado pela primeira vez em quadras abertas e de saibro. Em anos anteriores, o torneio de Madri tinha outra data e era disputado *indoor*. Nas datas nas quais tinha sido disputado até aquele ano, seria disputado pela primeira vez o Masters em Xangai. Para que a confusão aumentasse, o Masters Cup de Xangai foi transferido para a arena de Londres.

Como a nova data para a disputa do torneio era no meio da temporada europeia do saibro, o piso em Madri era de terra, claro, e a coroa já era vista na cabeça de Rafael Nadal. Ele realmente era o rei do saibro, e se houvesse um *ranking* só para jogos no saibro, pela resistência que mostrou contra Nadal nas finais em Monte Carlo e Roma, Djokovic, com certeza, estaria nela, no lugar de vice-campeão.

Depois da primeira rodada como *bye*, no caminho para as finais, não relaxou nem por um instante, caminhando um passo de cada vez. Seguindo o instinto vencedor, foi temperamental quando preciso, mas também usou a tática para construir e marcar cada ponto. E assim foi até à semifinal, na qual estava diante dele, pela 18ª. vez, Rafa. Os números trabalhavam em favor do espanhol, 13-4 nos encontros entre eles, mas números existem para ser alterados. E Djokovic atacou logo.

Quando se analisa seu jogo no primeiro *set*, tanto na ofensiva quanto na defensiva, pode-se dizer que foi quase perfeito. Tecnicamente, conseguiu tudo o que pensou, o saque foi indefensável, e Rafa teve o serviço quebrado já no segundo *game*. Djokovic chegou a 3-0 em *games*, mandava Rafa correr pela quadra, e manteve a vantagem até o fim do *set*. E ganhou por 6-3.

O público local ficou confuso num primeiro momento, e depois chocado. A continuação da partida fez deste um duelo antológico. Carlos Moyá, mais tarde, declararia que tinha sido "a melhor partida em dois *sets* no saibro que já vi". E com ele tinha de concordar qualquer um que tivesse assistido ao que aconteceu na quadra. O juiz principal, por exemplo, o carismático Mohamed Laiane, lembra-se dessa partida como uma das mais excitantes na sua carreira já de vinte anos.

A batalha durante o segundo *set* durou incríveis cem minutos. Com o resultado 4-4, 5-5, Djokovic tinha duas bolas para quebra. Mas, com seus saques fora do comum, Nadal conseguiu voltar. O *tiebreak* foi inevitável. Diferente do primeiro *set*, quando Rafa não tinha resposta para o saque do adversário, agora aparecia a oportunidade, somente uma, mas que logo foi aproveitada. O segundo *set* foi seu: 7-6(5), e conseguiu enorme vantagem psicológica, acompanhada pelo rugido do público local.

Começou o terceiro *set*. Jogava-se um tênis magnífico, impiedoso e sem cálculo. Exatamente do tipo que os espectadores gostam, com pontos inenarráveis. *Game* após *game*, Djokovic e Nadal meticulosamente mantiveram seus saques, sem quebras. De novo estavam diante do *tiebreak*. E que *tiebreak*! Djokovic, primeiro, ficou em vantagem; tinha ainda três bolas para fechar a partida. Rafa anulou cada uma delas e teve a mesma chance. Djokovic salvou a primeira, e em seguida a segunda. E, então, o fim, depois de quatro horas e três minutos de um jogo fabuloso.

O espanhol caiu de joelhos de tanta felicidade. Conquistava assim sua 33ª. vitória consecutiva no saibro. O tenista sérvio, visivelmente desapontado, deixou a quadra com lágrimas nos olhos.

Uma partida espetacular, um tênis inacreditavelmente bom, e as estatísticas estavam, quase por inteiro, ao lado de Djokovic: 37 pontos diretos, a mais do seu rival; 43 erros não forçados, 7 a menos que seu rival; 7 *aces* contra quatro de Rafa. E a vitória lhe escapou.

Deveria se lamentar por isso? Veja as palavras de Novak: "É muito frustrante quando você joga tão bem como eu hoje e perde de novo. Essa foi uma das minhas melhores partidas. Alguns pontos me separavam da vitória. Em alguns momentos joguei até acima das minhas possibilidades, mas não tive êxito. Espero que esteja pronto para Roland Garros".

*

Com certeza, essa foi uma das derrotas mais duras. Em Pequim estava bastante abalado, mas dessa vez ficou tão decepcionado que, nos vestiários, comentou resignado que não mais jogaria tênis. O que, sem dúvida, não é nem um pouco estranho. Nessas situações, passam muitas coisas pela cabeça da pessoa.

Mas, apesar de perder uma grande oportunidade de derrotar Nadal no saibro pela primeira vez na carreira, saiu de tudo isso com muito mais entusiasmo. Como se essa partida tivesse sido o ponto de virada, como se tivesse percebido quanto ainda era preciso trabalhar para chegar ao objetivo. Deve ser assim, principalmente quando seu adversário o elogia e constata que você estava a um centímetro da vitória: "Tive muita sorte, porque ele mostrou uma partida fantástica. Não me considerem imbatível, Djokovic é um jogador grandioso que nessa temporada está jogando partidas espetaculares no saibro".

Para que voltasse à 3ª. posição, Djokovic precisava da vitória. Assim, permaneceu onde estava, mas sabia que era necessário trabalhar: "Devo superar isso. Pratico um esporte que exige máxima dedicação. Jogam-se muitos torneios, então, cada partida que perco tenho de esquecer. Eu sou do tipo de pessoa que tira sempre uma lição e continua à frente. É difícil dizer o que me faltou para vencer. Acho que o problema não está em mim. Tive de ter coragem nas três bolas que poderiam ter decidido a partida, e assim fiz. Mas ele foi melhor, e só posso dizer: 'tiro meu chapéu para ele'".

O mesmo podia dizer Rafa depois da partida final contra Federer, quando perdeu por 6-4, 6-4. O suíço anunciou que não tinha nenhuma intenção de se privar do 1º. lugar sem luta, e Roland Garros estava quase começando.

Novamente Federer estava em ótima forma, como também Murray, e se dois jovens leões, Rafa e Djokovic, jogaram tão audaciosamente num Masters, o que ainda se podia esperar da sua participação num Grand Slam?

"Depois de uma temporada maravilhosa no saibro, sinto-me bem e jogo com muita autoconfiança. Isso é o mais importante antes de ida para Paris. Nos dois anos anteriores cheguei às semifinais, e espero que dessa vez eu vá um passo adiante", Djokovic mandou seu recado antes de Roland Garros.

Se ele chegasse à final e Murray caísse antes das quartas de final, voltaria para a 3ª. posição, e se conseguisse conquistar o título e Andy não chegasse à final, se tornaria o número 2.

É lógico que talvez nenhum tenista tenha feito esses cálculos, as diferenças em pontos eram pequenas, e tudo era possível.

Djokovic passou fácil pelas duas primeiras rodadas. O equatoriano Nicolas Lapentti entregou o jogo de estreia por causa de uma lesão no pulso esquerdo, e contra Sergey Stakhovsky ganhou de modo rotineiro, por 3-0, parciais de 6-3, 6-4 e 6-1.

Na terceira rodada, a partida contra o alemão Philipp Kohlschreiber, 31º. tenista do mundo, não era fácil. Na rodada anterior jogara uma maratona de cinco *sets* contra Juan Carlos Ferrero. Esperava-se que o segundo encontro entre os tenistas sérvio e alemão teria o mesmo fim do primeiro, na terceira rodada no Masters do ano anterior em Indian Wells. Naquela ocasião, Djokovic foi melhor. Mas, em duas horas e vinte minutos de jogo, mostrou-se que Kohlschreiber não tinha nenhum problema com a posição inferior no *ranking* e que não estava nem um pouco cansado. Derrotou o cabeça de chave número quatro, Novak Djokovic, por 6-4, 6-4 e 6-4.

A mídia mundial, e também uma parte da sérvia, logo concluiu que o triunfo de Djokovic na Austrália foi apenas um breve relâmpago e que terminaria no mar dos muitos grandes talentos que a fama "engoliu".

Mas ele não dava atenção a isso. Depois da malsucedida apresentação em Paris, colocou um ponto final na temporada de saibro. Arrumou suas malas e se "mudou" para a grama.

No torneio Gerry Weber Open, na cidade alemã de Halle, era novato, e foi designado segundo cabeça de chave. O primeiro, obviamente, era Federer, defensor do título e campeão por cinco vezes, para quem Halle, por costume, era a última preparação antes de Wimbledon.

O encontro entre Federer e Djokovic não aconteceria antes da final, e quando o suíço, de repente, abandonou, as chances de Djokovic aumentaram. Federer nem chegou a estrear na competição. Próximo ao início do torneio anunciou sua desistência e foi substituído por Lukas Lacko, que entrou na chave como *lucky loser*.

O piso ainda era novo, e não podiam ser evitadas as oscilações. Simone Bolelli, seu adversário da primeira rodada, não conseguiu mostrar muita resistência, mas diante de Florian Serra, que mostrou muita vontade, Djokovic esteve perto da derrota. Serra conquistou o primeiro *set*, e no segundo tinha 5-2 e 0-40. Faltava um ponto, mas o tenista sérvio salvou cinco *match points*, como se de repente acordasse de um sonho. Naquele momento, diante da força dos seus golpes, o francês ficou impotente. E um novo triunfo: 5-7, 7-5, 6-1.

A sequência de vitórias e de jogos brilhantes continuou nas quartas de final, contra Jurgen Melzer, e na semifinal, contra Olivier Rochus (o placar até aquele momento era 2-0 para Rochus, conquistado no remoto ano de 2005).

Chegou a vez da final, a segunda na grama depois de Queen's, 2008, quando perdeu para Nadal. Se Tommy Haas assistiu a esse duelo de Queen's, analisando os defeitos do tenista sérvio, não se sabe, mas em Halle aproveitou as dez oportunidades de quebra, e Djokovic, nenhuma das suas quatro.

Era a primeira vitória de Haas contra o tenista sérvio (que até aquele momento tinha o retrospecto de 2-0) e o primeiro título no piso de grama. "Tommy foi melhor e venceu merecidamente por 2-1", disse Djokovic após a partida. "Não fui um rival à altura, e foi pura sorte eu ter ganhado o *tiebreak* no segundo *set*. Ele aproveitou todas as chances, diferente de mim, que não joguei bem".

*

Nos dois Grand Slams anteriores, o tenista sérvio não conseguiu os resultados esperados, mas, apesar disso, acreditava firmemente que em Wimbledon se sairia melhor: "Já que saí cedo de Roland Garros este ano, tive mais tempo para me preparar. Sei que na grama ainda não conquistei os resultados convincentes. Todos os anos, na primeira semana de jogo na grama, escorrego muito, mas tenho certeza de que agora tudo será melhor. Em todo caso, quero fazer mais do que no ano passado".

Os organizadores também tinham grandes esperanças. A previsão do tempo prometia dias de sol e, para qualquer eventualidade, foi preparado o teto sobre a quadra central. Este era uma atração à parte, e por isso todos desejavam que chovesse pelo menos um pouco para que a construção, aliás muito cara, fosse colocada em funcionamento.

Além disso, Andy Murray brilhava, e os britânicos, desde a época de Tim Henman, não tinham alguém por quem o público lotasse as arquibancadas. Quando foi divulgado que o então campeão Rafael Nadal desistira em razão da lesão no joelho, as chances de Murray, mas também dos outros tenistas, aumentaram significativamente.

Naquele ano foi registrado o maior público do torneio: 511.043 espectadores, cerca de 35 mil a mais do que no ano recorde de 2008.

Wimbledon começou.

No que diz respeito à participação de Djokovic no "templo do tênis", foi excelente nas primeiras quatro rodadas. Salvo a primeira partida contra Julien Benneteau, que davam mais de três horas, o tempo que passava na quadra diminuía gradualmente. Chegou às quartas de final como o mais novo e encontraria com o mais velho, Tommy Haas. O alemão é nove anos mais velho, e era a primeira vez que chegou às quartas de final em Wimbledon, seu maior sucesso em participações.

De repente, Djokovic teve a chance de revanche duas semanas antes. Começou agressivo; nem depois do segundo saque permanecia no fundo de quadra, e a cada bola curta aproveitava para subir à rede, com voleios certeiros. Pode parecer que estivesse muito nervoso, mas não, estava muito cauteloso, e conquistou também o terceiro *set*. Mas não pôde ir adiante, o alemão o derrotou pela segunda vez consecutiva. "O problema não é que não treino com tanta intensidade como nos anos anteriores", explicou Djokovic. "Pelo contrário, estou me esforçando ainda mais, porque a temporada é mais exigente e temos obrigação de jogar mais torneios. Realmente, o tênis de hoje requer muito mais concentração e dedicação. Dei 100 % de mim, porque o tênis é a minha vida. Mas não há segredos, o problema é psicológico.

Quando é necessário jogar ofensivamente, jogo passivamente, e dou oportunidade para o adversário dominar".

Levando em conta que Ana Ivanovic e Jelena Jankovic também tinham terminado sua participação, a primeira nas quartas de final, e a segunda na terceira rodada, a Sérvia, em Wimbledon, ficou sem representantes nas simples.

Djokovic assim se manifestou: "Acho que cada um de nós têm as suas crises. Posso dizer sobre mim que desde o início do ano estou atravessando um período relativamente difícil, mas não extremamente árduo. Considero a temporada no saibro como parcialmente bem-sucedida e estou satisfeito com a maneira como joguei. O início da temporada na grama também não foi ruim, então não perdi meu jogo, ele está aqui. Nesse momento estou decepcionado por causa da derrota, porque acho que podia oferecer mais, mas não deu, e agora somente posso virar uma nova página. Altos e baixos fazem parte da vida de um esportista profissional".

Se não aproveitou as chances contra seus oponentes, agarrou com ambas as mãos uma oportunidade inesperada de descansar. Precisava relaxar, e foi a Umag passar um tempo com a família, que se reunia a cada ano durante o torneio local.

Em razão de suas obrigações profissionais e pela agenda lotada, Djokovic não participou nas simples, mas jogou nas duplas com o irmão Marko. Episódio que terminou rápido, pois na primeira rodada foram eliminados pela dupla italiana Fabio Fongini/Potito Starace. Apesar disso, a estadia na costa croata, uma das mais belas do mundo, fez bem para Djokovic e recarregou suas baterias.

Antes de sair rumo às novas conquistas do tênis, teve tempo de ser a estrela principal na abertura do Kempinski Golf Adriatic, o primeiro campo de golfe da costa croata. Como grande admirador desse esporte, não perdeu a oportunidade de mostrar suas habilidades, e logo depois viajou para Montreal a fim de começar a turnê da América do Norte.

*

Pelas regra, a Copa Rogers, o Masters 1000 canadense, começou com o passeio pelo tapete vermelho. Estavam ali Andy Murray, Jo-Wilfired

Tsonga, Gilles Simon, Fernando Verdasco e Rafael Nadal, defensor do título que voltava para o tênis depois de mais de dois meses de ausência. O evento continuou com um agradável coquetel e o ápice da noite foi o desfile de moda de Yves Jean Lacasse. Como nos outros anos, os tenistas estavam no papel de modelos, e a apresentação de Djokovic foi prevista para promoção da nova coleção da roupa íntima masculina.

Na pista improvisada no hotel Rainha Elisabeth, o tenista sérvio apareceu em um curto roupão de banho e de chinelos pretos. O público momentaneamente foi tomado pela euforia. Primeiro, Djokovic desfilou, e, então, parou, insinuando tirar o roupão, mas desistiu e continuou a andar. Mas, antes do fim da apresentação, aproveitou a oportunidade de "roubar a cena". Com um movimento da mão tirou o roupão de seda e ficou apenas com uma sumária roupa de baixo, e com leve sorriso saiu acompanhado pelo aplauso frenético e pelos gritos de garotas.

Essa "performance de moda" durante o desfile de 2007, quando derrotou os primeiros jogadores do mundo na passarela, foi o sinal de que iriam se repetir também os resultados mágicos na quadra. As primeiras duas rodadas assim confirmaram, mas um dos "três derrotados", Andy Roddick, aproveitou a chance de revanche. Era o quinto encontro entre eles, e o norte-americano tinha vantagem de 3-2. Já tinha então derrotado Fernando Verdasco (7-6, 4-6, 7-6), e mais uma vez confirmou sua excelente forma.

Apesar do bom jogo, Djokovic não conseguiu. Roddick passou para a semifinal. Para isso foi suficiente uma quebra para vencer o primeiro *set*, apesar de no segundo a partida ter sido mais equilibrada. Mas Roddich fechou o jogo a seu favor no *tiebreack*.

O fato de Djokovic perder três vezes consecutivas para Roddick deixou a todos preocupados, mas não o campeão sérvio. Como não acreditava que a derrota era o pior de todos os fracassos, continuou adiante. Talvez Cincinnati fosse o destino no qual conseguiria o sucesso? Para começar, persuadido pelos irmãos Bryan, famosos jogadores de duplas, Djokovic trocou a raquete pelo microfone e fez um *rap*, enquanto os irmãos transformaram o *rap* em parte de suas apresentações musicais (junto com o pai, os irmãos Bryan exercitam a música no "Bryan Brothers Band"). E assim teve início a competição.

Novak logo mostrou que tem mais habilidade com a raquete do que com o microfone. O cimento definitivamente era seu piso preferido; nele conseguia seus melhores resultados, e ali se sentia seguro, o que deu a perceber no seu jogo. Devagar chegou à semifinal, e lá, novamente, encontrou Rafael Nadal. O espanhol ainda estava abatido. Nas rodadas anteriores deixara a impressão de que estava melhor do que nunca, mas os adversários eram mais fracos. Quando começou a semifinal, poucos podiam prever que em uma hora e meia o resultado seria 6-1, 6-4 para Djokovic. Mas foi assim. Analisando a estatística, o vencedor foi decidido pelo maior número dos pontos diretos: 21-10.

"Nadal é um dos melhores jogadores do mundo em todos os tempos, e ele se esforça muito a cada ponto. Ainda quando conseguia uma quebra e estava para fechar o *set*", disse Djokovic, "sabia que não estava definido. Eu atacava, ele estava longe do fundo de quadra, e eu todo o tempo dentro da quadra, o saque funcionou bem, principalmente nos momentos decisivos. Acho que aproveitei cada golpe e cada bola exatamente como planejei. Estou muito contente. Essa foi uma das melhores partidas na temporada, e chegou no momento certo, às vésperas do US Open".

Mas da conquista do título de Cincinnati não sobrou nada, e o principal "culpado" foi Roger Federer. Por várias razões, naquele momento ele era invencível. No fim de julho se tornara pai de duas meninas, o que o motivou ainda mais, e com a conquista de Wimbledon recuperou o 1º. lugar, quebrando o recorde de Pete Sampras, conquistando seu 15º. Grand Slam.

Novak se esforçou, mas perdeu o primeiro *set* por 6-1, o segundo por 7-5, estava cansado, não teve tempo para descansar da partida contra Rafa. Ficou incomodado com os comentários mal-educados de alguns torcedores, e começou a impor seu ritmo muito tarde, somente no segundo *set*; no final o saque não funcionou.

O fato de nessa temporada ter jogado nas quatro decisões dos torneios da série Masters 1000, e ter perdido todas, ainda não o fizera tomar uma atitude: "Sinceramente não acho que o problema está em mim", explicou, "eu normalmente atuo bem. A razão para preocupação não se encontra no meu jogo, mas no dos outros jogadores. Todos jogam um tênis excelente. Federer, Nadal, Murray são fantásticos. Tudo que faço se torna duas vezes mais difícil, porque eles, nas decisões dos torneios, jogam num nível muito alto, principalmente nas finais. Por isso acho que a classificação para a final já é um sucesso, somente por esse fato, e os títulos, creio, virão".

Os jornalistas ficaram curiosos sobre o novo membro da equipe de campeão Sérvio. Todd Martin, que chegou a ser o 4º. tenista do mundo, era agora parte da equipe do 4º. jogador da ATP. O norte--americano conquistara oito títulos na carreira (cinco no piso duro, dois no saibro e um na grama) e jogou duas finais de Grand Slam, em Melbourne, em 1994, quando perdeu para Sampras, e no Aberto dos EUA, em 1999, quando foi derrotado por Agassi. Além disso, jogou também duas semifinais, em Nova York e em Wimbledon. A princípio, a ligação com Martin aconteceu graças à empresa que gerenciava a carreira de Djokovic e que trabalhou também com Martin, que já era uma das pessoas que iria insuflar ar fresco no jogo do campeão sérvio.

Uma das pessoas que contribuiu para a escolha de Martin foi Bogdan Obradovic: "Sempre nos preocupávamos que a equipe de Novak tivesse pessoas de qualidade, e Martin havia sido um jogador de primeira linha, então pode ser um treinador excelente, principalmente porque mostrou vontade. Não podíamos pensar em Agassi ou Sampras, porque não quiseram exercitar esse ofício. No que me diz respeito, esse era um período estranho. Eu conhecia Todd havia muito tempo, enquanto era jogador ativo, e ele era especialista em quadras duras, rápidas. Acho que isso não se encaixou nem comigo nem com Vajda. Nossa salvação foi o tipo eslavo de comunicação, pois mais diversão e relaxamento para nós é natural, enquanto Martin, diante dessa energia, encolhiase. Tomávamos cuidado com o que falávamos, porque com ele sempre tudo foi 'com luvas'. Mas isso não aborrecia Djokovic no início, então a cooperação começou logo depois de Cincinnati".

Djokovic era conhecido como um jogador de fundo de quadra, e com Martin trabalhava o *slice*, o saque e o voleio. "Ele trouxe grande sabedoria, experiência e tranquilidade para o meu time. Eu sou temperamental, até no treino mostro emoções. Quando fico nervoso, bato com a raquete no chão. Aí, olho para Todd e fico um pouco com medo da sua reação. Mas ele sempre diz: 'Antes de você errar, foi um golpe bom. Continue assim'. Sempre tenta olhar tudo de um ângulo positivo, e eu gosto disso".

Durante as preparações para o Aberto dos EUA, era visível que seu jogo tinha melhorado. Dispunha de mais tipos de golpes, o que lhe dava mais autoconfiança, e subia mais para a rede. Isso, na verdade, ainda não era parte da sua rotina, mas, como disse: "A rotina faz parte do processo, e tudo está no trabalho e no treino, como tudo na vida. É preciso trabalhar, trabalhar, trabalhar".

*

Em Nova York, em 11 de setembro de 2009, Djokovic foi um convidado especial no encerramento do pregão da maior bolsa de valores do mundo, a New York Stock Exchange (NYS), situada em Manhattan, onde ele ficou hospedado durante o US Open. Nessa ocasião, deu seu apoio às famílias dos mortos no ataque suicida às torres do World Trade Center e ao Pentágono, ocorrido em 11 de setembro de 2001, e chamou os filhos das vítimas de seus convidados durante o torneio.

"Quando dei autógrafos para eles, frequentemente me perguntavam se ia fazer imitações de novo. Eu lhes perguntei: 'Vieram para ver exatamente isso?, e depois lhes dizia: 'Sabem, estou aqui um pouco pelo tênis também, mas, está bem, vou pensar..'".

Djokovic sentia-se em Nova York como se estivesse em casa, mas o desentendimento do ano anterior com Roddick trazia algumas dúvidas. Como o público o recepcionaria no maior estádio de tênis no planeta? "Estou me esforçando para não pensar nisso. É passado, e olho para isso como uma briguinha que a gente teve com a namorada. Essas coisas acontecem, mas são superadas, e todos podem aprender algo com elas." O público não estava zangado, o que ficou claro já durante a primeira partida contra Ivan Ljubicic. Cada ponto de Djokovic foi saudado com aprovação, e foram muitos. Dominou em todos os elementos do jogo, estava autoconfiante e preciso, e ganhou a maior parte dos pontos com o primeiro saque. Cometeu somente sete erros não forçados.

Ivan Ljubicic declarou: "Lembro-me bem dessa partida por dois motivos. Primeiro, porque depois disso terminei a cooperação com o meu preparador físico, Salvador Sosa, pois erramos totalmente na preparação, aptidão física, tudo. Enquanto trabalhávamos com Riccardo Piatti, Novak também tinha problemas semelhantes, e hoje me parece até que essa partida, de certa forma, me abriu os olhos o momento de introduzir algumas modificações. Segundo, porque ele me derrotou por 6-3, 6-1, 6-1. Então, não sabia onde estava".

Djokovic continuou a mostrar sua supremacia nas primeiras rodadas, vencendo Ivan Ljubicic e Carsten Ball. Maiores problemas teve apenas na terceira rodada, contra Jesse Witten, jogador local com quem teve de jogar quatro *sets*. O público esperava que o próximo duelo contra Radek Stepanek fosse uma maratona, mas não aconteceu. O tcheco perdeu por 3-0. Depois, seguiu-se a "conciliação" oficial de Djokovic com o público de Nova York.

Após o término da partida contra Stepanek, o ás sérvio acrescentou às suas imitações o veterano do tênis, John McEnroe : "Foi fora, fora!", Djokovic reclamava, bravo, lembrando o tempo quando nenhuma partida passava sem briga de John com os juízes. Conseguiu copiar cada gesto minuciosamente, desde a marcação da linha com a raquete, com a gritaria com os pegadores de bola para que fossem mais rápidos, até o andar raivoso e os movimentos nervosos na hora do saque.

Os 10 mil torcedores se divertiam loucamente, e depois começou o verdadeiro caos. Das cabines dos comentaristas saiu Jonh McEnroe, em carne e osso. Pegou a raquete e ameaçou Djokovic com o dedo. Então, ficaram frente a frente; o norte-americano sacou violentamente e acertou a rede. Parou por um instante, e na sua maneira mais conhecida bateu com a raquete no chão.

Explodiram aplausos frenéticos. Na próxima tentativa, atacou com um saque-voleio e ganhou o ponto, e depois se abraçaram. O público de Nova York de novo se apaixonou por Djokovic: "Quando é o momento propício, as imitações vêm naturalmente. Pareceu-me que era o momento, e não me enganei. John também sentiu isso, por isso desceu para a quadra. O público gostou, e isso foi o mais importante".

O público também estava do seu lado em 9/9/2009, no duelo das quartas de final contra Fernando Verdasco. Os dois tenistas se encontraram pela primeira vez exatamente em Nova York, quatro anos antes.

Na época, Djokovic era o novato que acabava de entrar para os cem melhores, e o espanhol estava entre os primeiros cinquenta, e acabou ganhando. Desta vez, ambos estavam entre os dez primeiros.

A partida não foi fácil. Djokovic ganhou o primeiro set no *tiebreak*, mas, no segundo, sua concentração caiu, e Verdasco triunfou por 6-1. No terceiro e no quarto *sets*, jogando um tênis de qualidade, o espanhol começou a errar, e no final perdeu.

Apesar de atrativo, esse duelo ficou, na mídia, encoberto pela sombra de dois outros acontecimentos. Primeiro, a polícia prendeu um torcedor que correu para a quadra para beijar Nadal, depois da vitória contra Gael Monfils, e, depois, Serena Williams foi desqualificada quase no fim da semifinal contra Kim Clijsters, porque atacou verbalmente a juíza de linha, dizendo que "enfiaria a bola na sua garganta" por marcar uma falta no momento crucial da partida.

Essas controvérsias não tocaram muito Djokovic. Com a conquista da vaga na semifinal, juntara-se a Federer, Nadal e Del Potro na corrida ao título, e isto era o mais importante. Seu adversário era Federer, que em Nova York por duas vezes fora melhor que ele; a primeira, na final de 2007, e a segunda, na semifinal em 2008. Esse foi o 5º. encontro em um Grand Slam, e o 10º. no piso duro.

Em comparação com o ano anterior, quando por quatro vezes passou para a semifinal dos maiores torneios, essa era a primeira semifinal de um Grand Slam de Djokovic em 2009, e, lógico, suas esperanças eram grandes.

Em todo o caso, Federer lhe dava chances, afirmando numa entrevista que tinham se encontrado antes de entrarem em quadra e que bateram papo sobre os sucessos das seleções de futebol da Suíça e da Sérvia nas eliminatórias para o Mundial, e que ambos estavam orgulhosos: "Novak é um dos mais bem-educados esportistas que já conheci, não é daqueles que depois da partida, enquanto passam na frente do seu vestiário, viram a cabeça e nem dizem 'oi'. Gosto de bater papo com ele. São interessantes também suas imitações de outros jogadores. Não entendo por que o criticam por isso. Assisti também à sua partida contra Verdasco, e acho que avançou muito. Por isso não posso prever se contra mim vai explodir logo".

O aguardado duelo não foi tão disputado quanto previsto. A chuva em Nova York criou problemas para os organizadores, e veio o adiantamento. O torneio se estenderia por mais um dia. Pode-se dizer que a mudança de horário favoreceu ambos os tenistas, pelo menos no que diz respeito ao descanso.

Djokovic teve chance de conquistar todos os três *sets*, mas, sempre que estava prestes a obter uma quebra, cometia erros totalmente inexplicáveis. Para ele, a sorte parecia não estar ao seu lado. Ainda bem que era um dos que apoiavam a implementação do sistema "olho de falcão", porque, se este não existisse, pelas decisões dos juízes, muitos pontos teriam ido para o suíço.

"Aproveitei todos os meus desafios, e estava certo nas minhas reclamações. Não tenho a mínima ideia do que aconteceu hoje com os juízes. Praticamente inacreditável", disse Djokovic, "erraram muito, e em momentos em que a bola não estava nem perto da linha. Nesse sentido, o *replay* eletrônico é de muita utilidade, e acho que se está criando também certa excitação no público. Está divertido para eles. Na verdade, acredito que os juízes não concordariam com isso".

Ao se observar o resultado dessa partida, parece que foi fácil, e que o vencedor foi incontestável. Mas, na verdade, não foi o caso. No sexto *game* do primeiro *set*, Djokovic fez a quebra e ficou na frente por 4-2, mas o suíço respondeu em seguida.

"Acho que o sétimo *game* do primeiro *set* joguei pior. Quem sabe o que aconteceria se estivesse 5-2, talvez as coisas mudassem. Quando começa a ganhar numa partida, você fica em grande vantagem e a autoconfiança sobe, e para o adversário fica muito mais difícil", disse Djokovic, afirmando ter ficado mais satisfeito com o seu jogo na sequência, mas desapontado por não ter aproveitado suas oportunidades: "Gostaria de ter conseguido, mas não me encontrei, e não em uma, mas em várias ocasiões. Quando foi preciso fazer algo melhor, simplesmente não fiz. Mas isso é o tênis".

*

Depois de Nova York, Djokovic retornou para a Sérvia para apoiar os amigos da equipe da Copa Davis. Jogavam contra o Uzbequistão, e lutavam pela permanência no Grupo Mundial. O técnico Bogdan

Obradovic decidiu que o time sérvio iria a quadra sem o melhor jogador: "Já que os outros meninos mostraram que podem vencer, decidi poupá-lo. Ele se cansou no Aberto dos EUA, e tem uma temporada desgastante à sua frente. É sua oportunidade para descansar um pouco, a fim de que ao restante da temporada seja ainda melhor e avance no *ranking*".

Tendo em vista que o Uzbequistão não tinha nenhum nome do peso na equipe (o melhor jogador era Denis Istomin, então 91º. no mundo), confirmou-se que os meninos realmente podiam vencer sozinhos. E triunfaram com um categórico 5-0.

As esperanças de que a Sérvia, no ano seguinte, seria candidata à conquista da "saladeira" aumentaram novamente.

"Esta seleção está criando a nova história do tênis, e merece ficar no Grupo Mundial no que vem. Nós somos um adversário muito sério para qualquer um, e para nós é mais importante que todos tenham o mesmo desejo e objetivo comum", disse Obradovic na coletiva de imprensa na Arena de Belgrado.

Enquanto seus colegas terminavam o trabalho com o Uzbequistão, Djokovic aproveitou a chance de se dedicar aos golpes na bolinha branca. Disputou o 8º. Aberto da Sérvia de golfe nos campos do clube Belgrado. Fazia-lhe companhia seu tio, não como competidor, mas como o espectador ativo: "Não joguei, estava no papel de *caddy* (carregador de tacos), e depois deixei essa tarefa para um jovem. Fiquei cansado, eles iam ficar o dia inteiro no campo".

Goran Djokovic, junto com o irmão Srdjan e o time de empresários da Family Sport, tinha de se dedicar a outra importante tarefa: a abertura do Novak Café & Restaurante, perto da quadra onde se disputa o Serbian Open. A família Djokovic, como boa anfitriã, recebeu os primeiros visitantes no quarto restaurante com o nome Novak (dois em Belgrado e dois no interior da Sérvia).

Devido às circunstâncias, a inauguração coincidiu com a final do campeonato europeu de basquete, então os visitantes torciam para os jogadores de basquete sérvios assistindo aos jogos no telão instalado na quadra central.

*

Como cidadão ilustre em seu país, Djokovic teve oportunidade de visitar o líder supremo da Igreja Ortodoxa sérvia, o patriarca Pavle, que, em razão de graves problemas de saúde, estava numa clínica em Belgrado. Para ele isso foi um grande privilégio, pois Djokovic se declara religioso, e na crença busca a coragem para lutar, não somente contra seus oponentes, mas também consigo mesmo. E, assim, esforça-se sempre para alargar suas fronteiras, ser virtuoso e ajudar o quanto possível nas ações humanitárias ou de qualquer outra forma. Seu olhar é dirigido à frente, pensando sempre no dia seguinte, no próximo passo. Essa é a herança da sua educação, que ele preserva cuidadosamente.

*

No fim da temporada, quando a maioria dos jogadores perde força e aparecem desistências inesperadas, Djokovic começou a demonstrar um enorme avanço na sua aptidão física.

Iniciou-se a campanha para os torneios do final de temporada. Para começar, o Aberto da China, em Pequim, torneio da Série 500, em que Djokovic foi colocado como a segundo cabeça de chave.

No caminho à final, perdeu somente um *set*, na terceira rodada, contra Verdasco. Nas rodadas que se seguiram, o homem brilhou. O primeiro saque funcionava muito bem, aproveitava ainda melhor o segundo, não hesitava em tomar a iniciativa diante de adversários mais fracos; pelo contrário, atacava corajosamente, movimentando-se por toda a quadra. Estava inalcançável. Sua aptidão física, em combinação com a tática bem planejada, fez que conseguisse tudo o que pensava, e transformara tudo em pontos.

Disputou o duelo do título contra o croata Marin Cilic, que nunca triunfou nos seus encontros. E assim foi também no Pequim. A partida foi aberta com o saque de Djokovic, e esse *game*, quebras, durou mais de dez minutos. Os *games* em seguida foram mais tranquilos, e na verdade também mais curtos, mas a partida foi interrompida em razão da chuva. Depois da volta à quadra, como se diz, "o sol brilhou sobre Djokovic". Terminou com êxito o *game* no seu saque, e rapidamente ganhou os outros três. No final, conquistou o primeiro *set* por 6-2.

Na sequência, Cilic demonstrou maior resistência, e chegou ao *tiebreak*. Já que os primeiro saque dos adversário não entrava, o tenista sérvio conquistou seu 3º. título na temporada e o 14º. na carreira.

Durante a entrega dos troféus, a apresentadora anunciou que Djokovic era muito famoso em Pequim, principalmente entre as garotas, que o achavam muito atraente. "É verdade?", ele respondeu com charme, e a pedido da apresentadora, fez uma breve e muito educada imitação de Nadal: mordeu o troféu do vencedor, coisa tão comum para o mestre de Maiorca. E ficou na China, ao contrário da maior parte dos colegas ranqueados entre os melhores do mundo, que guardavam a energia para o Masters 1000 de Paris e a Masters Cup – ATP Finals – de Londres.

*

Em meados de outubro, em Xangai, teve lugar o torneio da série Masters 1000.

Novak Djokovic declarou: "Estou em excelente forma. Estou me esforçando para preservar meu corpo e não sobrecarregar meu organismo. Não quero dizer que outros tenistas não fazem isso, mas sou cuidadoso, e sempre coloco minha saúde em primeiro lugar. Meu objetivo principal é estar saudável quando encerrar a carreira profissional. Evidente que é maravilhoso quando se é bem-sucedido naquilo que você faz, mas o que vale a pena se depois dos 30 anos, no final da carreira, você tem grandes problemas com joelhos e costas, como é o caso de maioria dos tenistas? Então, trabalhei muito minhas condições físicas, e acho que esse é um dos fatores principais para resistir nesse esporte. Jogando semana após de semana contra os melhores, esta é a única chance de ter vantagem sobre eles".

Vale a pena salientar que no ano anterior, quando o Masters Cup foi disputado em Xangai, Djokovic jogou contra Gilles Simon (semifinal) e Nikolay Davydenko (final), e dessa vez eles o encontraram uma rodada antes.

Agora, tinha de derrotar o francês nas quartas de final, num duelo difícil, que conseguiu superar, quebrando a raquete, o que o ajudou a minorar o nervosismo e a fúria: "Na maioria da vezes em que fiz isso, as coisas melhoravam para mim. O positivo é que depois de muitos altos e baixos consegui achar as melhores soluções para os pontos mais importantes. Foi uma partida repleta de emoções, e com uma incrível tensão de ambos os lados".

Na semifinal, em um o jogo de três horas, Djokovic e Davydenko mostraram uma qualidade digna do torneio valorizado pelos 1.000 pontos da ATP. Os apreciadores do esporte branco ficaram muito satisfeitos. A partida foi equilibrada, 108-105 pontos a favor do tenista sérvio, e ambos obtiveram uma quebra. De novo decidiram nos detalhes, e o russo interrompeu a série de Djokovic de dez vitórias conquistadas nas últimas duas semanas. "Estou decepcionado porque joguei uma partida excepcional e, no final, não consegui me coroar com vitória. Davydenko jogou realmente muito bem no *tiebreak* e mereceu disputar a final".

*

O final de 2009 envolvia três torneios: Basileia, Paris e Londres. Depois de vinte semanas em 4º. lugar, Djokovic novamente apareceu como o 3º. tenista do mundo. Mas a diferença em relação a Murray não era grande: 7.950 contra 7.390, então, era preciso trabalhar para marcar mais pontos.

O campeão sérvio não viajava à Basileia desde 2004 quando, logo no início, foi derrotado pelo sul-africano Wesley Moodie.

Agora era muito mais bem-sucedido, e chegou à final, na qual o esperava o atual campeão e anfitrião. Basileia é a cidade natal de Roger Federer, onde disputou o torneio pela primeira vez, no distante ano de 1998, como estreante, e perdeu na primeira rodada para Andre Agassi. Ao longo dos cinco anos seguintes, os fracassos continuaram.

Parecia que qualquer outro torneio era alcançável, qualquer um além daquele na cidade onde nascera. Por esse motivo, não jogou em 2004 e 2005, para que, em 2006, como um grande nome do tênis, voltasse para casa e pegasse o que lhe pertencia. E também nos três anos seguintes.

Apesar de terem aparecido algumas faíscas nos encontros anteriores, o torneio na Basileia, em 2009, foi a cereja no bolo da rivalidade Djokovic-Federer.

Ambos eram atletas extraordinários, mas nisso terminava qualquer semelhança entre eles. "O homem da Basileia", cujo jogo, era razão da elegância, era frequentemente chamado "poesia em movimento" ou "baile de tênis", era a imagem de uma enorme disciplina e persistência.

Não se sabe muito sobre as pessoas que o acompanhavam no caminho para chegar entre os astros do esporte, sobre seus pais ou seus amigos. Deixava a impressão de que não precisava do apoio de ninguém. Sobre sua origem sabia-se pouco ou quase nada, seus sucessos falavam no lugar dele. Ainda quando se achava que não havia nenhum recorde a mais que pudesse ser derrubado, ele o derrubava. Tranquilo, controlado e silencioso, Federer é exatamente o que se imagina quando se cita a Suíça: na medida certa, mas eficaz. Sem dúvida, Federer, por vários motivos, é um dos maiores, para muitos o melhor tenista de todos os tempos.

Na contramão encontrava-se Djokovic, homem de família, com os valores familiares dentro de si, alguém que sabe onde estão suas raízes e alguém que respeita sua herança e tradição. Vital e cheio de fibra, exatamente como seus antepassados.

A sua base era a sua origem, e o país do seu berço – é pouco dizer – tinha uma reputação ruim. Cresceu em circunstâncias de guerra e isso aparecia em todos os seus depoimentos, ainda quando explicava a vertiginosa expansão do tênis sérvio em razão do "urânio empobrecido".

Seu humor é quase negro, mais uma característica do país de onde chegou, mas também sua própria. Esse é o espírito, na verdade, a necessidade de enxergar a vida pela piada, pelo humor, que acordam a esperança e mantêm o otimismo.

Esse seu depoimento foi representado nas revistas sérvias com uma caricatura em três dimensões. Na primeira, Djokovic como moleque que procura segurança com a família num abrigo; na segunda, como um tenista famoso, que diz para o jornalista da *CBS*: "O bombardeio nos deixou mais fortes."; na terceira, Bill e Hillary Clinton estão sentados na frente da TV e, decepcionados, dizem: "Nem nos disse obrigado...".

As pessoas na Sérvia gostam de brincar com todos, até consigo mesmas. Sabem também exagerar, mas sem otimismo não sabem viver.

Então, em relação a Roger, tudo era diferente. Ele tinha origem na "civilização", Djokovic na "parte do mundo mal-educado"; quando Roger jogava, sua família mal estava presente, e os torcedores eram silenciosos; diferente deles, a família Djokovic sempre encorajava o filho, dedicada, enquanto seus torcedores faziam o espetáculo nas normalmente silenciosas arquibancadas do tênis.

E assim foi também durante o duelo na Basileia.

Djokovic, o vencedor, dá seu depoimento: "Hoje joguei a melhor partida nesse torneio. Chegou no momento certo. Tentei por todas as maneiras impedi-lo de tomar o controle da partida, porque quando faz isso Federer é o melhor do mundo, e assim pode terminar o trabalho muito rápido. Esforcei-me para ficar calmo e transferir a pressão para ele. E consegui isso. Tive boa tática e o obriguei a jogar um golpe a mais".

Federer não tinha opção, confessou que seu adversário merecidamente foi melhor, sem esconder que ficou chateado por ter sido derrotado na cidade natal: "Sem dúvida, é frustrante quando se perde a final em casa. Perdi várias oportunidades, e sempre estive atrás no resultado. Se tivesse jogado um pouco melhor quando atacava, talvez pudesse fazer a diferença. Em todo o caso, foi uma partida muito difícil".

\*

Enquanto é disputado o Aberto da Sérvia, Roger Federer normalmente joga em Estoril, torneio que ocorre na mesma época e é da mesma categoria do de Belgrado. Numa coletiva de imprensa, num dos torneios que seguiram, este autor perguntou a Federer se iria para Belgrado no próximo ano para vingar-se de Djokovic e levar o título na cidade natal dele. Ele respondeu que não é desse tipo, e que Djokovic é sempre bem-vindo à Basileia, mas, enquanto ele jogasse lá, Djokovic não mais venceria. E nos anos seguintes foi assim mesmo.

\*

Djokovic seguia em frente. Em 2009, terminou cedo a participação em Roland Garros, ao perder na terceira rodada para o alemão Phillipp Kohlschreiber, e voltou para Paris, para buscar a recuperação no Master 1000, disputado em Paris Bercy, e "restaurar sua honra".

Tudo que tinha feito até ali podia ser considerado principalmente bem-sucedido pois, apesar de frequentemente chegar até as últimas rodadas, não conseguia levar um troféu de primeira categoria, como os dos Masters 1000, e assim também nos torneios de Grand Slam.

Terceiras rodadas, quartas de final, semifinais... De repente, estava cheio disso. Explodiu, e passou a derrotar, inclusive Nadal, nas semifinais de Bercy que depois descreveria como "o meu duelo taticamente mais perfeito".

Em apenas uma hora e quinze, conseguiu a 6ª. vitória contra o espanhol. Foi um jogo brilhante, em que superou totalmente o adversário. Rafa, nunca, até aquele momento, estivera numa posição tão inferior.

Djokovic liderou o tempo todo; ele era quem governava: "Não tenho nada a dizer sobre o meu jogo de hoje, somente que realmente foi perfeito. Nunca, até agora, tinha jogado tão convincentemente contra ele. Tudo aconteceu exatamente do jeito que eu quis. Fui muito agressivo, muito rápido, assumi a iniciativa, e finalmente valeu".

Que essa vitória não tinha sido um brilho ocasional ele confirmou na final contra Gael Monfils.

Este autor estava lá para testemunhar. No túnel que dava acesso à quadra central, onde todos esperam durante a pausa antes de subir para as arquibancadas, estava também Bozidar Djelic, o aluno de Paris que não soltava a bandeira tricolor, o vice-presidente do governo sérvio para as integrações europeias e ministro da Ciência e Desenvolvimento Tecnológico. Quando ele percebeu que eu era um jornalista da Sérvia, perguntou-me se tinha sabido que morrera o patriarca Pavle. Respondi que não, e ele me disse que também não avisaram Djokovic, para que não se desequilibrasse na final.

Apesar de não ter credenciais, Djelic apareceu também na coletiva de imprensa e deu um presente a Djokovic. A torre Eiffel, o suvenir que pode ser usado como chaveiro, mas que tem quase meio metro. O ministro, deu a maior torre de todas, que simbolicamente ilustrava o tamanho do sucesso de Novak.

Djokovic começou a partida num ritmo semelhante ao de uma semifinal. Foi decisivo nos golpes, cauteloso e muito estável quando precisava de concentração. O triunfo chegou com luta, enquanto Monfils era apoiado pelo público local.

A decisão foi no *tiebreak*. Djokovic mostrou que era mais forte mentalmente, conseguiu uma quebra e, depois de duas horas e quarenta minutos, e também de muitas dificuldades, realizou o que previu. E ganhou. Finalmente. Depois de perder quatro finais, conseguiu conquistar o torneio da série Masters 1000.

Os que o criticavam até então tiveram de se calar.

"Tinha de dar o meu máximo", ele declarou. "Todo o tempo vinha à minha cabeça que tinha de ganhar algum dos torneios da série 1000, o que não é um sentimento agradável, que ficou mais forte quando vi que Gael entrava no ritmo. E o grande apoio do público somente o motivava mais e lhe dava energia enquanto a partida se aproximou do fim. Não sei como consegui controlar meus nervos, mas consegui. No fim da partida, senti-me aliviado e feliz".

O tenista sérvio mostrou em Paris que esteve em forma para figurar entre os melhores. Restava agora carimbar isso em Londres, no torneio dos "8 melhores", que em 2009 foi renomeado ATP World Tour Finals.

Na belíssima arena O2 em Londres, os "8 magníficos" foram divididos em dois grupos. O primeiro era formado por Davydenko, Nadal, Soderling (entrou no lugar de Roddick, lesionado) e Djokovic; o segundo, por Federer, Verdasco, Murray e Del Potro.

"O Masters será muito excitante", disse Djokovic. "É o último torneio da temporada, e com qualquer um de nós pode acontecer de, depois de três derrotas, voltar para casa. Mas não existe melhor sensação do que derrotar, no fim da temporada, seus maiores rivais".

Seu desempenho era visivelmente melhor. Em comparação com o primeiro duelo na temporada, seu *slice* de *backhand* era bem melhor, e até se tornou um dos seus melhores golpes. Claro, para um campeão como ele, isso não significava que não pudesse melhorar mais ainda.

Um dia antes do começo do torneio, Djokovic participou da coletiva de imprensa, e anunciou novidades em relação aos equipamentos esportivos que usaria a partir de 1º. janeiro de 2010. Assinara contrato com a empresa italiana Sergio Tacchini, e a estreia do novo equipamento seria na Austrália. Somente em Londres vestiria o uniforme alemão da Adidas: "Com muita satisfação vou cooperar com Sergio Tacchini, o uniforme que vestiu Pete Sampras, John McEnroe e Jimmy Connors. Eles conquistaram tudo ostentando exatamente essa marca".

A primeira vitória no torneio chegou depois de quase três horas contra Nikolay Davydenko, 2-1, após o que houve uma surpresa, à qual a mídia deu muita atenção.

Djokovic perdeu na segunda rodada contra Soderling: "O tenista sérvio parecia esgotado", concordou a imprensa em sua avaliação. "O sueco, que venceu por 2-0, levou Novak à beira das lágrimas. Estava estampado em seu rosto que tinha sido derrotado pelo exagerado esforço anterior".

Realmente parecia assim, enquanto "o sueco ria e todo feliz batia com o punho no ar", como a mídia descreveu. Djokovic estava no fim das forças.

"O humor do tenista sérvio foi muito mais sombrio do que mostrou na quadra, e de vez em quando deixava a impressão de que não tinha força sequer para segurar a raquete", registrou o *Daily Telegraph*.

Quanto a Solderling, merecia os parabéns. Ganhou duas partidas na Masters Cup, o ATP Finals, por 2-0, e deixou a melhor impressão no torneio, conseguindo um lugar na final.

No que diz respeito a Djokovic, para ele havia apenas uma maneira de ficar entre os quatro melhores, derrotando Nadal. Mas, se derrotasse o espanhol, e Davydenko derrotasse Solderling, então o russo, o sueco e o sérvio teriam cada um duas vitórias, o que significava que ficariam os três empatados. O pior saldo dos *sets* era o de Djokovic.

Apesar dos prognósticos e das estatísticas, ele faturou sua 3ª. vitória contra o espanhol, e por 2-0. Ainda que com duas vitórias no seu grupo, não estava garantida sua participação na semifinal, porque Davydenko também tinha chance de passar, sob a condição de vencer Soderling. Djokovic tinha de esperar o resultado dessa partida.

Davydenko derrotou Soderling por 2-1, e o tenista sérvio não jogou a semifinal.

Mas não tinha razão para estar insatisfeito: "Estou muito cansado, e é evidente que não me movimento bem nem tenho força suficiente como nos torneios de Paris e Basileia. Não acho que era preciso fazer algo diferente, estou me esforçando para vencer cada partida. Infelizmente, o cansaço me pegou no torneio em que era necessário estar mais bem preparado. Espero descansar bem até o início das competições no ano que vem".

O descanso anunciado era mais do que merecido. Com as duas vitórias na fase de grupo em Londres, já pelo terceiro ano consecutivo terminou em 3º. lugar da lista da ATP.

No total, em 2009 Djokovic conquistou cinco torneios: Dubai, Belgrado, Pequim, Basileia e o Masters em Paris. Além disso, jogou cinco finais, da quais quatro nos torneios da série Masters: Cincinnati, Roma, Monte Carlo e Miami.

Não conquistou bons resultados nos Grand Slams, mas havia algo em seu jogo que até ali não tinha sido sua característica. Adicionou novos golpes ao seu repertório, como o *drop shot* de direita, surpreendendo seus adversários. Apresentava também um segundo saque mais corajoso e de maior risco, e alguns saques que mandava na linha do T (junção das linhas de limite do saque no centro da quadra) deixavam seus adversários totalmente enlouquecidos. Apesar de todas as oscilações, sempre ficava no jogo, o que era exatamente o que mais agradava seus fãs.

# 28. CALMO – SALVO

Pela terceira vez consecutiva, Djokovic terminou o ano na 3ª. posição, o que antes dele somente conseguiu Mats Wilander (1985-1987).

Em 2009, jogou também o maior número das partidas da ATP: 97, e faturou 88 vitórias. E, para terminar o ano, conquistou cinco torneios. Os esforços que aplicou para se manter entre os melhores foram muito grandes, e não havia tempo para descanso: "O tênis masculino tem muitos jogadores de alto nível que podem ganhar Grand Slams e outros grandes torneios. Isso é muito bom para o esporte. A atenção não é somente dada para dois jogadores, agora o grupo é composto de, no mínimo, dez tenistas. E não é fácil para nenhum de nós. O ano do tênis é longo demais, e o período de descanso muito curto. Essas quatro ou cinco semanas que temos é muito pouco para descansar".

Pouco antes do começo da temporada, ele desafiou a opinião dos "especialistas" que viam com receio seu desejo de "jogar tudo"; alguns disseram que já havia passado seu ápice, tanto em razão do rápido sucesso quanto pela queda de motivação; que seus olhos não cintilavam mais com o brilho de vencedor, como em 2007 e 2008; que seria melhor focar nas suas maiores virtudes e colocá-las em primeiro plano com mais frequência.

Felizmente, para Djokovic não era importante o que outros pensavam, este era um problema deles. O importante era o que ele sabia sobre si mesmo

Se a pessoa quer e sabe procurar, vai achar. O que é preciso é paciência. Esse era o seu poder, esperar não era se omitir. Esperava seus momentos, enquanto passava pelas marés altas e baixas. Tinha qualidade, e a experiência se acumulava com o tempo, enquanto com a maturidade proclamava que o 1º. lugar mais cedo ou mais tarde seria seu. Era grato por tudo que havia conquistado, mas sabia que viria mais.

No começo de 2010 quis descansar o máximo possível, e se preparar para o mais importante torneio no início da temporada, o Aberto da Austrália. No ano anterior, quando teve de entregar o jogo, não o terminou bem, mas agora sentia-se muito melhor. Pulou as duas outras competições e, antes de partir para Melbourne, jogou somente alguns duelos de exibição em Kooyong Park (antiga sede do Aberto da Austrália, hoje jogado em Melbourne Park), para se acostumar com o clima e demonstrar tudo que naquele meio tempo tinha trabalhado com Todd Martin. E tudo dava certo. Cada ataque bem planejado com voleios profundos e precisos vieram à tona no novo jogo, que podia ser muito útil no calor australiano, em que os pontos curtos são preciosos.

Um dia antes do início do Grand Slam, por iniciativa de Roger Federer, foi organizada mais uma competição de exibição. Não de caráter preparatório, mas humanitário, com o intuito de ajudar as vítimas de um terremoto devastador que alguns dias antes castigara o Haiti.

Mais de 10 mil torcedores na arena Rod Laver (a quadra central do Aberto da Austrália) curtiram os golpes magistrais das estrelas do tênis masculino e feminino, enquanto o papel de juiz, especialmente para esta ocasião, ficou com o ás do tênis Jim Courier. Foram arrecadados mais de 200 mil dólares australianos.

*

Como nunca antes, o vencedor na simples masculina estava totalmente indefinido. Roger Federer, nas temporadas anteriores, sempre tinha sido favorito, mas agora era diferente. Rafael Nadal no ano passado e Djokovic dois anos antes conseguiram ganhar a taça, e havia ainda uma fila de candidatos. Os principais eram, Juan Martin Del Potro (campeão do Aberto dos EUA, 2009), Andy Murray, Andy Roddick, Fernando Verdasco, Jo-Wilfried Tsonga e Nikolay Davydenko.

## A BIOGRAFIA DE NOVAK DJOKOVIC

Quanto a Djokovic, estava na chave de Federer, cabeça de chave número um, e não podiam se encontrar antes da semifinal. Se o suíço por acaso caísse antes da semifinal, e Djokovic ganhasse o título, poderia se tornar o número 1 do mundo.

Nas primeiras rodadas ficou claro que a barreira mental do ano anterior, quando pela primeira vez defendia um título de Grand Slam, desaparecera. Não lutava mais contra a pressão e as esperanças, e todos os seus jogos foram ótimos. Ganhou de Daniel Gimeno-Traver, Marco Chiudinelli, Denis Istomin e depois de Lukasz Kubot, com quem se encontrara na final do primeiro Aberto da Sérvia, em 2009. "Lembrei-me disso depois da partida contra Istomin", disse Djoko-vic. "Lukasz Kubot é um ótimo jogador nas simples, e neste momento joga o melhor tênis da sua vida. No jogo é agressivo, mas já conheço seu estilo. Acho que é um grande resultado para ele, chegou às oitavas de final, e claro que contra mim não tem nada a perder".

Na Hisense Arena (a segunda quadra em importância do Aberto da Austrália), Kubot não estava nem perto da qualidade que demonstrara em Belgrado. Djokovic jogou tranquilo, seguro e preciso, mas não agressivo demais, e deixou a impressão de que estava poupando força para duelos mais difíceis. E o primeiro deles era a partida das quartas de final, quando o enfrentou Jo-Wilfried Tsonga que, dois anos antes, estivera a um passo da realização de um grande sonho, chegando à final na Austrália: "Djokovic é o próximo, tenho que me recuperar, mas creio que estarei pronto. Contra ele tenho de ser agressivo, muito agressivo, e dar tudo de mim. O que aprendi da final de 2008? Não sei exatamente, mas sei que o derrotei desde então por quatro vezes. É isso, aprendi a derrotá-lo", o francês disse com um sorriso, e acrescentou que não sentia nenhum medo do próximo duelo.

Nem Djokovic sentia. Mas sua tranquilidade não foi uma boa resposta para os saques e o tênis ofensivo de Tsonga. Depois de trinta e sete minutos de jogo houve um drama. Djokovic segurava a barriga nos últimos pontos, estava totalmente pálido. Estava claro que tinha sérios problemas. Obrigou-se a uma curta pausa, e quando voltou para a quadra não era o mesmo jogador. Jogava-se em melhor de cinco *sets*, mas estava fora de ritmo, e perdeu: "Primeiro, quero dar parabéns a

Jo", ele disse após a derrota. "Jogou uma partida brilhante e mereceu a vitória. Lamento de no quarto e no quinto *sets* não ter podido jogar no nível que desejava. Não estou procurando desculpas, mas vomitei e tive diarreia antes da partida. Sentia-me muito mal. Sabem, esse foi um bom torneio para mim, e é pena que não tenha conseguido suportar fisicamente a última partida. Os verdadeiros problemas começaram depois do terceiro *set*. Não consegui me segurar, e tive de pedir a pausa. Não sei qual foi o problema, não mudei a rotina. Era como qualquer outro dia, acho, não comi, por exemplo, camarão ou algo semelhante. Comi massa. Talvez essa tenha sido a razão. Realmente não sei".

Falando sobre o quarto e o quinto *sets*, afirmando que esperava pelos erros de Tsonga, acrescentou: "Não podia me movimentar e me dedicar aos golpes. Não posso realmente avaliar meu jogo. Foi mais no sentido 'Ok, vou ficar na quadra e torcer para que ele erre'. Mais ou menos essa foi a filosofia. Em tudo, estou satisfeito com o jogo no torneio, e hoje também, foi um bom tênis, por isso estou decepcionado, podia vencer. Mas a vida continua, e foi somente o começo da temporada".

A roda da fortuna virou mais uma vez, e a seu favor. Djokovic esperou a próxima competição, em Roterdã, como o 2º. tenista do mundo.

Para que o paradoxo fosse maior ainda, esse avanço não dependia dele. Tudo foi questão de puro cálculo dos pontos. Como Nadal novamente estava contundido, na final de Melbourne se enfrentaram Federer e Andy Murray. O suíço tinha uma vantagem em pontos suficiente grande para permanecer como número 1, qualquer que fosse o resultado, mas a questão era quem iria ocupar a segunda colocação. No caso da vitória de Murray, o britânico ficaria como número dois do mundo. Mas como ele perdeu, Djokovic foi beneficiado pelo saldo de conquistas e defesas de pontos na elaboração do *ranking*: "Vou assistir à final contente, ambos mereceram chegar a decisão. Se querem me perguntar sobre a posição, não me sufoquem, já repeti várias vezes. Será bom se eu for o 2º., mas se isso não acontecer agora, vai aparecer outra oportunidade. Se eu continuar jogando nesse nível na próxima temporada, tudo vai acontecer muito rápido".

A solução do dilema veio logo. Federer conquistou o Aberto da Austrália, e o dia 1º. de fevereiro, quando saiu a lista da ATP, teve um significado histórico para Djokovic, que esperou pela notícia sobre o 2º. lugar, a melhor colocação na sua carreira, em casa, na Sérvia.

O Aberto da Austrália, apesar de tudo, não foi de todo mal como pareceu por um momento.

Pouco antes de partir para Roterdã, Djokovic e Ana Ivanovic participaram da abertura da recuperada Torre de Avala, destruída no bombardeio da Otan em 1999. Durante alguns anos, milhares de cidadãos participaram do movimento da arrecadação de verba para a construção de 205 metros, grande símbolo de Belgrado, da qual se tem uma esplêndida vista de grande parte da Sérvia.

"Na última vez que visitamos Avala, aqui havia destroços. Então foi erguida somente a pedra fundamental, e agora tenho imenso prazer, como cidadão de Belgrado, em ver que a torre, que é extremamente importante para nossa cidade, voltou com toda força", disse Djokovic depois de, junto com Ana, deixar a marca de suas mãos no concreto fresco.

\*

O torneio em Roterdã podia ser o novo sucesso. E começou bem para Djokovic. Os jogadores com quem se encontrou na primeira e terceira rodadas entregaram as partidas, e para surpresa geral, ele perdeu a semifinal para Mikhail Youzhny depois de duas horas e quinze minutos de jogo. Não jogou sem iniciativa, mas não conseguiu obter uma vantagem significativa; a cada golpe seu o russo respondia na mesma moeda.

Apenas uma semana depois, o tenista sérvio foi para Dubai. Desde o Aberto da Austrália não tinha jogado em quadra aberta, e precisava se acostumar às novas condições, mas não teve problemas. Pela primeira vez na sua carreira defendia o título.

Seu trabalho foi facilitado pela desistência de Roger Federer em razão de uma infecção nos pulmões, mas o caminho ao troféu não foi simples. Na primeira rodada contra Guillermo García-Lopez, tudo estava bem, tudo funcionava: saques, *lobs*, fortes *backhands*... Mas, quando na segunda rodada encontrou o colega de equipe de Copa Davis Viktor Troicki, teve de se esforçar muito mais. Perdeu o primeiro *set* por 6-3, mas Troicki lhe facilitou bastante a tarefa na segunda metade da partida, pois, após um começo espetacular, perdeu o controle. Djokovic agarrou a oportunidade: "Esse é um dos raros torneios em que você sente a diferença entre as partidas diurnas e noturnas. Quando o sol se foi, cheguei ao meu jogo".

Djokovic teria um duelo duro pela frente com Ivan Ljubicic, que contou como foi essa experiência em Dubai diante de Djokovic: "Jogamos à noite, num clima de deserto, semelhante a Indian Wells. A bola voava muito rápido, a quadra era muito rápida, e no primeiro *set* ataquei bastante, joguei de forma agressiva e consegui ganhar por 6-2. No segundo *set*, quando estava 3-3, tive a chance de uma quebra; lembro-me de que jogamos um ponto longo e difícil que, no final, não aproveitei. Aí, ele começou a jogar. Jogou incrivelmente, e chegou ao empate em *sets*. Quando entramos no terceiro, para mim ficou claro que não tinha chance. Lembro-me de que na hora pensei: 'Cara, como vou conquistar um ponto...' Não consegui um *game* sequer, perdi por 6-0. Esta é a reviravolta relâmpago, que acompanhou Djokovic durante todo o torneio em Dubai. O sérvio sempre começava mal, de repente, achava seu ritmo e fazia milagres".

Realmente foi assim, principalmente durante o terceiro *set*, quando a relação de forças estava de acordo com as posições na lista da ATP, e também ficou evidente a diferença de idade.

"Ivan foi o 2º. do mundo quase por um *set* e meio", disse Djokovic. "Não podia fazer nada contra ele. Realmente não sei como ganhei. Com muita luta finalmente passei à frente. Estou feliz por isso. Ljubicic soltava os foguetes, eu me esforçava para bloqueá-los o melhor que podia, e no final tive êxito nisso". Djokovic ganhou este duelo por 2-6, 6-4 e 6-0.

Depois de Ljubicic, foi a vez de Marcos Baghdatis, na semifinal, mais uma maratona. De novo saiu perdendo, e de novo conseguiu triunfar: "Dei o meu máximo, apesar de meu saque não funcionar. É difícil jogar contra Marcos, ele é agressivo, e sempre mantinha a bola no jogo. Tive sorte, e acho que o público pôde ver o quanto estava insatisfeito, constantemente brigava com a raquete. Mas enxergo isso como algo positivo, porque cheguei até o fim, mas ainda não achei meu jogo".

Restou somente Mikhail Youzhny. Ao contrário das partidas anteriores, Djokovic não perdeu o primeiro *set*, mas ganhou por 7-5, e perdeu o segundo, pelo mesmo placar.

Depois disso, Djokovic fez as pazes com a raquete, focou no jogo e "decolou". Mandava com milimétrica precisão as bolas contra o adversário assustado, para quem logo ficou claro que não havia mais o que fazer na quadra.

No torneio em Dubai, com prêmio de US$ 1,6 milhão, Djokovic pela primeira vez na carreira conseguiu defender um título.

*

O início de março era extremamente importante, chegara a partida da Copa Davis contra os Estados Unidos, que era tudo, menos um adversário fácil. Tipsarevic, Troicki, Zimonjic e Djokovic tinham de mostrar o melhor desempenho.

Bogdan Obradovic lembra: "Sabíamos que não seria fácil. John Isner e Sam Querrey são muito bons tenistas, mas tivemos sorte, porque um dos irmãos Bryan estava doente e não podia jogar as duplas. Todos estávamos sob grande pressão, porque jogávamos na Arena de Belgrado, e era uma oportunidade de, diante de nossos torcedores, partirmos rumo à conquista do troféu. As partidas foram extremamente duras, apesar dos resultados. Em Belgrado, sempre há uma boa atmosfera, o hotel IN, onde ocupamos, como de costume, um andar, fica perto da arena, e Niki Pilic e eu decidimos mimá-los um pouco. Graças ao restaurante de Novak, realmente tiveram oportunidade de receber tudo o que desejavam".

O primeiro tenista sérvio a entrar em quadra foi Viktor Troicki. Depois de uma maratona contra John Isner e a vitória por 3 *sets* a 1, a vantagem estava no lado da Sérvia. Após três horas e meia de jogo contra Sam Querrey, o segundo jogador da equipe americana, Djokovic venceu: 6-2, 7-6, 2-6, 6-3.

Na soma geral, depois das duas partidas bastante tensas, quase sete horas de tênis, grande nervosismo e muita incerteza, a Sérvia tinha a vantagem de 2-0. Então, o técnico Bogdan Obradovic chamou o público para apoiar ainda mais os jogadores: "Contra a seleção dos EUA o jogo no saibro, que seria o nosso piso, foi difícil. Querrey jogou muito bem, mas Viktor e Novak demonstraram como se luta por seu país. O público deve ser mais enérgico, estamos fazendo isso para a Sérvia. É o duelo de um país pequeno contra o maior e mais premiado da Copa Davis. Espero que o público, nos dois próximos dias, esteja acordado, o que não significa que alguém precisa gritar 'Nole, sérvio' enquanto ele se prepara para sacar, mas que após o término do ponto o ginásio inteiro se levante".

Djokovic também comentou a disputa até então, e acrescentou: "Acho que é um bom resultado. Ambas as partidas foram excitantes. Os norte-americanos têm jogadores de qualidade e, se começam com um bom saque, podem derrotar qualquer um. Tínhamos muitos problemas, não joguei nesse piso por sete meses, e quando você estava jogando em quadras abertas, de cimento e passa a jogar em um ginásio, no saibro, é difícil e penoso se adaptar. O piso é, do lado físico, exigente, e me perguntei se ia aguentar. Esforcei-me para levar a partida ao fim, mas ele foi muito agressivo, errava pouco, e tive de compensar isso também e ajustar a tática. O mais importante é que estamos ganhando, e a um passo da classificação histórica. Esperamos que tudo possa ser definido ainda amanhã, nas duplas, então não vou falar muito sobre o duelo das simples contra Isner".

Depois das partidas, como é de praxe, a equipe sérvia se reuniu na sala de massagem, onde ficaram até tarde da noite esperando que o corpo relaxasse depois do excesso de adrenalina.

Bogdan Obradovic lembra: "Ficávamos acordados, não íamos dormir antes da uma, uma e meia de madrugada, o que é bastante tarde para tenistas profissionais. Eu sempre tinha um violão comigo, e isso nos ajudava a relaxar. Janko sabe arranhar alguns acordes e até Novak mostrou vontade de aprender a tocar. Lembro-me de que, numa noite, assistimos a um jogo de futebol, e que Viktor deu a ideia de pedirmos algo para comer. Novak pensou que ligaríamos para o seu restaurante, mas Janko sugeriu que ligássemos para o Mensageiro, empresa de Belgrado especializada em *delivery*. Novak não sabia que isso existia na Sérvia, e todo o tempo estava convencido que estávamos zoando com ele, e quando o entregador apareceu na porta, a surpresa foi em dobro. Novak viu que isso realmente funciona, e o menino da entrega não podia acreditar no que via a sua frente. Aí começou uma alegre confusão para tirar foto com todo mundo, e, no fim, o entregador os arrumou para fotografá-los".

A partida de duplas, da qual se esperava muito, podia trazer o ponto decisivo, mas Tipsarevic e Zimonjic perderam por 3 *sets* a 1 para a dupla formada por Bob Bryan e John Isner, que substituiu Mike Bryan na tradicional dupla americana. Agora tudo estava nas costas de Djokovic. A impressão de que tudo se resolveria logo, por causa do cansaço de Isner, seu adversário nas partidas anteriores, não se confirmaram, e Djokovic teve de se esforçar ao máximo.

Bogdan Obradovic conta: "Um dos elementos que criava um grande problema era que o ginásio em muito iluminado, principalmente quando se entra rápido nele. Para Novak, o grande problema era o camarote VIP todo branco, que não permitia o contraste suficiente para observar o saque do adversário. Djokovic precisou de bastante tempo para acostumar-se a essa condição para que pudesse fazer uma boa devolução de saque. Contra Isner entrou muito motivado, embora ganhássemos por 2-1, orientava-se bem, e o público de Belgrado começou a aprender como se torce na Copa Davis, quando é preciso ajudar o jogador a aumentar a energia e quando deve colocar pressão sobre adversário. Acho que o público foi excelente. Foi muito importante ganhar a primeira rodada, tanto em função da próxima temporada como da permanência no Grupo Mundial. Nole demonstrou quanto é adaptável, porque, graças à primeira partida contra Sam Querrey, enfrentava melhor Isner e suas bolas".

Isner, tenista da Carolina do Norte tem mais de dois metros de altura e jogou em alguns momentos como se fosse o 2º. jogador do mundo, e não o 20º. na lista da ATP. Depois de quase quatro horas e dezesseis minutos de muita luta, o placar foi 3 *sets* a 2 em favor de Djokovic: 7-5, 3-6, 6-3, 6-7(6-8), 6-4

Mais de 15 mil espectadores festejaram ruidosamente a vitória. Pela primeira vez na história, a seleção de tênis da Sérvia ingressava nas quartas de final da Copa Davis.

"Foi difícil assistir de longe", disse Obradovic. "A Sérvia é um país pequeno, mas tem um grande coração. E é assim com esses jogadores também. Exatamente isso, um grande coração. Agradeço também a Niki Pilic pela grande ajuda que nos ofereceu. A Copa Davis sempre é dramática, mas provamos que nesse momento somos mais fortes, melhores do que os norte-americanos. Por isso vamos continuar".

A Croácia era a próxima rival , a anfitriã, na cidade costeira de Split. As tensões políticas, infelizmente, eram inevitáveis, criadas por pessoas alheias aos participantes. Nas associações de tênis da Sérvia e da Croácia, mas também na Federação Internacional de Tênis, ninguém queria saber de problemas, todos estavam desejosos que a disputa fosse perfeitamente organizada, como a anterior, em Belgrado.

Djokovic estava ciente da dificuldade da próxima tarefa, mas era grande seu otimismo: "Nossa vantagem é que temos jogo e equipe para todos os tipos de piso. Se estivermos todos com saúde, podemos derrotar qualquer um. Em todo caso, na disputa contra a Croácia podemos entrar totalmente relaxados, porque as quartas de final já são um ótimo resultado. Eles têm vantagem porque são anfitriões, mas não podem esperar que vão nos atrapalhar com o piso que escolheram. Talvez estejamos um pouco desconfortáveis porque o jogo vai ser disputado logo depois de Wimbledon, mas estamos acostumados a nos adaptar às mudanças".

O otimismo tinha razão de ser. Ele era o 2º. tenista do mundo, tinha um excelente jogo, e sempre podia conseguir um ponto, não importava o nome ou o *ranking* do adversário. Tipsarevic e Troicki também podiam enfrentar qualquer um, e sobre Zimonjic e sua magnífica atuação nas duplas é desnecessário falar. O time da Sérvia não tinha razão para ter medo.

*

Quando, em 2007, conquistou o título em Indian Wells, Djokovic sentia-se como um oásis no deserto californiano, que não secou nem em 2008, apesar de ter chegado somente às quartas de final. Após defender o título em Dubai e das boas partidas na Copa Davis, chegou aos EUA com o objetivo de recuperar a taça e, assim, dar mais um grande passo rumo ao seu objetivo: o 1º. lugar na lista da ATP. Motivos para otimismo tinha bastante. Era a quinta temporada desde que começara a jogar tênis profissionalmente, tinha 23 anos, e ainda muito espaço para progredir. Nisso ajudava também Todd Martin, engajado no desenvolvimento do jogo ofensivo, de saque-voleio, cuja melhoria estava prevista para o cimento de Indian Wells.

"Novak tem alguns importantes objetivos", declarou Martin. "Conversamos sobre eles e logo chegamos à conclusão de que é preciso implementar no seu jogo algumas habilidades de ataque. Ele é fenomenal quando defende e joga no fundo de quadra, esse é o seu estilo natural de jogar, mas, para que alcance o nível desejado, deve ser mais ofensivo".

O exemplo que serviu como modelo foi Roger Federer, um jogador completo em todos os sentidos, mas, em princípio, orientado para o ataque, sem pedir licença aos rivais. Por isso conseguiu ficar por tanto tempo no topo. Djokovic concordou com a avaliação: "Federer é um jogador que possui diversas variações de jogo. É mais seguro quando está no fundo de quadra, mas é fenomenal também como jogador de saque-voleio. Isso lhe oferece uma vantagem mental diante dos adversários".

Depois de derrotar Mardy Fish na segunda rodada, e antes de partir para a próxima contra Philipp Kohlschreiber, um sonho de infância se realizou para Djokovic: conheceu seu ídolo Pete Sampras, um dos melhores jogadores de todos os tempos.

Sampras treinou com Federer na quadra de La Quina, perto de Indian Wells, e Djokovic aproveitou a chance: "Quero conhecê-lo desde criança. Ele está entre os meus preferidos nesse esporte. Assistia-o em Wimbledon quando tinha somente 4 ou 5 anos. Seu saque não era tão rápido, mas era incrivelmente preciso, e lhe oferecia muitas opções para o próximo golpe. O encontro com ele me deixou feliz, tanto, que até me surpreende. Pensei que tinha crescido, e que porque jogo tênis há tantos anos isso não seria nada especial. Mas a conversa com Pete foi realmente incrível. Ele me disse: 'Você vence com o coração e a cabeça', e isso é verdade. Prometeu que vai jogar uma partida de tênis comigo, e agora tem que cumprir a promessa".

Mas a inspiração que recebeu sumiu na partida da quarta rodada, contra Ivan Ljubicic: "A chave da vitória se encontra no saque, apesar de não ser possível derrotar Novak apenas com os golpes iniciais, mas isso ajuda muito porque você chega a um grande número de situações para definir o ponto. Não jogamos na quadra central, e fiquei feliz por isso, porque sempre que jogava nas quadras secundárias em Indian Wells não perdia. Nelas me sentia fenomenal; meu saque funcionou, aproveitava-o melhor do que na quadra central. Entrei nessa partida com muita autoconfiança, porque em Dubai também tive chance de derrotá-lo, e seu problema com o saque acentuou-se exatamente em Indian Wells. Ele ganhava por 4-2 no primeiro *set*, consegui devolver a quebra, e com 6-5 joguei um ótimo *game*. 'Quebrei-o' no início do segundo *set*, mas senti que de novo estava acontecendo o mesmo que em Dubai. Começou a acordar e voltou para o jogo. Com 5-4 eu sacava para fechar a partida, e sabia que tinha de bombardear, porque se devolvesse meu serviço, não teria nenhuma chance. Ele se movimentava muito melhor, tinha melhor *forehand* e *backhand*, mas naquele momento eu sacava melhor do que nunca na minha vida, por isso, no fim, conquistei o torneio. Novak conseguiu salvar dois *match points*, e quando chegamos ao terceiro, errei o primeiro saque e entendi que tinha de arriscar no segundo, não havia outra maneira. Fui para o tudo ou nada. Saquei com toda a força no seu *forehand*, o que o surpreendeu não conseguindo fazer a devolução, e esse foi o fim da partida".

Djokovic dirigiu-se, decepcionado, ao centro de imprensa, onde abriu seu coração, tentando explicar a causa da derrota: "Esse foi o torneio no qual definitivamente não me senti relaxado na quadra, por isso estou muito esgotado. Antes de Indian Wells, joguei a Copa Davis, o que me deixou vazio emocionalmente. Não estou satisfeito porque sei que podia ter sido melhor, mas, sob essas condições, cheguei à quarta rodada, o que é bem legal".

O torneio acabou antes do esperado, e às vezes isso não é tão ruim. A oportunidade foi aproveitada para socializações e novas amizades.

Rade Serbedzija se lembra: "Naquela época, organizei uma festa em homenagem a Novak, na minha casa em Los Angeles. Preparei carneiro na brasa, tínhamos a companhia de Charlize Theron e Annette Bening, além da presença de pessoas do nosso povo, claro, ao todo em torno de 80 convidados. E, querem saber? Todos o adoraram. Ele é realmente um moço especial, que seria o melhor fosse qual fosse o trabalho escolhido. Em nosso relacionamento como amigos não mostrava aquelas suas coisas, como as imitações, por exemplo, gostava mais de bater papo sobre filmes, música e nosso país. Lembro-me de que foi estranho para mim que um moço tão jovem tivesse tão requintados e maduros pensamentos sobre política, arte e tudo o mais".

Depois da derrota na primeira rodada em Miami para o tenista belga Olivier Rochus, que o fez perder muitos pontos da ATP (pois defendia os pontos do vice-campeonato do ano anterior), foi interrompida a cooperação com Todd Martin, depois de menos de um ano.

Bogdan Obradovic testemunha: "O problema maior era a diferença de comunicação. Vajda e eu sabemos nos entender em três segundos, e ele pessoalmente me disse que com Martin isso não era possível. Todd quis trabalhar na parte ofensiva, mudar a técnica do saque de Novak para que pudesse sempre sacar a mais de 200 km/h, o que é uma boa qualidade, mas não indispensável. Novak nunca se apoiou na alta velocidade de saque. Sua maneira de segurar a raquete quando saca, que tem ainda hoje, corresponde à anatomia da sua mão e da sua mecânica de movimento, adequado à sua maneira de bater na bola e à concepção de seu jogo em geral. Isso é algo impressionante nele, e que dificilmente poderia ser mudado. Martin tinha suas razões, era preciso melhorar esses elementos, mas melhorar não significa que o jogador goste das mudanças. As mudanças nos fundamentos não podiam lhe faltar durante a competição, e o que Novak experimentava nos treinos tentava implementar nos torneios, e isso não era bom, mas muito arriscado. Em relação à sua meta ser o número 1 do mundo, era preciso manter os bons resultados e dar passos à frente. Qualquer parada era algo que simplesmente não fazia sentido".

Durante a miniturnê norte-americana, Djokovic realmente não se sentia bem na quadra, era visível. Quando precisava atacar se defendia, e vice-versa. Esperar pelos erros do adversário não era a solução, acabou tendo de correr pela quadra e gastar sua força.

"É complicado quando você trabalha com dois treinadores", Djokovic disse, com sinceridade. "Eles, em alguns momentos, não se entendiam bem, mas isso é comum. No futuro, vou trabalhar somente com Marian Vajda, e espero que tenhamos sucesso como nas temporadas anteriores. Todd é uma pessoa fantástica, mas não andávamos bem, e nos separamos sem ressentimento. Tentamos implementar as mudanças, mas foi muito complicado, então decidi voltar ao meu antigo estilo".

Os *slices* eficazes, os longos saques, a precisão na hora do golpe inicial e a estabilidade psicológica, que possibilita reações rápidas quando são mais necessárias, eram alguns dos elementos para os quais quis voltar. Graças a eles, conquistara bons resultados, e era para onde se dirigia.

A temporada das quadras de saibro ainda estava para começar, e Djokovic defendia em torno de 1.800 pontos. Naquele momento, tinha vantagem de cerca de 650 pontos sobre Rafa e, considerando os problemas com os joelhos que atormentavam o espanhol, não era provável que tão cedo perdesse o 2º. lugar na lista da ATP.

A diferença em relação a Federer era maior, mas ali tudo era possível. Para não se sobrecarregar muito, Federer jogava o menor número possível de torneios, porque a preocupação principal era a conquista dos torneios de Grand Slam, ou seja, Aberto da Austrália, Roland Garros, Wimbledon e US Open no mesmo ano, uma façanha só alcançada por dois tenistas até hoje, Rod Laver e Don Budge.

*

As preparações para Roland Garros eram de extrema importância para Djokovic. No ano anterior passara pela nada agradável eliminação para Philipp Kohlschreiber na terceira rodada, e por isso tinha um número baixo de pontos para defender, o que lhe dava certa tranquilidade, bem diferente da pressão em cima de Federer, que defendia os 2 mil pontos do título do ano anterior.

Preservar o 2º. lugar ou atacar de novo o 1º. – eis o dilema que se apresentava.

*

A derrota para Fernando Verdasco na semifinal de Monte Carlo, e logo a seguir nas quartas de final de Roma, também para o tenista espanhol; o título não defendido no Aberto da Sérvia, depois da entrega da partida das quartas de final para o jovem conterrâneo Filip Krajinovic em razão de problemas físicos, e ainda o cancelamento de participação em Madri que custaram a Djokovic o 2º. lugar não soavam como um bom prelúdio para Roland Garros. E, para piorar, ainda sofria com problemas alérgicos.

Estes foram os problemas oficialmente divulgados, mas a mídia que o acompanhava firmemente falava que algo mais não estava bem. Mas o quê?

Djokovic responde: "Antes de tudo, nem penso sobre a conquista do título. Nesse momento, isso está muito longe de mim, não só porque a série de torneios de Grand Slam ainda está no início, mas também porque esse ano foi o primeiro que senti fortes reações alérgicas em razão da primavera, e para isso não há o que fazer. Ainda é um problema, mas já está mais leve, em comparação a dois meses atrás. Nem sabia quantos problemas podem causar a alergia a pólen, nem esperava que podia ser tão intensa. Agora entendo que isso é parte da minha genética, e que contra isso tenho de lutar também no futuro. Nem penso sobre o *ranking*. O mais importante para mim é retornar ao meu ritmo, porque o resto vem naturalmente. Agora, no tênis masculino, a força mental, que é diferente para cada jogador, tem papel decisivo. Essa é a força que faz entender o que você executa na vida, que o obriga a treinar até quando não está com vontade. Cada um de nós tem aqueles dias quando se levanta da cama e não quer nada, nem ir para a quadra, mas assim é a nossa vida, a minha vida, e eu tenho de aceitá-la como ela é. Esse é o meu caminho, eu o escolhi. É o que me move. Não posso sempre dar o máximo e ser positivo todo o tempo sobre todas as questões, mas posso superar as fraquezas e me encontrar no dia seguinte".

Nas primeiras rodadas em Roland Garros, o saque-voleio, de repente, sumiu quase totalmente do seu jogo. Em vez disso, dedicou-se ao jogo de fundo de quadra, como se confessasse: "E daí? Nunca fui jogador saque-voleio".

Na coletiva de imprensa, logo depois da explicação "não quis forçar o saque-voleio a qualquer preço", seguiu a pergunta dos jornalistas sobre a paródia do clipe da estrela *pop* colombiana Shakira, que para a gravação da música *Gypsy* contratou Rafael Nadal. Na paródia, Djokovic usa uma peruca loira, enquanto Viktor Troicki assume o papel do tenista espanhol. Para não entrar em detalhes, essa brincadeira da imitação não atingiu o nível das imitações dos tenistas famosos, mas, com certeza, foi uma Shakira até então nunca vista. E Djokovic assim respondeu aos jornalistas: "Estava nervoso, e quis me divertir, pelo menos por uns dois minutos. Nesses momentos, às vezes nem eu próprio sei o que faço. Foi louco, e Viktor e eu nos divertimos muito. Não encontrei Nadal para lhe perguntar o que acha sobre isso, mas creio que deve estar orgulhoso pelo quanto me saí bem no papel de Shakira. Sem mentir, me esforcei mesmo".

No encontro com o tenista mais velho que sobrou na competição, Jurgen Melzer, que estava pela primeira vez nas quartas de final de um Grand Slam, não havia lugar para brincadeira. Depois de vantagem de 2-0 em *sets* e a quebra de vantagem no terceiro *set*, Djokovic perdeu.

A partida foi disputada na quadra Suzanne Lenglen, a segunda em tamanho no torneio. No camarote de Djokovic, além dos membros da família, estavam presentes também alguns amigos. A atenção da mídia voltava-se para o famoso diretor de cinema Emir Kusturica, ganhador de duas Palmas de Ouro em Cannes e amigo de muitas personalidades do mundo do cinema, como Johnny Depp, Jimmy Darschur, entre outros.

No terceiro *set*, com o resultado de 2-0 para Djokovic, numa troca de golpes em que tinha a iniciativa, exatamente quando precisava liquidar o ponto, do seu camarote ouviu-se o grito: "Assim, mestre!", e o ponto foi para Melzer... Djokovic estava mais do que agitado, e se virou para o camarote com uma clara expressão de contrariedade. Por algum milagre, desse momento em diante perdeu quatro *games* consecutivos, e depois a partida.

Para a derrota contribuíram também algumas decisões do juiz, das quais, pelo menos uma, como depois mostrou a gravação, foi errada, e no último *game*.

"Da minha perspectiva, essa bola foi boa, dentro. Não sei por que o juiz principal decidiu o contrário, mas, às vezes, você precisa de sorte também com as decisões do juiz. Evidente que não acho que o juiz decidiu o vencedor da partida. Se preciso procurar um culpado, este sou eu. Tinha de terminar o trabalho antes, e não o fiz. O erro é meu, e estou sofrendo as consequências. Saúdo Jurgen, jogou realmente bem, enquanto eu cometi grandes erros e permiti que ele voltasse ao jogo. Isto é tênis, esses são os torneios de Grand Slam, você sempre tem que jogar até o fim".

O que aconteceu, aconteceu, e a participação em Roland Garros 2010 estava encerrada.

O fato de ter perdido o último torneio no saibro não era o sinal de crise, mas seu estágio inicial.

A BIOGRAFIA DE NOVAK DJOKOVIC

Assim começou a temporada de jogos na grama. No torneio em Queen's, já na terceira rodada, Djokovic foi derrotado pelo belga Xavier Malisse, mas a derrota foi compensada pelo jogo fenomenal em duplas. Juntamente com Jonathan Erlich, de Israel, chegou à final e derrotou a dupla tcheco-eslovaco David Skoch e Karol Beck. Depois do "apertado" primeiro *set* que perderam, o 3º. tenista do mundo e o especialista em duplas israelense ganharam o segundo, para que, no *tiebreck* estendido, oficialmente chamado de *match tiebreck*, fossem mais seguros e mais precisos, e merecidamente triunfaram depois de uma hora e vinte e nove minutos de um jogo interessante.

Era o primeiro título da ATP para Djokovic em duplas, e uma ótima preparação para Wimbledon.

*

No Aberto da Inglaterra, a mais prestigiosa competição de tênis, curiosidades nunca faltavam. Agora, em 2010, se abria um precedente. Pela primeira vez desde 1977, a rainha Elizabeth visitou o All England Club e ficou cerca de vinte minutos na ponte em que atravessam os campeões. Também assistiu à partida da segunda rodada entre o britânico Andy Murray e o finlandês Jarkko Nieminen. Como seu compatriota a decepcionou, restou-lhe aplaudir seus *winners*. Mais tarde, se encontrou com as estrelas do tênis, entre as quais estavam também Jelena Jankovic e Djokovic, que tiveram essa honra pelo fato de estarem entre os quatro primeiros cabeças de chave.

Já no que diz respeito ao tênis, naquele ano foram derrubados dois recordes. Primeiro, o norte-americano John Isner e o francês Nicolas Mahut estabeleceram o recorde de duração de uma partida: três dias, onze horas e cinco minutos! Foram disputados 680 pontos, e o incrível quinto *set* durou noventa e oito minutos, mais do que a até então mais longa partida na história do tênis, jogada por Fabrice Santoro e Arnaud Clement, em 2004, em Roland Garros, que durou seis horas e meia. Era quase trágico que um dos tenistas tivesse de perder. No final, venceu Isner, por 3-2 (6-4, 3-6, 6-7(7), 7-6(3)). O resultado do último *set*, como não foi disputado o *tiebreak*, foi um inimaginável 70-68! Então, as primeiras quebras ocorreram somente no 138º. *game*! Nicolas

Mahut tinha de se contentar com o fato de que a raquete e a camisa que usava terminaram como peças de exposição na Casa Internacional das Celebridades.

O segundo recorde foi batido na partida da primeira rodada. Djokovic e Olivier Rochus jogaram o duelo que terminou mais tarde na história dos torneios Grand Slam, desde 1877. Até 2009, na quadra central não havia teto, então, todas as partidas eram interrompidas com a chegada da noite. Até ali valia a regra que o jogo tinha de terminar até as 23 horas, horário britânico, para que o público pudesse voltar para casa. Quando ficou evidente que a partida iria demorar, os organizadores decidiram mover o teto e ligar os refletores, e o final se deu somente às 22h59, horário local, ou 23h59, horário da Europa Central. A partir de então, mudou-se a regra que definia que os jogos somente seriam disputados com o teto fechado em razão de mau tempo, acrescentando-se que, a partir de 2010, a chegada da noite seria mais uma razão.

A pausa de meia hora, tempo necessário para cobrir a quadra, caiu bem para Djokovic: "Não há muitas chances de assistir às partidas em Wimbledon tarde da noite, então estou feliz porque de certa forma entrarei para a história. Na verdade, naqueles momentos não me sentia muito bem na quadra, então, a pausa me ajudou a relaxar e me concentrar no que me esperava". E, assim venceu por 3-2.

O rival seguinte era Taylor Dent, que sacava com a velocidade de 243 km por hora. Desta vez, o saque não o ajudou, e Djokovic, com convincentes 3-0, passou para a rodada seguinte, na qual, pelo mesmo resultado, derrotou o tenista espanhol Albert Montañes. E, depois, Lleyton Hewitt. Essa partida foi jogada *"game* por *game"*, e ambos os tenistas eram iguais em todos os aspectos do jogo, como primeiro saque, porcentagem de ataques e os pontos ganhos.

Durante os primeiros dois *sets* Djokovic se comportou bem, mas no terceiro entrou em crise. Lutava com problemas respiratórios e gastrointestinais. A queda no nível de jogo foi evidente. Mas conseguiu chegar à vitória. Quando foi mais importante, achou as saídas, e após o último *game*, de tanta felicidade, rasgou a camiseta: "Sabia que me esperava um difícil e penoso trabalho, e estou satisfeito porque o fiz bem. A incerteza foi muito grande, e ambos podíamos vencer, mas joguei no momento certo os golpes exatos".

No caminho à semifinal, foi preciso superar somente mais um obstáculo, o tenista tailandês Yen-Hsun Lu, que proporcionou uma surpresa ao derrotar Andy Roddick. Mas novas surpresas não aconteceram.

"No tênis de hoje nenhuma partida é fácil, principalmente nessa fase do torneio. Mas, apesar disso, venci por merecimento, chegava em todas e joguei bem de todas as posições da quadra. Durante os últimos cinco, seis meses tive problemas, mais com minha cabeça do que com o jogo. Mas não gostaria de entrar em detalhes sobre oscilações, porque são de natureza particular. Somos seres humanos, e isso acontece com todos. O importante é que agora está tudo certo", disse Djokovic, preparando-se para a semifinal contra Tomas Berdych, que derrotara Roger Federer, e, assim, proporcionaria a segunda grande surpresa.

A partida da semifinal foi perdida, depois de pouco mais de duas horas de jogo, por 3-0. Tomas Berdych, o 13º. tenista do mundo, passou para sua primeira final de Grand Slam.

"Ninguém gosta de perder", disse o campeão sérvio. "Nem eu, mas a essência é o fato de que não merecia a vitória, e ponto. Berdych hoje foi o melhor jogador. Quando tive as oportunidades não aproveitei, nos momentos decisivos cometi várias duplas faltas, e em algumas situações não tive sorte".

Repetindo sua melhor colocação em Wimbledon até então, Djokovic mais uma vez voltou à 2ª. posição. O número 1 era Rafa, e, para surpresa geral, Federer caiu para a 3ª. posição. A derrota inesperada em Wimbledon custou-lhe ao todo 1.640 pontos.

A derrota em Londres também incomodava Djokovic, mas era preciso esquecê-la. Já no fim de semana seguinte partiu para as quartas de final da Copa Davis: "A derrota, tenho de confessar, dói. Nos últimos meses, tive muitos altos e baixos no meu jogo, mas, quando jogo no meu nível máximo, posso derrotar qualquer um, em qualquer torneio e em qualquer piso. Esperança se adquire com o tempo, e creio que isso vai me ajudar a diminuir a tensão antes dos grandes e importantes duelos. Sou novo, e estou convencido de que logo vou lutar pelos troféus em todos os torneios de Grand Slam".

Era preciso esperar só mais um pouquinho. Como dizem na Sérvia: "Calmo – salvo".

# 29. CORTE DE CABELO NO ESTILO COPA DAVIS

A classificação para a semifinal da Copa Davis era o melhor resultado na história do tênis sérvio, mas a atitude dos jogadores e do pessoal da cúpula técnica era de que não deveriam parar por aí – estavam conscientes da sua força e confiantes num bom resultado.

A partida contra a Croácia era de estrema importância, e Novak tinha somente palavras elogiosas sobre o adversário:

"A visita a Split será muito difícil. A Croácia tem uma longa tradição na competição, conta com excelentes torcedores que sempre recebem apoio. Será uma grande vantagem para eles. Mas nossa equipe tem também bastante experiência, vamos usá-la na quadra".

Depois de festejar como deveriam o casamento de Janko Tipsarevic, os tenistas sérvios partiram rumo à Croácia.

Bogdan Obradovic:

"Havia também a tensão política, mas estava preparado porque prestei o serviço militar obrigatório justamente em Split e conhecia essa mentalidade. Nikola Pilic não estava conosco porque é natural de Split e não quis complicar a já tensa situação, comum nos encontros dessas duas seleções, em qualquer esporte. Mas estava conosco Jovan Lilic, um cara extraordinário que tinha grande influência sobre Novak e o acompanhou muitas vezes quando Novak participava como júnior. Ele nos trouxe energia positiva. Ljubicic também tinha um papel importante na hora de acalmar a fúria dos torcedores, fazia muitos elogios a nós. Das coisas desagradáveis, lembro-me somente de um cartaz agressivo num viaduto que depois foi retirado. Afirmei em Split que achava que iríamos vencer e me criticaram por causa disso, pois os diretores da nossa associação eram muito mais brandos nos comentários. Mas nem pensei no que disse. Achei que tudo seria resolvido com um 3-0 em nosso favor".

O duelo Sérvia-Croácia não iria terminar com esse resultado, mas o placar da partida entre Djokovic e Ljubicic foi exatamente esse.

Ivan Ljubicic:

"Não jogava a Copa Davis desde 2007, e nem iria jogar contra a Sérvia se a maior parte do nosso elenco não estivesse contundida. Literalmente não havia ninguém para jogar e fui por esse motivo. Além disso, a equipe estava chegando à Croácia e a tensão antes de jogo era realmente grande, porque, quando se trata de torcedores, Split é uma cidade especial. Tinha muita dessa carga nacionalista, sentida pelos jogadores de ambas as equipes; tentávamos ficar calmos e neutralizar a energia negativa. Sabia que eu era o único que tinha alguma chance contra Novak, então fui para a quadra. Joguei um ótimo primeiro *set*, tive até boas chances no *tiebreak*, mas quando o perdi entendi que não poderia vencer. Senti que estava indo além do que podia, e também tenho de confessar que estava cansado".

Assim a Sérvia faturou o primeiro ponto.

Na segunda partida, Viktor Troicki enfrentou Marin Cilic. Sem êxito. O tenista croata triunfou por 6-4, 7-5, 6-2. Empate.

A partida de duplas, a próxima, era a grande aposta. Graças à mão de ouro de Nenad Zimonjic e à excelente assistência de Janko Tipsarevic, a equipe sérvia passou também por esse obstáculo. Derrotaram Cilic e Dodig por 3-0 (6-3, 6-2, 6-4).

Parecia que tudo seria fácil e sem problemas, como Zimonjic salientou:

"Não existem vitórias fáceis na Copa Davis. Entramos na partida como favoritos, jogamos bem, aproveitamos as oportunidades e nos recuperamos bem depois de uma pequena queda no nível de jogo. Foi um ponto muito valioso, que trouxe grande vantagem psicológica. Jogo sempre nos torneios com o mesmo parceiro, na Copa Davis são outros companheiros, nem sempre é fácil se adaptar, mas Janko é um aliado fenomenal. Foi a primeira partida que jogou como casado e estou muito feliz por teremos vencido".

Os águias estavam numa forma brilhante, sem dúvida, e tudo que aconteceu agradou-os muito.

A família de Novak logo se juntou a eles, chegando de iate, no qual todos se divertiram muito.

Bogdan Obradovic:

"Tudo que normalmente proíbo aos jogadores, durante as partidas ou preparações, naquela ocasião permiti. E isso teve um reflexo positivo. Lembro-me de que os desafiei a saltar comigo de cabeça no mar. Joca Lilic os chamava porque todos saltavam com as pernas para a frente e as meninas de Split os observavam e pensavam – eles não têm vergonha... Lembro-me também de que naquela ocasião Janko me disse: 'Somente agora estou consciente de quantos iates como esse estiveram ao meu alcance, porque se tivesse vencido todas as partidas que deveria, eu teria um'. São momentos interessantes, quando cai a ficha para os jogadores, quando fica claro que há algo em Novak que o diferencia dos outros – em cada ponto, em cada *game* e em cada partida, e foi uma influência positiva para Janko. Novak mostrava com seu exemplo o que precisavam fazer para que ficassem onde realmente queriam estar".

O resultado era 2-1 em favor da Sérvia, então no dia seguinte a cortina teria de ser fechada. Assim seria conhecido quem iria para a semifinal e quem iria descansar.

Novak Djokovic, a segunda raquete do mundo, foi para a quadra; todos esperavam um duelo digno de um Grand Slam, pois do outro lado estava Marin Cilic, semifinalista do Aberto da Austrália e 13º. jogador do mundo.

"Essa partida estava decidida antes de começar. Senti que havia medo nos olhos de Cilic, seu braço estava travado, sob pressão, então tudo na quadra foi mera formalidade. Lembro-me de que Novak me disse antes da partida: 'Vou bater no *forehand* porque esse não é seu melhor golpe'. E assim foi. Depois da partida nos encontramos com o técnico da Croácia, Goran Prpic e com Ljubicic, que nos parabenizaram, mas fiquei decepcionado com o depoimento de Goran Ivanisevic, que disse, mais ou menos, que a Croácia não podia perder como anfitriã em Split, e nem apareceu, nem veio nos parabenizar, embora fôssemos amigos."

Por isso as pessoas gostam da Copa Davis. As partidas são cheias de emoções e energia, a torcida nas arquibancadas parece a de um time de futebol. Quantas vezes já aconteceu de o público tomar conta e com um apoio frenético levar seu ídolo a uma vitória inacreditável? A uma vitória que num torneio da ATP seria impossível. Mas em Split isso não aconteceu. Ivanisevic é de Split, um grande tenista e uma grande pessoa. É muito emotivo e era compreensível ter precisado de mais tempo para aceitar a derrota de seu país contra o rival.

Com a vitória contra a Croácia, a seleção da Sérvia conseguiu um sucesso histórico e passou para a semifinal da Copa Davis. Exatamente naquele momento, em Split, a equipe de profissionais de Novak Djokovic recebeu mais um colaborador.

Novak tinha todos os fundamentos do jogo. Tecnicamente era muito bem lapidado. Tinha velocidade nas pernas, treinara muito isso. Já tinha uma devolução mortal. O caráter de vencedor também estava presente. O talento e a vontade de ferro nunca ninguém colocara em questão. Mas faltava algo... Talvez fosse falta de continuidade no jogo, principalmente quando tinha alguns jogos ou torneios importantes em sequência. Em alguns lugares brilhava. Em outros era irreconhecível. Para um jogador que quis um dia se tornar o primeiro na lista da ATP isso tinha de ser colocado nos eixos.

*

O médico Igor Cetojevic nasceu em 1962 na Bósnia-Herzegovina, concluiu os estudos de medicina em Sarajevo em 1988, e depois mudouse para Belgrado e estudou Medicina Tradicional Chinesa no Centro Europeu para Paz e Desenvolvimento. Posteriormente testou os seus conhecimentos na prática no país mais populoso do mundo. Fez várias pesquisas para descobrir a influência das diversas radiações na saúde, principalmente para diminuir seus efeitos negativos. Além disso, tinha também o diploma do Instituto Indiano de Magnetoterapia de Nova Deli, e aperfeiçoou-se na África do Sul e em Budapeste. Seu método é baseado principalmente na alimentação saudável e no consumo de grande quantidade de água pura, essencial para a remoção de toxinas do corpo humano. Escolheu Chipre para morar porque lá ainda havia ar puro, e foi lá que surgiu a ideia sobre a cooperação com Novak Djokovic.

Aliás, enquanto por acaso assistia à transmissão das quartas de final do Aberto da Austrália, Novak, no terceiro *set*, começou a ter problemas respiratórios. Jogava contra Tsonga e estava ótimo até então. O comentarista falava todo o tempo que se tratava de asma, e o doutor Cetojevic, do sofá, concluiu que isso não era verdade, e comentou com voz alta:

"Quando disse isso à minha esposa, que não liga nem um pouco para esporte, ela me perguntou: 'Se já sabe qual é o problema dele, por que não o ajuda, ele é do seu país!' Assim foi. Entrei em contato por intermédio de amigos comuns e ofereci meus serviços a Novak para que ele colocasse a saúde de volta nos trilhos – física, mental, emocional e espiritual".

Cetojevic apresentou seu programa e explicou os postulados básicos, e depois foi convidado a ir para Split. Ali foi decidido que iria trabalhar como nutricionista de Novak.

"O meu trabalho com os pacientes", diz Cetojevic "é multidisciplinar. São diversas técnicas e tratamentos harmoniosamente relacionados que se adaptam a diferentes circunstâncias. Uma das coisas mais importantes era que Novak tinha de eliminar imediatamente o glúten da alimentação, e quando aceitou essa dieta, simplesmente explodiu, porque todo o seu talento de tenista pôde vir à tona".

Como disseram aqueles já que conheciam o doutor Cetojevic, Novak era uma bela base para trabalho para os ensinamentos básicos da medicina chinesa, que trata o corpo com um todo, e não cada órgão separadamente. Com muito entusiasmo começou o processo de despertar, para que descobrisse o que lhe comovia e o que o impedia de atingir o pleno potencial. O importante, obviamente, era que ambos executavam o trabalho que gostavam, e quando o amor está presente, os resultados serão aqueles que você desejou.

Essa pessoa, cheia de energia positiva, tornou-se parte da equipe de Novak Djokovic.

Naquele ano, a apresentação de Novak em Toronto não foi espetacular, mas era encorajadora, em todos os sentidos. Rafa e ele jogaram pela primeira vez em dupla, mas caíram logo na primeira rodada para Pospisil-Raonic.

É curioso que um par semelhante – formado pelo primeiro e segundo jogador do mundo, ocorreu pela última vez no distante ano de 1976, quando jogaram Jimmy Connors e Arthur Ashe.

Rafa e Nole ainda eram melhores quando jogavam cada um por si.

A primeira partida de simples de Novak foi contra o sempre complicado Beneto, e conseguiu uma vitória suada, apesar do forte calor: "A quadra também absorvia muito calor, não foi fácil. Realmente, estava quase entregando o jogo. Já disse várias vezes – nunca vou arriscar minha saúde para vencer. Se o corpo dá sinais de que alguma coisa errado está acontecendo, então é preciso fazer algo. Ninguém pode 'desligar o sol' e lhe fazer um favor, facilitar o trabalho, mas bem que eu gostaria" brincou o exausto Novak.

O calor começou a ceder, e nas rodadas seguintes não houve problemas. Derrotou Hanescu e Chardy e recuperou seu ritmo exatamente quando era preciso.

Na rodada seguinte, a semifinal contra Roger Federer, não podia relaxar de modo algum, porque o duelo era uma batalha direta pelo segundo lugar.

O suíço ganhou o primeiro *set* por convincentes 6-1, e parecia que tudo iria acabar em menos de uma hora.

Novak de repente acordou, atacou com *forehand* o *backand* de Federer e ousadamente partiu para o jogo de fundo de quadra. O segundo *set* foi dele (6-3). No *set* seguinte suas devoluções foram ótimas, neutralizava os saques do adversário com facilidade e respondia com os ataques, tentando logo assumir o controle do jogo.

No final indefinido, não conseguiu vencer. A desvantagem na primeira parte da partida era grande, o que acabou sendo a razão principal da derrota:

"Não mostrei nem um décimo do meu jogo. Federer ganhou o primeiro *set* em meia hora, eu praticamente não ofereci resistência.

Depois 'sentia' a bola muito melhor, mas quando faço o balanço de tudo, tenho certeza de que não foi minha melhor apresentação. Isso, claro, não diminui nem um pouco a merecida vitória de Federer. É verdade, é um pouco frustrante não ter aproveitado a chance no fim do jogo, mas no geral ele foi melhor".

Aparentemente, os inícios frouxos das partidas, a dúvida sobre suas habilidades, a desvantagem no placar e depois a recuperação – como se despertasse de um sono profundo, um jogo corajoso e ofensivo, mas insuficiente para a reviravolta foram algumas das características do jogo de Novak em 2010.

Assim, com frequência deixava a quadra com ombros caídos e olhar tristonho, e mais raramente com o peito estufado, mas de seus olhos saíam faíscas de vontade de competir e vencer.

Esse jogo imprevisível, agressivo, que podia falhar ou surpreender, foi visto no torneio de Cincinnati. Mostrou a firmeza característica nas partidas contra Troicki e Nalbandian, mas nas quartas de final sofreu a quarta derrota consecutiva contra Andy Roddick.

O norte-americano venceu por 2-0 em uma hora e vinte minutos de jogo, e Novak, como os especialistas avaliaram, "lembrava um moço talentoso que estava indo para o topo, mas não conseguia alcançá-lo".

Por isso, ninguém podia prever como seria sua participação no Aberto dos EUA.

*

Quando a elite do tênis se reuniu no final de agosto em Nova York, parecia que o sorteio fora muito difícil para Novak. Mas Janko Tipsarevic, num jogo fantástico, derrotou Andy Roddick por 3-1 e Richard Gasquet ganhou com inesperada facilidade de Nikolay Davydenko (3-0). Assim, tiraram do caminho de Novak dois jogadores bem ranqueados, o que facilitou bastante sua trajetória.

Isso não significa que começou bem o torneio. Na primeira rodada, Troicki tinha a vantagem de 2-1 em *sets*, uma quebra e teve duas chances de quebra no quarto *set*. A situação parecia sem saída, mas Novak conseguiu uma quebra e voltou ao jogo, ganhou o quarto e depois o quinto *set*.

Bogdan Obradovic:

"Vajda estava ausente em razão de problemas particulares, então fui com ele ao torneio. Lembro-me da segunda rodada e o jogo contra Philipp Petzschner. Novak percebeu que o vento era favorável para um ótimo saque-voleio. E ele jogou assim, ganhava o ponto, e olhava para mim. Nós nos entendíamos sem palavras. Essa é uma ligação que estabelecemos com o tempo. O saque-voleio é sua arma secreta, tem talento para isso, mas ainda não o usa na medida certa. Acredito, pessoalmente, que um jogador que deseja se manter por um bom tempo na primeira posição do *ranking* deve trabalhar muito o jogo de saque-voleio. Conheço Novak desde que ele era menino e sei o quanto trabalhávamos nisso, tenho certeza que está em algum lugar dentro dele, prestes a ser revelado e se tornar parte de sua estratégia".

O segmento importante desse sistema era também a cooperação com Igor Cetojevic. Além dos conselhos sobre alimentação, ele sugeria também maneiras não convencionais para melhorar a parte psicológica. Pode soar estranho, mas o misterioso médico, observando Novak, chegou à conclusão que ele tinha a energia de um lobo líder da alcateia (por isso às vezes liberara essa energia com um uivo antes de sair para a quadra), e insistia que Novak se dedicasse ao "aterramento" – ter contato com a natureza, não esquecer a influência e energia do meio ambiente, mas na quadra nunca deveria demonstrar sua raiva, porque assim revelaria aos adversários os seus defeitos.

Durante o torneio, Novak Djokovic e sua equipe estavam em Nova Jersey, na propriedade de amigo comum Gordon. Ali há quatro quadras de tênis, uma delas coberta, o que dá condições ideais para o trabalho. Tinham também a oportunidade de se divertir e relaxar, porque a propriedade tem um lago artificial cheio de trutas, então pescaram um pouquinho. Todos tiraram proveito desses momentos, menos Obradovic que era o único da equipe que não se hospedou em Nova Jersey, mas num hotel em Manhattan, onde ficaram os meninos que encordoaram as raquetes. No fim do dia, Obradovic trazia as raquetes de Novak, e de manhã as devolvia encordoadas e preparadas para a partida:

"Numa manhã, trouxe os equipamentos ao complexo do Aberto dos EUA. Coloquei as raquetes no chão, Novak foi para a quadra para correr um pouco, trabalhar com borracha e tudo aquilo que costumava fazer quando se preparava. Nesse momento apareceu o doutor Cetojevic e disse: 'Nunca coloque as raquetes no chão'. Pegou a raquete pelo topo e pela empunhadura, como se fossem polos, e começou murmurar algo incompreensível. Estava presente também Miljan Amanovic. Perguntei do que se tratava. Eu não conseguia captar o olhar de Novak. A princípio, ninguém quis me dizer nada porque sabiam que gostava de fazer brincadeiras com esses 'passes de mágica', que para mim eram muito engraçados. Quando Novak começou a golpear a bola, as primeiras três tentativas não foram boas, e eu brinquei dizendo que era preciso pegar a raquete na qual o doutor fez o 'balanceamento energético'. Depois chamei também Miljan para bater nele com a 'raquete milagrosa' para dar mais energia. Rimos muito, foi divertido".

O ceticismo de Bogdan Obradovic sobre os métodos do doutor Cetojevic tinha suas razões. Brincava com o tema da "energia da raquete", mas a história da dieta sem glúten era mais séria:

"A dieta sem glúten até que fazia sentido, mas não acredito que pudesse ajudar tanto. Sei que Novak às vezes brincava com isso. Dizia: 'Olha, agora vou pegar alimento para humanos'. E pegava algum produto com glúten... Não se trata de um veneno que é proibido consumir, mas provavelmente é de absorção difícil se combinado com outras substâncias, e isso pode causar problemas".

Com ou sem "aterramento" e sem se importar com a raquete – mas sem perder nenhum *set*, Novak derrotou Petchner, Blake, Fish e Monfils. Foi maravilhoso ver como ele neutralizava os saques do adversário tão bem que com a devolução já assumia a iniciativa.

Com um jogo tão sólido, ele esperava um desafio maior. E estava preparado.

O desafio apareceu logo, na forma de Roger Federer. Novak teve a oportunidade de brilhar com uma nova-velha luz.

Diferentemente dele, que era o semifinalista mais jovem, Federer era o mais velho, mas não podia ser descartado, claro.

Aquele Aberto dos EUA era o primeiro ao qual Federer chegara à semifinal sem perder nenhum *set*. O último Grand Slam onde conseguira isso foi Wimbledon em 2008. E ainda mais – em Nova York nunca havia perdido uma semifinal. A vitória o levaria para sua 23ª. final em um Grand Slam.

Para não prolongar muito, Novak impediu essa façanha. Brilhou no nível mental, por duas vezes conseguiu voltar ao jogo, e quando se encontrava a um passo da derrota, no quinto *set*, salvou *dois match points*.

"Sinceramente, naqueles momentos" confessaria Novak mais tarde – "só fechava os olhos e batia *forehands* o mais rápido que podia. Não pensava muito – se entrar, entrou. Por outro lado, se a bola for para fora, seria só mais uma derrota contra Federer no Aberto dos EUA. No final consegui, e simplesmente não posso acreditar que voltei, escapei por um triz da derrota".

Outro aspecto importante do seu jogo era a resistência.

O que diferencia o Aberto das EUA dos outros três Grand Slams é o fato de que o quinto e decisivo *set*, é definido no *tiebreak* e não pela diferença de dois *games*.

Em algumas partidas anteriores nos quatro maiores torneios, Novak mostrava tendência de se recolher quando via que as chances de vitória eram pequenas, mas desta vez foi o contrário. Isso não significa que não houve altos e baixos no seu jogo, mas isso é comum num duelo tão longo.

Após três derrotas consecutivas para Federer no Aberto dos EUA, inclusive também na final de 2007, Novak finalmente o derrotou. Pode soar estranho, mas isso não foi o mais importante. A resistência que demonstrou no quinto *set* foi incrível, literalmente. Levantar-se depois de tantas derrotas, mostrar tal resistência e ainda contra Roger Federer, não era algo fácil – foi uma proeza! E ainda fez mais – venceu!

Bogdan Obradovic também guarda lembranças dessa partida fantástica:

"Eu estava sentado ao lado de seu pai e falava com ele sem parar – 'Novak vai ganhar, com certeza', e ele me olhava sem acreditar no que eu dizia. Ainda quando salvava as bolas do jogo, não duvidei, nem um pouco. Para Novak, jogar contra Federer era um problema menor do que contra Nadal. Roger e Novak têm um *forehand* perfeito, mas quando cruzam os *backhands* deles, Roger não tem como competir. Ele pode bloquear a bola muito bem, o seu *chip* no *backand* funciona brilhante, mas o golpe em si e a mudança da direção... Ali há grandes problemas. Quando esses dois jogam hoje, o ponteiro da balança energética sempre vai para o lado de Novak. Esse era o sentido ali, para mim era lógico que ele, na sua idade, tinha mais energia vencedora do que Federer, que é ambicioso – ele quer, ele pode, mas... Pela sua idade, é incrível a capacidade de Novak, porque Federer já tinha a família para a qual tinha de dar muita atenção, todos que são pais sabem como é grande esse investimento, mas Novak era relaxado. Ele tinha a sua namorada e a sua equipe. E assim é até hoje".

Federer jogou muito bem, o que tornou a vitória de Novak ainda maior. Na verdade, ganhou alguns presentes na forma dos erros do adversário – mas Novak o obrigou a falhar. Normalmente econômico nas palavras, o suíço destacou que "aqueles que descartaram Djokovic obviamente não sabem nada de tênis".

Isso mesmo.

Rafa e Nole foram descansados para a final. A partida estava prevista para domingo, mas foi adiada para segunda-feira por causa da chuva.

Era a primeira final de Nova York para Rafa, ao contrário de Novak, que sentiu essa atmosfera em 2007.

Até então haviam jogado 21 vezes, e o espanhol ganhava por 14-7. Mas no piso de concreto o tenista sérvio era melhor – ganhava por 7-3 – o que significava que o seu rival espanhol derrotava exclusivamente nesse piso.

Mas isso não queria dizer nada, porque naquele ano, no Aberto dos EUA, o espanhol estava jogando muito melhor do que ano anterior ou qualquer outro – A melhora era evidente – principalmente na velocidade do saque, mas também todos os aspectos do jogo estavam dois patamares acima do mostrado em Cincinnati e Toronto.

Rafa começou agressivo desde o primeiro ponto, baseando-se nos golpes de fundo e na mudança de ritmo, e assim mandava o tenista sérvio "correr para todos os lados". Esse tipo de tática deu frutos. Novak não estava sem motivação, longe disso, logo se adaptou e jogava calmamente no fundo de quadra, sem hesitar na hora de jogar os *winners*. O problema era a precisão, Rafa estava mais sossegado e "deixava" o adversário errar sozinho. Após 1-1 em *sets* e a "tomada de pulso" inicial, tudo virou a seu favor.

Nos dois *sets* seguintes percebia-se o enorme desejo de ambos os tenistas de triunfar pela primeira vez em Flashing Meadows, e por isso erravam mais do que o normal.

Nadal conquistou 49 *winners*, Djokovic 45. Nas quebras de serviço também se saiu melhor – 26 contra somente 4, e cometeu também menos erros não forçados – 31 contra 47.

Na verdade, o saque foi decisivo no terceiro e quarto *sets*. Novak enfrentava uma batalha para conformar seu serviço, enquanto o rival, na maioria das vezes, mantinha os seus com tranquilidade. O jogo corajoso e com precisos e fortes golpes do fundo de quadra lhe trouxeram a vitória. Jogou perfeitamente, o melhor desempenho até então em pisos rápidos. Naquele momento, provavelmente ninguém no planeta conseguiria derrotá-lo.

"Tiro o chapéu para esse cara e para tudo o que faz, na quadra e fora dela. Um grande campeão, um grande homem e um exemplo de esportista. Ele é o melhor tenista de atualidade, e provavelmente será o melhor sempre. Não posso esconder a decepção, mas não vou chorar por causa disso. É assim mesmo. Evidente que me sinto mal, desejava muito o troféu, dei o máximo para conquistá-lo. Mas quando acordar amanhã vou me sentir um novo homem e vou continuar a trabalhar para conquistar meus objetivos", concluiu o número dois do mundo.

*

Depois de cinco dias de pausa, Novak voltou a Belgrado – esperava-o a semifinal da Copa Davis contra a República Tcheca.

De novo a "Arena de Bel grado".

Os tenistas sérvios não jogavam para eles próprios, jogavam para a equipe e para seu país. Essa oportunidade não aparecia com muita frequência, e por esse motivo o encaravam com muita seriedade.

Como a final do Aberto dos EUA fora adiada, em razão da chuva, para segunda-feira, Novak e Bogdan passaram a terça-feira em Nova York, e na quarta-feira partiram para Belgrado para somente chegar na quinta-feira.

"Ambos estávamos exaustos", disse Obradovic. "Tínhamos um dia para preparação e as partidas da Copa Davis são extremamente cansativas até para os melhores jogadores. Esse é um torneio muito difícil, nem um Federer possui esse troféu, é uma grande lacuna na carreira dele".

Esperava-se que a disputa contra a República Tcheca iria ser muito difícil, mas não era de estranhar que os jogadores sérvios citassem com tanta frequência nas coletivas de imprensa "Só temos o nosso Nole".

Sempre se contava com ele, era o jogador que recebia todas as atenções. Como acabara de chegar e ainda tinha de se acostumar com outro fuso horário, foi decidido que Viktor Troicki iria primeiro para a quadra – contra Radek Stepanek. Não foi uma estratégia para confundir o adversário, simplesmente – tinha de ser assim.

O primeiro *set* foi do tenista sérvio por 6-4. Muitos pensaram que agora já era possível relaxar, mas Stepanek recuperou-se e na sequência ganhou três *sets* e marcou o primeiro ponto para a República Tcheca.

A difícil tarefa de igualar o resultado era de Janko Tipsarevic. O adversário era Tomas Berdych, que naquele momento talvez jogasse o melhor tênis de sua carreira.

Graças às mudanças no saque de Janko – muito eficientes – além dos bons conselhos que recebeu do banco, a Sérvia empatou o placar. "Todos sabemos que Janko é um guerreiro", destacou Obradovic.

"Ele disse que estava preparado e acreditei nele. E não errei. Foi confirmado que tomamos uma ótima decisão para a equipe".

Mas quando Djokovic e Zimonjic perderam a partida de duplas, a autoconfiança da equipe sérvia foi sacudida seriamente. Berdych e Stepanek triunfaram por 3-6, 6-1, 6-4, 6-1.

Para os tchecos era necessário somente mais um ponto, o que significava apenas uma coisa – Novak e Janko tinham de ganhar.

Novak jogou contra Berdych e perdeu o primeiro *set* por 4-6. Jogava sem muito entusiasmo, até o momento em que começou a funcionar na "Arena" o vulcão de energia dos torcedores. A erupção de entusiasmo comoveu o campeão sérvio, que ressurgiu como uma fênix.

"Não tenho a mínima ideia do que aconteceu, mas Djokovic conseguiu recuperar a energia e meu jogo começou a decair", disse Berdych sem esconder a decepção.

Na "Arena de Belgrado", em sua cidade, Novak continuava imbatível. Mas a vitória não significava o fim da competição. A decisão sobre quem iria para a final do Grupo Mundial ocorreria na quinta partida. Pela República Tcheca jogou Stepanek. Seu rival era Janko.

Janko começou eufórico. Ditava o ritmo, dominava na quadra e ninguém o segurava. Ganhou o primeiro *set* por um contundente 6-0.

No segundo *set*, Stepanek ofereceu mais resistência, mas no apertado *tiebreak* perdeu. Em seguida perdeu também o terceiro por 6-4.

Janko se tornou o herói do dia! E pela primeira vez na história, a seleção da Sérvia estava na final da Copa Davis!

O segundo finalista era a França, que na semifinal derrotou a Argentina por 5-0.

"Talvez seja cedo para falar sobre isso, mas posso dizer que qualquer seleção que vem a Belgrado não é favorita. Que venham os franceses... A Arena é uma fortaleza inexpugnável e tenho certeza de que vai permanecer assim. O melhor da toda história é que somos uma equipe jovem, chefiada pelo nosso jovem Zimonjic", disse Nole em tom de brincadeira, pensando no membro mais velho da seleção sérvia.

\*

Zimonjic, Tipsarevic, Troicki e Djokovic anunciaram o domínio da nova força do tênis. Tudo o que precisavam fazer era preservar o espírito vencedor; na exaltação geral foi feita uma promessa – em caso da conquista da famosa "saladeira", todos os tenistas e os membros do corpo da diretoria iriam raspar o cabelo "máquina zero".

\*

No início de outubro Novak foi a Pequim – defendia o título do ano anterior. Estava no ritmo que o levou à final do Aberto dos EUA e da Copa Davis, a preparação física era invejável, o *backhand* mantinha-se constante, aperfeiçoara o "avesso" e o número de erros na hora de ataque com *forehand* diminuiu, batia a bola com mais *spin*.

De novo se encontrava numa fase inspirada.

Tudo isso podia ser notado nas partidas em Pequim. Nas primeiras três rodadas seus rivais pareciam mais *sparrings* do que os adversários sérios.

O tenista chinês Mao Ksin Gong foi derrotado por 6-1, 6-3. Mardy Fish entregou o jogo por motivo de lesão, enquanto Gilles Simon, em partida das quartas de final, também não pôde fazer nada e perdeu por 6-3, 6-2.

Problemas um pouco maiores encontrou na semifinal contra John Isner, no *tiebreak* do primeiro *set*, mas nem isso abalou Novak. Passou para a final.

A segurança e a autoconfiança radiavam em suas palavras:

"Eu sabia como derrotar Isner. Foi preciso devolver bem suas bolas após o saque e mandar cada vez mais aquelas bolas de fundo. Tenho bastante energia, me sinto muito bem, estou em ótima forma e quero somente continuar assim".

A China definitivamente lhe trazia sorte, principalmente Pequim, onde em 2008 conquistara a medalha olímpica, e em 2009 o título no torneio.

Restava conferir se na final contra Ferrer iria continuar autoconfiante.

Se alguém esperava que essa final traria tensão e surpresas, enganou-se. A partida foi interrompida por várias vezes devido à chuva e essa foi a única adversidade. A vitória do tenista sérvio em nenhum momento esteve ameaçada. Após oitenta e três minutos de jogo, venceu por 6-2, 6-4, defendendo pela segunda vez na carreira um troféu. No total, era o seu 18º., e o 16º. entre os torneios da série 500.

Com a ida à final já havia conquistado uma vaga no torneio em Londres (de 21 até 28 de novembro). A conquista do título em Pequim rendeu um cheque de meio milhão de dólares norte-americanos.!

Totalmente consciente que a final fora abaixo das expectativas quanto à qualidade do jogo, mas sem perder vitalidade e otimismo, depois de uma breve pausa já preparava as malas. Seguiria em frente, iria para Xangai, onde participaria do penúltimo Masters daquele ano e defenderia os pontos da semifinal do ano anterior.

Ali se viu como o tênis é um jogo de nervos, além de tudo, uma disputa mental.

Após a primeira rodada, na qual estava livre, Novak passou de forma rotineira por Ljubicic, Gasquet e Garcia Lopez. Chegou à semifinal, quando encontrou em seu caminho ninguém menos do que o homem da Basileia. Roger Federer estava de novo em alta, como mostrou a categórica vitória contra Robin Soderling nas quartas de final (6-1, 6-1).

Durante o jogo, Federer, graças à experiência, mantinha Novak a uma distância razoável, o que lhe lhe valeu a classificação para a final. Nela o esperava Andy Murray, e o suíço retornou para o 2º. lugar do *ranking* da ATP.

"No início do segundo *set* a minha concentração diminuiu e perdi muita energia", confessou Novak. Em um piscar de olhos já estava 4-1, depois não consegui mais me recuperar. Estou decepcionado, ainda mais porque joguei bem no primeiro *set*, mas Federer marcou pontos brilhantes e com muito merecimento segue na disputa".

Terminar o ano na posição número dois era praticamente uma missão impossível. Em Basileia e em Paris Federer teria de falhar feio, Novak jogar o melhor tênis de sua vida e depois de tudo isso ganhar em Londres, enquanto Federer nem poderia passar a fase de grupos.

Tudo isso, sinceramente, seria muito difícil. O mais provável era que o 2º. lugar ficasse para a próxima temporada.

"Várias vezes neste ano nos alternamos na segunda posição. Não é nada incomum. Para mim o importante é que estou satisfeito com minha forma. Se obtiver bons resultados, tenho certeza de que mais cedo ou mais tarde terei a oportunidade de voltar para a segunda posição", disse o tenista sérvio.

\*

A nova queda no *ranking* não significava que Djokovic era um alvo fácil. A lei da troca implementou a natureza e não foi possível mudá-la. Tendo isso em vista, era preciso continuar para frente.

Começou a defesa do título na Basileia.

Os adversários das primeiras duas rodadas, Gulbis e Niminen, buscaram seu espaço com golpes fortes, mas não conseguiram achá-lo. O mesmo se passou com o holandês Robin Haase, que foi derrotado por 6-2, 6-3, em uma hora e dezoito minutos de jogo. O craque sérvio seguiu para a semifinal.

Viktor Troicki também estava lá. Foi o sétimo encontro entre os dois compatriotas na ATP, o quarto naquele ano. Não era uma situação muito agradável, pois eram grandes amigos.

Desde o primeiro encontro em 2007 e o triunfo de Viktor, Novak conseguiu seis vitórias. Antes do encontro da Basileia, venceu-o em Dubai, Cincinnati e no Aberto dos EUA. Mas enquanto isso, Viktor começou a jogar o melhor tênis de sua vida, chegou à 32ª. posição do mundo e sentia-se muito à vontade.

Praticamente não houve *game* sem uma batalha feroz em cada ponto. Como também quase sempre acontece nesses jogos, são decididos pelos detalhes. Um deles tinha de perder – e foi Viktor – a ótima forma de ambos os deixou felizes e também a muitos outros sérvios. Se jogassem assim no início de dezembro na Copa Davis, a França teria problemas..

E na final de Basileia, quem estaria se não Federer!

Federer estava motivado, pois jogava em casa, mas era grande a responsabilidade diante do seu público em virtude da derrota do ano passado e da coroa que Novak levara na sua cidade natal. Soube retribuir agradavelmente ao público que nunca era maldoso quando perdia e que lhe festejava como se fosse um ícone.

Novak jogou muito bem, só que o adversário não era qualquer um e sim uma lenda viva. Os primeiros dois *sets* foram equilibrados, mas no decisivo caiu e desperdiçou muitas oportunidades.

Sobre o seu jogo na rede, não tinha o que reclamar, melhorou o saque, mas Federer não dá chances ao acaso.

"Tive uma boa semana", notou Nole, "apesar do último *set* ruim. Perdi um pouco de concentração e de repente estava 5-1, e Roger não dá muitas oportunidades quando está ganhando. Os resultados mostram isso, ele é o melhor jogador sempre".

Então, um título não foi defendido. Novak seguiu em frente.

Como não gastara muita energia na Basileia – chegou à final sem perder nenhum *set* – tinha força suficiente para tentar defender o título de Paris.

Infelizmente, tudo ficou na tentativa – parou na oitava de final, depois da derrota para Llodra – 7-6(6), 6-2, após noventa e três minutos de jogo.

"Parabenizo Llodra" – disse Novak – "realmente jogou muito bem. Mas eu também não joguei mal, apesar da reviravolta no primeiro *set*.

Quando tinha uma chance, ele respondia com ótimos saques, no fundo, e depois com incríveis voleios. A derrota nunca é fácil. Mas agora terei um pouco de descanso. Estou cansado nesses últimos dois meses e ainda me esperam Londres e a Copa Davis. Nesta temporada, essas são as coisas mais importantes para mim".

A eliminação precoce no torneio de Paris ameaçou sua 3ª. posição.

A oportunidade de lutar por aquilo que lhe pertencia estava em Londres.

*

"Apaixonado, emotivo, dedicado. Há sete anos no esporte branco profissionalmente, poucas vezes alguém conseguiu dominar esse fenômeno do tênis sérvio." Assim, antes do espetáculo em Londres, foi exibido o perfil de Novak Djokovic.

Seu nome figurava no grupo A, além de Rafael Nadal, Tomas Berdych e Andy Roddick, enquanto no grupo B se encontraram Roger Federer, Robin Soderling, Andy Murray e David Ferrer.

Novak descreveu a situação da seguinte forma:

"Este ano foi repleto de altos e baixos. Não joguei bem por seis meses, fatores externos influíam nos resultados e tive problemas de saúde; lutei mais contra isso do que com o tênis. Desde Wimbledon comecei a melhorar, e estou tentando manter o nível elevado. O Masters final de Londres é muito importante, é a quarta vez que me qualifiquei. Quero ir melhor do que na última vez, jogar pelo menos a semifinal".

A seriedade dessas intenções foi primeiro constatada por Tomas Berdych. Depois de uma uma hora e meia de jogo perdeu por 2-0. Novak obtinha quebras no início do cada *set*, fez três *winners* a mais (20-17) e cometeu doze erros não forçados a menos.

Era apoiado nas arquibancadas também pelo lendário jogador de futebol argentino Diego Armando Maradona.

"Comecei bem o torneio e o público foi maravilhoso. Logo senti que pertenço a esse lugar, é um prazer jogar em Londres. Tive a grande honra de jogar diante de um dos maiores jogadores de todos os tempos. Quando apareceu, perguntei-lhe se iria jogar com as mãos ou com as pernas" – disse Novak com um sorriso, aludindo à "mão de Deus", o gol de Maradona que marcou com a mão contra a Inglaterra na Copa de 1986.

Na segunda rodada Rafael Nadal de novo foi melhor. Derrotou Novak por 7-5, 6-2.

O triunfo foi fácil, pelo menos assim falou o resultado, mas todos que assistiram à partida viram que Novak jogou muito bem – até o momento em que não suportou mais. Tinha grandes problemas com as lentes de contato, bem conhecidos por aqueles que as usam – irritação, visão distorcida e dor na região dos olhos. Por esse motivo, no início do segundo *set* pediu uma pausa. O seu treinador, Marian Vajda, mais tarde explicou o que aconteceu na verdade:

"As lentes começaram a se mover. Por uma falha, tinha duas lentes no olho direito, uma sobre a outra, e quando se separaram, começaram a incomodar e a irritar o olho".

Quando voltou para a quadra, o jogo estava muito pior do que o do primeiro *set*.

"Estou passando mal só de falar sobre isso", disse mais tarde. "Pela primeira vez tive uma experiência assim, nem podia enxergar a bola. Contra Nadal é difícil jogar com ambos os olhos, imaginem com um só. A única coisa que podia fazer era golpear a bola o mais forte possível do fundo de quadra. Se entrar, entrou. Não estou procurando desculpas, mas realmente não dava para jogar. Vou ver com um médico se é algo sério, espero que não seja, pois acredito que tenho grandes chances de seguir em frente".

As chances realmente existiam.

A classificação em cada grupo é determinada pelo número das vitórias. Se os jogadores estiverem empatados, há duas regras: se dois jogadores têm o mesmo número das vitórias, o classificado é definido pelo confronto direto, e se acontecer de os jogadores tiverem o mesmo número das vitórias, a decisão fica para o saldo de *sets*. Se houver empate no saldo de *sets*, entao o que decide é a relaçao entre *games* vencidos e perdidos.

Por isso muita coisa dependia da partida contra Roddick. Se Novak vencesse por 2-0 iria seguramente para a semifinal. Se vencesse por 2-1, iria somente se Nadal derrotasse Berdych. Mas também havia chances de passar para a semifinal se Roddick vencesse – por exemplo, por 2-1, mas apenas se Nadal derrotasse Berdych por 2-0.

Se Novak perdesse por 2-0 a conversa sobre a semifinal estava encerrado.

Ele não queria perder. Passou diante do público de tapa-olho preto, como nos filmes de pirata. Foi recebido com muitos aplausos e gargalhadas.

"O pirata" explicou do que se tratava:

"Essa é uma parte muito importante da minha personalidade. Gosto de curtir a vida, tanto na quadra quanto fora dela. Quando vem a inspiração, gosto de divertir as pessoas. Dedico muita atenção aos torcedores, porque respeito aquilo que eles fazem, dedicam seu tempo a nós. O apoio dos torcedores é extremamente importante, sempre".

Depois de pouco mais de uma hora, Roddick foi para casa...

A classificação para a semifinal estava decidida, mas havia chances para o adversário de Novak – Federer, que parecia invencível. Para isso contribuíam também os erros dos rivais, como no caso de voleios aparentemente fáceis que paravam na rede.

Após 6-1 no primeiro *set*, Novak começou o segundo muito bem, recuperou a autoconfiança e nos primeiros dez minutos dominava. Mas Federer se recuperou. E venceu, depois de uma hora e vinte e dois minutos de partida.

"Federer é realmente grande", confessou o campeão sérvio. "É sempre agressivo e coloca você numa situação difícil. Por isso se encontra na posição onde está".

\*

No início de dezembro de 2010, quando o assunto era esporte, na Sérvia se discutia a final da Copa Davis. Era o maior acontecimento do tênis nacional. Ainda que o título não fosse conquistado, a classificação para a final já era histórica. O tênis sérvio nunca foi mais brilhante, nunca teve tanto impulso, os jogadores eram unidos, sem se importar com sucessos individuais, a conquista da "saladeira" seria o maior triunfo de suas carreiras.

Os franceses também eram fortes, mesmo sem o contundido Tsonga. O técnico francês Guy Forget não divulgou quem iria para a quadra e em qual sequência até o início da competição, pois tinha o direito de substituir dois jogadores. O mesmo direito, evidentemente, tinha também o técnico sérvio, mas não tinha a intenção de usá-lo.

A incerteza aumentava, a vantagem de jogar em casa e com apoio do público era grande; os "águias" estavam prontos para voar.

Bogdan Obradovic:

"Esperávamos havia duas temporadas, mas não tínhamos sorte nos sorteios. Jogávamos as primeiras rodadas fora e contra seleções extremamente fortes. E agora, em 2010, tudo se encaixou. A classificação para a final e a ótima forma de Novak, o jogo impecável de Nenad nas duplas, a melhora de Janko e Viktor... Considerando tudo isso, não havia a chance de falhar, apesar do fato de que na final realmente não havia um favorito absoluto".

A qualidade e a organização da competição estavam a cargo dos membros da Associação de Tênis da Sérvia, e eles ofereceram tudo o que era necessário – exatamente como era preciso e no tempo certo. Ajudaram de várias maneiras. Por exemplo, construíram três quadras, uma delas semelhante à da "Arena". Isso foi importante para que os meninos pudessem treinar. Na "Arena" sempre são realizados diversos espetáculos e concertos, estava ocupada antes da competição. Felizmente, os tenistas sérvios não tinham de esperar, pois podiam treinar nas novas quadras, o que significou muito para eles.

*

As primeiras três partidas deixaram a "saladeira" a alguns passos mais distante. Tipsarevic perdeu para Monfils por 3-0, Djokovic derrotou Simon com pelo mesmo resultado e Zimonjic e Troicki perderam por apertados 3-2 para Llodra e Clement.

Um dos visitantes na fervente "Arena" era Erick Chauvet, amigo de Novak de Monte Carlo:

"Quando você é convidado de Novak, sente-se como rei, como se fosse mais importante do que um presidente, mas ali, quando a Sérvia estava perdendo, eu estava muito nervoso porque as pessoas na Sérvia torcem de forma diferente. (Quando estão nas arquibancadas, comportam-se como se estivessem assistindo ao jogo pela TV. A mesma coisa acontece na Croácia, uma vez discuti sobre isso com Ivan Ljubicic. Depois das duplas, chamei Novak e sugeri a ele para ensinar ao público como se torce no tênis, e no último dia, antes do início da partida, ele pegou o microfone e explicou aos presentes que a torcida era necessária para os jogadores, mas com espírito esportivo. E a situação mudou de imediato. Devo confessar que fiquei satisfeito", disse Erick.

O mais importante era que Bogdan Obradovic e os meninos não duvidavam da vitória. Acreditavam na qualidade de Novak e isso lhes tranquilizava.

A partida conta Monfils mostrou que tinham razão.

O melhor tenista sérvio apareceu carregado de energia positiva. Focado ao máximo, ganhou o primeiro *set*, e assim continuou no próximo. Monfils estava confuso, e o público, fascinado. Tanta força e habilidade não eram vistos havia muito tempo. Se fosse preciso jogar quinze *sets* naquele dia, Novak passava a impressão de que ganharia todos os quinze,.

A Sérvia empatou o resultado: 2-2.

Posteriormente Novak declarou que essa foi uma das melhores partidas do ano, que tentava ficar calmo, embora soubesse que se tratava de uma grande aposta. Mas recebia uma energia muito boa, "a energia do seu público".

A tensão era enorme, mas prevaleceu o espírito. A atmosfera na equipe nacional era agradável, riram e se divertiam muito, mas quando precisavam conversar sobre a tática para a última partida, o papo ficava sério e franco.

O técnico do time lembra a noite antes da partida da decisão. Ficaram sentados juntos por longo tempo e conversaram, procuravam o jogador que estava o suficiente apto e preparado para a vitória:

"Janko confessou que não tinha suficiente autoconfiança porque aquela parte da temporada jogou muito mal. Disse que podia ir e tentar, mas achava que isso não seria suficiente. E de repente pronunciou as palavras decisivas – Viktor é melhor, ele merece jogar".

Obradovic viu que Viktor ficou muito contente com a sinceridade de Janko, e isso foi decisivo:

"Nenad e Novak apoiaram a sugestão de Janko e acho que a escolha de Troicki foi uma surpresa para os franceses; estou convencido de que acreditavam que Tipsarevic iria para a quadra. Mas para mim tudo estava claro desde o aquecimento. Viktor estava concentrado e muito inspirado – a equipe inteira estava do seu lado!"

Exatamente como Janko Tipsarevic foi o herói da semifinal contra a República Tcheca, Viktor Troicki se tornou o herói da final histórica contra a França. Jogou uma das melhores partidas de sua vida, apesar de Llodra estar numa ótima forma, já havia tido duas chances de quebra no segundo *game*. Mas Viktor neutralizou a primeira com uma precisa 'passada', e logo depois o francês errou.

Llodra é um excelente sacador, mas o voleio, seu segundo golpe mais forte, poderia ser melhor. Viktor fazia devoluções fantásticas e com facilidade lhe 'passava' na rede, e nessa maneira chegou à quebra no terceiro *game*. Graças ao apoio do público depois de cada ponto, a vantagem aumentava rápido. Em trinta e oito minutos ganhou o primeiro *set* por 6-2.

No segundo *set*, com mais paciência na troca de golpes, continuava a pressionar o oponente, neutralizava seus saques e aproveitava a energia das arquibancadas, tão forte que o juiz Enrique Molina em várias ocasiões tinha de acalmar o público.

Viktor conseguiu a quebra, sacou com inspiração e fez 4-2. Na "Arena", um delírio.

O sétimo *game* foi incrivelmente longo, o tenista sérvio estava agressivo, enquanto o francês ia constantemente à rede. Viktor perdeu uma chance de quebra.

Em seguida, salvou algumas bolas de *game*, para que na segunda chance de quebra, após a falha do rival, depois de um *forehand* gritasse: "Issoooo!!!"

Tinha a vantagem de 5-2 e não parou mais – ganhou também o segundo *set*.

No início do terceiro, sua concentração caiu por algum tempo. Apareceu a dúvida – será que Troicki pode continuar? Para A felicidade de todos, confirmou-se que podia. Sacava com precisão, era competitivo contra o jogo de saque-voleio de Llodra, obteve quebras e chegou a 5-3.

Agora Llodra sacava, os espectadores sentavam na beirada das cadeiras e era impossível acalmá-los.

Viktor precisava de mais uma quebra para finalizar, e terminou a partida com um *backhand* diagonal – e... a "saladeira" era da Sérvia!

Por toda a Arena ecoavam os aplausos aos heróis da nação. Milhares das pessoas saíram às ruas para festejar o título de melhores do mundo.

Um rio de carros congestionava as ruas no bairro central de Belgrado, e na Praça da República, o lugar tradicional de reuniões, fervilhava com cidadãos agitados que, com bandeiras, cantos e euforia anunciavam que a festa iria durar a noite toda.

Enquanto isso, na "Arena", os tenistas sérvios cumpriam a promessa. Foram colocadas as cadeiras na quadra e começou o corte de cabelo. O primeiro que ficou careca foi o presidente da Associação de Tênis da Sérvia, Boba Zivojinovic, em seguida os jogadores e, por fim, o conselheiro da seleção, de 72 anos, Nikola Pilic.

Bogdan Obradovic:

"Consegui escapar do corte máquina zero porque estava dando uma entrevista e a máquina funcionava tão devagar que fiquei com, podemos dizer, um corte dois. A ideia foi de Viktor e todos aprovaram, embora Nenad e eu fôssemos contra no início, mas no final dissemos: 'Ok, para onde vão todos, nós vamos também'. Confesso que acreditava que essa história iria ser esquecida com o tempo, mas alguém se lembrou na coletiva de imprensa e todos os jornalistas depois nos obrigaram a isso, não havia como escapar. Mas ficou tão na moda que alguns salões fizeram uma oferta especial – corte Copa Davis".

O amigo de Novak, de Monte Carlo, também tinha uma anedota de Belgrado:

"Saí para dirigir um pouco pela cidade, para passear e conhecê-la melhor. Já era noite e num momento não só me perdi mas também percebi que estava dirigindo na contramão. A rua era de mão única e a polícia me parou de imediato. Foram muito gentis, mas como cometi uma infração e era estrangeiro, tinha de ir diretamente ao juiz para pagar a multa. Pedi para dar um telefonema para uma pessoa influente, na verdade fiquei na companhia de muitas pessoas influentes, e alguns minutos depois a situação mudou. No fim fui escoltado para que não me perdesse de novo", disse rindo Eric Chauvin, acrescentando:

"Os sérvios são pessoas muito acolhedoras e cordiais, e não digo isso porque fui convidado de alguém tão famoso como Novak. Acho que as pessoas na Sérvia dispõem de tudo o que é necessário para serem felizes, boa infraestrutura, boa atmosfera, é uma pena que estejam mal economicamente".

Depois da festa nas ruas, dos louvores na imprensa e das felicita-
ções que chegavam do governo, logo apareceram selos postais com as
imagens dos tenistas sérvios. Viktor Troicki, Janko Tipsarevic, Nenad
Zimonjic e Novak Djokovic em 38 mil selos, nos quais havia uma
vinheta com o troféu da competição, a famosa "saladeira".

O tênis da Sérvia subiu ao teto do mundo!

# 30. A QUESTÃO DO CORAÇÃO

Tudo que Djokovic tinha alcançado até 2011, seu "ano dourado", era o resultado de muitas pequenas batalhas. De algumas saiu vencedor, de outras, perdedor. Mas nunca acreditava nas derrotas definitivas ou em energia gasta à toa. Quando conseguia vencer ou quando a vitória escapava, construía um pilar poderoso que nenhuma dificuldade poderia facilmente abalar. Havia nele o desejo de dar o seu máximo. De vez em quando isso era o suficiente, mas, às vezes, não.

O ano de 2011 era o indicador irrevogável de que a frase "Talvez eu possa" se tornasse a alavanca para "Sempre posso".

No 11º. ano do século XXI, Djokovic demonstrou os melhores e mais belos aspectos de um campeão. No seu caráter se uniram muitas coisas: talento e educação, habilidade, sensibilidade de jogo justo, cultura de boa conduta, benevolência, divertimento. Os anos de treinamento árduo e de sacrifício, a infinita paciência e trabalho consigo mesmo o levaram ao topo. Quanto teve de aprender no seu caminho! Quantas vezes teve de deixar a quadra cabisbaixo! Esse garoto, com uma vontade de aço, decidiu se transformar num grande jogador, talvez o maior. Decisões desse tipo não se tomam com cabeça, é sempre uma questão mais de coração.

Assim pensa também o grande Pete Sampras, que nessa temporada o descreveu como o melhor de todos os tempos: "Pelo menos na minha vida, o melhor que já vi. Sempre achei que Novak é muito temperamental, que teria quedas e motivos para não conseguir ir até o seu máximo. E vejam agora! Ele perde os dois primeiros *sets* contra Federer e, de repente, *bum*! Se recupera em alguns minutos. Agora não demora muito tempo pensando, tornou-se campeão".

Foi assim mesmo. Djokovic pretendia se alinhar com o que dispunha e obteve êxito. Ao mesmo tempo, aceitava as dificuldades como provações e oportunidades para um novo começo, e sempre definia novos objetivos à sua frente. Ainda mais, e mais longe.

O começo da nova temporada, na qual seria desfigurada a antiga ordem do tênis, ele esperou em Perth, com Ana Ivanovic, durante a Copa Hopman. A princípio, esta é a preparação para o Aberto da Austrália, e os adversários no grupo foram Cazaquistão, Austrália e Bélgica.

"Estou feliz porque Ana aceitou jogar. Esperei por ela durante quatro anos, e agora quero ganhar o troféu. Também tive raras oportunidades de jogar duplas mistas. Alguns anos atrás, jogamos juntos no Aberto da Austrália e, claro, em 2006, na Copa Hopman, quando estreamos juntos." Ana tinha um entusiasmo igual: "Somos amigos desde a infância e sempre ficamos contentes quando podemos ficar juntos por um tempo. Todos os anos ele me perguntava se participaríamos juntos de novo. Jelena Jankovic e ele jogaram aqui em 2008, e agora vamos tentar dar este último passo".

Ana e Djokovic justificaram suas esperanças. Foram espontâneos e hábeis, jogaram de forma simples, um ponto de cada vez. Classificaram-se para a final como os primeiros no grupo A. O adversário teria de ser a dupla dos EUA, formada por John Isner e Bethanie Mattek-Sands, mas a participação da Sérvia foi suspensa em razão de Ana apresentar uma inesperada lesão abdominal.

*

Djokovic não tinha motivo para ficar insatisfeito. Durante as partidas em Perth, todos notaram que estava mais preparado, física e também mentalmente, e que emitia ao seu redor a energia de vencedor quando ia para a quadra. Não tinha importância se o segredo foi a mudança da alimentação sugerida pelo doutor Cetojevic, os treinos reforçados ou o amadurecimento natural estimulado com sucessos. Provavelmente cada um desses fatores teve sua participação.

O certo era que no Aberto da Austrália começava a euforia do tênis: *Novak Djokovic 2011.*

Mark Woodforde: "A vida de Novak mudou quando a Sérvia venceu na Copa Davis. Antes disso, tinha oscilações que influenciavam sua autoconfiança, tentava mudar certos segmentos do jogo, e isso podia ser catastrófico. Mas era capaz de aguentar e dividir sua força com os membros do time até a vitória. Isso é muito importante. Ele sempre acreditava que podia ganhar contra Roger, Rafa e Andy, porque tem a habilidade para cada piso, não importando o adversário. Se havia algumas dúvidas, sumiram em 2011, quando começou a somar as vitórias. Estava preparado para assumir o controle, se arriscar em momentos mais complicados como são as bolas para definir a partida, por exemplo. Estou feliz por ele. Era muito emocionante assisti-lo".

E como foi emocionante...

Quando em 2008 derrotou Tsonga na final do Aberto da Austrália, muitos declararam essa data como o início da nova era, e o viram exatamente na liderança da rejuvenescida caravana da ATP. Mas o tempo passava, e o troféu de Melbourne precisava de companhia.

A razão principal para isso é bem conhecida: "Novak é contemporâneo de dois dos melhores de todos os tempos: Rafael Nadal e Roger Federer", assim disse John McEnroe, e ele sabia do que estava falando.

Evidente, existiam também outras coisas: troca da raquete, tentativas sem êxito de aprimoramento do jogo com Todd Martin, falta do próprio psicológico para os maiores desafios...

Pela primeira vez, agora, todos os problemas ficaram para trás. Bem para trás.

*

Imediatamente antes do Grand Slam australiano, os melhores tenistas do mundo mais uma vez mostraram sua humanidade e jogaram uma partida para angariar ajuda às vítimas da enchente em Queensland (Austrália).

Como era de se esperar, Djokovic estava entre as maiores atrações. Juntamente com Roddick divertia o público com suas brincadeiras, e a maior gargalhada aconteceu quando se esgueirou entre os repórteres e tomou emprestado seus equipamentos para filmar a tenista dinamarquesa Caroline Wozniacki, que chegou a liderar o *ranking* mundial da WTA (Associação Feminina de Tênis).

*

Começou o primeiro Grand Slam da temporada. Djokovic não escondia suas ambições: "Sinto que estou muito mais experiente e melhor do que três temporadas atrás. Fisicamente mais forte, mais rápido e mais motivado. Sei como reagir em certos momentos e como jogar no maior palco. Não quero parar agora. Vou me esforçar para permanecer com boa saúde e bem preparado para os futuros desafios".

Era verdade. A impecável preparação física, o forte *forehand* e a tática defensiva, em conjunto com a fantástica movimentação, inclusive o deslizamento no cimento – que se tornaria sua marca registrada – faziam que os adversários das primeiras rodadas perdessem as partidas já no vestiário.

Veloz na esquerda, na direita, na frente, atrás, com excelente antecipação dos golpes dos oponentes e, acima de tudo, estabilidade. Além disso, o saque, que lhe era um grande problema, tornou-se fantástico: "Como o melhorei? Batendo milhares e milhares de bolas no treino. Tudo é ligado ao treino e ao trabalho duro. Claro, tinha consciência do que estava fazendo errado, mas é difícil se livrar de um costume quando entra na cabeça. Todos me criticavam: 'Por que errou o saque?'. Não era proposital, acontecia assim... Mas trabalhei pesado nos últimos dez meses, e o saque, de novo, está bom".

Estável e inabalável, era assim. Ele, e o saque também... Chegou à semifinal, incansável, e se deparou com Federer.

O resultado dos retrospecto entre ambos era 19-6 para o suíço, mas deve-se lembrar das vitórias de Djokovic rumo ao título na Austrália em 2008, e na semifinal do Aberto dos EUA de 2010, quando voltou triunfalmente ao jogo depois de salvar duas bolas decisivas.

Durante o torneio, e principalmente na final, combinou na medida ideal o estilo do ataque e da defesa. A nova vitória contra Federer foi realmente impressionante, sem um *set* perdido: "Não tentei bater todas as bolas com força máxima. Queria definir o ponto, e esperei a bola certa para o *forehand* e entrar na quadra e atacar. Estava mais agressivo nos duelos contra ele".

Definitivamente, esta foi a receita da vitória.

Apesar da fúria no momento do ataque, sua agressividade era controlada e consciente. Esta foi uma diferença notável em comparação aos seus duelos anteriores. Tentava ditar o ritmo, não recuar para o fundo de quadra, e então os resultados dos pontos não dependiam do adversário.

Roger Federer, o defensor do título, não ficou contente com isso. Djokovic construía as oportunidades uma atrás da outra, acumulava pontos e forçava o *backhand* do adversário, seu pior golpe, e no mesmo momento permanecia forte e focado, o que deu para observar melhor no segundo *set*, quando de 2-5, com virada, chegou a 7-5.

Estava sob forte pressão, mas conseguiu: "Essa é uma das melhores partidas dos últimos tempos. Tinha de arriscar e tentar aproveitar minhas chances. Se tivesse perdido o segundo *set*, quem sabe o que aconteceria. Talvez ele desse uma grande virada... Por isso estou contente por ter jogado o melhor tênis nos momentos mais difíceis".

Sua presença e consciência o fez ganhar oito pontos a mais, 119-111, e festejar os 3-0, o que significa: Djokovic jogou melhor todos os *break points* e ganhou graças ao sangue-frio, digno de admiração.

A história sobre a troca de gerações, anunciada já havia um bom tempo, foi comprovada na final. Pela primeira vez desde 2008, na reta final do Grand Slam não se encontraram Federer e Nadal e em seus lugares entraram Djokovic e Andy Murray.

Para o tenista de origem escocesa, essa foi a chance de conquistar sua primeira condecoração de Grand Slam; antes, tinha perdido as finais dos Aberto dos EUA, em 2009, e o Aberto da Austrália, em 2010. Para o tenista sérvio essa foi a oportunidade de se tornar o 2º. tenista na história que ergueu suas primeira e segunda taças de Grand Slam no Aberto da Austrália (o primeiro foi Stefan Edberg): "Há alguns anos , quando venci aqui, era um moço de 20 anos que, com os olhos fechados, batia na bola o mais forte possível e acertava tudo. Depois disso, me deparei com situações novas, sob pressão para defender um título num Grand Slam. Depois você cresce, adquire a sabedoria e a experiência necessárias. Tudo tem de ser aceito como uma boa lição, e seguir em frente. Um homem sábio me disse: 'Não é a vontade da vitória que te faz vencedor, mas a vontade de se preparar'. Esta é a frase que sempre repito para mim, porque é verdade. Preparar-se bem... Parece-me que comecei a fazer, e bem, exatamente isso".

Estava preparado. Na verdade, sua partida contra Federer era a final antes da final, porque Murray realmente não tinha qualquer chance.

Djokovic mudava o ritmo constantemente; no primeiro *set* tinha também alguns *drop shots* sem êxito e subidas para a rede, mas no segundo e no terceiro, jogou perfeitamente. O pequeno número de erros cometidos, transição da defesa para o ataque com um golpe (principalmente quando estava atacando no lado de *forehand*), elasticidade e força no momento da defesa, tudo isso confundia Murray, que não sabia como se preparar para o próximo *game* ou *set*. Quando corria para a rede, normalmente não tinha resultado, Djokovic mandava com habilidade um *lob* do fundo de quadra, ou passadas sensacionais. A superioridade no fundo de quadra foi suficiente para um triunfo convincente: 6-4, 6-2, 6-3: "Realmente é um prazer jogar aqui", disse depois da partida. "Dedico este título à minha família, meus irmãos, minha namorada, Jelena, e às pessoas na Sérvia que tentam apresentar seu país da melhor maneira possível".

Depois da conquista do último ponto, não festejou muito, pelo menos não como sabia. Os jornalistas perceberam isso, e ele explicou: "Essa é a terceira final de Grand Slam de Andy, e de novo ficou sem o título. Essa, com certeza, não é a situação em que você quer ver seu adversário, então, não faz sentido expressar abertamente a felicidade, tirar tudo do seu corpo e jogar ao público. Ele é meu grande amigo, nos conhecemos há muito tempo. Tenho um grande respeito por ele e pelo seu jogo, e tenho certeza de que chegará o dia quando também ganhará seu título de Grand Slam".

Apesar de não estar tão consciente do que exatamente tinha faltado, essas predições logo se realizaram. Depois de uma partida extremamente interessante e longa, Murray o derrotaria na final do Aberto dos EUA, em 2012, e, assim, conquistou o primeiro título de Grand Slam.

Enquanto Djokovic levantava o troféu no insuportável calor da Austrália, o termômetro em Belgrado indicava -10 ºC, o que não impediu muitos conterrâneos de parabenizar Dijana e Srdjan Djokovic no restaurante deles. Servia-se vinho quente, cerveja e carne assada, e à noite, soltavam fogos de artifício em homenagem a Djokovic.

"Estou orgulhoso como um pai cujo filho mais velho se superou em todos os sentidos", disse Srdjan Djokovic. "Marko e Djordje logo vão pelo mesmo caminho. Lamento não termos tido oportunidade de ficar ao lado do nosso filho, como estivemos três anos atrás, quando ele conquistou o primeiro Grand Slam, mas tenho certeza de que até o fim do ano Novak chegará ao topo da lista da ATP. Tenho certeza!"

"Estou convencido de que Djokovic será o número 1 até o fim do ano", disse o diretor do torneio em Dubai, Salah Talak, que recebeu o tenista sérvio como campeão atual e o jogador que tentaria repetir a façanha de Federer e conquistar o troféu pela terceira vez consecutiva. "Muitos não acreditam que existe a rivalidade Djokovic-Federer. Mas ela é realidade, e este é um embate de dois jogadores totalmente diferentes, capazes de realmente agitar e divertir o público. Mas também existe a possibilidade de se repetir a final do Aberto da Austrália entre Novak e o muito popular Murray", acrescentou Talak.

Na pausa entre os torneios, como antes de Dubai, o ás sérvio descansou em Monte Carlo: "Nesse momento é o lugar ideal para mim. Estou curtindo, porque é longe da vida pública, limpo e discreto. Vou para a praia e passeio pela (acho que é Riviera), costa Azzurra. Aqui posso realmente descansar, as condições climáticas são excelentes, então posso treinar na quadra aberta. Na Sérvia não tenho vida privada. Esta é a maior razão por que somente de vez em quando fico lá. Vou para lá visitar minha família. É mais ou menos isso".

*

"O ano dourado de Djokovic" começou a brilhar aos poucos, e cada vez mais.

Os especialistas não poupavam tempo para analisar o sucesso australiano do "menino *show* com um *backhand* paralelo vitorioso", montando e desmontando as estatísticas do início da temporada. Sequer imaginavam que esse era só o começo.

Não podia ser diferente. No torneio de Dubai confirmaria o que não podia mais se duvidar: "Sim, é evidente que ele cresceu como um tenista que é capaz de escapar e vencer no momento quando perdia para Federer por 2-5, mas... será que pode repetir isso?".

Como mostrou na quadra, evidente que podia. Estava preparado em todos os aspectos: "Realmente estou contente por retornar a Dubai. O clima me agrada, a cidade é muito divertida e me oferece diversas oportunidades. Este é um dos meus torneios preferidos. Estou descansado e leve, preparado para a defesa do título e para todos os desafios no próximo período".

Djokovic derrotou Michael Llodra, Feliciano Lopez e Florian Mayer. De todos os três, somente Lopez teve chance de levar um *set*, pegando-o "na perna errada."

O primeiro obstáculo mais difícil foi Thomas Berdych, que começou a semifinal brilhante e foi melhor do que o rival no *tiebreak* do primeiro *set*. Mas, depois disso, se machucou e entregou o jogo.

Na decisão do título, Federer de novo.

Que o suíço procuraria uma chance para revanche depois da derrota da Austrália estava bem claro para todos, mas que perderia tão fácil por 2-0, isto, poucos esperavam.

E Federer perdeu, sem ganhar um *set*.

Pelo terceiro ano consecutivo Djokovic conquistou Dubai. A vitória na final era a 12ª. na temporada e a 2ª. consecutiva contra Federer.

"Djokovic devorou Federer", "Djokovic relâmpago", "A vitória do homem dos Bálcãs surpreende pela facilidade como foi conquistada", "Ele não tem rival em 2011" – assim estampavam os jornais depois do sucesso do tenista sérvio. E o ano estava apenas começando.

Nos Emirados Árabes Unidos, Djokovic "apenas" defendeu os pontos do ano anterior, e apesar dos títulos ganhos até aquele momento, ainda tinha de esperar pelo 2º. lugar.

A cruzada ao trono de vice-campeão continuou sem a participação na defesa da "saladeira", como é conhecido o troféu da Copa Davis. Os tenistas da Sérvia jogavam contra a Índia, e Djokovic manifestou seu apoio a eles: "Parabéns, meninos! Apesar de ter viajado de Nova York para a Califórnia, consegui acompanhar os resultados. Temos uma equi-

A BIOGRAFIA DE NOVAK DJOKOVIC

pe brilhante, e acredito na vitória. O resultado de 1-1 apenas mostra o quanto a Copa Davis é uma competição imprevisível, mas a Sérvia nunca desiste! Sempre buscamos a vitória!".

Encorajados com o apoio, seus amigos venceram por convincentes 4-1. As "águias" também eram favoritos absolutos sem Novak.

*

Se Djokovic continuasse com as vitórias, logo tomaria o 2º. lugar de Federer. Assim era a situação da lista da ATP antes do torneio em Indian Wells. Naquele momento, tinha 165 pontos de diferença e a mudança de posição podia acontecer em três casos: se ganhasse o torneio; se passasse para a final e Federer não conseguisse; e se se qualificasse para a semifinal e Federer caísse antes das quartas de final.

Eram só, novamente, estatísticas desnecessárias.

"Eu não jogo nenhum tênis incrível. Na verdade, acho que sou apenas firme no jogo e obrigo o adversário a fazer um movimento a mais. Mas minha forma nos últimos três meses é a melhor desde que comecei a praticar esse esporte", comentou Novak sobre seu início no torneio, provavelmente sem entender que nas quatro primeiras rodadas havia atropelado todos como um trem expresso, sem um *set* perdido.

Não tinha pena de ninguém, nem do amigo Viktor Troicki, que perdeu o primeiro *set* da terceira rodada por 6-0 em apenas vinte e cinco minutos minutos.

Quando se tem em vista que cada uma dessas partidas demorou pouco mais de uma hora, era lógico que o público tenha ficado muito satisfeito quando, na semifinal, apareceu Federer. Finalmente um pouco de emoção! Mas certamente não demoraria o *gênio da Basileia*, pela terceira vez em pouco mais de um mês e meio.

Aconteceu exatamente isso.

Djokovic começou cauteloso seu 22º. duelo contra Federer, mas muito seguro. Na troca dos golpes do fundo de quadra quase não errava, o que não podia ser dito em relação ao seu rival. À medida que a partida seguia, Federer mandou cada vez mais bolas na rede. Acontecia frequentemente que alguns pontos muito importantes terminassem assim.

Federer mostrou um jogo mais sério no segundo *set*, e conseguiu ganhar. Mas, no início de terceiro *set*, no momento certo, Djokovic respondeu com uma quebra, o que lhe deu um estímulo muito necessário para o grande fechamento por 6-2, que realizou com aquela leveza com a qual o suíço antes vencia o resto do mundo.

"Será que é melhor perder três vezes seguidas do mesmo jogador, ou de alguns jogadores mais fracos?", perguntavam a Federer após a partida. "Acho que prefiro perder três vezes para o garoto que está no topo da lista", ele respondeu, "porque isso significa que mantenho o controle sobre os demais. Se jogo bem, posso vencer qualquer um. No tênis é assim. O que acabou não posso mudar, mas, apesar da derrota, estou satisfeito com meu jogo".

A 17ª. vitória de Djokovic não foi somente um resultado brilhante. Com ela assumiu a 2ª. posição e igualou o recorde de Sampras, de 1997, mas nem isso foi o mais importante, principalmente no que diz respeito à estatística. Acontecia algo grande, muitos já tinham percebido, mas agora começava a se tornar realidade.

Nas apostas, isso ficou visível. Entre os favoritos, o menor roteiro era o de Djokovic, e o maior o de Rafael Nadal, o que significava que pela primeira vez o tenista sérvio era considerado favorito.

Sacando firme desde os primeiros *games*, Nadal quebrou o serviço de Djokovic no quinto *game*. Ganhava por 3-2, e com golpes cheios de autoridade, dignos da 1ª. raquete do mundo, conquistou o primeiro *set* por 6-4.

Após voltar para a quadra, percebia-se no jogo de Djokovic nervosismo, mas logo disparou na frente, com autoconfiança de sobra. Empatou o resultado em *set* e mudou a situação na quadra central.

Agora era Nadal quem sofria para marcar o ponto, enquanto Djokovic flutuava pela quadra conquistando quatro *games* seguidos.

Enfim chegou ao novo título e à primeira vitória numa final contra Nadal, depois de cinco derrotas.

Enquanto seguiam os comentários da mídia sobre o início fenomenal da temporada que mudaria o mundo do tênis, Djokovic, juntamente com o rival, Rafael Nadal, viajou num avião particular para Bogotá. Um dos maiores bancos comerciais de toda América Latina, com sede na Colômbia, na cidade de Medellín, o Bancolombia, tinha organizado um jogo beneficente para mais de 14 mil espectadores.

Rafa venceu, mas isso não importava. O evento destinava-se a angariar fundos para crianças sob a proteção da Unicef, e algumas delas tiveram a sorte de participar de uma breve "clínica de tênis" com os dois melhores tenistas do mundo.

Após a volta para Miami, onde esperava um novo torneio, Djokovic conseguiu uma doação de US$ 100.000 para o monastério de Gracanica, um dos mais bonitos e mais antigos monumentos históricos sérvios (data de 1321), que, como muitos outros, se situa em Kosovo.

Além da preocupação com o seu povo, iniciou também a partida beneficente de ajuda ao Japão, que por aqueles dias sofrera danos catastróficos em razão de um *tsunami* seguido por terremoto. Mas, em vez da partida de tênis, desta vez jogou-se futebol. O adversário dos tenistas era o time profissional Fort Lauderdale Strikers, e Djokovic liderava o time ATP Men's Stars, que contava com Kei Nishikori, Rafa Nadal, Andy Murray, Fernando Verdasco, Richard Gasquet, Feliciano Lopez, Viktor Troicki, Marcos Baghdatis, David Ferrer e Jurgen Melzer.

"Queríamos mostrar nossos sentimentos. As imagens de horror rodavam o mundo, e decidimos fazer tudo o que estivesse em nosso poder. Sinceramente, meu coração está muito feliz com tudo isso", assim declarou Djokovic, o capitão, cujo time perdeu por 4-2 (os artilheiros foram Murray e Baghdatis).

Agora, sim, começava o verdadeiro torneio de tênis.

"Meu jogo está ótimo, sinto-me melhor ainda, emotivamente estou estável e muito autoconfiante. Sinto-me como se pudesse vencer em qualquer momento qualquer um, mas até pouco tempo atrás não era assim. Estou extremamente dedicado, sinto-me à vontade antes de cada partida; vou em frente, definitivamente não vou parar por aqui", anunciou Djokovic.

Dito e feito. Rápido como um relâmpago.

No ano anterior tinha sido parado já na segunda rodada pelo belga Olivier Rochus, e agora, no caminho à final, derrotou todos os adversários por 2-0. Ninguém conseguiu chegar nem perto de ganhar um *set*, e Djokovic perdeu, ao todo, 18 *games*.

Nadal ganhou nova chance de deter o rugido do "Djokovic Express", depois da semifinal, quando venceu Federer facilmente (6-3, 6-2).

"Melhor contra melhor", assim anunciava-se a final de Key Biscayne, em Miami, onde o tenista sérvio poderia ganhar seu 4º. título em 2011 e o 22º. na carreira.

Djokovic foi cauteloso: "Em Miami ganhei o primeiro Masters, e nesse lugar me prendem muitas belas lembranças. Claro, quero vencer de novo. Mas não estou me sentindo como o favorito nessa final".

Na final – mesmo cenário de Indian Wells –, o 1º. tenista do mundo ganhou o primeiro *set* por 6-4. Depois, as coisas mudaram. Assistiu-se a uma sequência de imagens quase surreais: Rafa totalmente impotente com os *forehands* do adversário, exausto, apoiava-se nos joelhos, respirava com dificuldade, lutando para permanecer na partida.

Ao contrário dele, Djokovic pulava alegremente no fundo de quadra. Tornou-se o 4º. jogador na história (depois de 1990) que, na sequência, venceu no Aberto da Austrália, Indian Wells e Miami (antes dele conseguiram Sampras em 1994, Agassi em 2001, e Federer em 2006).

Foi uma excelente partida. Jogou-se um tênis que ficaria na lembrança. E, depois, vieram os detalhes. Rafa sacava melhor, 60 pontos no primeiro saque e 5 *aces*; mas Djokovic conquistou mais pontos: 109 contra 96.

Era de se tirar o chapéu para ambos, mas, naquele momento, não existia ninguém igual a Djokovic. Em curto tempo derrotara os dois melhores jogadores do tênis moderno e, sobre os outros adversários, nem era preciso falar.

Então, se alguém ainda se perguntava se o "Curinga" estava assumindo o controle total, essa dúvida agora era trocada por outra: Onde se desliga esse homem?

Antes do começo do Aberto da Sérvia, em meados da primavera, Djokovic contava 24 vitórias consecutivas. Antes, "o eterno 3º.", como o chamavam os jornalistas, condenado a perder nas semifinais contra Nadal e nas finais contra Federer, ou vice-versa, agora virava tudo a seu favor.

Marian Vajda comenta: "Novak estabeleceu, muito tempo atrás, objetivos bastante altos para seu futuro, e depois dos anos de trabalho penoso, finalmente achou a receita certa. Agora vamos dar um passo de cada vez. A vitória da Sérvia contra a França na Copa Davis foi muito importante, ali se resolveu tudo na sua cabeça, tornou-se muito mais calmo e relaxado. Melhorou o primeiro saque drasticamente, e também o segundo. Quis melhorar o *forehand* também, que era bom, mas não o suficiente. Trabalhamos juntos cinco anos e, a meu ver, ele sempre foi um grande tenista, mas era necessário tempo para crescer e achar seu próprio eu".

Não importa qual a razão principal do seu sucesso, se a aptidão física, o primeiro saque ou a cooperação com o doutor Cetojevic, a comunidade mundial já não sabia como elogiá-lo.

Naquele ano de 2011, tendo desistido de Monte Carlo, em razão de uma leve contusão no joelho, jogaria na sua cidade natal a primeira partida no saibro da temporada.

Antes do começo da competição, o quarteto que trouxe a vitória para a Sérvia na Copa Davis foi homenageado com a entrega dos passaportes diplomáticos. Depois foi disputado a partida de futebol que visava angariar fundos para a Associação Nacional dos Pais das Crianças Vítimas de Câncer. Além de outros, jogaram também os atletas da seleção sérvia.

"Agradeço a presença de todos", disse Djokovic na ocasião. "Todos que se encontram aqui hoje mostraram que são pessoas com um coração enorme. A ajuda nunca é suficiente, pois em nosso país existem muitas pessoas e organizações que necessitam de apoio".

*

Quanto ao jogo de tênis, Djokovic passou à final sem muita luta, derrotando Feliciano Lopez por 7-6(4), 6-2. Agora, eram cinco títulos conquistados na temporada e 25 vitórias consecutivas, números que derrubaram o recorde de Ivan Lendl, que começou a temporada de 1986 com 25 vitórias.

Tudo isso tinha importância menor, porque sob seus pés sentia o saibro, e Madri, Roma e Roland Garros o esperavam.

*

Durante o Aberto da Sérvia, o patriarca sérvio Irinej entregou-lhe a medalha de Santo Sava do primeiro grau, a mais alta condecoração espiritual, educacional e humanitária da Igreja Ortodoxa da Sérvia. "Esse jovem sérvio, atleta de destaque e embaixador da Sérvia no mundo, conseguiu com sua força, charme e sinceridade, na forma exata, testemunhar ao mundo a mensagem do Evangelho da paz e do amor entre as pessoas e a solidariedade com as vítimas, não somente nas terras sérvias mas também no mundo inteiro", foram as palavras que precederam a entrega da medalha na Igreja Ortodoxa da Sérvia. Assim, o nome de Novak Djokovic se juntou ao do famoso inventor e cientista Nikola Tesla, do ganhador do Oscar Karl Malden (cujo nome verdadeiro é Mladen Sekulovic), ao dos ases do basquete Vlade Divac e Dejan Bodiroga, e ao do diretor de cinema Emir Kusturica.

*

"Acho que Novak avançou muito desde o Aberto dos EUA de 2010. Teve chance de ganhar, mas perdeu para Nadal, e reagiu de modo fenomenal diante da derrota. Teve uma postura muito positiva em tudo isso, e desde lá acumula ótimos resultados. Conquistou a Copa Davis, derrotou-me nas últimas três partidas, e o resto conhecemos muito bem. É legal ver como ele sempre dá esse passo a mais. Teve algumas chances de se tornar o número 1, mas não as aproveitou. Este ano, em alguns torneios terá a oportunidade de realizar isso, e agora joga bem mesmo", assim a então 1ª. raquete do mundo, Roger Federer, avaliou o jogo de Djokovic e anunciou a abertura da temporada de saibro de 2011.

Nadal tinha uma vantagem importante, mas que podia derreter facilmente, pois no seu piso predileto tinha de defender muitos pontos. Ao contrário dele, Djokovic podia somente progredir, tendo em vista que seu jogo no saibro em 2010 não foi brilhante. Estava mais relaxado, e com o relaxamento veio também a visão positiva: "Vem a temporada de saibro, Rafa é rei nesse piso, mas posso competir com ele. Ele é sempre o melhor nas quadras de terra batida, e se tiver oportunidade de jogar contra ele, terei de ser agressivo, de acreditar na vitória e dar o meu máximo. Já jogamos boas partidas, e nelas entendi que é possível enfrentá-lo".

O primeiro torneio na fila era o de Madri.

Kevin Andesrson e Guillermo García-Lopez foram derrotados da mesma maneira, assim como a maioria dos adversários nessa temporada, por 2-0, mas a "sequência triunfal" de Djokovic ficou em suspenso, pois nas quartas de final o esperava David Ferrer, o adversário perigoso que sempre o derrotava no saibro.

A favor do tenista sérvio estava o fato de que vinha de uma série magistral, e que derrotara Ferrer sempre quando era importante: na final de Dubai, em 2009, e na final de Pequim, em 2010.

E o derrotou agora também. Passou para semifinal, e colidiu com o desconhecido brasileiro Thomaz Bellucci.

Após a surpresa das vitórias contra Murray e Berdych, Bellucci, num avanço incrivelmente rápido, ganhou o primeiro *set* da semifinal, equilibrou o segundo, e somente caiu na metade do terceiro *set* (4-6, 6-4, 6-1).

Na outra semifinal, Nadal derrotou Federer.

Na final aconteceu algo que ninguém esperava. Pela primeira vez na carreira, Djokovic derrotou Rafael Nadal no saibro, e quebrou a sequência de 37 vitórias consecutivas do espanhol nesse piso.

Djokovic foi superior durante os cento e trinta e sete minutos, atacava o *forehand* do seu rival, jogava os pontos com inteligência e sempre se esforçava para ditar o ritmo. Ainda quando Nadal aumentava o ritmo e ameaçava assumir o controle, Djokovic respondia fantasticamente, e em nenhum momento abandonou o jogo ofensivo que segurava seu adversário uma distância de três ou quatro metros do fundo de quadra.

O invencível rei de saibro não conseguiu ganhar nem um *set*. Djokovic o superou do primeiro ao último ponto (7-5, 6-4), chegando à 32ª. vitória consecutiva.

"Tendo em vista todas as condições", disse Djokovic, "joguei a melhor partida no saibro contra o tenista que é quase imbatível nesse piso. Joguei fantasticamente. Hoje fui à quadra com a profunda convicção de que podia vencer, fui agressivo ao máximo, desde o primeiro até o último ponto, e consegui. Foi uma grande partida".

Rafa concordou: "Minha primeira posição não está mais ameaçada, mas perdida, é somente questão de tempo para isto ser formalizado.

Não existem razões para me enganar, esta é a realidade. Mas não significa que vou me entregar".

O grande campeão não gostava de perder, e posteriormente, na mídia, saiu a história de que tinha ficado incomodado com a maneira como Djokovic festejou a vitória em Madri.

Bogdan Obradovic explica: "Acho que Novak não ficou indiferente após esses comentários. Mas ele não é vingativo, e vai se esforçar para esquecer e de certa forma compreender Nadal. Ele sempre enxerga somente as coisas positivas em cada colega, por isso, quando falo sobre ele, sempre destaco que é uma pessoa rara no sentido de bondade e sinceridade".

Niki Pilic também ficou impressionado com o sucesso em Madri: "Curti! Acho que essa vitória é muito mais importante do que a de Indian Wells e Miami. Derrotar Nadal na Espanha, no seu piso, nossa, isso é o sonho dos sonhos! Não existe nada melhor que isso. Acho que Novak fez uma ótima revanche da semifinal dois anos atrás, quando faltou um milímetro para ganhar".

*

Começaram a faltar palavras para os jornalistas descreverem o fenômeno chamado Novak Djokovic.

O tenista sérvio era seguido cuidadosamente, e nos últimos anos uma constelação inteira de jogadores invadiu a cena mundial, mas sua história causou êxtase. Quem não sabia onde fica a Sérvia no mapa do mundo agora deveria aprender. E muitos deveriam.

Os pontos da vantagem de Nadal se derretiam como neve, e o saldo dos de Djokovic subiu de tal forma que, já em Roma, podia alcançar o 1º. lugar, sob a condição de ganhar o título e de que Nadal caísse numa das rodadas anteriores.

Mas, de qualquer maneira, a disputa na capital da Itália era uma brilhante oportunidade para que ambos os jogadores checassem sua forma antes de Roland Garros.

Existia uma única certeza: Nada estava certo!

Diferente do piso em Madri, o saibro do Foro Itálico é muito mais lento, e para Rafa isto era melhor. Mas Djokovic também não reclamava. Passou com facilidade pelas primeiras três rodadas, e parecia que seria assim nas quartas de final contra Murray.

No mundo do tênis já circulava a pergunta "Quem interromperia a sequência das vitórias de Djokovic? Talvez o tenista escocês?".

E foi por pouco, muito pouco.

Murray perdeu facilmente o primeiro *set*, por 6-1; ganhou o segundo por 6-3, e Djokovic, durante a partida de três horas, frequentemente estava nervoso, até cansado. A tensão se elevou durante o terceiro *set*, mas Murray não aproveitou isso, e no fim perdeu.

Veio a final. E de novo contra Rafael Nadal.

Depois da exaustiva semifinal e do pouco tempo de recuperação, Djokovic dificilmente podia ser considerado favorito. O espanhol estava mais descansado, porque terminara sua partida anterior em dois *sets*, e repetia que, após a derrota de Madri, ia para o saibro romano mais relaxado.

Depois de três horas de adiamento por causa da chuva, finalmente começou a partida.

O primeiro *set* passou com muitas e fortes trocas de bolas. Apesar de jogar forte, como de costume, Nadal não conseguiu se livrar dos ataques do seu rival, que foi mais preciso e ganhou o primeiro *set*. A vantagem psicológica que Djokovic conquistou fez com que, na sequência, estivesse mais seguro e mais preparado para arriscar, e, após duas horas e treze minutos de jogo, pela quarta vez consecutiva derrotou Rafael Nadal.

Assim, ganhou seu 7º. título em 2011; tornou-se o 1º. tenista, depois de Federer e Nadal, que, em uma temporada, conquistou 4 troféus nos Masters da série 1000; faturou sua 37ª. vitória consecutiva; e perigosamente se aproximou do recorde de John McEnroe, 42 triunfos em 1984.

A oportunidade de finalmente realizar o sonho e ocupar o 1º. lugar da lista da ATP estava ao alcance das mãos: "Mudei em relação aos anos anteriores, aprendi, trabalhei duro e esperei que tudo se encaixasse como era preciso. Antes também ganhava contra os grandes adversários, mas nisso não havia consistência nem um forte preparo mental. Hoje não penso mais sobre a derrota na partida, somente na vitória", Djokovic declarou depois de Roma, acrescentando que nos quatro dias seguintes não queria sequer tocar na raquete: "Descanso é muito importante para a recuperação, e depois estarei pronto para Roland Garros".

*

A mudança por que passava Djokovic no primeiro semestre de 2011 sacudiu as fundações do mundo do tênis. Tinha amadurecido em todos os sentidos, principalmente no plano técnico e tático, renovado sua carreira e, de um ótimo jogador, tornou-se o melhor.

Roland Garros era a oportunidade ideal para comprovar isso mais uma vez.

Se conquistasse o troféu, se tornaria oficialmente o 1º. jogador do mundo, poderia derrubar o recorde de John McEnroe e alcançar o recorde de Guillermo Vilas, em 1977, 46 vitórias seguidas.

"Os recordes existem para ser quebrados", comentou John McEnroe. "A concorrência agora é muito mais forte, no plano físico tudo é muito mais exigente, o tênis tem muito mais profundidade, então, a série de Novak já é muito mais impressionante do que a minha. Além disso, na minha época, o Aberto da Austrália era disputado no fim do ano, e eu não tinha conquistado Grand Slams em série, e a série interrompida exatamente em Paris. Por isso estou emocionado também pelo andamento da coisa toda, porque, com a classificação para a final de Roland Garros, Novak poderia derrubar o meu recorde".

Novak não se importava com a estatística: "É uma honra incrível somente ficar ao lado de McEnroe ou Lendl. Sinceramente, não sei quanto minha série de vitórias significam para o tênis, mas é legal que mais alguém conquiste títulos além de Federer e Nadal. Assim tudo se torna mais interessante. Apesar de que, quando penso em quantos pontos tenho de defender no ano que vem... Meu Deus!", ele declarou, rindo.

O único caminho certo era jogar suas partidas com valentia, sempre, sem importar o piso, as condições do jogo ou o nome do adversário. Ele já tinha todas as razões para estar satisfeito. Do 1º. lugar o separavam apenas 405 pontos, e os resultados do início da temporada já lhe garantiam a participação no Masters Cup, o ATP Finals (quando repetiu o sucesso de Rafael Nadal em 2009).

Em relação aos anos anteriores, agora era capaz de jogar a partida inteira no mesmo ritmo, no sentido psicológico estava muito firme, e a movimentação no fundo de quadra era fantástica:

"Sempre está na frente da bola, pronto na hora certa. Vou citar Roger Federer, que definiu numa frase só o tênis contemporâneo: 'Hoje, o tênis se resume ao jogo em cruzadas'. O ângulo sob o qual a bola é golpeada exige muito mais corrida e habilidades para passar da defesa ao ataque. Nos últimos três torneios, Novak superou Nadal exatamente nesses elementos, o que é consequência de treino, do esforço aplicado e dos conhecimentos de toda a sua equipe", comentou Bogdan Obradovic antes do começo de Roland Garros.

*

Era impossível prever quem iria triunfar em Paris; secretamente, todos desejavam o duelo Djokovic-Nadal. A atenção voltou-se também para Murray e Soderling, que tinham melhorado o rendimento no saibro, e, claro, estava lá também Federer. Havia também incerteza sobre como e quando terminaria a fantástica série de Djokovic.

Em comparação a Roma, onde até a final teve de derrotar Wawrinka, Soderling e Murray, na "Cidade Luz" teria adversários muito mais fáceis.

Sem muitos problemas, em três *sets*, derrotou Thiemo de Bakker, da Holanda (6-2, 6-1, 6-3), enquanto o romeno Victor Hanescu entregou a partida com o resultado 4-6, 1-6, 3-2. Um pouco mais de problemas teve contra Juan Martin Del Potro, que no final perdeu por 3-1 (6-3, 3-6, 6-3, 6-2).O tenista sérvio chamou atenção por sua tranquilidade, construindo os pontos com paciência. Passou também por Richard Gasquet, e depois por Fabio Fognini, que antes de entrar em quadra entregou a partida das quartas de final em razão da lesão no músculo da coxa.

Assim, na verdade, Djokovic foi impedido de realizar seu sonho. Se essa partida tivesse terminado e se tivesse vencido, o que era totalmente possível, igualaria o recorde de John McEnroe e subiria ao trono. Nem Rafael Nadal poderia impedi-lo ainda que conquistasse o torneio de Paris.

Mas o destino quis diferente. A realização do objetivo foi adiada por mais uma rodada. "Estou me sentindo muitíssimo bem, e mal posso esperar para jogar contra Novak. Ele joga fantasticamente, e tenho de jogar o melhor tênis para poder vencer. Tive tempo para me preparar e pensar na melhor tática", comentou Federer na semifinal.

Federer e Djokovic não tinham se encontrado até então em Roland Garros, e com exceção de Nadal, Djokovic era o único jogador que, desde 2004, derrotara Federer mais de uma vez nos torneios de Grand Slam; duas vezes seguidas (Aberto dos EUA, 2010 e Aberto da Austrália, 2011) e duas vezes em três *sets* (Aberto da Austrália, 2008 e Aberto da Austrália, 2011).

Em se tratando de torneios "menores", de novo estava em vantagem; derrotou Federer, primeiro, na final de Dubai (6-3, 6-3), e depois na semifinal em Indian Wells (6-3, 3-6, 6-2).

Federer espreitava a oportunidade para a revanche, e preparou-se para atingir o auge da forma em Paris. A vitória não traria nenhuma mudança no *ranking*, mas havia um tipo diferente de adrenalina. Sendo um grande campeão, era importante medir forças com o garoto que era o "melhor", mas não coroado. Por isso, jogou relaxado e com gosto, enquanto Djokovic parecia nervoso nos momentos iniciais, tinha problemas com o primeiro saque e o juiz o advertiu porque estava batendo a bola antes do saque por tempo demais. Num momento, Federer sacou para permanecer no *set*, mas no fim conseguiu ganhar no *tiebreak* (7-6(5)).

Onde estava o erro? A resposta a esta pergunta, infelizmente, Djokovic não achou nem no segundo *set*, que perdeu por 3-6. Sua autoconfiança, que o guiava nos últimos cinco meses, lentamente parecia se apagar. A qualquer custo tinha de jogar o melhor possível o terceiro *set*. Para que a situação ficasse mais difícil ainda, Djokovic tinha do outro lado da rede também o público que, com ovações e barulho, seguia cada erro seu. E tinha também Federer, na sua melhor edição.

Quando todos pensavam que o barco de Djokovic estava afundando, ele reuniu forças e mostrou sua face de campeão. O tom do seu jogo ganhou uma nova dimensão. Preciso, ofensivo, brilhante. As rédeas de novo estavam em suas mãos, e tudo que acontecera até o momento parecia sem importância. O resultado era 2-1 para Federer. O placar indicava duas horas e trinta e quatro minutos de jogo.

Nascia uma nova esperança.

"Consegui voltar ao jogo", disse mais tarde Djokovic. "Isso é muito difícil contra Federer, principalmente quando você está perdendo por 0-2, e na semifinal de um Grand Slam. Impus meu ritmo, joguei e saquei melhor, mas ele teve continuidade e jogou num nível muito alto".

O quarto *set* superou as expectativas dos admiradores do tênis. A partida, antes disso, já estava emocionante, mas agora atingia seu apogeu. Djokovic se movimentava de modo fenomenal, acertava as situações impossíveis e deixava louco seu rival com os *backhands* paralelos. O problema era que Roger também jogava de forma excelente.

Esperava-se um sinal de fraqueza ou um erro do adversário, e o primeiro que teve chance de aproveitar foi Djokovic. Como no primeiro *set*, tinha 5-4, mas desta vez iria sacar.

Federer respondeu na mesma medida, devolveu a quebra e, no *game* seguinte, chegou à vantagem de 6-5. O público estava excitado. Será que era o momento de colocar o ponto final nos triunfos de Djokovic?

Então... Não! Um novo empate. E mais um *tiebreak*!

Acima do *Bois de Bologne* a noite começava a cair, enquanto Federer demonstrava muita força mental, com a qual pressionou nos momentos decisivos. O que, mais tarde, Djokovic confirmou: "Estava difícil enxergar o saque, mas não acredito que isto tenha decidido. As condições eram as mesmas para mim e para ele. Não posso dar uma desculpa", foi justo o ás sérvio, apesar de o crepúsculo não lhe agradar muito nas partidas por causa das lentes de contato.

Fosse como fosse, Federer começou o *tiebreak* decisivo com vantagem de 2-0, e rapidamente chegou a 6-3. Das três bolas para fechar o jogo, Djokovic salvou duas e diminuiu para 6-5. O momento decisivo, e mais uma esperança.

Mas o golpe do ás suíço em seguida encerrou a conversa.

A sequência de Djokovic, de 41 vitórias consecutivas, fora interrompida. Após três horas e nove minutos, o campeão derrotou o campeão.

Ambos eram da espécie que se prepara a vida inteira para este tipo de partida.

"Até nos momentos em que acertava o primeiro saque ele devolvia as bolas e me obrigava a jogar pelo menos mais um golpe. Esses foram os cinco melhores meses da minha carreira e, no que diz respeito à sequência de vitórias, eu sabia que num momento chegaria seu fim. Isso é esporte", Djokovic confessou.

Federer mostrava-se mais feliz do que nunca, mas não poupava elogios ao rival: "Sentia uma enorme pressão, e apesar disso jogou bem. O primeiro *set* foi muito difícil, enquanto no segundo ambos estávamos cansados, porque o ritmo era incrível. Acho que essa foi minha melhor partida neste ano. Eu lhe disse isso. Essa série inacreditável é grande por isso. O que ele fez fica no limite do impossível".

Djokovic teve de esperar mais algumas semanas para atacar novamente o lugar da 1ª. raquete do mundo.

Enquanto isso, os jornalistas queriam saber se agora havia ficado um pouco mais fácil para ele, apesar da derrota, porque de repente tinha desaparecido toda a pressão que carregava nas costas. Ele respondeu com sinceridade, e um pouco triste: "O alívio vem quando o torneio acaba, mas é melhor terminar como vencedor do que como perdedor". Perguntado se não tinha tido sorte no duelo contra o suíço, foi curto e claro: "Não penso nisso. Não tenho do que me lamentar nem olhar para trás. Em alguns momentos tive sorte, em outros não".

O campeão se reconhece na derrota, não somente quando vence, essa é uma das grandes verdades no esporte e também na vida. Djokovic demonstrou isso da melhor maneira possível.

A lenda do tênis, John McEnroe, com muito humor, comentou a partida, colocando a culpa em si mesmo: "Lamento pela semifinal de Roland Garros. Novak estava se aquecendo comigo, e eu tirei sua atenção do duelo. Por isso foi derrotado".

De qualquer maneira, a derrota, talvez na partida mais importante da sua carreira até então, com certeza chegou na hora errada, mas um novo dia sempre chega, e com ele uma nova chance de vitória.

A derrota em Roland Garros era o último degrau no caminho à conquista do 1º. lugar na lista da ATP. Em Paris, Rafael Nadal conseguiu triunfar, sim, mas sua posição do número 1 estava seriamente ameaçada. O trono do tênis estava preparado para o novo rei: Novak Djokovic.

# 31. O TÊNIS É O SONHO

Durante os seis meses anteriores a Wimbledon, Djokovic conquistou a Copa Davis, seu segundo Aberto da Austrália, sete torneios seguidos, e alcançou 41 vitórias, ou 43, se contarmos as partidas entregues por Janko Tipsarevic, no Aberto da Sérvia, e por Fabio Fognini, em Roland Garros.

Partida após partida, a estatística se confirmava. Mudavam os adversários, as condições, os pisos e os continentes. O jogo de Djokovic ainda tinha o mesmo entusiasmo, frescor e precisão. Assim, no ambiente do tênis começou a amadurecer uma pergunta. Será que alguém pode bater esse moço magro da Sérvia, que domina tão bem o jogo e encanta com sua simplicidade? Exatamente quando os recordes começaram a cair aconteceu Paris, Roland Garros, e a velha raposa do tênis, para muitos o melhor tenista de todos os tempos.

Marian Vajda comenta: "A derrota para Federer deixou um gosto amargo, mas os campeões sabem que não é vergonha perder numa batalha como essa. Novak viajou para Monte Carlo para relaxar, fazer coisas que não têm nada a ver com tênis. Aproveitou a oportunidade para ir à praia, nadar, visitar a família, e ajudar a namorada Jelena nas etapas finais dos seus estudos. Depois, chegamos a Londres para as preparações, e desde o primeiro momento em que pisou na grama, foi incrível. Durante os treinos com Gilles Simon, ficou tudo claro para mim. Jogava espantosamente bem. Estava relaxado e parecia muito mais feliz do que antes."

Evidentemente estava num dos momentos decisivos da sua carreira. Mas algo ainda lhe faltava, e a edição dos 125 anos de Wimbledon era a oportunidade que não podia perder, um evento que não acontece todos os dias.

Por muito tempo no topo da lista da ATP revezavam-se apenas dois nomes, Roger Federer e Rafael Nadal, os rivais que marcaram um dos mais interessantes períodos na história do tênis. Mas as situações nas quais Djokovic quebrava o império desse dueto agora não eram mais exceções. Desde o início de 2011 já era a regra.

*

Goran Ivanisevic, que em 2001 ergueu a taça de Wimbledon como o jogador com o mais baixo *ranking* e o primeiro a fazer isto com *wild card*, antes do início do maior torneio do tênis deu seu depoimento: "Antigamente, a grama era o piso mais rápido, mas agora são as quadras do Aberto dos EUA. Não se vai mais à rede como antigamente, os jogadores se baseiam mais na força física. A diminuição da velocidade do piso causou a mudança do estilo. São muitas as mudanças desde a época que eu jogava tênis, e Novak é o melhor indicador dessas transformações. Não acredito que a derrota de Paris tenha deixado alguma marca séria nele. Logo se tornará o melhor tenista do mundo, e ele merece isso".

Realmente, os jogadores se tornaram mais rápidos, mais fortes, mais preparados; as bolas saltam mais alto, e na troca dos golpes existem mais opções. Procuram-se novos ângulos, uma nova tática.

Djokovic estava entre aqueles que tentaram cobrir cada pedaço da quadra, manter o ritmo, aumentar o nível do seu jogo em cada nova partida, criar o tênis que será respeitado e amado. Na defesa, parecia relaxado, no ataque, calmo, e todo o tempo muito flexível. Nisso, obviamente, o ajudava também a habilidade de antecipação.

"Ele é incrível!", comentou, entusiasmado, Andre Agassi. "Acho que também o ajuda muito essa sua devolução de saque, até o ponto em que me parece que fica em vantagem nos *games* quando espera o saque mais do que quando tem o serviço."

A BIOGRAFIA DE NOVAK DJOKOVIC

Antes do início do torneio, começaram a chover prognósticos. Martina Navratilova, a lenda do tênis, achava que a incerteza marcaria a disputa feminina, e principalmente a masculina: "Djokovic é fenomenal, com certeza o melhor jogador desta temporada. Mas Murray também é muito bom, com a final de Melbourne e a semifinal de Paris, apesar de ainda não ter ganhado nenhum título em 2011. Federer e Nadal são consistentes, então, o quarteto principal decide quem vai ganhar o título".

Assim também pensava o campeão de Wimbledon por cinco vezes, Bjorn Borg: "Estamos em uma nova era de ouro do tênis. Chegamos à situação em que no topo temos quatro tenistas do mesmo nível, o que nunca aconteceu. Por isso acho que esse Wimbledon será o mais emocionante de todos. Cada um deles é fisicamente saudável, não tem nenhuma lesão e joga um tênis incrível. Seria ótimo ter uma repetição de Roland Garros, quando Rafa, Novak, Roger e Andy jogaram a semifinal. Nem posso imaginar qualquer outro ganhando Wimbledon. Creio que será um torneio fantástico".

Tudo se encaixava, devagar, como num bom filme. E todos se perguntavam como Djokovic lidaria com a pressão. Na semifinal em Roland Garros, tinha perdido a chance de se tornar o número 1 do mundo. Será que isso teria algum reflexo no seu jogo? Teríamos algumas surpresas?

Motivos para preocupação não existiam, mas também não podia relaxar demais. A realização do sonho estava próxima, embora ainda pairasse no ar a possibilidade de novamente chegar perto do sucesso e parar.

"Quando se fala sobre Wimbledon, coloquem Federer e Nadal na frente de todos. Eles, nos anos anteriores, tiveram sucesso na grama, mas o fato de o jogo ter ficado mais lento nesse piso é mais adequado ao meu estilo do jogo. E não somente do meu, mas também de todos que ficam no fundo de quadra", disse o tenista sérvio na coletiva de imprensa.

"Novak, me desculpe se essa pergunta já foi feita antes, estou um pouco atrasada...", de repente ouviu-se uma voz feminina, e na multidão apareceu o rosto de Caroline Wozniacki. A dinamarquesa "caiu"

465

na sala dos jornalistas apresentando-se como cronista da Avenida da Princesa Grace, uma alusão à rua onde ela e Djokovic moram quando ficam em Mônaco. "Você perdeu aquela partida em Paris, o que pretende fazer agora?"

"Vou tentar me espelhar em algumas tenistas que foram muito consistentes em suas vitórias, como Caroline Wozniacki, por exemplo. Não sei se a senhora a conhece? Vence uma atrás de outra."

Os presentes caíram na gargalhada.

"Tudo isso foi uma brincadeira", disse a tenista dinamarquesa. "Não planejei nada. Simplesmente, quando vi que Novak estava na sala de imprensa, me veio a ideia de fazer uma brincadeira, e ele topou. Ele é um garoto brilhante e aprecio sua amizade, dos seus amigos e da sua namorada sempre quando nos encontramos em Mônaco. Desejo que ele ganhe esse Grand Slam, e se torne o melhor do mundo. Ele merece".

*

Tal como ocorreu alguns anos atrás, Djokovic agora novamente estava hospedado em Londres, na casa de um amigo, perto do All England Club. Ali, no sossego, podia aproveitar o tempo com sua namorada (mais tarde juntaram-se também os membros da sua família), evitar a pressão do público e se preparar sossegadamente para as partidas.

Mais uma vez estava na mesma chave de Federer. A semifinal, na verdade, estava longe, mas já se desenhava mais um dos seus duelos. Do outro lado da chave ameaçava Nadal, que não tinha intenção de perder a posição de número 1, o que mostrou logo no primeiro dia, quando derrotou Michael Russell, dos EUA, em *três sets*, cedendo somente uns oito *games*.

O início de Djokovic foi ainda mais convincente. Em sua primeira partida, contra Jeremy Chardy, perdeu seis *games*. O primeiro teste foi concluído com êxito. Seguiu então mais uma vitória de rotina, contra o sul-africano Kevin Anderson (6-3, 6-4, 6-2), o rival que praticamente cresceu jogando na grama, pois, na África do Sul, tradicionalmente, o tênis é disputado nesse tipo de piso.

Djokovic mostrou os primeiros sinais de insegurança na terceira rodada contra Marcos Baghdatis; de modo totalmente inesperado, perdeu o segundo *set*, e ainda quebrou a raquete: "Estava nervoso", disse, depois da partida. "Não posso mudar o que sou. Posso tentar melhorar, mas meu temperamento é assim. Tenho que tirar o meu melhor, e não tentar mudar a qualquer custo. Não fiz boas devoluções de saque, tive muitas chances, e isso me atingiu. Perdi a paciência, mas consegui voltar. Felizmente".

Baghdatis e ele já tinham tido encontros difíceis, como em Wimbledon, quatro anos antes, e quando Djokovic recuperou a calma, percebendo que não havia razão para nervosismo, foi decisivo. Jogou melhor que o cipriota, claro, mas, vale ressaltar, naquele momento jogava o melhor tênis no planeta. Quando tudo ficou ajustado na sua cabeça, o resto ficou fácil. Foi à quadra e venceu.

A primeira semana do 7º. Wimbledon consecutivo de que participou ficou para trás. Seguiu-se um dia de descanso; então, chegou o momento dos jogos mais difíceis e decisivos.

Na quarta rodada, as pernas lhe ajudavam muito, cada golpe era de ouro, e de novo venceu fácil, três vezes 6-3, Michael Llodra, cabeça de chave número 19 e o campeão de Wimbledon nas duplas em 2007.

No caminho às quartas de final não houve lacunas, mas seus rivais, Roger Federer e Rafael Nadal, também não as tiveram. Podia-se sentir o cheiro da semifinal contra o suíço. Mas, primeiro, era preciso enfrentar o complicado australiano de origem croata Bernard Tomic, de 18 anos, o jogador mais jovem a chegar às quartas de final de Wimbledon desde a época de Boris Becker e John McEnroe.

Quando se considera que o jovem tenista deixou para trás Xavier Malisse, Igor Andreev, Nikolay Davydenko e Robin Soderling, fica claro que tipo de adversário ele era. Djokovic nunca tinha jogado com ele uma partida profissional, encontraram-se uma única vez, numa partida de exibição em Melbourne, em 2010, quando Tomic venceu. Desde então, muitas coisas mudaram em relação aos dois. Djokovic buscou a primeira posição, e Tomic entrou nos cem melhores. A posição no *ranking*, obviamente, não decidiria o vencedor, mas a experiência contava.

E Djokovic a tinha. Ganhou o primeiro *set* por 6-2, como era de se esperar do favorito. De certa forma, Tomic foi bloqueado pelo respeito que sentia pelo rival. Mas, de repente, o bloqueio sumiu. O australiano começou a gostar do jogo, tirou o adversário do seu ritmo e ganhou o segundo *set*. Parecia estar para acontecer a maior surpresa no torneio, e quando entraram no terceiro *set*, era quase certo. Tomic quebrou o serviço de Djokovic e chegou a 3-1.

Os melhores jogadores podem se dar ao luxo de baixar a concentração, e a vantagem que os novatos adquirem normalmente começa a trabalhar contra eles, pois sentem medo e perdem a força mental para levar a partida ao fim. Foi o que aconteceu também com Bernard Tomic. Djokovic recuperou seu jogo, devolveu a quebra, acelerou, ganhou os próximos dois *sets*, e passou para a semifinal. Foram necessárias duas horas e meia para chegar ao triunfo e manter seu domínio.

Para Federer já não foi assim. Numa inesperada virada, depois da vantagem por 2-0, perdeu para Jo-Wilfried Tsonga, que não se deixou abater pela desvantagem no resultado, mas, sim, motivou-se a jogar de forma quase perfeita. Seus saques foram tão fortes e precisos, que Federer, nos três *sets* seguintes, não teve qualquer chance de quebra.

*

"Perdi para Tsonga, o retrospecto contra ele é negativo, mas muita coisa mudou. No lado psicológico estou incomparavelmente mais estável, tenho autoconfiança e me sinto muito melhor em quadra", destacou Djokovic, acrescentando que estava muito satisfeito porque na final, além dos membros da sua equipe de especialistas, teria também o apoio de toda a sua família: "Espero que amanhã todos juntos festejemos um resultado histórico".

O resultado histórico seria a vitória na partida contra Tsonga e, com isso, o salto garantido para o 1º. lugar na lista da ATP. A aposta não era grande, era enorme!

Ao contrário de Djokovic, que já estivera por duas vezes na semifinal de Wimbledon (2007 e 2010), Tsonga pela primeira vez chegava tão longe.

Ambos deslizavam, e frequentemente se atiravam na grama, conseguindo devolver bolas aparentemente perdidas, e o jogo atraente na rede de Tsonga em vários momentos deixou o público em pé. Quando

Tsonga estava perto de ganhar o primeiro *set*, Djokovic mostrou o quanto era forte no lado psicológico. Empatou por 5-5, e, em seguida, depois do jogo brilhante no *tiebreak*, conseguiu a vantagem de 1-0 em *sets*.

Encorajado com esse resultado, tornou-se invencível e indomável, por duas vezes quebrou o serviço do adversário e fechou o *set* por 6-2. Várias vezes olhou na direção do camarote onde estava a sua equipe, procurando a comprovação de "dessa vez conseguiria", e que não aconteceria nada imprevisto.

Quando obteve uma quebra, logo no início do terceiro *set*, a vitória quase certa caminhava para ele a passos largos. Mas Tsonga não estava na semifinal por acaso. Conseguiu arrancar um *tiebreak*, nele salvou dois *set points* e diminuiu o resultado para 2-1.

Será que podia seguir adiante? Sim, podia. Djokovic apagou a lembrança das chances perdidas de sua mente, e antes de Tsonga pensar em uma virada, já ganhava por 3-0.

Não tinha mais volta. Com o resultado 5-2 e 40-15, Djokovic jogou a bola para cima, arremessou-a com a raquete e acertou a linha do outro lado da quadra. Ganhou o quarto *set* por 6-3.

Acabou! Estava cumprido mais um objetivo da vida! Novak Djokovic garantiu o 1º. lugar da lista da ATP! Jogou-se de costas e se deitou no gramado. Depois, se levantou, ergueu as mãos ao céu, ajoelhou-se, acariciou e beijou a quadra.

Claramente, naquele momento, não se lembrava de que ainda haveria um "próximo encontro" com a grama de Wimbledon, quando então teria de encarar o bicampeão de Wimbledon, ganhador de dez títulos de Grand Slam e seu grande rival, Rafael Nadal.

"Do que você se lembrou naquele momento: 'passei para a final de Wimbledon', ou 'tornei-me o 1º. tenista do mundo'?", perguntaram os jornalistas.

"Sinceramente, quando ouvi que Tsonga pediu o desafio, pensei 'Só quero que a bola vá na linha, senão tenho que voltar ao jogo'", respondeu com um sorriso.

Um dos muitos que gostaram desse duelo foi Goran Ivanisevic: "Estou muito feliz por ter assistido a essa partida. Estava sentado no Royal Box com os franceses, e eles torciam para o seu jogador, enquanto eu para Nole. Esse duelo foi histórico. Pela primeira vez um tenista da região das Bálcãs tornou-se a 1ª. raquete do mundo. Novak mereceu isso pelo seu esforço. Ele e também a sua equipe. Tudo isso era somente questão de tempo".

\*

O sonho que a família Djokovic tinha cultivado por vinte anos estava realizado. Ao conquistar o Aberto da Austrália, em 2008, a mídia dizia que Djokovic estava entre os melhores. Quando imitava os colegas, diziam que era humorista e descontraído. Quando teve altos e baixos, principalmente em 2010, o descartaram. Mas sua família não, pois o elo fundamental da sua vida sempre foi a crença de que ele poderia ser o melhor, não importavam os resultados.

Dijana Djokovic: "Existe uma doce história que gosto de chamar *Conto sobre o vestido vitorioso*. Comprei-o numa loja francesa alguns anos atrás e disse 'Estou comprando esse vestido para a final de Wimbledon'. Nesse ano, antes da viagem a Londres, enquanto fazíamos as malas, lembrei-me de que estava no armário. Perguntei ao meu marido se ele se lembrava do que eu havia dito quando o comprei, e se achava que eu deveria levá-lo, e ele respondeu: 'Se não vai levar agora, quando levará?'. Vesti-o quando jogou contra Tsonga, e Novak elogiou meu estilo. Contei-lhe os detalhes sobre a compra, e ele me disse: 'Então, você chamou a final para mim'. E eu lhe respondi: 'Nole, vou vesti-lo também na final, não seria nenhum problema para mim, só para você ganhar o título'. E assim esse vestido tem sua história, e já disse que vou colocá-lo numa moldura e que terá um lugar especial na sala de troféus".

\*

Finalmente chegou a disputa da final: Djokovic–Nadal.

Este era o 5º. encontro entre ambos em torneios oficiais em 2011. Djokovic ganhou os quatro torneios nos quais se encontraram naquele ano: Indian Wells, Miami, Madri e Roma, mas em fases diferentes nos Grand Slams nos anos anteriores, Nadal sempre vencia: três vezes em Roland Garros (2006, 2007, 2008), uma em Wimbledon (2007) e uma no Aberto dos EUA (2010).

No domingo, 3 de julho, Londres amanheceu ensolarada. Aquele ano era diferente, se não por algum outro motivo, pelo menos pelo tempo bonito. Milhares de espectadores se reuniram no All England Club para ver quem seria o campeão. Entre eles estava também o então presidente da Sérvia, Boris Tadic.

O início do primeiro *set* foi totalmente equilibrado. Os golpes do fundo de quadra se seguiram um atrás do outro. Algumas vezes, Djokovic atacava o *backhand* de Nadal, sabendo que este é seu golpe mais fraco, enquanto Nadal preservava seu lado direito e se esforçava para usar o máximo possível seu *forehand*.

Djokovic ganhou o primeiro *set* (6-4) e manteve o domínio, ganhando o segundo de forma mais convincente: 6-1. Nadal não tinha resposta para as bolas de fundo e precisas que, no piso de grama, eram quase impossíveis de "pegar".

O sonho de infância nunca estivera tão perto de se tornar realidade. Ninguém além de Djokovic sabia o que se passava naquele momento na sua cabeça. Talvez se lembrasse dos exercícios com sua primeira treinadora, Jelena Gencic, quando juntos pensavam como ergueria o troféu de Wimbledon... Mas fosse o que fosse, lhe tirou a atenção do jogo. Desconcentrado, entrou no terceiro *set* e deixou o espanhol diminuir o resultado para 2-1.

Na coletiva de imprensa, mais tarde, confessaria que não estava focado o suficiente. Estava de novo tão perto, mas também tão longe... Depois da pausa, voltou como se fosse o jogador que naquele ano se mostrava o melhor, porque na verdade era o melhor.

Ganhou o quarto *set* por 6-3.

E fim! Novak Djokovic era o campeão de Wimbledon!

*

"Era evidente que ganharia", disse Goran Ivanisevic. "Até antes de Wimbledon tinha um tipo de insolência positiva. É o que faltou em mim, e que faz a diferença entre o 1º. e o 2º. jogador. Ele tem o garbo balcânico que o distingue dos restantes. É o melhor jogador defensivo no circuito, e bastava apenas saber quando passaria da defesa para o ataque. Um ano no tênis como este dificilmente alguém poderá repetir".

A final em que Djokovic, de repente, conquistou tudo, acabara. O troféu de Wimbledon era seu, a posição de número 1 do mundo também.

Novamente, caiu de costas e se deitou na grama. Em seguida, ajoelhou-se e espontaneamente pegou um punhado de grama... e comeu. Naquele momento, mais do que qualquer outra coisa, estava interessado no sabor.

"A grama no All England Cul é ótima, e evidentemente bem cuidada", ele disse depois, brincando.

"2011. O campeão de Wimbledon – Novak Djokovic!"

Precisou de alguns segundos até perceber que tinha sido anunciado como o novo vencedor do maior torneio do mundo. Foi preciso acordar do sonho que sonhara de olhos abertos. Na verdade, tudo parecia incrível, inclusive, depois, a confusão com o microfone. Eram dois e um levava o som para o público, enquanto o outro para os telespectadores. Mas que o público estava em pé homenageando o 71º. campeão de Wimbledon, todos viram.

"Espero que o microfone funcione", disse Djokovic para a apresentadora. "Está mudo?", ele perguntou, batendo com a mão para testá-lo, o que provocou novas risadas.

A apresentadora deu a ele os dois microfones, repetindo o anúncio: "Novak, o senhor não ouviu da primeira vez... O campeão de Wimbledon! Sei que este era o seu sonho, como está se sentindo?".

"É difícil descrever com palavras. Este é o melhor dia da minha vida. O dia mais especial, com certeza. Desde sempre sonhei com ele. Wimbledon é também o primeiro torneio a que assisti. Acho que ainda estou dormindo, e que ainda estou sonhando.", disse e se virou para o público: "Obrigado por terem vindo e por tornarem esse dia especial para mim!". Depois, se virou para o lado do seu camarote. Ali estavam sentados seus pais, irmãos, a namorada, a equipe de especialistas, entre outros: "É uma sensação incrível quando você realiza o seu sonho na frente das pessoas que mais ama no mundo. Obrigado por estarem aqui e por eu ter com quem dividir isso".

Enquanto segurava firmemente a taça de Wimbledon, parecia que já tinha feito isso várias vezes. E tinha. Na sua imaginação, durante os treinos de visualização com Jelena Gencic. Mas, dessa vez, tudo era real.

Naquele dia, era muito bom ser da Sérvia. Por isso, para Djokovic, depois de voltar a Belgrado, foi realizada a recepção. No palanque em frente à Assembleia Nacional o esperavam milhares de compatriotas.

Depois de pousar no aeroporto Nikola Tesla, cerca de mil fãs mais persistentes já estavam lá para saudá-lo, além de várias equipes de televisão.

Com toda a equipe e sua família, Djokovic entrou num ônibus aberto, no qual sua imagem estava estampada, e rumou direto ao centro da cidade.

Nas ruas da capital ecoava o alvoroço ensurdecedor dos torcedores, das pessoas que saíam dos seus carros para saudar o campeão. A massa, empolgada, espremia-se, e a euforia carnavalesca era incrível.

Nunca em Belgrado alguém tinha unido tantas pessoas para festejar um sucesso esportivo. E os sucessos passaram a aparecer, e as pessoas se uniam, sempre.

Na companhia dos familiares mais próximos e mais distantes, Djokovic subiu ao palco. Sua voz voou sobre Belgrado: "Boa noite, Sérvia! Obrigado a todos. Estou muito contente por estar aqui diante de vocês. Obrigado por terem feito desse dia o mais belo da minha vida. Eu jamais lhes pediria isso. Esta taça é dedicada a vocês, à Sérvia! Este espetáculo somente a Sérvia pode promover. O povo sérvio tem espírito. Agora, somos os campeões do mundo, estamos na liderança do *ranking* de simples e podemos conquistar tudo o que vier pela frente!".

Depois, agradeceu à equipe, sem a qual nada teria sido possível, e também à família e aos amigos, enquanto seu irmão caçula mandou o recado de que pretendia fazer o mesmo sucesso: "Me deem nove anos, e vou conquistar Wimbledon!".

Momentos de triunfo e de felicidade temperados com a euforia e o exagero balcânicos. Como não gostar desse guerreiro a quem nunca nada foi dado? Cuja biografia no tênis era tão diferente da dos rivais da Inglaterra, Espanha ou Suíça? A Sérvia festejava um garoto simples que realizara seu sonho de infância... Aquela era a noite para lembranças, durante a qual, na capital sérvia, balançava a bandeira tricolor de cinquenta metros de comprimento. O novo campeão de Wimbledon vinha de um país que não tem uma quadra de grama sequer! O tênis virou de cabeça para baixo.

473

E se tivesse caído na primeira rodada de Wimbledon e parasse de jogar tênis, Djokovic, naquele momento, podia se orgulhar da incrível carreira.

Só nesta temporada – que ainda estava no meio – conquistou oito de nove torneios disputados, tomou de Nadal no 1º. lugar e conquistou dois de três Grand Slams que disputou. Quando a isto se acrescentam o Aberto da Austrália de 2008, muitos títulos dos torneios ATP, o bronze dos Jogos Olímpicos, a Copa Davis e os anos passados no 3º. lugar, alguém poderia dizer que era mais que o suficiente.

Para muitos seria. Mas não para o homem a quem o conjunto das circunstâncias (ou destino?) dedicou um papel dos mais ingratos e mais difíceis na história do tênis: quebrar o domínio "FEDAL".

"Sabem, tudo isso é um processo de aprendizagem, de desenvolvimento de um tenista como pessoa, e de busca pela forma de sobreviver mentalmente às pressões, às esperanças e aos problemas", comentou Djokovic em relação a suas conquistas. Modesto? Ou apenas real?

\*

Agora podia respirar um pouco, mas pouco mesmo, porque, para o melhor do mundo, não havia pausa. Aproximava-se a Copa Davis contra a Suécia, e logo depois a turnê na América do Norte: Montreal, Cincinnati, e, claro, o Aberto dos EUA. Mas, antes da continuação, durante o mês de julho aconteceu a mudança na parte técnica da equipe. Encerrou-se a cooperação com o doutor Cetojevic: "Wimbledon era o nosso alvo. Conquistamos, e meu trabalho terminou".

Os jornalistas correram para desenterrar a notícia-sensação, mas Djokovic os acalmou: "Não existe nenhum mistério. Cada um continua seu caminho. Separamo-nos amigavelmente. Ele me ajudou muito a chegar aonde cheguei, e lhe desejo muita sorte em tudo que for fazer".

\*

Apesar de a mídia ter especulado que ele não estava suficientemente preparado para a competição contra a Suécia, porque não tinha tido tempo para descanso, Djokovic viajou para Halmstad, e declarou: "A

Copa Davis sempre é importante. O fato de estar aqui mostra o quanto acredito nessa competição, mas também o quanto gosto de defender as cores da minha pátria. Essa é uma competição de equipes, muito respeitada, e todos gostamos de competir em nome da Sérvia. Mas, às vezes, realmente fica difícil de planejar e organizar tudo. Apesar disso, estou aqui, embora não totalmente preparado".

A seleção da Sérvia para a Copa Davis estava, novamente, com sua formação mais forte. Janko Tipsarevic, Viktor Troicki, Nenad Zimonjic, Ilija Bozoljac e o técnico Bogdan Obradovic esperavam o amigo com champanhe e o parabenizaram pelo sucesso. Conversaram também sobre a histórica vitória em Londres, mas logo chegou o momento de começar a trabalhar. Era preciso defender o título de campeões da Copa Davis.

Como o time sueco estava drasticamente enfraquecido por causa da desistência de Robin Soderling, os tenistas sérvios entraram nas quartas de final como os favoritos.

O técnico Bogdan Obradovic, contudo, optou pela moderação: "Não nos sentimos os favoritos. Somos apenas uma equipe de tênis que gosta de competir pelo país. O sonho de cada técnico é trabalhar com esses meninos. Eles são uma família que pensa da mesma maneira, sente e vive. Gostaria muito de poupar Novak, mas ele não quis. Agora nos espera o verdadeiro trabalho. Estamos completos e, claro, fortes".

Viktor Troicki, logo depois, confirmou a verdade dessas palavras. Jogou contra Michael Ridersted, venceu por 3-1, e garantiu o primeiro ponto.

Na sequência, entrou em quadra Janko Tipsarevic, mas nela ficou apenas quarenta e cinco minutos, porque Ervin Eleskovic entregou a partida em razão de uma lesão: "Estou contente por ter conseguido o segundo ponto", disse Janko, "mas nem poderia pensar que o dia terminaria assim. Lamento quando vejo algo assim, ainda mais porque joguei bem, estava ganhando por 6-2. Mas a maneira como tudo terminou... É uma pena, desejo-lhe rápida recuperação".

"O lado bom" dessa situação infeliz era que Janko, de repente, podia descansar para a partida em duplas, mas decidiu-se que o parceiro de Zimonjic seria o melhor tenista do mundo. A surpresa que seguiu não foi nem um pouco agradável. O dueto sueco Simon Aspelin e Robert Lindstedt derrotou a dupla sérvia por inesperados 3-0, com o que a vantagem da Sérvia diminuiu para 2-1.

Djokovic concluiu: "Esperava me adaptar melhor ao ritmo na hora da devolução. Uma das minhas armas principais não funcionou, e eles sacavam de forma excelente. Mas estamos entrando no terceiro dia com uma vantagem que não é pequena, e vamos tentar terminar esse duelo com sucesso".

Bogdan Obradovic também não estava preocupado: "O espírito e a atmosfera ainda eram positivos. Já aconteceu de nos recuperarmos de situações muito piores, vencer, depois de perder por 2-1. Acho que temos um futuro brilhante".

E tiveram mesmo. Tipsarevic derrotou de maneira rotineira Ridersted, enquanto Lindstedt entregou a partida para Troicki. Os jogadores da seleção da Sérvia deixaram a Suécia de alma lavada, e com 4-1.

Na semifinal, prevista para Belgrado em meados de setembro, esperava-os a Argentina. E continuou a defesa do troféu da Copa Davis, a "saladeira".

\*

"Na última vez que o convidei para o meu programa você era o 3º. do mundo. Nesse meio-tempo, pulou para o 2º. lugar, e agora, aqui novamente, você é o 1º.", assim Jay Leno começou a conversa com Djokovic um pouco antes do início da turnê norte-americana.

"Você sempre acreditou em mim, obrigado", respondeu o sérvio, e depois se lembrou dos brilhantes e ainda frescos momentos de Wimbledon: "Foi a realização do meu sonho. Confesso, havia momentos durante os últimos dois ou três anos quando constatava que Nadal e Federer conquistaram quase tudo, e não sabia se poderia alcançá-los. Mas estava amadurecendo devagar, como jogador e também como pessoa".

"Qual é o gosto de grama de Wimbledon?", claro, foi a pergunta inevitável.

"Não sei de onde me veio essa ideia. Tinha nisso algo... algo que não consigo explicar. Nos meus sonhos, a grama é mais saborosa, mais doce. E, na realidade, com todo aquele suor, meu, do adversário... não foi nada bom. Mas de certa forma tudo parecia natural", Djokovic disse sorridente.

Quando o apresentador afirmou que ele tinha grande apoio dos seus conterrâneos e que todos o consideravam o melhor embaixador da Sérvia, Djokovic concordou, dizendo que o apoio que recebe é realmente enorme: "Precisa vir à Sérvia e ver como nos apoiamos uns aos outros", acrescentou.

Após um bate-papo sobre a dieta sem glúten que seguia rigorosamente, apesar de às vezes ter a impressão de comer "isopor em vez de pão", como comentou, Djokovic fez uma surpresa ao seu anfitrião. Três meninas em trajes folclóricos sérvios entraram no estúdio e dançaram kolo. Novak logo começou a acompanhar a dança tradicional sérvia e, a seu convite, se juntaram também Jay Leno e a atriz Katie Holmes, que estava presente no famoso sofá como convidada.

\*

De caçador, que se apressava em chegar ao seu objetivo, no desejo de alcançá-lo, tornou-se aquele que todos atacam. Todos estavam à procura de uma brecha ou de um ponto fraco. E ele tinha de evitar isso.

"Acho que essa pausa chegou na hora certa, porque eu vinha de seis meses exaustivos. É importante porque carreguei as baterias, e estou pronto. Apesar de muitas coisas terem mudado, realmente estou me esforçando para fazer tudo do modo mais simples. Talvez o mundo me olhe de outra forma, mas minha equipe e eu não mudamos", disse Djokovic antes de abertura do torneio em Melbourne, onde a Associação dos Tenistas Profissionais o homenageou como o novo 1º. jogador do mundo. Tornara-se o 25º. jogador na história que tinha chegado ao 1º. lugar na lista da ATP.

O presidente da Associação, Adam Helfant, destacou na ocasião: "O número de jogadores talentosos que agora temos é do mais alto nível desde quando há competições. Agora, nas quadras, realmente temos grandes campeões. Isto torna os sucessos de Novak ainda mais incríveis. Ele merece realmente o número 1, e é um privilégio poder saudar suas incríveis conquistas no ano".

"É uma enorme honra receber esse troféu", agradeceu Djokovic, "porque sei quantos grandes nomes chegaram até ele. Evidente que é muito mais gratificante recebê-lo em Montreal, onde em 2007 conquistei meu maior torneio daquela temporada".

Enquanto ele festejava a conquista do 1º. lugar, os rivais se preparavam para tirar a coroa da sua cabeça.

O sorteio em Montreal não foi nem um pouco favorável. O primeiro adversário era Nikolay Davydenko, mas não houve nenhuma complicação. Derrotou o russo por 2-0, e este foi o epílogo das outras partidas, contra Cilic e Monfils, que se seguiram no caminho à final; na semifinal, com problemas na mão direita, Tsonga entregou o jogo.

Na frente do 1º. tenista do mundo estava somente mais um obstáculo: Mardy Fish.

A melhor definição de como acabou o duelo é a frase que o estadunidense, rindo, disse ao tenista sérvio enquanto se cumprimentavam na rede: "Novak, pare com esse seu jogo incrível e me deixe ganhar pelo menos algum torneio".

No primeiro *set*, Fish teve ainda cinco oportunidades para obter uma quebra, e não aproveitou nenhuma. Mas para o seu rival foi suficiente uma chance só, e o resultado no placar logo mostrou: 6-2.

No segundo *set*, Fish voltou ao jogo, aproveitando alguns erros atípicos do seu rival, o que levou ao empate. No terceiro *set* não havia mais lugar para brincadeira. Nem chance para Fish, que se esforçava para preservar o seu saque, mas o quinto *game* foi fatal. Djokovic obteve a quebra e sustentou a vantagem até o fim. Depois de perder três bolas para fechar a partida, a quarta anunciou a festa!

Novak Djokovic se tornou o 1º. jogador a conquistar cinco torneios da série Masters no mesmo ano, e o 2º., atrás somente de Pete Sampras (1993), a conseguir, logo depois de chegar ao 1º. lugar da lista da ATP, a comprovar o domínio no seguinte torneio.

Marian Vajda, seu treinador, não tirava o sorriso do rosto: "Ele só vence. Vence, vence, vence, vence... Não sei nem mais o que conquistou. Quantos troféus? Perdi a conta... Nesse momento, sem sombra de dúvida, ele é realmente o número 1. Você tem que ser o *RoboCop* para vencê-lo".

Não existia *RoboCop*, mas havia um problema de outra natureza: Cincinnati, o torneio que sempre escapara das mãos de Djokovic. No ano anterior, tinha perdido nas quartas de final para Roddick, e em 2008 e 2009, nas rodadas finais, para Federer e Murray.

Desta vez, colecionava resultados que o deixavam muito entusiasmado. Nas duas primeiras rodadas, tudo deu certo. Ganhou bem as duas partidas, contra Ryan Harrison e Radek Stepanek, apesar de não parecer que estivesse jogando no melhor nível.

Mas a terceira rodada o colocou diante de um grande desafio. Podia vencer mesmo sem dar o máximo? O adversário era Gael Monfils, e tendo em vista que este ganhara o primeiro *set*, tudo podia acontecer.

"Simplesmente há períodos em que você não anda como é preciso", comentou Djokovic sobre seu jogo. "E aqueles quando tudo está ótimo... Isso é normal. Joguei muitas partidas na temporada anterior, e talvez isso tenha se refletido no meu jogo. Monfils sacava forte, e eu não acelerei quando tive chance, foi isso."

Felizmente, o desânimo do primeiro *set* durou pouco. Em seguida começou a jogar muito melhor. Quando se lançou uma vez, não parou mais. Foi uma partida tensa, com muitas dificuldades e emoções, e o apoio de um bom número dos torcedores sérvios foi muito valioso.

O primeiro tenista do mundo não escondia o cansaço. Disse que estava exausto, mas também preparado para a semifinal contra Thomas Berdych. Porém o tcheco entregou a partida com dores no ombro.

Em vez de aproveitar esse dia de descanso como estímulo para a conquista do novo título, aconteceu o contrário. Foi como se o problema de saúde de Berdych tivesse passado para Djokovic, e ele entregou a partida final para Andy Murray.

"O cansaço fez a sua parte, mas este não é o motivo pelo qual entreguei o jogo. O principal responsável é a dor no ombro. Não a senti enquanto estava parado, mas durante o saque ou o *forehand*, correndo, não podia aguentar. Lamento que tenha acontecido assim", Djokovic declarou aos jornalistas presentes, com a promessa de que isso não o impediria de ir ao Aberto dos EUA nem de tentar a conquista de seu terceiro Grand Slam em 2011.

*

No fim de agosto, Djokovic de novo mostrou que se importava com as pessoas que necessitam de ajuda com o mesmo entusiasmo de quando estava na quadra. Foi nomeado embaixador nacional da Unicef, e sua ideia era lutar pelos direitos das crianças.

Na cerimônia de abertura em Nova York, seu pronunciamento refletiu um forte atributo do seu caráter: "Estou honrado pelo fato de poder ajudar na conscientização sobre a importância da educação das crianças, principalmente aquelas que não têm oportunidade de aprender e se desenvolver ao máximo seus potenciais. Desejo ajudá-las a realizar seus sonhos, conhecer seus direitos e saber que esses direitos devem ser preservados. Desejo que acreditem que nada é impossível".

*

Logo começou o Aberto dos EUA.

"Meu ombro está bem novamente", Djokovic deu seu recado. "Tive alguns problemas em Cincinnati, e quase me arrastei até a final. Fiz uma pequena pausa, fiz exames, e tudo está certo. Treinei o saque nos últimos dias, estou jogando com força total, e preparado".

O Aberto dos EUA do ano anterior foi para ele como que um trampolim para o fenomenal 2011. Começou a acreditar mais nas vitórias sobre os melhores tenistas, e ganhara a autoconfiança necessária. Seguiram-se experiências maravilhosas, e ele estava cheio de energia positiva. No fim das contas, o tênis é um esporte no qual muita coisa depende do aspecto mental.

As primeiras quatro rodadas jogou tão bem que tudo parecia uma diversão. Ganhava por 3-0 todas as partidas, e se esforçava para passar na quadra o menor tempo possível. Tinha tanto êxito nisso, que um espectador das arquibancadas, depois da partida contra Carlos Berlocq, que terminou após noventa minutos, disse, brincando: "Oi, pagamos cem dólares e você jogou apenas uma hora e meia. Dê-nos alguma coisa para nos compensar. Dê pelo menos a raquete".

Djokovic sentia-se fantástico, até às quartas de final, quando seu adversário foi o amigo da equipe sérvia da Davis, Janko Tipsarevic. O resultado desse duelo era difícil de prognosticar, mas Janko estava muito animado, porque antes disso derrotara Philipp Petzchner, Thomas Berdych e David Ferrer.

Então, a Sérvia teria seu representante da semifinal. Mas quem seria?

Já que se conheciam muito bem, Janko, evidentemente, optou por uma postura agressiva, acompanhada de ótima movimentação e com frequentes subidas à rede. E esta era a única maneira de ganhar pontos. E eles vieram, assim como a virada. Quando parecia que o melhor tenista do mundo ganharia fácil o primeiro *set*, porque tinha a vantagem de 5-2, Janko, com golpes ferozes, chegou ao empate, e conseguiu ganhar o *tiebreak*.

Djokovic saiu vencedor de um jogo, decidido nos detalhes. Situação semelhante se repetiu no segundo *set*. Ambos jogavam de forma excelente, um tênis total, "atômico", como depois descreveu a mídia mundial. Dois amigos lutando como leões para chegar à próxima rodada. De novo chegaram ao *tiebreak*, e Tipsarevic levou a vitória.

Pela primeira vez naquele Aberto dos EUA Djokovic perdia um *set*. A grande pergunta era o que teria acontecido se Janko, após o terceiro *set*, que perdeu por 6-0, não tivesse começado a mancar e a segurar a coxa esquerda. No início do quarto *set*, pediu a ajuda do médico, por duas vezes, e no final teve de decidir. As dores estavam muito fortes. Entregou a partida e Djokovic prosseguiu.

Na semifinal, um *déjà vu*. Como no ano anterior, mesma rodada, mesmo adversário: Roger Federer. De novo duas bolas para fechar a partida para o suíço, e de novo Djokovic as defendeu, e venceu.

Durante os primeiros dois *sets*, pouca coisa foi bem. Djokovic estava muito tenso, letárgico e seu corpo mostrava que não estava muito presente. Bem diferente, Federer "cuspia fogo".

Somente no terceiro *set*, aos poucos Djokovic pareceu a acordar. De repente, foi como se as pernas tivessem começado a funcionar, o saque se tornou mais preciso, e os *forehands* tiraram facilmente o adversário da quadra. Conquistou o terceiro e quarto *sets*, presenteando o público com mais cinquenta minutos de excelente jogo, tempo que durou a disputa no decisivo e quinto *set*. E muito drama! Federer obteve uma quebra, e chegou a 5-3. Sacava, e logo chegou a 40-15 e duas bolas para fechar a partida. O primeiro saque foi preciso, mas a devolução de Djokovic foi extraordinária, a bola voou pelo ar.... E acertou a linha!

O número 1 se virou para o público levantando as mãos. Num segundo, todos estavam em pé. Quando no ponto seguinte salvou também a segunda bola da partida, o barulho das arquibancadas se tornou ensurdecedor. Num único segundo tudo mudou. Da posição de dominante, de repente, Federer se tornou um observador distante. O ás sérvio literalmente decidia sobre cada ponto, e quando, depois de quase quatro horas, teve duas bolas para fechar a partida, aproveitou a primeira. De imediato.

Sobre como Federer suportou essa derrota, melhor falam os depoimentos da coletiva de imprensa. Ao contrário dos jornalistas, ele não estava impressionado com a maneira como Djokovic salvara a primeira bola da partida, nem concordou com a observação de que se tratava de autoconfiança: "Autoconfiança? Vocês estão brincando... Alguns jogadores crescem jogando assim. Quando eu era júnior, todos, quando perdiam por 5-2, começavam a 'estapear' a bola. Eu não jogava assim. Mas talvez ele fizesse isso já aos 20 anos, e para ele isso é normal. Perguntem para ele".

Essas palavras de Federer não soavam estranhas, pois, desde 2003, pela primeira vez terminava a temporada sem nenhum título de Grand Slam.

Djokovic não escondia a satisfação: "É verdade que arrisquei, mas acho que primeiramente anulei seu saque. Estava acima da bola, o golpe foi forte e preciso, e é isso. Sem dúvida, foi minha maior vitória no ano, e por tudo o que aconteceu nessa partida, também uma das maiores na minha carreira".

Ele estava certo, e assim confirmou a final contra Nadal. Nessa partida não houve drama como no duelo contra Federer, mas no lotado estádio Arthur Ashe o público pôde se divertir novamente.

Apesar das fortes trocas dos golpes e os *games* que eram maratonas, Djokovic manteve o domínio. Ganhou os primeiros dois *sets* por convincentes 6-2, 6-4. Superou seu rival física e psicologicamente. Em cada situação, fosse quando atacava, se defendia ou golpeando para a esquerda ou direita, era extremamente preciso.

No terceiro *set* jogou-se um tênis irreal, intensos oitenta e quatro minutos, com uma abundância de viradas e pontos longuíssimas. Graças, antes de tudo, ao seu espírito de luta, o *tiebreak* do terceiro *set* pertenceu ao espanhol.

Seguiu-se um quarto *set* longo e indefinido, com golpes que faziam a bola passar até trinta vezes sobre a rede. Djokovic mandava Rafa de um lado para outro da quadra, Rafa chegava em quase todas, mas não conseguia se defender. Sua autoconfiança se esvaía lentamente, e no fim sumiu.

"A maior parte das crianças aprende a jogar tênis batendo bola na parede. Pelo visto, Nadal se lembrou da infância em Maiorca, quando fazia exatamente isso", apontava a mídia, comparando o tenista sérvio a uma parede em movimento e impenetrável.

Pela primeira vez na carreira Djokovic deixava a Big Apple com a taça nas mãos. Era o 3º. Grand Slam que vencia em 2011, seu "ano dourado". Tinha mais de 4 mil pontos de vantagem em relação a Rafa, o que lhe garantia esse lugar até o fim do ano. Mas não tinha tempo para festejar. Esperavam-no as partida da Copa Davis contra a Argentina.

\*

Com jogadores talentosos e fortes, como Juan Martin Del Potro e David Nalbandian, a seleção da Argentina era um adversário difícil. Nos últimos dez anos tinha estado presente no Grupo Mundial da Copa Davis, e sua participação nunca terminava antes das quartas de final. A experiência estava do seu lado.

A Sérvia também tinha seus trunfos. Jogava em casa, e a conquista da "saladeira" no ano anterior ainda trazia autoconfiança. Djokovic estava em sua melhor forma, Troicki e Tipsarevic também, e a experiência de dez anos de Zimonjic nas duplas era significativa.

"Conhecemos bem os argentinos", disse o técnico Obradovic, "temos uma excelente equipe, e tenho certeza de que vamos festejar. O mais importante é que todos os jogadores estão muito bem preparados, e acreditamos nas 20 mil pessoas que vêm para nos apoiar. A Arena até agora foi inexpugnável, e espero que fique assim".

Mas isso não aconteceu. A arena caiu pela primeira vez.

No lugar do exausto Djokovic, a disputa entre os argentinos e as "águias" começou com Troicki. O resultado em *sets* estava 1-1, e no terceiro e quarto *sets*, logo no início, Nalbandian obteve quebras, e com poucas oscilações manteve a vantagem até o fim. Merecidamente trouxe o primeiro ponto para o seu país.

Agora Tipsarevic tinha de vencer Del Potro. Já que tinha jogado de forma excelente durante toda a turnê norte-americana no cimento, enquanto o argentino se apresentara abaixo da média, era normal esperar que a Sérvia empatasse o resultado. Mas... Janko perdeu por 3-0.

Depois, se recuperou nas duplas, juntamente com Nenad Zimonjic. Ambos deram o seu máximo, e com categóricos 3/0 derrotaram a dupla argentina Juan Ignacio Chela/Juan Mónaco.

A quarta partida era decisiva. Esperava-se que Djokovic entrasse em quadra para ganhar de Del Potro. Mas, naquele momento, ele não estava recuperado. Sua participação na Copa Davis era incerta desde o início, mas ele insistiu em jogar. Apesar de começar o duelo sem erros, dando o seu máximo, as expressões dolorosas na hora do saque mostravam que algo não estava bem.

Quando o argentino ganhou o primeiro *set* por 7-5, as coisas pioraram. Djokovic movimentava-se com dificuldade, e no terceiro *game* do segundo *set*, depois do seu alongamento característico, gritou de dor e foi ao chão. O time inteiro da Sérvia, num instante, correu para perto dele, mas não lhe restou outra opção a não ser "jogar a toalha" e deixar a Arena com lágrimas nos olhos:

"Talvez pudesse prejudicar minha saúde, mas escuto meu coração. Quis jogar para a Sérvia... Estou triste. Passava na minha cabeça que podia aguentar, ainda tenho uma das melhores devoluções de saque do mundo, mas nunca tive tantos problemas para devolver o saque como agora com Del Potro."

*

A lesão do músculo intervertebral, que aconteceu no Aberto dos EUA e piorou em Belgrado, realmente foi séria. Cancelou sua participação no torneio em Pequim e, em seguida, em Xangai. Os exames médicos mostraram resultados nada bons, e exigiram uma reabilitação muito rigorosa. A perda da turnê asiática teria de ser compensada com os torneios de Basileia, Paris e Londres.

Durante o descanso necessário, Djokovic não ficou totalmente parado. Doou 35 mil euros para a construção da igreja no local de origem da sua família, o vilarejo de Jasenovo Polje, em Montenegro, perto da cidade de Niksic – de onde seus antepassados, em 1928, se mudaram para Kosovo –, e também supervisionou os últimos preparativos para a abertura da Academia de Tênis Novak, concebida com o intuito de "criar o jogador completo, o atleta em todos os sentidos: técnico, físico e mental". Exatamente como ele.

Depois de uma pausa de seis semanas, pegou a raquete e foi à Basileia.

"Evidente que é preciso algum tempo para ficar em forma", Djokovic disse antes do torneio. "Lesão nunca é bem-vinda, com certeza, mas agora podemos dizer, chegou na hora exata. Tive mais tempo para descansar. Acho que essa foi a mais longa pausa que tive nos últimos quatro ou cinco anos".

Na primeira rodada, na partida de duas horas contra o belga Xavier Malisse, dava para perceber que estava longe da forma que o levara à 1ª. posição na lista da ATP. Situação semelhante foi notada também depois, nas partidas contra Lukasz Kubot e Marcos Baghdatis, mas conseguiu vencer:

"Não estou jogando o que sei, é claro para mim também, mas avancei, e é isto o que importa. Sei que o bom jogo virá, não posso ficar desesperado", encorajava-se antes da semifinal contra Kei Nishikori.

A lesão começou novamente a incomodá-lo. Ganhou o primeiro *set* de modo convincente, e Nishikori chegou ao empate no *tiebreck*. Djokovic, com muito esforço, chegava nas bolas que voavam para todos os cantos, mas não aguentava mais. Assim, o japonês conseguiu lhe impor a quarta derrota em 2011.

Esse resultado trouxe uma nova dúvida. Será que estava em condições de jogar em Paris? A indecisão durou até o último momento.

Enfim, iria para a quadra, em Bercy, pelo menos para tentar. Ficou na tentativa. Ganhou as duas primeiras partidas contra Ivan Dodig e Viktor Toicki, e depois se retirou, antes da quartas de final contra Tsonga. A lesão era mais grave do que pensava.

Pelo Twitter, Djokovic mandou o recado a seus fãs: "Infelizmente, tenho más notícias. Fui obrigado a me retirar do torneio. Tenho uma forte inflamação no ombro, não posso me arriscar. A situação piorou na partida contra Viktor. Coloco a saúde em primeiro lugar, e espero que entendam minha conduta. Peço desculpas a todos que compraram ingressos para a partida de hoje à noite, e também àqueles que se preparavam para assistir pela TV".

O tenista que, em vez dele, ergueu o troféu na Basileia e também em Paris foi Roger Federer, que com bastante otimismo olhava, à frente, o Masters em Londres: "Mardy Fish e Novak Djokovic parecem exaustos, mas, por outro lado, acho que uma semana de descanso será suficiente para se recuperarem. Creio que Djokovic está preparado. Murray também. Por isso será difícil vencê-los. E Nadal? Seja qual for sua situação, ele é sempre um 'freguês' difícil. Por tudo isso, acho que esse será um daqueles torneios muito, muito cansativos".

*

Ainda não estava claro como estava, exatamente, a saúde de Djokovic, mas, com certeza, a Sérvia teria seu representante na capital da Inglaterra. Aliás, se o melhor tenista do mundo não se recuperasse, seu lugar seria ocupado por Janko Tipsarevic, que se encontrava na 9ª. posição da ATP.

As malas de Janko já estavam prontas quando chegou o convite. Participaria em Londres, mas não no lugar de Djokovic, e, sim, no de Andy Murray, que tinha sido obrigado a desistir por causa de uma lesão na virilha.

A 1ª. raquete do mundo, apesar de tudo, não quis perder a oportunidade. Antes do início do torneio foi entregar a taça para o melhor jogador da temporada. Ele mesmo: "Quero agradecer a ATP inteira. Tive um ano incrível, e estou orgulhoso com tudo que conquistei. Tenho a grande honra de estar ocupando a 1ª. posição e por ter entrado para a história desse esporte. Diverti-me em todos os momentos, e espero que vocês se divirtam nesta semana".

Quando seu jogo está no ápice, Djokovic é um obstáculo intransponível, e isso todos sabiam, inclusive seus rivais do grupo B: Federer, Nadal, Tsonga e Fish, e os do grupo A: Berdych, Ferrer e Tipsarevic.

Mas que as coisas não seriam tão fáceis, e que não conseguiria colocar ponto final com vitória na sua temporada mais bem-sucedida, já mostrou a primeira partida contra Berdych. Somente depois de penosas duas horas e meia chegou à vitória contra o muito ágil tcheco.

"Talvez essa tenha sido minha partida mais dura desde o Aberto dos EUA. Sabia que meu rival era imprevisível, que tinha um golpe forte e um excelente saque. Thomas teve muita iniciativa, principalmente nos *games* quando eu sacava. Cada segundo saque meu ele "mordia", e eu recuava. Eu estava muito passivo", analisou assim Djokovic sua 70ª. vitória da temporada.

Como iria se comprovar, esta foi também a última vitória em 2011. Apesar de no papel ser o favorito, as chances para chegar à semifinal rapidamente diminuíram depois da partida contra David Ferrer. Perdeu por 6-3, 6-1, jogando provavelmente a pior partida na temporada. E quando seu amigo Janko Tipsarevic o derrotou pela primeira vez na vida, as chances para a semifinal desapareceram.

"Tipsarevic mereceu a vitória, foi melhor, e estou contente que tenha ganhado a oportunidade de jogar em Londres. Espero que isso aumente sua autoconfiança. E no que me diz respeito... Esse foi um ano incrível. Nada pode mudar isso. Vou sempre me lembrar dele como o melhor da minha vida", essas foram as palavras do melhor tenista do mundo no fim da temporada na qual teve apenas seis derrotas e 70 grandes vitórias.

\*

Enquanto tentava encontrar um pouco de tempo para descansar, ao seu endereço chegavam, sem parar, as homenagens.

A Federação Internacional do Tênis (ITF) o nomeou o melhor tenista de 2011. A Associação dos Tenistas Profissionais divulgou a lista das maiores conquistas da temporada, e as três primeiras foram dadas a Novak Djokovic: por um começo triunfal de cinco meses que ninguém conseguiu deter, pela conquista dos três títulos de Grand Slam: Aberto da Austrália, Wimbledon e Aberto dos EUA, e pelo recorde de cinco títulos Masters no mesmo ano, o primeiro jogador na história do tênis a conseguir isto.

Além disso, a ATP declarou a vitória contra Roger Federer, na semifinal do Aberto dos EUA, como a maior virada da temporada. Foi eleito pelo Comitê Olímpico da Sérvia e pela Academia de Esporte dos EUA o melhor esportista do ano, enquanto a *BBC* o declarou a maior personalidade esportista do ano fora da Grã-Bretanha.

\*

Djokovic aproveitou o tempo livre que passou em Belgrado para visitar sua primeira professora de tênis, Jelena Gencic. Em sua casa, ela lhe mostrou sua raquete de quando tinha 17 anos de idade. Tudo começou com ela, e quando ela lhe disse: "O tênis não se joga com a mão, é o espírito que a guia", ele respondeu: "E trouxe aquilo que sonhamos juntos", mostrando a taça de Wimbledon.

"Eu gostei do seu gesto durante a cerimônia em Londres, como pegou o troféu de modo elegante e o colocou perto do coração", Jelena lhe disse. "Logo pensei que não o largaria mais".

Tinham se passado quatro anos e meio desde o último encontro. A dama que lhe descortinou os segredos do tênis, e o jovem cavaleiro que durante esse tempo se tornou rei, finalmente se sentavam um ao lado do outro.

A história deles era uma daquelas que inspiram, encorajam e permanecem.

# 32. O TÊNIS TOTAL

Para que um esportista se torne um campeão, além de talento e muito trabalho, são necessárias mais duas coisas: objetivos definidos e o desejo de realizá-los.

Djokovic tinha tudo isso. Seguiu seu caminho em condições difíceis, com muitos obstáculos, podia ter desistido mil vezes, sentido medo, mas fez o contrário. Tudo isso o tornou mais forte, física e psicologicamente. Nada podia tirar sua atenção do objetivo ao qual se dedicava desde a infância, e a coragem e a paciência sempre estiveram com ele. Usou-as bem e com sabedoria.

Tornou-se o número 1, e se tivesse imaginado uma temporada melhor do que 2011, certamente não teria chegado a tanto. Agora, sentava-se no Olimpo da ATP, preparando a estratégia para continuar.

Sabia que estava sob a observação dos outros e que seu jogo estava sendo analisado por equipes de especialistas. Da mesma maneira como conheciam cada detalhe do jogo dos seu rivais, agora conheciam também cada aspecto do seu. Tinha de mudar. Adaptar seu estilo e sua forma a cada desafio, porque o trono e a coroa pressupõem contínua confirmação por parte daqueles que desejavam assumi-los.

Pode-se dizer que o tênis é, talvez, o mais cruel esporte quando se fala em glória. A glória não significa nada. Você vale somente tanto quanto foi seu último ponto. O idealismo supremo. Nesse esporte, não existe o companheiro de equipe que vai ajudá-lo, ou assumir a responsabilidade se perceber um mínimo de insegurança ou indecisão no seu rosto. O tênis não tem piedade. No tênis os que não são tão bons simplesmente nunca vencem.

As competições à sua frente não são mera ilusão, é necessário defender o que é conquistado, é preciso se colocar à prova sempre.

\*

A nova temporada começou no continente asiático, em Abu Dhabi. No torneio de exibição de Mubadala, os seis excelentes jogadores testaram sua forma antes do início da corrida aos pontos.

O jogo do 1º. tenista do mundo estava de acordo com sua posição. Derrotou Monfils, e em seguida Federer e Ferrer passaram "descalços sob espinhas", conseguiram seis *games* no total, três para cada um.

*Se pela alvorada se reconhece o dia*, como diz o velho provérbio, a forma estava cronometrada de forma ideal para o Aberto da Austrália.

"Já contra Monfils joguei muito bem", disse Djokovic, "depois, meu tênis ganhou mais qualidade ainda. É incrível a rapidez com que entrei em forma. Será muito difícil repetir o sucesso do ano passado, mas, por que não? Não faz sentido pensar de outra forma a não ser com grande otimismo. É preciso acreditar nas minhas qualidades na possibilidade de repetir os sucessos. Nunca se sabe, tudo é possível".

Antes do primeiro Grand Slam da temporada, tenistas masculinos e femininos se reuniram no tradicional Dia do Tênis para Crianças, durante o qual deram seu melhor para entreter o público.

E a diversão não pode passar sem Djokovic.

Num momento, "ceifado" pela bola de Rafael Nadal, caiu no chão. Logo em seguida, Kim Clijsters com uma "massagem cardíaca" tentava devolvê-lo ao jogo. Rafa também contribuiu para a performance cômica: "Viu o que acontece quando me derrota seis vezes nas finais?". Nesse momento, nem um nem outro adivinhavam o que os esperava na próxima partida, cujas dimensões se tornariam antológicas.

\*

Há tempos o Aberto da Austrália não dava sorte para Djokovic. Nos outros três Grand Slams, em 2005 e 2006, conseguiu chegar, no mínimo, até a terceira rodada, mas, em Melbourne, não ia além da primeira.

Evidentemente, tudo mudou em 2008. Djokovic: "O Aberto da Austrália tem lugar especial no meu coração, mas sobre ele não penso como um trampolim. Cada Grand Slam é importante e especial. Nos maiores torneios todos se esforçam, então é muito difícil dizer 'Se agora ganhar o troféu, a temporada inteira será mais fácil'. Não é assim. Para todos seria um prazer e uma honra vencer, mas, se isso não acontecer, não se trata de um mau sinal, nem significa que o ano começou mal. Cada torneio é importante, e isso é algo que me comove".

Com uma vitória impressionante por 6-2, 6-0, 6-0 contra o italiano Paolo Lorenzi, Djokovic começou a defesa do título.

As duas rodadas seguintes pareciam aquecimento. Na partida contra Santiago Giraldo, da Colômbia, mostrou também algumas novas combinações na devolução de saque, enquanto na terceira, derrotou Nicolas Mahut, que aniversariava naquele dia, em setenta e quatro minutos. Esse, provavelmente, foi o pior presente que poderia ganhar.

A decisão de não participar de nenhum torneio antes de Melbourne, obviamente não foi errada. As condições do tempo eram infernais, mas nem isso o impedia de se movimentar em quinta marcha.

Isso foi mais bem nítido contra Hewitt e Ferrer, que conseguiram acompanhá-lo. Hewitt ganhou um *set*, mas nem as instabilidades evitaram sua vitória.

Na semifinal, pela primeira vez desde 2005, encontraram-se os quatro melhores tenistas do mundo. Nadal pegou Federer, enquanto Djokovic jogou contra Murray, que já ganhara o título de Brisbane e também tinha um novo treinador, o estoico do tênis, Ivan Lendl.

"Com a ajuda de Lendl, Andy sem dúvida mudara", notou Djokovic. "Parece fisicamente preparado, joga bem, e está motivado para ganhar seu primeiro título de Grand Slam. Aqui foi vice-campeão por duas vezes consecutivas, e esse torneio lhe agrada. Espero uma partida brilhante".

Muito mais do que brilhante!

Quatro horas e quarenta e oito minutos do jogo, cinco *sets*, uma maratona. Andy avança muito em relação à final do ano anterior, quando perdeu por 3-0. Foi um verdadeiro teste psicofísico para ambos que passaram com êxito.

Djokovic ganhou o primeiro *set*, Andy, o segundo e o terceiro, e Djokovic empatou no quarto.

E o público? Divertia-se com um tênis espetacular. Foi uma batalha feroz entre os dois melhores devolvedores de saque do momento, dois grandes guerreiros, e o quinto *set*, decisivo, tornou-se um verdadeiro drama, apesar do placar parcial de 5-2 para Djokovic.

Naquele momento, provavelmente por influência de Ivan Lendl, Murray percebeu que as grandes partidas não podem ser ganhas apenas com tática defensiva. Começou a jogar agressivamente, esforçava-se para ficar perto da linha, mas sem se esquecer do jogo defensivo. Dessa maneira, ganhou muitos pontos e chegou ao empate: 5-5.

Os nervos se tornaram mais importantes, e a Rod Lever Arena fervilhava, porque, pela milésima vez, Djokovic voltava depois das situações impossíveis. Salvou três quebras, dos quais duas em sequência.

Esperavam-se novas confusões, mas, no último *game*, de repente, Murray ficou sem o *slice*, o golpe com que deu muito trabalho para o adversário. E Djokovic faturou sua 400ª. vitória na carreira com o resultado 6-3, 3-6, 6-7(4), 6-1, 7-5.

Deve-se registrar que não seria injusto se Andy Murray fosse o ganhador: "Todos nós amadurecemos em idade diferente e de modo diferente", Murray declarou. "Sinto-me mentalmente preparado para estar entre os três primeiros. Fisicamente posso avançar mais, mas, tendo em vista meu jogo aqui do ano anterior, hoje, fui muito, muito melhor. É muito tênue a linha que separa a 1ª. raquete do mundo da 3ª., da 4a..."

Palavras sábias.

*

Um velho provérbio diz: "Não se pode lutar frequentemente com o mesmo adversário, porque vai lhe ensinar toda a sua arte". Mas o encontro com Rafael Nadal era inevitável.

Nos vinte encontros anteriores, Nadal tinha três vitórias a mais, mas Djokovic ganhou todas as seis batalhas finais de 2011. Era o terceiro encontro consecutivo entre eles nas rodadas finais de um Grand Slam, e nos dois anteriores, Wimbledon e Aberto dos EUA, Nadal perdeu.

Uma nova derrota poderia lhe causar um sério golpe, porque, nesse caso, se tornaria o primeiro tenista que por três vezes seguidas perderia uma final de Grand Slam.

A final em Melbourne, exatamente como tinha de ser, foi totalmente incomum. Não somente foi a partida mais longa no Aberto da Austrália, mas também a mais longa final na história do tênis: cinco horas e cinquenta e três minutos!

Apenas um *set* dessa maratona, o 4º., de oitenta e oito minutos, durou mais do que a final feminina inteira entre Victoria Azarenka e Maria Sharapova.

É muito difícil encontrar palavras para descrever o que Rafa e Djokovic apresentaram naquela noite. Essa não foi uma partida comum, nem combate, nem guerra de tênis. Foi um duelo "Aquiles contra Heitor", a luta a que o mundo não tinha assistido até então. A superação dos limites da resistência, da persistência, da força, do poder e da precisão. E, evidente, da vontade. Indefinição total, e um jogo inimaginável, que levou o esporte branco a um estágio para o qual ainda se procura uma definição correta.

Naquela noite não foram decisivas a técnica nem a tática, mas, sim, a coragem e o coração.

Nadal se baseava no *forehand*, Djokovic na devolução. Reavaliavam os limites, encontravam energia quando se pensava estar esgotada, e persistentemente a reciclavam e a repunham na quadra. De onde a extraiam? Somente eles sabiam.

Não é preciso falar sobre a aptidão física, impecável em ambos. O derrotado não existia, apenas um foi maior vencedor que o outro.

Na coletiva de imprensa, Nadal, em sua manifestação, afirmou que nunca tinha enfrentado um tenista com uma devolução tão poderosa, proclamando-o um dos melhores golpes da história. E quando isto é dito pelo jogador talvez mais bem preparado fisicamente que o tênis já teve, é preciso acreditar.

Exatamente graças a esses golpes de devolução, essa final, no estilo *thriller*, foi vencida por Djokovic.

O que infernizava Djokovic eram os *slices* de Nadal, com os quais o obrigava a abaixar-se até o chão para salvar as bolas. Havia também os *slices* de fundo, que usava para desacelerar o ritmo, mas Djokovic impedia que o rival finalizasse os pontos.

Mas Djokovic não tinha o título de melhor do mundo à toa. Construía o jogo desde o início, impunha o ritmo que lhe agradava e bloqueava o contra-ataque de rede. Exatamente por causa da sua percepção e estratégia, o público, que no início estava do lado de Rafa, mudou de lado e simplesmente acompanhava o que estava acontecendo na quadra, com a respiração suspensa.

Era óbvio que a partida iria até altas horas da noite, mas todos os lugares na arena permaneciam ocupados. Esperava-se a decisão no quinto *set*. Quem tinha nervos de aço? Quem seria mais audaz? Quem levaria o troféu?

Novak Djokovic, o mais valente!

Nele não havia nenhuma hesitação, e as partidas mais difíceis ganha quem que vai atrás da vitória com agressividade, com os *winners*. Djokovic persistiu nessa tática, e ela deu frutos. Ele foi o mais pertinaz dos mais pertinazes, e venceu por 5-7, 6-4, 6-2, 6-7(5), 7-5.

A decisão épica do 100º. Aberto da Austrália terminara.

\*

Os dois tenistas mal conseguiam ficar em pé quando começou a cerimônia protocolar dos organizadores. Djokovic colocou as mãos no quadril, e em seguida se agachou, enquanto Rafa se sustentava na rede tentando descansar. Felizmente, alguém notou que os titãs do tênis não podiam mais aguentar e lhes ofereceu cadeiras, o que foi aprovado pelo público com um grande aplauso. Enquanto se sucediam os oradores, Djokovic e Rafa permaneciam sentados, esperando. Uma imagem nunca antes vista. Em seguida, a lenda do tênis, Rod Laver, entregou a taça para o vencedor.

Pela 3ª. vez, o tenista sérvio conquistava Melbourne, e pela 5ª., um torneio de Grand Slam. Assim, ultrapassou jogadores como Guillermo Vilas e Jim Courier, e se aproximou de Boris Becker e Stefan Edberg, com um título a menos.

"Ele mostrou que é o melhor e mais preparado do mundo", concluiu Marian Vajda. "Provou que pode vencer também quando todos torcem contra ele, e os venceu, 15 mil pessoas e Nadal! Aqui se vê quanto é forte psicologicamente. Rompeu todos os limites da persistência. Esse foi o tênis que nunca antes foi jogado. Isso ninguém esquecerá!"

Como Djokovic conseguiu se recuperar num período tão curto depois de uma exaustiva partida contra Murray, era a pergunta dos jornalistas. Vadja sorriu e deu a resposta: "Passou a noite inteira na discoteca".

Logo se pronunciou Mats Wilander, famoso pelas frequentes críticas a Djokovic: "A partida foi fantástica. Mal posso acreditar, ele é capaz de enfrentar Rafa melhor do que Federer jamais conseguiu. Não sei quem poderia enfrentá-lo. Não vejo ninguém acima dele. Acho que agora tem de se preservar contra ele próprio, ele mesmo pode se prejudicar, e essa é a lição que tem de aprender. Podia ter ficado sem o troféu, apesar de ser o melhor do mundo, evidente".

Djokovic se dirigiu aos jornalistas por volta das 4 horas da madrugada: "Sinceramente, lamento muito que haja apenas um vencedor, porque ambos apostamos tudo, usamos todas as nossas habilidades e jogamos até o último momento. Hoje, Rafa mereceu o triunfo tanto quanto eu. E diria a mesma coisa se estivesse sentado agora aqui como derrotado".

"Você disse que quis repetir os resultados de 2011. Se é difícil assim, será que quer passar por tudo isso quatro vezes?", perguntou um dos jornalistas.

"Se essa é a maneira, parece que sim", respondeu o campeão. "Tenho de aceitar que é assim mesmo. Não estou preocupado se aguentarei fisicamente, vou tirar algumas semanas de folga e tentar usufruir essa vitória o máximo possível. Depois, vou voltar às preparações, porque muita coisa me espera, mas agora quero aproveitar esse momento".

*

O garoto que antes sofria com o calor percorreu um longo caminho. Tornou-se o homem que é capaz de aguentar dez horas de tênis durante três dias da competição contra Rafa e Andy.

Essas partidas eram o indicador de que estava em excelente forma, mas não apenas isso, porque a quebra dos limites da persistência se tornou a marca registrada da "era dourada" do tênis masculino.

Com a conquista do terceiro Aberto da Austrália foram defendidos os pontos do ano anterior, mas Nadal diminuiu a diferença porque disputou a final, o que não tinha conseguido um ano atrás.

Sete dias depois da conquista de Melbourne, o "homem de aço", como a mídia passou a chamar Djokovic, tornou-se detentor de mais um prêmio. Numa dura concorrência, ao lado de Novicki, Messi, Wettel e Bolt, 47 estrelas do esporte, os membros da Academia de Esporte decidiram dar a Novak Djokovic o prestigiado prêmio Laureus.

"Sei que a disputa foi difícil. Não tenho palavras para descrever o quanto significa para mim esse reconhecimento", ele disse na cerimônia de entrega do troféu, que recebeu das mãos do grande esportista Boris Becker.

*

A temporada de 2012 começou de modo fenomenal.

Uma das chaves do sucesso do famoso ano de 2011 era que Djokovic escolhia estrategicamente qual torneio iria disputar. Por isso jogava em ondas, e assim seria também agora.

Não foi fácil decidir, mas era preciso sacrificar algo. No ano dos Jogos Olímpicos, além da já superlotada agenda, não podia jogar tudo, e a primeira competição que tinha de evitar era a Copa Davis.

O técnico da Sérvia disse que essa foi uma decisão de toda a equipe: "O acordo foi que tinha de descansar, porque nosso objetivo comum é defender a posição de número 1 e tentar ganhar o ouro em Londres. Para mim, como técnico, o maior problema é convencê-lo a não jogar, porque é melhor para ele, e também para todos nós".

*

Durante sua estadia em Belgrado, no Dia da República, 15 de fevereiro, o então presidente da Sérvia, Boris Tadic, concedeu-lhe a mais alta condecoração nacional. A Medalha da Estrela de Karadjordje do primeiro grau, desde 1904, é outorgada a pessoas que se distinguem pela Sérvia.

Em cerimônia na Assembleia Nacional, Djokovic se dirigiu aos presentes: "Sonhei em erguer a taça de Wimbledon, mas não podia imaginar que meu país me honraria com uma medalha de tão alto nível. Agora meu povo me obrigou a continuar a representar nosso belo país da melhor maneira possível, e nada mais me resta a fazer".

\*

Duas semanas após essa honraria, foi a vez de Dubai.

Djokovic era tricampeão, e se conseguisse novamente defender o troféu, se tornaria o primeiro tenista a conseguir tal feito em duas décadas de história do torneio no deserto.

"Cada oportunidade de fazer história para mim é uma bênção", ele disse. "Quando isso acontece, a felicidade é indescritível. Parece-me que estou vivendo a melhor época da carreira, estou no topo, e por isso desejo vencer. O importante é sempre dar o meu máximo. O público em Dubai sabe disso, e os resultados mostram."

Os resultados continuaram mostrando mesmo.

Primeiro, derrotou o alemão Cedrik Marcel Stebe, e com o triunfo na segunda rodada contra Sergei Strahovsky conquistou sua 31ª. vitória consecutiva contra um jogador não ranqueado entre os primeiros cinquenta. A última vez que perdera para um tenista que não estava nesse seleto grupo fora em junho de 2010, no torneio de Queen's, para o então 74º. jogador do mundo, Xavier Malisse, da Bélgica.

Em seguida, jogou a quarta de final sérvia, contra Tipsarevic, e ganhou depois do seu melhor saque no *tiebreak* no segundo *set*.

Depois veio uma surpresa! Andy Murray o derrotou na semifinal, em dois *sets*: 6-2, 7 5.

Murray dominou todo o tempo, e chegou à sua 5ª. vitória em vinte encontros. Djokovic perdeu o primeiro *set* sem oferecer resistência, no segundo esteve em desvantagem de 5-2, e conseguiu empatar em 5-5. Mas parou aí.

Mais tarde, comentou sua primeira derrota em 2012: "Nesse tipo de piso, um *game* ou uma quebra pode mudar totalmente a partida. Esse foi o caso agora. Esperei a oportunidade, e ela chegou. Pena não tê-la aproveitado, e também não tive um bom saque. Andy, hoje, foi melhor".

A mesma situação logo repetiu em Indian Wells. Na verdade, o adversário foi diferente, mas a rodada foi a mesma, e também terminou com a derrota do melhor jogador do mundo.

Djokovic foi barrado na semifinal por John Isner. Nada indicava que isso podia acontecer.

Começou derrotando Andrey Golubev e Kevin Anderson por 2-0 em *sets*; com Pablo Andujar teve um pouco mais de trabalho quando perdeu o segundo *set* no *tiebreak*; em seguida derrotou Nicolas Almagro por 2-0; e, então, chegou a vez de Isner que aplicou vinte *aces*, o que ajudou muito na hora dos *tiebreaks* de Novak no primeiro e terceiro *sets*, e acabou ganhando os dois.

Como o dono da melhor devolução de serviço do mundo, Djokovic impunha a tática que normalmente usava contra os bons sacadores. Esperava um *game* mais fraco e o espaço para quebra. Mas, com o estadunidense, de 2,06 m de altura, isso não aconteceu.

Apesar da melhor porcentagem de pontos ganhos nos primeiro e segundo saques, a melhor relação dos *winners* com os erros não forçados, e, ainda, três vezes mais quebra de serviço, perdeu o duelo de maneira surpreendente.

"É muito frustrante quando você joga contra um tenista que coloca 70 % do primeiro saque e ainda com velocidade de 220 km/h. Você precisa ser muito paciente e consciente. Existiram algumas chances, mas não consegui. No terceiro *set*, por várias vezes tive vantagem de 30-0 e sérias oportunidades, mas ele apareceu com excelentes golpes, e foi assim. Devo apertar sua mão e parabenizá-lo pela vitória", disse Djokovic depois da partida.

Duas derrotas seguidas depois do triunfo em Melbourne foram suficientes para especulações. A forma do número 1 do mundo começava a fraquejar?

A pergunta não foi apresentada diretamente. A temporada do saibro e Wimbledon ainda seriam motivo de suspeitas, mas os "maus" resultados de Dubai e Indian Wells colocaram uma sombra sobre a sequência da temporada.

A afirmação de que a eficiência de Djokovic estava "caindo", claro, era correta, mas apenas parcialmente. Em ambos os casos chegou à semifinal, e seu tênis não perdeu a qualidade, mas explicações comuns não valem para ele, o primeiro tenista do mundo, que em 2011 irradiava a energia da pura invencibilidade.

Seus adversários passaram a esperar sua queda. Então, ele, com a conquista do título em Miami, mandou-lhes o recado de que continuava em forma e no auge.

Tudo voltou ao seu lugar. A movimentação pela quadra era perfeita, os fortes *forehands* com *spins* brilhantes, os saques ferozes e precisos, e a posição exata para *backhand* pela diagonal acertava tão fácil, que mais era impossível.

As primeiras três partidas, contra Baghdatis, Troicki e Gasquet, terminaram em 2-0. O segundo *set* das quartas de final contra Ferrer, e a semifinal contra Mônaco, foi muito difícil, mas Djokovic se recuperou. Ficava perto de fundo de quadra, pegava as bolas na subida, ditava o ritmo dos pontos e os terminava com *winners*.

Era um verdadeiro prazer assisti-lo jogando. Até o voleio que, como se sabe, não é o mais forte elemento do seu jogo, lhe servia muito bem. Somando tudo, sem um *set* perdido, foi à final, onde o esperava Murray.

O escocês passara muito menos tempo na quadra, porque Nadal, na semifinal, e Raonic, na terceira rodada, antes de começar, tinham entregado as partidas, mas nem isso foi tão importante. Parecia ainda não ter adotado os conselhos do seu novo treinador, de jogar mais agressivamente. E isto ficou evidente durante os cento e trinta e sete minutos da partida.

O tênis ofensivo não é uma zona segura para Andy Murray, mas, para Djokovic, esse estilo não apresentava nenhum problema. Murray era um novo Murray, mais forte, e, antes de tudo, mais relaxado, mas nem isso foi suficiente.

Djokovic ganhou o primeiro *set* por 6-1, e o segundo, por 7-6(4). Faturou a 8ª. vitória contra o grande amigo, e chegou ao seu 11º. título Masters, o 30º. troféu na carreira e o 3º. em Miami, o que antes dele somente Agassi e Sampras tinham conseguido.

"Quero agradecer a todos pelo apoio durante as últimas semanas. Gostaria de dedicar essa conquista ao meu avô Vlada, que todos esses anos tem me dado um grande apoio e energia positiva. Sempre sorridente e pronto para brincar, ele é o meu herói e guerreiro que nunca se entrega. E foi isso que me ensinou", Djokovic assim postou no Twitter.

*

Durante a estadia nos EUA, o programa *60 Minutes*, no ar desde 1968 e que a cada ano recebe apenas um esportista na ativa, transmitiu o documentário realizado no fim de 2011. A equipe da "CBS" acompanhou Djokovic pelo mundo, e algumas cenas foram filmadas também em Belgrado, com a primeira treinadora Jelena Gencic, e, claro, seu avô Vladimir. O programa chamou atenção e gerou muitos comentários positivos nos EUA.

Em conversa com o apresentador, Bob Simon, Djokovic falou sobre seu crescimento, a importância do título de Wimbledon e seu papel de herói e exemplo para os jovens na Sérvia. O sorriso agradável e a energia positiva não desapareceram nem quando falava sobre alguns dos mais difíceis momentos da sua vida: "A única coisa boa durante os bombardeios era que ia menos à escola, e sobrava mais tempo para jogar tênis. Estava com fome de sucessos. Eu sou o melhor exemplo de que nada é impossível. Quando era criança e dizia que meu maior desejo era me tornar o melhor tenista do mundo, a maioria das pessoas ria, pensando que eu não tinha nem 1 % de chance, mas, apesar de tudo, consegui!".

*

Enquanto se preparava a todo vapor para a temporada no saibro, a seleção da Sérvia, infelizmente, parecia perder as forças. As "águias" inesperadamente começaram a andar em marcha à ré, porque desde a conquista da prestigiada "saladeira" na Copa Davis no ano anterior, tinham perdido a semifinal para Argentina, e em 2012, na segunda rodada, para a República Tcheca.

Muitas vezes, até aquele momento, tinham escapado das situações incômodas, mas desta vez não conseguiram.

Apesar disso, as partidas em Praga ficaram na memória, em especial, por causa do comportamento antiesportivo de Radek Stepanek.

O que exatamente aconteceu na quadra, durante a transmissão da TV, não se viu bem, mas estava claro que a situação era tensa. Bogdan Obradovic comenta: "Ele nos provocava sem parar. No final, não quis cumprimentar Janko (para quem perdeu a partida). Seu comportamento merecia ser caracterizado como o mais vulgar, e foi isso o que lhe disse. As desculpas que pediu depois não valem, pelo menos não nesse nível do esporte. Aqui você não joga por conta própria, você joga para a sua equipe e seu país, e o que você faz na quadra influi na opinião de outras pessoas e de outras nações sobre o seu país".

Fosse como fosse, esse episódio da Copa Davis terminou ingloriamente para a Sérvia. As "águias" perderam por incontestáveis 1-4.

*

Djokovic ganhou mais uma honraria. O príncipe Albert de Mônaco concedeu-lhe a medalha de Vermilion, condecoração estabelecida em 1939, designada aos indivíduos que, por suas conquistas extraordinárias no esporte, ou pela contribuição à educação, ajudavam no desenvolvimento da cultura física e do esporte no principado.

Djokovic frequentemente falava como sempre é agradável sua mudança para Monte Carlo e do quanto gostava de participar desse torneio. Estreou em 2006, quando Federer o eliminou na primeira rodada. Participou nos anos seguintes, mas o título lhe escapava. O maior sucesso aconteceu em 2009, quando disputou a final contra Rafael Nadal, em relação a quem, naquela época, não podia nada no saibro. Não participou somente em 2011, mas estava presente durante o torneio. Seu amigo de Monte Carlo, Eric Chauvet, estava com ele na ocasião: "Ele estava sofrendo pelo desgaste, a tensa agenda do tênis, e também preocupado com o público que vinha a Mônaco especialmente por sua causa. Sabendo que muitas pessoas faziam um grande sacrifício, em razão da situação econômica, me pediu que lhes oferecesse comida e bebida quando viessem ao meu restaurante La Spiagia, e passava todos os dias para conhecê-los. Novak é um fenômeno, modesto e discreto. Atrás dessa 'máquina de tênis' está escondido um incrível ser humano. Evidente, isso se enxerga quando está na quadra, vê-se que é orgulhoso, e quem não o conhece pode pensar que é metido. Mas, na vida privada, ele é o oposto".

*

Em relação aos anos anteriores, a situação agora era diferente. Encontrou a maneira de enfrentar Nadal no saibro, estava entusiasmado após a vitória em Miami e, graças às mudanças na programação, ganhou uma semana de pausa, que aproveitou para se preparar.

Durante o primeiro duelo em que derrotou Andreas Seppi por 6-1, 6-4, já estava evidente que pretendia ganhar o título.

Na coletiva de imprensa depois da partida, quando este autor também falou com ele, Djokovic confirmou que se sentia bem: "Cheguei dos EUA quatro, cinco dias após Miami, e logo comecei os treinos. Tenho de estar pronto, não jogava no saibro desde Roland Garros do ano passado e, tendo isto em vista, joguei a partida de hoje satisfatoriamente. Acho que foi uma ótima abertura para o que vem pela frente".

O adversário seguinte, o ucraniano Aleksandr Dolgopolov, jogava bem nesse piso, primeiro, pelo seu saque, e também porque passava rapidamente da defesa para o ataque. A partida poderia ser tensa.

Mas de Belgrado chegaram notícias tristes. Durante o treino antes da partida, Djokovic recebeu a notícia de que seu avô Vladimir havia falecido. No mesmo momento, o treino foi interrompido, enquanto ele deixava a quadra com o rosto mergulhado na toalha.

Sua namorada Jelena, Marian Vajda, e o preparador físico Gebhard Fil Gric tentaram consolá-lo. Naquele momento, ele não sabia o que fazer. Voltar para Belgrado e ficar com sua família, ou permanecer no torneio e lutar pelo troféu? Então, seus dois irmãos mais novos se juntaram a ele, para lhe dar o apoio mais do que necessário: "Isso significa muito para mim, realmente muito. Significa também para eles, ficar comigo nesse momento tão triste, quando perdemos uma pessoa tão próxima que tinha um papel muito importante na nossa vida".

Djokovic tomou a difícil decisão: iria para a quadra. O profissional dentro dele vencera. Lutou, mas para todos ficou claro que seu espírito e seu coração estavam distantes da quadra. Venceu. Olhou para o céu e levantou as mãos.

Uma tempestade de emoções jorrou dele, não conseguia controlar as lágrimas e a tristeza o abateu. Deixou a quadra a passos apertados. Em vez da assinatura na câmera com a caneta de feltro, o que é tradição do vencedor nos torneios da ATP Tour, somente tocou suavemente a superfície de vidro.

A coletiva de imprensa foi cancelada. Djokovic se achava então diante de um grande teste. Esperava-o mais uma grande partida, contra Robin Haase. E o derrotou também, e categoricamente: 6-4, 6-2.

"Quando você recebe uma notícia dessas é um momento difícil, mas a vida continua. Eu me lembro do meu avô, e me prendo a ele pelas mais belas lembranças. Sei que ele ainda está aqui, em espírito, e que quer que eu continue jogando, então vou dar o meu melhor para continuar num bom ritmo."

Durante a semifinal contra Berdych, de novo conseguiu encontrar energia, apesar da desmotivação e da dor emocional, e faturou mais um triunfo. Era preciso homenagear seu avô. Derrotou um dos dez melhores jogadores numa situação em que não gostaria de jogar.

Mas cada pessoa tem seus limites. Para a luta final, contra Nadal, não lhe sobrou mais energia. Estava totalmente fora do seu ritmo, porque, confessou a si mesmo, "estava ausente". Raramente ganhava pontos no saque ou tomava a iniciativa, e oscilava muito na hora do *forehand*. Não mostrou quase nada do seu reconhecido repertório das partidas anteriores contra o espanhol. A estatística assim comprovou: teve 26 erros não forçados e somente 11 *winners*, enquanto Nadal conseguiu 16 *winners* e teve 10 erros não forçados. "Estava ali apenas para passar a bola pela rede. Nunca antes me encontrei numa situação assim", disse em seu depoimento. "Estou feliz por ter conseguido chegar à final. Ganhei três partidas depois de receber as más notícias. Evidente, não quero de maneira alguma diminuir a vitória de Rafa".

Sem filosofar muito, um dia tinha de chegar esse momento. Após sete vitórias consecutivas contra Rafa, foi parado. Mas, apesar da derrota, a vantagem na lista da ATP sobre a maior rival aumentou. E se tivesse de perder contra ele num lugar, melhor que tenha sido em Monte Carlo do que na final de Melbourne.

Para Rafa, essa vitória foi muito importante, aumentou sua motivação, tirou o grande peso da série das derrotas, e assim começou a recuperar a autoconfiança.

\*

No início de maio, novamente estavam juntos. Encontraram-se no Masters de Madri, onde pela primeira vez na história a competição foi disputada no saibro azul.

Diferente do vermelho, no qual, durante o deslizamento, pode-se parar e controlar o movimento, muitos tenistas reclamavam que o saibro azul era muito mais escorregadio, e que jogar nele é uma verdadeira tortura. O dono do torneio, o romeno Ion Tiriac, não compartilhava dessa opinião. Na verdade, confessou que era mais escorregadio, mas afirmou que no ano seguinte seria tão bom quanto o comum. Além disso, Tiriac ainda revelou que estava pensando em adotar mais uma novidade: as bolas fluorescentes, verdes ou laranjas, que seriam mais atrativas numa superfície azul!

"Para mim isto não é tênis", Djokovic foi categórico. "Vou sair com chuteiras, ou vou chamar Chuck Norris para me aconselhar como jogar nessa quadra. As pessoas que conduzem esse torneio fizeram o seu trabalho, elas representam seus interesses, não posso culpá-las. A culpa é daqueles que as liberaram para fazer isso, porque é um claro exemplo de como o sistema não funciona a favor dos tenistas. Os ganhadores não sei quem são, mas os maiores perdedores nesse torneio são os jogadores. O vencedor será aquele que não se machucar até o fim dessa semana".

O 1º. tenista do mundo terminou sua participação na semifinal. Foi derrotado por Janko Tipsarevic. Nadal foi eliminado uma rodada antes, e ambos mandaram o recado de que no ano seguinte não jogariam em Madri se a situação não mudasse.

Quem não reclamava tanto da terra azul era Roger Federer que, com a conquista do título em Madri igualara o recorde de Nadal, de vinte títulos nos torneios da série Masters 1000. Seu retorno à boa forma entusiasmou todos os apreciadores do esporte branco.

\*

Antes de Roland Garros restava apenas a competição em Roma, onde se poderia testar como estava a situação dentro da trirrivalidade Djokovic–Federer–Nadal. Como era de se esperar, todos os três deram o máximo.

Até a semifinal, Djokovic derrotou Tomic, Monaco e Tsonga, e perdeu, ao todo, somente um *set*. Na semifinal, encontrou-se com Federer.

A BIOGRAFIA DE NOVAK DJOKOVIC

Esse foi o 25º. duelo. O suíço tinha três vitórias a mais: 14-1, e até quando se encontraram pela última vez, na semifinal do Aberto dos EUA, ganhara sete torneios. Por outro lado, Djokovic, apesar dos bons resultados, de maneira alguma conseguia evitar as permanentes comparações com 2011. E, justamente por isso, os especialistas deram a Federer um leve favoritismo em Roma.

Djokovic jogou de modo agressivo todo o tempo, controlando seu espírito ofensivo, o que pôde ser visto em todos os pontos. Ficava perto de fundo de quadra e não corria atrás dos *winners* a qualquer custo, tinha um plano que, calmamente, colocava em prática, um passo de cada vez. Atacava o lado de *backhand* do rival sempre que aparecia a chance, com golpes diversos e ousados. Por isso, um bom número dos *backhands* de Roger Federer terminavam fora da quadra ou na rede. Após o *tiebreak* do segundo *set*, tudo terminou. Djokovic ganhou por 6-2, 7-6(4).

Tudo que demonstrou nessa partida, esteve também presente no final contra Nadal, só que, então, não foi o suficiente. O jogo de Nadal novamente lembrava o tempo quando foi chamado de o "rei do saibro".

As estatísticas disseram muito. Djokovic cometera 41 erros não forçados. Seu adversário, apenas metade disso. Sua devolução funcionou normalmente, mas não conseguiu dar o passo decisivo, obter a vantagem. Estava paciente, criava os pontos, esperava a oportunidade adequada para o ataque, mas errava.

Em relação às suas partidas anteriores no saibro, quando teve determinação e concentração para terminar o que havia iniciado, desta vez não arriscava o suficiente, e isso apareceu no resultado. Nadal chegava em todas, como de costume, devolvia as bolas impossíveis, fazendo Djokovic perder a paciência, principalmente no segundo *set*, quando desperdiçou seis chances de quebra. Se tivesse aproveitado pelo menos uma, talvez o jogo tivesse sido diferente. Assim, Rafa triunfou por 7-5, 6-3.

"Quando você joga contra Nadal no saibro, ele é sempre o favorito", disse Djokovic. "A partida de hoje foi bastante equilibrada, eu tive minhas chances, mas não as aproveitei. Ele não perdoa. Mas quando faço o balanço, estou satisfeito por ter passado à final e com muito otimismo vou para Roland Garros".

# BLAZA POPOVIC

\*

No fim de maio, tradicionalmente, os tenistas masculinos e femininos se reúnem em Paris no segundo Grand Slam da temporada. As perguntas sobre os concorrentes masculinos giravam em torno de três nomes: "A volta de Federer em boa forma significava que podia derrotar Djokovic ou Nadal?"; "Nadal podia chegar a sete títulos em Roland Garros, e assim derrubar o recorde de Bjorn Borg?"; "Djokovic podia conquistar o troféu que lhe faltava? Se sim, se tornaria o 3º. tenista na história dono de todos os quatro títulos dos maiores torneios, e o 1º. após Rod Laver, em 1969 (antes dele, Don Budge, em 1938)?".

Uma coisa era certa: quem triunfasse entraria para a história do tênis.

O tenista sérvio tornou-se, em Paris, o garoto propaganda de uma das mais prestigiosas marcas: Uniqlo, filial da Fast Retailing Co., o principal produtor de equipamentos esportivos no Japão e um gigante empresarial no nível global, cujos equipamentos eram usados pelos esportistas japoneses em diversas competições importantes.

O contrato com a companhia Sergio Tacchini, que Djokovic representava desde janeiro de 2010, estava cancelado, porque se confirmou que a empresa não tinha sido capaz de cobrir financeiramente todos os sucessos de 2011.

Com equipamento antigo ou novo, a participação em Roland Garros significava muito para Djokovic. Ali nunca havia chegado à final, nem no "dourado" 2011. Na penúltima rodada fora barrado por Federer, que interrompia assim sua sequência fantástica de vitórias.

Como acontecia com quase todos os grandes jogadores, muito já haviam perdido alguma coisa na carreira: Federer perdeu a Copa Davis e o ouro nas simples na Olimpíada de Londres para Andy Murray, Sampras e Connors em Roland Garros, e Lendl, em Wimbledon.

"Nole Slam", assim a mídia chamava a possibilidade de ver nas mãos do tenista sérvio todos os troféus de Grand Slams.

Ele fez questão de deixar bem claro: "Essa pompa não me incomoda. De certa forma, espero que essas coisas aconteçam. Que se fale, se especule sobre as várias possibilidades, é totalmente natural. Mas tenho experiência de muitos anos com as pessoas que acompanham tênis, com

A BIOGRAFIA DE NOVAK DJOKOVIC

a mídia, e sei como me posicionar. Minha estratégia não muda. Para esse torneio vale a mesma preparação de qualquer outro Grand Slam, e espero que, com a filosofia 'um passo de cada vez', eu chegue longe".

E chegou até o fim. As primeiras três rodadas, contra Potito Starace, Blaz Kavcic e Nicolas Devilder, mostraram que não havia motivo para preocupação. A partida da quarta rodada, contra Andreas Seppi, foi diferente, do tipo que os torcedores roem as unhas de nervosismo.

Djokovic estava perdendo por 2-0 em *sets*, não conseguia impor seu ritmo, teve oportunidades de quebra, mas não as aproveitou, estava exageradamente defensivo e cometia muitos erros. De repente, acordou; aquele seu estranho costume, como se sempre fosse necessário um drama no tênis.

Desse momento em diante foi impossível pará-lo. Já se jogava a quatro horas e dezessete minutos, o sol aparecia entre as nuvens pesadas acima do *Bois de Bologne* e o público gritava seu nome.

Um ótimo saque e uma boa devolução deram uma sensação de alívio a ele e aos seus torcedores. Triunfou "na marra", por 4-6, 6-7(5), 6-3, 7-5, 6-3.

Mas vitórias não se questionam.

Em seguida, surgiu mais um dos adversários perigosos, Jo-Wilfried Tsonga. Os torcedores, de novo, ficaram à beira de um ataque de nervos.

Quando Tsonga perdeu o primeiro *set* por 6-1, levantou-se a questão de em quanto tempo perderia a partida. Mas, quando ganhou o segundo e o terceiro *sets* com igual resultado, 7-5, foi levantada outra pergunta: Será que para Djokovic Roland Garros tinha terminado?

No fim do quarto *set*, Tsonga teve quatro bolas para fechar a partida, mas Djokovic se salvou espetacularmente, e no quinto *set* chegou à vitória:

"Parabéns a Tsonga pelo brilhante jogo", Djokovic declarou. "Sei que ele se alimenta da energia das arquibancadas, e por isso tentei impedi-lo. Confirmou-se que cometia erros não forçados nos maus momentos, mas, felizmente, eu também recebia energia do meu povo, de minha equipe e da família, da namorada e dos amigos que estavam aqui. Mentiria se dissesse que não ouvi os ruídos, o barulho e o apoio ao meu adversário. Por isso estou contente, porque fiquei calmo nos momentos em que salvei bolas que poderiam terminar a partida, por ter ficado agressivo e por não recuar. Estou muito feliz pela vitória".

Muitos representantes da mídia não escondiam o ceticismo. Se o melhor tenista do mundo tivera tantos problemas com Seppi e Tsonga, quais seriam suas chances contra Federer na semifinal?

Apesar disso, John McEnroe não duvidava: "É difícil prognosticar, nem Novak nem Roger jogavam o que sabem. Mas levando em conta o Aberto da Austrália, Novak foi incrível, mostrou mais coração que no ano anterior inteiro. Quase cinco horas de tênis contra Murray na semifinal, quase seis contra Nadal na rodada final... E agora isso com Tsonga... Se me perguntarem, ele é mentalmente mais forte do que Roger".

McEnroe tinha razão. O tenista sérvio foi à desforra contra o suíço pela derrota do ano anterior em Paris. Após pouco mais de duas horas venceu por 3-0, 6-4, 7-5, 6-3.

Sem drama, jogou sua melhor partida em Roland Garros. Conseguiu 34 pontos diretos e 7 quebras, e sua devolução de saque estava no mais alto nível. Foi paciente e taticamente impecável, atacava somente nas situações seguras, por isso faturou sua 12ª. vitória em 26 encontros com o grande rival.

Na final: Rafa e Djokovic. Pela quarta vez consecutiva em finais de Grand Slams. Na história do tênis foi escrito mais um recorde, apesar de a verdadeira escrita ainda estar para acontecer.

Seria "Nole Slam" ou "Rafa quebra recorde de Bjorn Borg"?

A maior vantagem do espanhol, obviamente, era que em Roland Garros se sentia em casa. Além disso, estava ainda mais motivado, porque aquele era o único troféu que Djokovic ainda não lhe tirara. A sequência das sete derrotas que sofreu dele, apesar da amizade, não podia ser facilmente esquecida.

Em Paris estava chovendo, e por causa disso a partida começou no domingo e terminou na segunda-feira.

A última vez que a final masculina havia sido transferida para segunda-feira aconteceu em 1973, quando Ilie Nastase venceu o mentor de Djokovic, Niki Pilic. O simbolismo era óbvio.

A BIOGRAFIA DE NOVAK DJOKOVIC

Uma pausa inesperada era a chance ideal para ouvir aqueles que entendem do esporte branco, em primeiro lugar, por causa das suas experiências. E todos concordaram que esse seria mais um episódio de uma brilhante rivalidade.

"É incrível assistir aos melhores tenistas, como obrigam um ao outro se tornarem melhores. O tênis masculino, definitivamente, está no mais alto nível possível", disse Steffi Graf, vencedora de 22 títulos de Grands Slams. Com ela concordou também o vencedor de Roland Garros por três vezes, Mats Wilander: "Esses dois fazem um ao outro algo nunca visto. Borg tornou McEnroe um jogador melhor, mas Borg se retirou. Federer fez a mesma coisa com Nadal, mas não recuou. Agora, temos Djokovic que simplesmente 'despedaça' Nadal, mas Nadal não desiste. Eles são jogadores especiais. Mentalmente, não são ameaça um para o outro, mas tática ou tecnicamente não conseguem lidar um contra o outro. Isso é muito interessante".

A primeira interrupção da partida foi a favor de Djokovic, mas a segunda foi melhor para Nadal. Apesar das pausas e do resultado da partida, o foco era para o espírito esportivo de ambos.

Os dois provaram que, mais do que a vitória, gostam de uma vitória justa. Durante o segundo *set*, Djokovic insistia que se reconhecesse o ponto para o seu rival que o juiz mandou repetir, e Rafael deu o troco no quarto *set*, confirmando que o saque foi "dentro" no momento em que Djokovic se preparava para o segundo serviço.

Por isso são os melhores do mundo.

No que diz respeito ao lado técnico-tático da partida, os golpes principais de Djokovic, o saque e os *backhands* cruzados não brilharam. Pelo menos nos dois primeiros *sets*, vencidos pelo espanhol. No primeiro *set*, Djokovic saiu em desvantagem e empatou em 3-3, e em seguida de novo perdeu o saque. Em desespero, virou-se para o seu camarote e gritou: "Preciso somente de um primeiro saque, somente um"!

Todos sabiam do que estava falando. Se os saques vencedores ou *aces* lhe servissem melhor, tudo seria diferente.

No terceiro *set* teve mais sorte e ganhou por 6-2.

Isso foi tudo. Um número baixo de variações dos golpes que o tornaram famoso, e um grande número de saques que terminavam por um fio fora da quadra, trouxeram para Nadal mais uma vitória: 6-4, 6-3, 2-6, 7-5.

"Rafa é um grande jogador", disse Djokovic. "Foi melhor, e para mim é uma grande honra ter jogado esta final. Foi divertido jogar, e espero que aconteça de novo no próximo ano. Tenho somente 25 anos, e acredito que haverá ainda muitas oportunidades de ganhar Roland Garros".

Nós também acreditamos, acreditamos no futuro, porque voltar atrás é ingrato e desnecessário.

Wimbledon estava por perto, logo depois da esquina. Era preciso encher os pulmões e continuar a temporada.

# 33. A ODISSEIA CONTINUA

O campeonato mundial não oficial de tênis, o torneio mais proeminente do mundo; a elite e o prestígio, a nobreza e a tradição, o champanhe e os morangos com chantili...

Tudo isso são os anúncios comuns para Wimbledon, onde, em 2012, a única novidade foi que o regulamento sobre a vestimenta tinha sido enviado para todos os membros do All England Club com detalhadas instruções e fotografias dos manequins masculinos e femininos.

De maneira alguma: capuzes, *jeans*, chinelos, *tops* sem alças e camisetas que não cobrissem a barriga. Elegância é: paletós, camisas, gravatas, calças e sapatos tradicionais.

"Esperase que as damas sigam um padrão semelhante da vestimenta, e os meninos menores de onze anos não precisam vestir paletós e gravatas", mas "os padrões da vestimenta serão rigorosamente cumpridos", assim indicava o folheto.

Em relação aos tenistas masculinos e femininos, tudo comum: traje branco.

A única coisa ainda indefinida eram os nomes dos novos campeões.

Novak Djokovic e Petra Kvitova eram os campeões atuais, e uma plêiade inteira de rivais masculinos e femininos pretendia tomar seus lugares. Enquanto do lado feminino não se podia prever quem levantaria a taça, do masculino tudo girava em torno do famoso quarteto: Federer, Nadal, Murray e Djokovic.

O público local, evidentemente, torcia para Murray. Federer, nos últimos tempos, não conseguia resultados notáveis. Desde o título de Melbourne em 2010, disputara somente uma final de Grand Slam, em Roland Garros, no ano anterior. Mas Roger era Roger, o mestre e o campeão. Depois do triunfo em Paris, Nadal chegou com grande e recuperada autoconfiança, mas Wimbledon é um piso de grama e não de saibro. E Djokovic... Dele esperavase que derrotasse todos e também esse trio, por que era o 1º. do mundo, e em suas costas foi colocada uma grande pressão.

Quando, na segunda rodada, o 100º. jogador do mundo, Lukas Rosol, eliminou Nadal – o que era uma surpresa inconcebível –, todos os outros prognósticos se tornaram furados.

A velha regra mais uma vez era confirmada. Nos Grand Slams tudo realmente é possível!

As chances de Djokovic disputar a final do torneio eram mais do que reais. Sua autoconfiança estava elevada, e pela internet dividiu suas impressões com os fãs:

"Então, chegou a hora. Vou jogar minha primeira partida na quadra central! O que distingue Wimbledon dos outros torneios, e o que gosto muito, é a longa tradição e as regras que se respeitam. Pela primeira vez em algum torneio, por antecipação, sei quando vou jogar a primeira partida. Sem dúvida jogo às 13h. E, ainda mais, meu adversário e eu seremos os primeiros a jogar numa grama ideal, na qual ninguém jogou no ano passado! Como o atual campeão, hoje tive também a coletiva de imprensa. É sempre no domingo, às 12h. Isto é também parte da tradição. Os jornalistas queriam saber como me sinto antes do torneio e após Roland Garros. Fui bem sincero: Sintome ótimo! Estou feliz por estar novamente aqui. Não lamento nada, nem tenho dúvidas sobre mim. Gosto do meu trabalho e estou ansioso pela volta ao meu conhecido 'escritório'. Espero que tenha sucesso no meu primeiro dia."

Mas no primeiro dia o primeiro obstáculo: Juan Carlos Ferrero, que já foi o número 1 do mundo. Até então tinham se enfrentado somente por duas vezes: 2005, em Umag, e dois anos depois, em Madri. Ferrero venceu na Croácia, enquanto Djokovic na Espanha.

Djokovic venceu também aqui, e não apenas Ferrero, mas também todos os outros adversários até a semifinal e, com exceção de Radek Stepanek, que ganhou o primeiro *set*, derrotou todos por 30.

Na semifinal, de novo Federer. É uma predestinação? Pelo menos assim parece.

Era o 27º. duelo deles, ou 28o com a Copa Davis de 2006, quando o suíço ganhou. Sua vantagem, no início enorme, com o tempo diminuiu até 1412, e Djokovic ganhou seis das últimas sete partidas que jogavam.

É quase inacreditável que essa semifinal tenha sido o 1º. duelo entre eles em Wimbledon, e também primeiro no piso de grama.

Ambos os tenistas estavam muito motivados. Mas Federer ainda mais. Se vencesse, interromperia o domínio de Djokovic e de Nadal nos torneios de Grand Slam, e teria a chance de conquistar o 7º. troféu em Londres! Impressionante, realmente, mas se conquistasse Wimbledon, faria algo ainda mais importante: voltaria ao trono do tênis, depois de dois anos.

Para Djokovic a classificação para a semifinal era o suficiente para manter a 1ª. posição, com a condição de que Roger não ganhasse o título.

Será que o 1º. tenista do mundo pode aguentar as rajadas do homem da Basileia? – este era o dilema!

Depois de quatros *sets* disputados, o homem da Basileia passou para a final de Wimbledon, quando jogaria contra Andy Murray, o primeiro finalista britânico desde 1938.

Federer foi paciente, como nos seus melhores dias, e consciente do peso da tarefa, que resolveu como um campeão.

Quando se olha a estatística, fica evidente que Djokovic perdeu por causa do maior número dos erros não forçados: tinha 21, contra somente 10 do seu rival. Quando seu brilhante *backhand* era mais necessário, ele parou, principalmente no início do quarto *set*, quando Federer obteve uma quebra. E ainda, como um mau agouro, o *backhand* de Federer funcionou muito bem. Foi estável, firme e frequentemente focado, e, acima de tudo isso, tinha quase a mesma porcentagem de pontos após o primeiro e o segundo saques (75 % e 72 %).

"Não consegui jogar como tinha planejado", explicou Djokovic. "Por dois dias me preparei, e estava focado na vitória e em mais uma semifinal. Infelizmente, não foi o meu dia. Não joguei agressivamente nos momentos mais importantes, joguei morno, tive uma porcentagem ruim no primeiro saque, e nessas condições é difícil pegar o ritmo e controlar a partida".

Os jornalistas continuaram: "O Aberto da Austrália foi muito penoso para você, no saibro teve altos e baixos. Será que chegou à saturação? Como essa derrota se refletirá em sua motivação?

"Cada ano é diferente", respondeu. "Evidentemente, seria muito difícil repetir o sucesso de 2011. Não posso esperar o primeiro lugar em todos os torneios, apesar de este ser meu objetivo sempre e minha ambição. Todos jogam tênis, todos treinam por horas, e quando se joga no nível profissional, você tem de estar no auge da forma para que possa vencer. Derrotei Federer nas últimas três partidas em torneios de Grand Slam, agora ele me derrotou. Estou decepcionado, mas sigo em frente".

A derrota na semifinal, obviamente, era dolorosa, mas será que a dor seria maior do que a perda da posição de número 1?

Sobre isso nada poderia fazer. Se Federer conquistasse o torneio, a substituição de número 1 estaria garantida.

Assim foi. Murray sofreu a quarta derrota em finais de Grand Slam, e Federer igualou o recorde de Pete Sampras em número de conquistas de Wimbledon e o ultrapassou em número de semanas de permanência no 1º. lugar na lista da ATP.

Não é por acaso que por tanto tempo se tenha escrito e falado que se trata de um jogador que é de classe – literalmente –, cuja presença no palco do tênis tem uma importância imensurável. Ele não era o primeiro, intocável, e Djokovic e Nadal confirmaram isso em várias ocasiões, mas seu jogo sempre era tão bom que nem um nem outro poderiam relaxar. Para eles, isto seria um luxo.

Na verdade, sua vantagem na lista da ATP era mínima, somente 75 pontos, mas o ás sérvio teria a chance de voltar para o 1º. lugar só depois do torneio olímpico nas quadras de All England Club. Ficou no topo do *ranking* da ATP por fantásticas 53 semanas, o que lhe dava esperança de lá chegar novamente, e voltar a ser o número 1.

A BIOGRAFIA DE NOVAK DJOKOVIC

\*

A Trigésima Olimpíada de Verão aconteceria na capital do Reino Unido, de 27 de julho a 12 de agosto, e Londres se tornou a única cidade que por três vezes foi a anfitriã dos Jogos (primeira vez, 1908; segunda, 1948).

Dos jogos participaram 10.500 esportistas de 204 países, competindo em 36 esportes e 302 modalidades.

A abertura da festa teve a apresentação da performance intitulada *A ilha dos milagres*, que mostrou a rica história do Reino Unido, passando pela revolução industrial, e também social, guerras, literatura, filme, cultura popular, música etc.

De acordo com o protocolo, houve o desfile das delegações nacionais, e o time sérvio levava como portabandeira Novak Djokovic: "Estou muito feliz por ter recebido tão grande honra", disse ele, com orgulho. "Carregar a bandeira é uma experiência da qual vou me lembrar para sempre, aproveitei cada momento. Estou satisfeito por estarmos todos juntos aqui, somos uma equipe, e espero que festejemos muito."

Esperavase que os esportistas sérvios conquistassem bons resultados, até brilhantes. Nos esportes de equipe, tinham maiores chances o polo aquático, o voleibol masculino e o feminino, e nos esportes individuais o nadador Milorad Cavic, e, claro, Djokovic.

Foi um privilégio para todos estar na Olimpíada, e todos foram preparados para dar o seu máximo. Mas, em seguida, as coisas começaram a ficar complicadas.

Dos favoritos, apenas os atletas do polo aquático justificaram a confiança; ganharam bronze, enquanto a verdadeira e mais positiva surpresa representaram os "favoritos na sombra", os que praticam esportes menos populares. Andrija Zlatic trouxe mais um bronze, no tiro, Ivana Maskimovic, a prata, também no tiro, e a jovem dama Milica Mandic virou a heroína conquistando ouro no *taekwondo*.

As quatro medalhas conquistadas não foram um mau resultado (mesmo desempenho havia sido alcançado em Atenas, 1996), mas as esperanças eram maiores, e não apenas dos torcedores, mas também dos que tinham deixado escapar a chance de subir no pódio.

Entre eles encontravase também Djokovic. Mas tudo prometia o contrário. De todo coração, queria trazer a medalha para a Sérvia. Até então, quase não tinha havido uma coletiva de imprensa em que não declarasse que a Olimpíada era uma das suas prioridades.

Algumas turbulências no seu jogo, contra o italiano Fabio Fognini, puderam ser notadas logo no início. No *tiebreak* do primeiro *set*, com o resultado 77, a partida foi interrompida por causa da chuva, e quando o jogo foi reiniciado, Fognini ganhou o *set*. Com um pouco de dificuldade, Djokovic voltou ao jogo e conquistou a esperada vitória: 67(7), 62, 62. A segunda rodada, contra Andy Roddick, terminou em apenas cinquenta e quatro minutos, o que poucos esperavam.

A dança do tênis de Djokovic anunciava a medalha. Acertou 14 *aces* e 34 *winners*, e perdeu apenas 14 pontos nos seus *games*. Era uma partida perfeita em todos os sentidos.

"O ouro significaria muito para mim porque jogo para o meu país", ele disse depois da vitória. "Todos temos orgulho das camisas e trajes esportivos que carregam o nome da Sérvia, vamos nos esforçar para justificar isso, para levar à nação aos sucessos e encantar os torcedores".

O adversário seguinte era Lleyton Hewitt. Que essa partida tivesse a mesma qualidade daquela contra Roddick era difícil, mas também era improvável esperar que Hewitt, exatamente naquele momento, jogaria o seu melhor tênis dos últimos anos. Antes de tudo, sacava magnificamente, 15 pontos no primeiro saque. Ganhou o primeiro *set* por 64, e começou o segundo muito agressivo.

Djokovic se encontrou diante de um grande teste. Era preciso mostrar a virtude pela qual os campeões se diferenciam dos demais, porque, ainda quando não brilham, eles vencem. Assim, tão logo pararam os ataques de Hewitt, ganhou o segundo *set* por 75, o terceiro foi rotineiro: 61.

Depois da partida, Djokovic se dirigiu aos jornalistas: "Não se pode repetir a apresentação do dia anterior, apesar de sempre tentar passar para o jogo real a tática imaginada, como contra Roddick. Mas isso não é possível, porque os fatores do jogo são diferentes e também depende muito do adversário. O importante é que você entenda onde está errando e que isso aconteça no momento exato, como eu fiz contra Hewitt".

Tendo em vista que Djokovic, logo no início, teve de derrotar dois jogadores que já haviam ocupado a liderança da lista da ATP, podese dizer que o sorteio olímpico não lhe foi nem um pouco favorável.

A partida das quartas de final trouxe a "dupla chance": no caso de passar à semifinal, ou ainda que a perdesse, podia lutar pelo bronze, no mínimo.

Obviamente, uma pessoa e um jogador do seu calibre tinha também outros planos. Queria subir no mais alto degrau do pódio olímpico. E, para começar, era preciso derrotar JoWilfried Tsonga.

"Quais são as suas chances de medalha?", perguntaram-lhe. "Se vocês jogassem nesse nível, entenderiam por que é ingrato falar sobre este tema. Estou me esforçando para não pensar sobre isso, pode perturbar minha concentração. As duas últimas partidas joguei contra exnúmeros 1, agora jogo contra Tsonga, que tem extrema qualidade, principalmente na grama, e sempre derrotava Federer. Tenho de pensar sobre cada partida, preparar a tática para cada adversário".

Antes da partida, o francês disse que precisava ganhar por causa da França, mas o sérvio não permitiu, por causa da Sérvia!

Que tudo seria fácil ninguém esperava, mas foi exatamente assim. Com quatro saques seguidos e indefensáveis no último *game*, Djokovic triunfou por 61, 75.

"Joguei de forma excelente", disse. "E espero continuar no mesmo ritmo. Estou consciente de que na próxima rodada tenho de jogar o melhor que sei, pois tratase de Murray, que aqui joga fenomenalmente bem, e assim foi há uma semana na final de Wimbledon. Contra Tsonga não foi nem um pouco fácil, embora possa não parecer assim quando se olha o resultado. As partidas que estou jogando contra os maiores rivais nos maiores torneios me motivam ainda mais e fico mais concentrado".

Com a exceção de um pequeno número dos torcedores, o estádio inteiro gritava: "Tsonga! Tsonga!", mas os britânicos tinham de aceitar que o Murray deles enfrentaria o jogador que menos desejava.

A cooperação de Andy Murray com Ivan Lendl fez com que não sentisse mais nenhum incômodo, pouco importando quem estava no outro lado da rede. Foi uma pena ter demonstrado isso justamente nessa ocasião.

Nos momentos importantes Andy foi mais decisivo, e triunfou por 75, 75. No primeiro e no segundo *sets*, sob pressão, Djokovic teve o saque quebrado no 12º. *game*, embora tivesse boas chances de decidir a partida em seu favor.

Ambos mostraram incrível persistência e firmeza. Murray jogou de modo excelente, talvez melhor do que nunca, e esta foi a única maneira de combater o adversário, com quem começou a carreira, mas que avançou e ficou muito à frente.

Quando a partida chegava ao fim, foram disputados pontos cada vez mais bonitos, de ambos os lados. Correria e esforço pela quadra aumentaram as superfícies sem grama depois do último Wimbledon, mas é preciso dizer que essas irregularidades também criaram problemas, e foram o motivo de alguns erros.

Pontos fáceis, em todo caso, não existiam, e venceu o jogador que tinha o público do seu lado. O tenista sérvio não podia ser criticado. Esforçarase da mesma maneira como no Aberto da Austrália, na partida anterior contra Andy. Naquela ocasião, conseguiu vencer depois de cinco longos *sets*, mas quem passou para a final da Olimpíada foi seu adversário, de quem é amigo e trava batalhas no tênis por um período maior que a metade da sua vida.

Claramente desapontado, Djokovic deixou a quadra, com a aparência de que estava afundando em um barco sem ter à vista nenhum socorro. Mas, vejam como respondeu quando perguntado se alguma coisa podia consolálo depois da derrota contra o tenista britânico: "Sim, definitivamente. A medalha de bronze. Mas, primeiro, tenho de organizar meus pensamentos, encontrar mais energia positiva. Motivação não falta. Vou fazer tudo para repetir o sucesso de quatro anos atrás".

A oportunidade de lutar por esse mesmo prêmio foi conquistado também pelo argentino Juan Martin Del Potro, que participava de sua primeira Olimpíada.

Djokovic já tinha a experiência de Pequim, o que lhe dava certa vantagem. Graças à vitória contra James Blake, conquistara o bronze, mas, dessa vez, em Londres, saiu de mãos vazias.

Del Potro foi melhor – 76, 64 –, e a partida, a verdadeira prova de que na "época dourada do tênis" os detalhes decidem. Djokovic jogou muito bem, sacava com precisão, movimentavase de uma ótima maneira e errava pouco, mas não conseguiu aproveitar nenhuma chance de quebra de serviço. Do outro lado, das também seis chances, Del Potro aproveitou duas, e foi o suficiente. Venceu, e merecidamente ganhou o bronze.

Entre os torcedores sérvios pairou o silêncio. Se isso acontecesse com qualquer outro esportista nacional, talvez o choque fosse menor. Mas Djokovic? Todos já o viam com a medalha no peito...

O que aconteceu exatamente? O vazio nos seus olhos falava mais do que qualquer palavra. Estava decepcionado e triste, segurando as lágrimas com dificuldade: "Tentei, me esforcei, mas simplesmente não deu. Essa é uma das mais duras derrotas na minha carreira".

Bogdan Obradovic dá sua opinião: "Na minha opinião, não houve a energia necessária para uma medalha. Por outro lado, depois de Wimbledon, as quadras não foram consertadas, em alguns lugares não havia grama, nos vestiários, com frequência, não havia sabão ou até água, o setor de massagem tinha somente três massagistas, o restaurante começava a funcionar por volta do meiodia, e terminava o expediente por volta das 17h. Nas quadras de treino, obrigavam os jogadores a vestir o traje totalmente branco, e não existia reserva da quadra. Além disso, nas partidas, no meio do público, havia bebês, e acontecia de, na hora dos pontos cruciais, ouvir choros, e os juízes não faziam nada. De certa forma, tudo funcionava mais ou menos, como se não fosse um torneio olímpico, mas alguma competição do interior".

Tênis era a modalidade na qual a Sérvia esperava ganhar pelo menos um prêmio. Mas, das oito chances nas simples, duplas e duplas mistas não foi aproveitada nenhuma. Alguns tiveram um sorteio difícil, outros estavam em má forma, e alguns simplesmente não conseguiram. Para piorar ainda mais, em Londres quase não havia o apoio da torcida sérvia.

"Faltava a força do ânimo das arquibancadas, que pode ajudar muito. Por isso foi uma grande ideia que Vlade Divac e nosso então goleiro do polo aquático, Nikola Kuljaca tenham vindo para apoiar Novak depois da derrota contra Del Potro", disse Obradovic. "Para ele era muito difícil naquele momento, estava totalmente quebrado, e a conversa com eles o ajudou muito. Após a visita deles, de certa forma ficou um pouco aliviado, mas a derrota na Olimpíada de Londres nunca conseguiu superar. Depois disso, quando vencia alguma partida e quando o parabenizavam, ele dizia que ainda teria mais uma chance, no Rio, em 2016."

*

O fogo olímpico se apagou, e Djokovic partiu rumo ao Canadá, para defender o título.

Enquanto isso, os especialistas analisaram a situação entre os melhores do tênis masculino. A relação de forças dentro do grande quarteto estava mudada. Nadal, por causa de lesões nos joelhos, perdeu a Olimpíada, e estava confirmado que não se recuperaria para nenhum torneio no continente norteamericano. Murray, com o ingresso na final de Wimbledon e a medalha de ouro olímpica, "entrou no coração" dos seus compatriotas, que não resmungavam mais: "o eterno quarto". Agora uma nova energia irradiava dele. Federer, com o retorno à 1ª. posição e a conquista de Wimbledon, mostrou que muitos dos problemas associados a ele não somente não tinham qualquer fundamento, mas eram também ridículos. "Será que ele pode, como um veterano, lutar contra as jovens gerações?" Claro que podia, por mais alguns anos, com certeza, se quisesse, pois ele é o melhor exemplo que o talento nunca envelhece. E Djokovic... Então, para começar, uma coisa era certa: enquanto durou sua sequência vitoriosa, todos o colocavam no céu. Depois, a situação começou a mudar, e apareceram aqueles, não poucos, que começaram a descartá-lo.

Raramente alguém fazia prognósticos de longo prazo, porque, quando tentava não havia acertos. O que dizer sobre Djokovic? Que o lutador parou de lutar? A diferença em relação ao "dourado 2011" era notável, sim, mas seu jogo não estava ruim, nem faltou motivação. Isso, no final das contas, ele comprovou em Toronto, onde conseguiu fortalecer sua autoconfiança depois das muitas decepções do período anterior.

É preciso ressaltar que os participantes do Aberto do Canadá não estavam à altura da importância do torneio. A situação era parecia com Roma, em 2008, quando na final Djokovic derrotou Stanislas Wawrinka, mas somente depois de um passeio pelo caminho onde não

A BIOGRAFIA DE NOVAK DJOKOVIC

havia nenhum adversário do grupo dos vinte melhores. O "culpado" pela ausência de alguns jogadores ou pelas partidas mais fracas eram, sem dúvida, os jogos Olímpicos, que ocuparam uma agenda já lotada.

Nadal não jogou por causa de lesão. Federer não apareceu em razão do cansaço, e Murray desistiu antes do início da terceira rodada. Se não tivesse de defender o título, talvez Djokovic não tivesse participado, mas as condições o obrigaram a enfrentar a si mesmo. Era preciso algo com que devolver a sacudida autoconfiança. Era necessária uma vitória. Ela tornaria as semanas anteriores menos importantes, e o tiraria da letargia.

Bogdan Obradovic diz: "Novak sempre se recuperava rápido. Incrivelmente rápido. Assim era também quando moleque. Apesar do cansaço, num piscar de olhos voltava como uma nova pessoa. Recuperado. Vêse que está cansado, esgotado, mas para ele isso é totalmente aceitável. Sem drama, sem aflição. Nesse sentido, Deus lhe deu as qualidades para ser um guerreiro do tênis. Acontecem coisas ruins, mas ele engole. Feremno, ele sangra. Mas todo o tempo está aqui. Supera a crise e vai em frente. Ele tem a predisposição genética de um competidor. Acontece, claro, de ser derrotado, mas ergue rápido a cabeça. Honestamente dá a mão para o adversário e continua, graças ao seu espírito e otimismo".

Depois da conquista do torneio em Miami, em março, disputara três finais sem êxito, Monte Carlo, Roma e Roland Garros, e duas semifinais, Wimbledon e Jogos Olímpicos. Em outras palavras, tinha mais falhas do que sucessos, o que obviamente afetou sua positividade.

Alguns chegaram a ir longe, dizendo que seus olhos não brilhavam mais com a mesma intensidade, que já não desfrutava o tênis, o que evidentemente não era verdade, mas nem precisava ser explicado. E isto foi mais bem comprovado em Toronto.

Primeiro, com um brilhante *slalom* no tênis, passou pela primeira rodada contra Bernard Tomic, mas a chuva, que não parava, dificultou o calendário da competição, até o ponto de alguns terem de jogar até duas partidas no mesmo dia, com somente algumas horas de intervalo.

Assim, a partida contra Sam Querrey foi interrompida, sob forte chuva, com a vantagem de 10 em *sets,* a quebra de vantagem no segundo, e 3030 no saque de Djokovic. Quando, na continuação venceu rapidamente, como previsto, teve apenas algumas horas de repouso antes da partida contra Tommy Haas.

O alemão também tinha feito "hora extra", ambos estavam cansados, e a umidade, insuportável. Talvez esses tenham sido os motivos de Djokovic. Ainda no primeiro *game*, teve uma breve discussão com um torcedor: "Qual é o seu problema, cara? Será que está aqui apenas para provocar?", ele perguntou. A resposta do torcedor e o motivo por ter provocado essa reação, extremamente atípica para o campeão sérvio, as câmeras não registraram, mas era evidente que o público estava ao lado do jogador, pois aplaudiu sua reação.

Quando se analisa a atuação de Djokovic antes do encontro com Haas, em primeiro lugar aquela depois desse jogo, fica claro que foi sua pior partida no torneio. O saque não funcionou, os ataques foram menos decisivos, e o alemão de 34 anos foi o único no torneio que lhe arrancou um *set*. Dava para perceber também pela reação de Djokovic após a vitória, quando caiu de joelhos e gritou: "Vamos!", e depois sacudiu fortemente a câmera que o acompanhava durante a comemoração.

Aquela era a terceira rodada do "Masters", e tal felicidade era atípica. Mas a válvula de escape, obviamente, era necessária.

Depois, foi disputada a "semifinal sérvia": Djokovic contra Tipsarevic. O resultado deixou a impressão de que tudo foi tranquilo. Djokovic festejou: 64, 61.

Mas a partida foi muito complicada. Antes de tudo, Janko sempre obriga seus adversários a tirar o máximo de si. Por esse motivo, a troca de golpes de fundo de quadra não tinha um ritmo extremamente forte, o que trouxe um grande número de erros não forçados para ambos. A partida foi interrompida duas vezes, por causa da chuva; logo no início e no meio do primeiro *set*.

"Estávamos ambos nervosos, tentamos achar o verdadeiro ritmo... A situação na quadra podia se revelar de modo diferente, principalmente após a pausa", confessou Djokovic. O que era evidente e o que o levou à final, foi seu foco. Sempre que era preciso ganhar o ponto importante, conseguia.

Assim foi também na final, contra Richard Gasquet. Djokovic se movimentava perfeitamente, estava transbordando autoconfiança, desde o primeiro minuto orientado ao ataque e todo o tempo foi muito preciso, especialmente quando golpeava correndo. Quando estava nessa condição, raramente alguém podia enfrentálo, ainda mais no piso de cimento. Gasquet não teve chance, perdeu por 63, 62.

\*

Esse era o 12º. título de Djokovic nos torneios Masters 1000, o 3º. da Copa Rogers (juntamente com Agassi e Lendl, tornouse o 3º. tenista da "era aberta" com, no mínimo, três títulos nessa competição), mas a 1ª. em Toronto, porque havia conquistado os dois anteriores, 2007 e 2011, quando era disputada em Montreal.

O número três de novo era simbólico. Djokovic conquistava seu 3º. troféu em 2012.

"As últimas semanas foram difíceis, faltoume a sensação da conquista de um título", Djokovic deu seu depoimento após a vitória. "Sinto um grande vazio no coração por causa da chance perdida de ganhar uma medalha olímpica. Isso me atingiu de forma muito forte, mais forte do que a derrota em Wimbledon. Sonhei com isso por muito tempo, e sei quanta felicidade traria para o meu povo. Mas nunca fiquei na dúvida se jogaria em Toronto. Quis vir. As derrotas despertaram em mim o desejo ainda maior de vir e dar meu máximo. O esporte me ensinou a ser forte na vitória, e mais ainda na derrota. Isso é agora parte do meu caráter. Obrigado a todos que acreditaram em mim."

\*

Já havia três semanas que Djokovic estava de volta às quadras. Aliás, encontravase entre os raros cinco primeiros jogadores que ainda estavam competindo. Após os jogos Olímpicos e o torneio do Canadá, ele viajou para Cincinnati.

Isto não significa que não houvesse dúvidas se devem pular algum torneio antes de o Aberto dos EUA.

"Pensei sobre isso, mas percebi que me sinto bem, principalmente depois de Toronto. Apesar da chuva ter atrapalhado e de ter tido de lutar contra mim mesmo em alguns dias, decidi continuar", disse Djokovic na coletiva de imprensa antes do torneio, confessando que às vezes as rápidas transferências do continente europeu para o norte-americano eram um fardo: "Se não tenho em mente as coordenadas do tempo e da geografia do lugar onde me encontro, acontece de eu acordar e me perguntar em qual fuso horário estou. Isso vale para todos. Por isso trabalho com a minha equipe tudo que está em meu poder para permanecer em boa forma, e nesse torneio vou tentar chegar o mais longe possível".

Além do talento indiscutível e do trabalho duro, exatamente esta habilidade de se adaptar é o que caracteriza os melhores tenistas do mundo. Tudo está em jogo, tudo é importante, desde a aptidão física e a preparação mental para ir à quadra até o que acontece fora da quadra.

Djokovic tinha percebido isso muito cedo, e não acreditava que existe fortaleza que não possa ser conquistada. Mas Cincinnati, ano após ano, era exatamente isso, uma fortaleza inexpugnável.

Djokovic vinha atuando continuamente desde 2005. Por três vezes chegou à final, mas perdeu todas: 2008, 2009 e 2011. Juntamente com os torneios de Monte Carlo e Xangai, na coleção dos títulos Masters 1000 faltava também Cincinnati.

E valeu a pena tentar de novo. Seu primeiro adversário foi Andreas Seppi. Djokovic o derrotara em todas as oito partidas que jogaram antes. Mas, tendo em vista que no último Roland Garros o italiano mostrara uma resistência que prolongou a partida a cinco custosos *sets*, história semelhante podia se repetir também agora.

Como normalmente acontece, o início do duelo foi equilibrado, mas, quando foi preciso, Djokovic brilhou. No *tiebreak* do primeiro *set* ganhou por 76(4).

Desse momento em diante seus tormentos acabaram. Obteve duas quebras no segundo *set*, no terceiro e quinto *games*, e depois de noventa minutos do jogo, venceu.

O jogo seguinte seria contra Nikolay Davydenko, mas este entregou a partida por causa de uma lesão no ombro. Então, Djokovic teve oportunidade de descansar e se preparar melhor para os duelos contra Marin Cilic e Juan Martin Del Potro.

Na partida contra o croata não precisou se esforçar muito, aumentando a vantagem no retrospecto entre eles para 70. O argentino, que mais tarde diria não ter podido se arriscar muito por causa de uma lesão

A BIOGRAFIA DE NOVAK DJOKOVIC

no pulso, não esteve nem perto do que tinha mostrado por ocasião da conquista do bronze em Londres. Aliás, nem teve como. Djokovic foi agressivo, seguro no saque, e preciso na elaboração dos pontos, impondo o ritmo que o agradava, desmoralizando assim o argentino.

A final de Cincinnati apareceu diante de Djokovic pela quarta vez. Seu adversário era Federer, que nesse torneio por quatro vezes tinha erguido o troféu de vencedor.

De novo algum simbolismo?

Esse foi o duelo entre o 1º. e o 2º. jogador do mundo, esperava-se muito de ambos, mas que Federer iria impor uma das mais duras derrotas a Djokovic, e ainda ganhar o primeiro *set* por 60, realmente ninguém podia imaginar.

Na primeira parte da partida foi muito difícil reconhecer o sérvio. Tudo que podia dar errado, deu. A movimentação pela quadra, em todos os sentidos, foi ruim, o saque não funcionava de maneira alguma, os *winners* derrapavam, os erros se acumulavam, um atrás do outro, então não foi de se espantar que Roger tenha ganhado o primeiro *set* com tanta facilidade.

Durante a carreira profissional de vários anos de Djokovic, apenas outros dois tenistas tinham conseguido vencer dessa maneira um *set*: Mardy Fish, na segunda rodada de Indian Wells, em 2010, e Gael Monfils, na primeira rodada do Aberto dos EUA, em 2005.

Mas, se desses duelos Djokovic saiu vencedor, desta vez, não conseguiu. No segundo *set*, seu saque se consolidou, mas não conseguiu a vantagem e chegaram ao *tiebreak*, no qual o suíço foi melhor, conquistando o 6º. troféu em 2012 e o 76º na carreira.

"O primeiro *set* joguei realmente muito mal", Djokovic deu seu depoimento mais tarde. "Durou apenas vinte minutos, isso fala tudo. Tentei me acalmar e consegui, na segunda parte da partida, mas perdi algumas chances importantes, e isso foi decisivo. Não tenho do que me lamentar, sinto-me bem. Era a final, e ambos queríamos a vitória. Mas essas últimas quatro semanas me esgotaram mentalmente. Vou aproveitar esta semana agora para descansar, preciso disso nesse momento."

Era sua 16ª. derrota nos duelos contra Roger.

*

Para Roger Federer, Cincinnati era a oportunidade de fazer um estoque de pontos antes do fim da temporada, mas o esperavam também as defesas dos troféus de Basileia, Paris e Londres, o que, juntos, somariam 3 mil pontos.

Diferentemente dele, Djokovic tinha de defender o título do Aberto dos EUA, e depois teria de defender somente 570 pontos.

Entravase numa situação melhor. A breve pausa que se seguiu foi apenas uma bonança antes da tempestade.

Além de ser considerado o mais divertido e mais barulhento Grand Slam (e não poderia ser diferente, pois é disputado na cidade que nunca dorme), o Aberto dos EUA é o torneio no qual os tenistas masculinos e femininos gostam de colocar o ponto final na carreira.

Campeões como Sampras (2002) e Agassi (2006) haviam promovido despedidas emocionantes em Nova York. Kim Clijsters avisou que se retiraria do tênis em 2012 (terminou sua participação na primeira semana do torneio), e, para surpresa de todos, Andy Roddick, aos 30 anos e em plena forma, decidiu se "aposentar" diante do público nacional.

No sorteio, obviamente, ressaltavase a ausência de Rafael Nadal, com algumas complicações a mais nos joelhos e, portanto, colocavase um grande ponto de interrogação sobre o futuro de sua carreira. No lugar dele, procuravam a chance de brilhar o recuperado Del Potro, o forte Tsonga, o inspirado Isner, e, claro, o resto do grande quarteto: Federer, Murray e Djokovic.

Durante os últimos anos nas quadras ao redor do mundo, eles superaram uns os outros, magistralmente, como se espera de campeões. Viradas, surpresas, altos e baixos os acompanharam em cada duelo. Uma camada de felicidade, outra de tristeza, e assim por diante, conforme a característica principal da "era dourada" do tênis: quando se pensa que se chegou a uma conclusão e que alguém confirmou sem domínio, em um dos próximos torneios acabase criando um novo enredo.

Federer enfileirava os sucessos na sua época dourada; no peito de Murray ainda brilhava a medalha de ouro; enquanto Djokovic, no seu piso predileto, precisava defender o título. Como no ano anterior, chegou com resultados idênticos os torneios precedentes ao Aberto dos EUA: a derrota na final de Cincinnati e o troféu da vitória na Copa Rogers, no Canadá.

Agora, a situação era diferente. Sua superioridade em 2011, quando foi o invencível rei do tênis, encontravase em nítido contraste com a perda da medalha olímpica, e somente três títulos defendidos do total de dez. Além disso, tinha perdido também a 1ª. posição no *ranking* da ATP.

A mídia logo começou a murmurar sobre problemas particulares, apesar de não haver indicação deles. E, se existissem, a vida privada não é assunto público. Em todo caso, pelo retrospecto recente, não era cotado como favorito em Nova York.

Uma das raras pessoas que pensavam ao contrário era John McEnroe, por quatro vezes o vencedor do Aberto dos EUA: "Minha escolha é Djokovic, embora seja difícil escolher um dos três garotos extraordinários".

\*

"A imprensa esportiva afirmou que teve o sorteio ideal, isso é verdade?", perguntaram a Djokovic antes do torneio.

"Para ser sincero, não existe sorteio perfeito. Você não pode influenciar, é uma questão de sorte. Ali estão 128 tenistas muitíssimo motivados, dispostos a dar seu máximo. Antes, eu tinha bons e maus sorteios, mas não calculo, nem gosto de adivinhar nada. Tento me concentrar no meu jogo. Isto é a coisa mais importante."

Quando começou a competição, a diferença qualitativa entre os 128 tenistas era mais do que evidente.

Djokovic derrotou, seguidamente, por 30, seus rivais das primeiras três rodadas: Paolo Lorenzi, Rogério Dutra Silva e Julien Benneteau, e também aqueles dos quais se esperava muito mais. Aliás, Stanislas Wawrinka entregou a partida no momento em que perdia por 20 em *sets* e 31 em *games*; e, para surpresa geral, Del Potro também perdeu por 30, um dos que se esperava muita resistência.

Em vez do argentino, a chance de ganhar pelo menos um *set* contra o sérvio foi aproveitado por David Ferrer, que em meia hora chegou a 52 e tinha a bola do *set*. Exatamente nesse momento, os organizadores decidiram interromper a partida em razão do vento forte, que já soprava havia algum tempo e começava a se transformar em um verdadeiro tornado.

Quando Djokovic entrou novamente em quadra, no dia seguinte, não era o mesmo homem. As condições sob o vento não tinham sido boas para ele, e, sim, para Ferrer. O tempo havia ficado estável, e logo chegou a confirmação de quem era o melhor.

O espanhol ganhou o primeiro *set*, mas no prosseguimento do duelo, o 2º tenista do mundo o superou com convincentes 61, 64, 62, e passou para a 9ª. final de Grand Slam.

"David é grande competidor e tenho muito respeito por ele", Djokovic comentou. "Ele é um dos jogadores fisicamente mais preparados no circuito, nunca se entrega, e foi um prazer jogar contra ele. Sinto um grande alívio pela vitória."

O adversário na final era personagem do mesmo "filme": quarteto dos magníficos.

Fedex (como Roger Federer ficou conhecido por suas rápidas vitórias), perdeu para Thomas Berdych, nas quartas de final, que depois tentou derrubar Andy Murray, mas sem êxito, porque o escocês se adaptou melhor ao vento e conseguiu chegar à final.

Andy contra Djokovic, no 15º. encontro, o 2º. na final de um Grand Slam, e o 5º. em 2012. Neste ano, o resultado estava empatado: 22, e, no total, Djokovic foi melhor por oito vezes, e tinha também mais sucesso na carreira e mais experiência na disputa de grandes partidas. Mas, na cooperação com Ivan Lendl, Andy avançava a todo vapor para alcançálo.

A desistência em Toronto e uma rápida derrota em Cincinnati não afetaram sua autoconfiança. Pelo contrário. Agora passava a impressão de um jogador muito mais maduro, que mal esperava as partidas mais complicadas. E as tinha. Basta ver seu caminho à final, nem um pouco fácil: Alex Bogomolov, Ivan Dodig, Feliciano Lopez, Milos Raonic, Marin Cilic e Thomas Berdych.

Djokovic tinha consciência de todas as virtudes e defeitos do seu amigo e adversário: "Agora está muito mais orientado para o ataque. Não sei se isso tem algo a ver com Lendl, mas esse segmento do seu jogo definitivamente melhorou. Além disso, quando entra em quadra é mais agressivo também psicologicamente. Essa era a única coisa que lhe faltava, porque Andy é um dos mais completos jogadores do mundo.

Nos últimos anos tem estado no topo, e tenho certeza de que amanhã estará muito motivado. Mas eu também estarei".

"O jogo de vocês é o segundo entre Sérvia e Escócia nesse fim de semana", observou um dos jornalistas, pensando no jogo de futebol das eliminatórias para a Copa do Mundo de Futebol no Brasil.

"Sei, 00. Assistimos juntos", acrescentou Djokovic sorrindo. "Enquanto esperávamos a partida da semifinal de Andy, pegamos o *laptop* e assistimos ao jogo completo. Tentávamos ficar calmos, mas por dentro torcíamos muito para as nossas seleções."

Mas, diferente do futebol, no tênis não existem partidas sem vencedor. Murray logo chegou a uma grande vantagem. Ganhava de 20 em *sets*, e se esforçou muito. O primeiro *set* durou uma hora e meia, no segundo, tinha a enorme vantagem de 40, que gradativamente perdeu e chegou a 55. "Se tivesse aproveitado as chances no primeiro *set*, ou se tivesse virado totalmente o segundo *set*, as coisas seriam diferentes", comentou Djokovic mais tarde.

A forte troca dos golpes de fundo de quadra, que parecia nunca acabar, foi a particularidade básica desse encontro, e ambos tinham de lutar contra o vento forte.

"Não foi nada fácil. Em vários momentos fiquei frustrado porque ventava de todas as direções. Tudo isso, com certeza, influenciou no ritmo da partida. Ambos usávamos muitos *slices*, porque era bastante difícil controlar os golpes. Em alguns momentos, a bola somente caía e não sabíamos o que fazer. Também foi desgastante fisicamente, porque gastávamos muito mais energia. Mas não foi o vento que decidiu o vencedor. As condições foram as mesmas para nós dois", explicou Djokovic.

Se nos primeiros dois *sets* Djokovic não conseguiu a virada total, o terceiro e o quarto foram completamente outra história. Começou a jogar muito melhor, no seu estilo reconhecido de campeão, e estava claro que não tinha intenção de largar o troféu tão fácil. De repente, acordou, incentivou as saídas para a rede e melhorou a movimentação. Murray não tinha resposta para a mudança repentina, seu jogo era neutralizado, e a vantagem que tinha começou a diminuir.

A decisão veio no quinto *set*. "O início do *set* decisivo foi crucial, ou, a quebra que fez Murray", concluiu o tenista sérvio. "Em várias ocasiões fez devoluções maravilhosas, e tinha sorte com a chance de quebra de serviço. Já no *game* em seguida tive oportunidade de devolver a quebra, mas não aproveitei, o que ele puniu com mais uma quebra. Realmente, é difícil virar o *set* no qual você, por duas vezes, perdeu seu saque. Cheguei a 32, ele sacou de modo fenomenal, e o *game* em seguida também fez a quebra, chegou à vantagem de 52 e levou a partida à final no modo rotineiro. Minha queda de concentração me custou muito caro."

Depois de quase cinco horas de jogo, o "conto de fadas nova-iorquino" de Andy Murray se tornou realidade. Venceu por 76(10), 75, 26, 36, 62, e chegou ao seu 1º. troféu de Grand Slam, tornandose o primeiro britânico a conquistar o Aberto dos EUA, desde o remoto ano de 1936 e de Fred Perry. O "eterno 4º." finalmente provou que não é somente um bom esportista, mas também um dos que merecem estar entre os favoritos em cada torneio.

Djokovic não escondia sua tristeza, mas felicitou calorosamente o vencedor: "Cada derrota é ruim. Estou decepcionado, mas no fundo sei que fiz tudo o que estava em meu poder. Estou satisfeito e orgulhoso porque lutei até o fim, não desisti. Murray é um grande jogador, e essa deve ser sua grande satisfação. Estou feliz que tenha conseguido".

"O que você precisa agora para superar essa derrota?", foi a última pergunta dos jornalistas.

"O que eu preciso? Preciso de alguns dias de descanso do tênis", Djokovic respondeu.

*

Então, a raquete foi deixada de lado. Por pouco tempo. Até o fim do ano havia ainda muitos torneios e pontos, mas a pausa era necessária. Na verdade, no caso de Djokovic, isso nunca significa repouso total.

Sua fundação, estabelecida em 2007, dedicase a crianças e jovens e à solução dos seus problemas, principalmente na Sérvia. Existem muitos problemas, mas sobressaem-se subnutrição, falta de escolas, doenças e perdas familiares.

Num jantar beneficente em Nova York, que Jelena Ristic, namorada de Djokovic, há meses vinha preparando, foram arrecadados 1,4 milhão de dólares que seriam convertidos em ajuda às crianças e jovens de sua terra natal. Ambos eram também os anfitriões desse nobre evento. Na ocasião, Djokovic ressaltou o mais importante: "Pela primeira vez estamos fazendo um evento deste tipo fora da Sérvia. Os fundos que estamos angariando vão para a fundação, cujo trabalho me deixa satisfeito. Apesar de já existir há cinco anos, agora sua atuação foca o apoio à educação das crianças, primeiramente na Sérvia. Com esses eventos, chamamos a atenção do público aos problemas que todas as sociedades enfrentam. Agradeço a todos que participaram e ofereceram seu apoio!".

Do leilão de vários objetos e preciosidades participaram várias pessoas famosas do mundo do esporte, da moda, dos negócios, do entretenimento, filantropos e outras personalidades dos EUA. A maior e mais interessante disputa se deu para a partida particular contra Djokovic, o concerto e encontro com Madonna, o dispendioso relógio *Audemars Piguet* (do mais que famoso John McEnroe, o que elevou seu valor) e a partida de golfe contra Andy Garcia.

"O que desejamos é ajudar conscientizar sobre a educação pré-escolar e a qualidade do ensino", ressaltou Djokovic.

O evento foi realizado em cooperação com a Unicef, e como convidado especial, o australiano de origem sérvia, palestrante motivacional, Nick Vujicic, que sofre da Síndrome Tetraamelia, uma doença genética em razão da qual nasceu sem braços nem pernas. Vujicic viveu uma vida de dificuldades e provações ao longo de sua infância, mas, enfim, conseguiu superá-las, e passou a ministrar palestras, nas quais enfatiza a esperança e o sentido da vida, mostrando que sempre existe esperança em um futuro melhor. Seu depoimento emocionante provou mais uma vez que as pessoas, apesar das dificuldades, podem derrotar todos os desafios e obstáculos, apoiando umas às outras e acreditando no amanhã.

A nobreza dessa ação fez com que a corrida pelos pontos da ATP parecesse uma coisa secundária. A crença nos sonhos, na dedicação, no compromisso e na vontade de dar oportunidade exatamente para aqueles que têm a coragem de sonhar são mais valiosos do que qualquer sucesso esportivo. Quando criança, Djokovic quis se tornar o melhor do mundo, nas difíceis condições de um país que vivia em crise desde que se conhecia por gente, e muito antes disso, quando não tinha tradição de tênis, nem quadras para o esporte branco. Ainda assim, ele nunca desistiu.

Tinha dois sonhos: ganhar Wimbledon e se tornar o melhor tenista do mundo. Realizou ambos! E, em razão de tudo que conquistou com sua filosofia de "um passo de cada vez", tem o direito de não somente se orgulhar, mas também de crer no futuro. Se quiser fazer algo, ele fará. E uma das tarefas à qual se dedica com grande entusiasmo é ajudar aqueles que precisam de apoio. Isto se chama benevolência. Sincera, não para chamar a atenção da mídia.

Perdendo ou ganhando, o enigma chamado Novak Djokovic estará presente por muito mais tempo no firmamento do tênis. E ficará sem solução, a menos que seja visto de outro ângulo, mais humano e menos do tênis. As inúmeras conjecturas do analistas, mais ou menos especializados, não podem fazer uma imagem completa. É compreensível. Não conseguiram explicar sua superioridade em 2011, nem prever seu caminho.

O fato de que ele nunca parou de jogar tênis de altíssimo nível e todas as constatações de que 2012 foi pior do que os anos anteriores não se confirmaram. 2012 foi somente um pouco mais pálido se comparado ao "dourado" 2011. Só isso.

Todos os seus maiores rivais tiveram momentos em que foram obrigados a enfrentar a perda do 1º. lugar. Não tão distante de Djokovic, Rafa parecia imbatível, e antes dele, Roger. Quando se olha tudo isso de uma perspectiva mais ampla, que supera a lista da ATP, esses três meninos, na verdade, ajudaram um ao outro a enfrentar a realidade. Cada um provou ao outro que é possível a realização do sonho de uma vida, mas que cada um deles é, antes de tudo, "apenas" um ser humano, que reconhece o preço do sucesso e sabe lidar com ele.

Djokovic, num momento que não se repete, realizou todos os seus sonhos. Agora era preciso passar para o próximo nível: manterse no topo. E permanecer no tênis escrevendo sua história pressupunha mudanças na abordagem e algumas novas estratégias, que é uma corrida que não se ganha num ritmo furioso.

Enquanto torcedores e especialistas teorizam, dizendo que o que vai ajudálo é a volta para a seleção, ou que a mudança no jogo chegou com a do equipamento esportivo, é claro que a linha ascendente da sua carreira depende somente, e exclusivamente, dele. Ele é um dos melhores tenistas do mundo, um proeminente líder da "era dourada do esporte branco", na qual apenas os detalhes decidem o vencedor. É um herói nacional, e não somente porque representa com orgulho seu país, mas porque, aos olhos do público mundial, mudou a imagem do seu país, da sua pátria e de seu povo.

Antes de tudo, ele é uma pessoa de qualidade, com talento, e na sua idade, não existe razão para se duvidar do seu futuro. Ele vai permanecer motivado, estável, trabalhador e pronto para se alegrar e alegrar as pessoas ao seu redor. Sempre foi assim. Os fracassos não o superaram, nem jamais será sua determinação enfrentá-los, pois continuará forte como foi até agora. Se for persistente, se continuar a tentar, conseguirá. Ele não veio a este mundo para ser derrotado. Nas suas veias não corre fracasso, e isto ele provou várias vezes.

Djokovic criou uma carreira na qual não existe nenhuma mancha, e a maneira pela qual chegou ao sucesso definitivamente ampliou as fronteiras do esporte, para melhor. Às vezes você vence, às vezes não. Mas sempre se esforça. Se errar, você tenta de novo, se cair, é preciso se levantar! Esta é a virtude, límpida como um cristal, de um campeão, de um campeão como é Novak Djokovic. Ele não tem medo da tempestade. Ele sabe como manobrar o navio.

Que seja feliz a sua viagem!

# NOVAK DJOKOVIC – NOLE

Sou aluna orgulhosa da escola
Stankovic Bora, pela qual amor tinha

Estudar nela só galã cabe
O que é Djokovic Novak, isso se sabe!

O homem número um desse mundão
Verídico sérvio e do tênis dragão

Gostam dele pais e mães também
Avôs, crianças e avós além

Todas as pessoas com amor o acompanham
E numa voz só gritam: Ganha, Ganha!

Minha escola ele frequentou
E agora campeão do tênis virou.

Por isso, crianças da minha escola
Esforcem-se, desejem a glória que Nole tem

Pessoas simples com grande anseio
Sabem que estudar é o único meio

Sonham os sonhos, sonham a fantasia
Quando virá a hora da sua alegria.

Este poema foi escrito por Jelena Bojic, aluna da terceira série do primeiro grau da escola primária Bora Stankovic, na qual, na época, estudava também Novak Djokovic.

# LINHA DO TEMPO

22 Maio 1987 — Nasceu em Belgrado, capital da Sérvia.

1991 — Na montanha Kopaonik, passou grande parte da sua juventude, pela primeira vez segurou uma raquete. Logo tornou-se aluno de Jelena Gencic.

Set. 1994 — Juntou-se ao clube de tênis Partizan.

1999 — Jelena Gencic decidiu recomendá-lo ao famoso Niki Pilic, que dirigia a academia de tênis em Munique. Após o término dos bombardeios da OTAN, os pais de Djokovic o mandaram para a Alemanha. A vida no trecho Munique–Belgrado se tornou seu cotidiano.

18-22 Set. 2000 — Pela primeira vez participou de um torneio ITF, na cidade sérvia Pancevo, como um *lucky loser* na categoria até 18 anos. Conseguiu chegar às quartas de final.

29 Jan. 2001 — Participou do torneio Pequenos *Aces* (categoria até 14 anos) na cidade francesa Tarbes, o campeonato mundial extraoficial para juniores. Na terceira rodada foi derrotado por Andy Murray.

2 Abr. 2001 — No torneio na cidade italiana Mesina (da segunda categoria da ETA), triunfou nas simples e também nas duplas.

21 Maio 2001 — Triunfou no torneio ETA da primeira categoria (até 14 anos) na cidade italiana Livorno.

2 Jul. 2001 — No campeonato europeu, em Taragoni, com a seleção júnior da Sérvia, conquistou a medalha de ouro na competição por equipes para os competidores até 14 anos.

23 Jul. 2001 — 1º lugar na lista do ranking dos juniores. No 26º campeonato europeu para menores de 14 anos, em San Remo, conquistou o título nas simples e também nas duplas (em parceria com Bojan Bozovic). A mídia, lentamente, começou a notar sua presença.

7 Abr. 2002 — Conquistou o torneio em Anderlecht, na categoria até 16 anos. No caminho ao título perdeu somente um *set*, na final contra o espanhol Pablo Andujar.

17 Jun. 2002 — Conquistou o título na Estreia de Cadetes, na cidadezinha francesa La Baule, num torneio prestigiado em que participam os mais talentosos meninos e meninas de até 16 anos de idade. Roddick, Federer, Nadal são alguns dos nomes que conquistaram o torneio.

24 Jun. 2002 — Venceu no torneio na França, em Le Pontet, onde participaram os dezesseis melhores juniores. Ao mesmo tempo, disputam-se também as partidas de exibições entre as lendas do tênis, motivo do nome do torneio A Ponte das Gerações, que hoje figura como um dos 10 mais importantes na Europa.

22 Set. 2002 – Triunfou no torneio ITF em Pancevo, na categoria até 18 anos. Derrotava os jogadores que eram até três anos mais velhos do que ele.

8 Dez. 2002 – Conquistou a Copa Prince, em Miami, derrotando o norte-americano Steven Bas por 6-2, 6-1.

2 Mar. 2003 – No torneio de Nuremberg, chegou à final, mas por causa de uma lesão do músculo abdominal que o atrapalhava na hora do saque, entregou a partida depois da vantagem de 1-0 em *sets*.

4-6 Abr. 2003 – Apareceu na extensa lista dos jogadores da seleção sérvia para a Copa Davis, contra a Costa de Marfim.

8 Jun. 2003 – Participou do seu primeiro Grand Slam júnior em Roland Garros. Passou duas rodadas das qualificações e entrou para os dezesseis melhores, quando foi parado pelo espanhol Daniel Jimeno-Traver.

29 Jun. 2003 – Conquistou o primeiro Futuro na sua cidade natal e faturou os primeiros pontos na lista da ATP – exatos 12. Logo seu nome apareceu pela primeira vez na lista da ATP. Ocupava o 767º lugar.

6 Ago. 2003 – Juntamente com os amigos da seleção júnior participou do campeonato europeu (na categoria até 16 anos), na cidade francesa Le Tuque, sob a liderança do técnico Joval Lilic. Seu aproveitamento foi de 100% em todas as seis partidas que jogou, e foi nomeado o melhor tenista da Europa na categoria até 16 anos.
Nesse período, Bogdad Obradovic, treinador e posteriormente técnico da seleção da Copa Davis, decidiu ajudar a família Djokovic na procura dos patrocinadores que pudessem apoiar o futuro desenvolvimento da carreira de Djokovic. Após sérias negociações em Belgrado, a famosa dupla de empresários, Dirk Hordorff e Alon Kaksuri, assinou o contrato com a família Djokovic.

30 Ago. 2003 – Participou do Aberto dos EUA, seu segundo Grand Slam júnior. Saiu logo na primeira rodada, perdendo para o australiano de origem holandesa, dois anos mais velho, Robert Smeets.

21 Set. 2003 – Na Copa Davis júnior, na Alemanha, derrotou com determinação todos os adversários, perdendo somente um *set*, e nas duplas, com seu contemporâneo Slavko Bjelica, também triunfou convincentemente.

30 Jan. 2004 – Após as preparações em Melbournte com Dejan Petrovic, chegou à semifinal do Grand Slam júnior do Aberto da Austrália, onde foi parado pelo francês Joslin Oama.

2 Fev. 2004 – Graças ao *wild card*, participou do seu primeiro "desafio" em Belgrado, que se encerrou na primeira rodada. Derrotou-o o tenista suíço, seis anos mais velho, Marco Chiudinelli, por 2-0 em *sets*.

9-11 Abr. 2004 – Pela primeira vez participou com o time nacional na Copa Davis contra a Letônia. Sua partida não tinha importância competitiva, porque a Sérvia já tinha o resultado vitorioso de 3-1, mas, de qualquer maneira, foi decisivo contra Janis Skroderis. Naquela ocasião, pela primeira vez jogou com Dejan Petrovic.

8 Maio 2004 – Conquistou o *Future* na cidade húngara Szolnok, sem nenhum problema, perdendo apenas um *set*.

22 Maio 2004 – Conquistou o primeiro *Challenger* em Budapeste. Depois dessa vitória, avançou mais de 200 posições na lista da ATP, e chegou ao 368º lugar.

A BIOGRAFIA DE NOVAK DJOKOVIC

19 Jul. 2004 — Deixou os *Futures* para trás, e começou a atacar os *Challengers*. Participou do seu primeiro torneio ATP Tour 250. Escolheu Umag, cidade costeira da Croácia, para a qual recebeu o *wild card* do diretor do torneio, Slavko Razberger. Depois dos jogos decisivos nas primeiras três rodadas das qualificações, na primeira rodada da chave principal foi barrado pelo italiano Filipo Volandri, então 56º na lista da ATP.

3 Ago. 2004 — Participou do campeonato europeu júnior em Verona. Esse foi seu último torneio júnior na carreira, e, de todas as partidas que jogou, saiu como vencedor.

15 Ago. 2004 — Jogou seu último *Future* na cidade sérvia Cacak, e triunfou na simples e também nas duplas. Nas duplas jogou em dupla com seu futuro treinador Dejan Petrovic.

13 Set. 2004 — Participou em Bucareste do torneio da Série ATP Tour 250 e chegou à segunda rodada, quando foi parado por David Ferrer.
Dejan Petrovic decidiu abandonar a carreira de tenista ativo e se tornar treinador *full time* de Djokovic. O time também recebeu Milos Jelisavcic no cargo de fisioterapeuta.

7 Nov. 2004 — Conquistou o *Challenger* na cidade alemã Achen, que se tornou o primeiro grande sucesso da parceria com Djokovic-Petrovic. Djokovic era o 242º jogador do mundo, e depois do sucesso das três rodadas das qualificações, nas partidas seguintes derrotou tenistas muito mais bem colocados do que ele.

17 Jan. 2005 — Qualificou-se pela primeira vez na chave principal do Aberto da Austrália. Perdeu na primeira rodada para Marat Safin, por 6-0, 6-2, 6-1, mas, para a comunidade do tênis, ficou bem claro que ele, com apenas 17 anos de idade, era a imagem de um futuro grande tenista.

4 Mar. 2005 — Na disputa da Copa Davis contra o Zimbábue, jogou sua primeira partida com importância competitiva. Abriu o duelo da seleção e venceu por 6-4, 6-0, 6-4.

18 Abr. 2005 — No *Challenger,* em Monza, chegou às quartas de final, mas perdeu para Nicolas Devilder. Esse torneio não foi importante por causa do resultado, e, sim, porque o mago do tênis, Riccardo Piatti, interessou-se por Djokovic.

15 Maio 2005 — Conquistou o *Challenger* em San Remo de modo fácil e decisivo.

23 Maio 2005 — No Aberto da França, depois de três rodadas das qualificações, entrou na chave principal. Na primeira rodada derrotou convincentemente Robby Ginepri (6-0, 6-0, 6-3), na segunda, mostrou alta resistência contra Guillermo Coria, mas entregou a partida por causa de uma lesão.

20 Jun. 2005 — O primeiro Wimbledon. Passou pelas três rodadas das qualificações, e depois da vitória contra Wesley Moody, entrou na lista dos 100 melhores tenistas do mundo. Na chave principal, chegou à terceira rodada. Depois do torneio, Dejan Petrovic, o treinador, foi substituído por Riccardo Piatti. Durante as preparações para a miniturnê norte-americana, Djokovic passou algum tempo em Monte Carlo, a cidade que nos anos que se seguiram assumiria o papel de Belgrado.

28 Ago. 2005 — Estava atormentado pelos problemas da visão e começou a usar lentes de contato, mas também tinha problemas com a respiração. Apesar de tudo, participou do Aberto dos EUA. Na terceira rodada, perdeu para Fernando Verdasco. Graças ao seu ranking, era o primeiro Grand Slam que começou na chave principal.

3 Nov. 2005 — Como o 85º jogador do mundo, participou do Masters em Paris, passou com sucesso as qualificações e chegou até a terceira rodada da chave principal, quando perdeu para Tommy Robredo. Esse foi o maior sucesso nos torneios da ATP da série Masters 1000.
Em seguida, operou o nariz, depois de se constatar desvio de septo.

4 Fev. 2006 — Chegou à semifinal do torneio de Zagreb, onde pela primeira vez jogou contra Ivan Ljubicic, que também era protegido de Riccardo Piatti. Apesar de perder a partida, essa foi a primeira vez que chegou à semifinal no ATP Tour, seu primeiro melhor resultado.

10-12 Fev. 2006 — Juntou-se à seleção na primeira rodada da Copa Davis contra Israel. Na época, era o 70º da lista ATP, e na partida da quarta rodada, contra Dudi Sela, garantiu a vitória para a Sérvia.

24 Fev. 2006 — No torneio em Roterdã, de modo totalmente inesperado, perdeu as quartas de final para Radek Stepanek.

7-9 Abr. 2006 — Participou da segunda rodada da Copa Davis contra os britânicos, e da mesma maneira como contra Israel, na quarta rodada conseguiu a vitória para o seu time.

17 Abr. 2006 — Passou pelas duas rodadas das qualificações no Masters 1000 em Monte Carlo, do qual participou pela primeira vez. Na primeira rodada foi derrotado Roger Federer. Esse foi o primeiro encontro deles.

6 Maio 2006 — Após ser eliminado na segunda rodada do torneio de Roma, Djokovic decidiu substituir o treinador. Riccardo Paitti, que trabalhava com Ivan Ljubicic, porém, Djokovic precisava de um treinador que estivesse à disposição sempre e o acompanhasse para todos os lugares que fosse.

28 Maio 2006 — Chegou a Roland Garros como 63º jogador do mundo, e passou para sua primeira quartas de final em um Grand Slam. O adversário era o atual campeão, Rafael Nadal. Foi o primeiro duelo deles, e o início de uma das mais conhecidas rivalidades no tênis contemporâneo (que faz parte da assim chamada *trirrivalidade* – Federer, Nadal e Djokovic).
No início do terceiro *set*, Djokovic entregou a partida em razão de dores nas costas, mas ganhou 250 pontos na lista da ATP e entrou na lista para os 40 melhores jogadores do mundo.
Em Paris aconteceu algo importante para sua carreira. Conheceu Marian Vajda, que se tornaria seu treinador *full time* e com quem conquistaria os melhores resultados, inclusive os mais espetaculares durante 2011.

26 Jun. 2006 — Wimbledon, o primeiro torneio no qual chegou com Vajda. Jogou de forma esplêndida, chegou às oitavas de final, e depois de cinco *sets* perdeu para Mario Ancic.

23 Jul. 2006 — No Aberto de Holanda, no torneio em Amersfort, Djokovic conquistou seu primeiro título ATP, e ainda sem um *set* perdido.
Entrou, devagar, na lista dos primeiros 20 do mundo, como o mais jovem jogador na era moderna a conquistar essa posição.

8 Out. 2006 — Conquistou a segunda taça da ATP, em Metz Mec, e chegou ao 16º lugar, na frente de tenistas como Murray, Hewitt e Ferrer.

7 Jan. 2007 — Subiu no pódio de Adelaide. Foi dominante e forte, a tal ponto que, no caminho ao título, perdeu apenas um *set*, na final, contra Chris Guccione, da Austrália. Com a conquista desse título, entrou na lista dos somente dois adolescentes que conquistaram o torneio ATP na semana inicial da temporada.

## A BIOGRAFIA DE NOVAK DJOKOVIC

24 Fev. 2007 – Graças à vitória contra o 7º tenista do mundo, Tommy Robredo, chegou à semifinal de Roterdã. Ganhou o primeiro *set*, mas Mikhail Youzhny venceu, por 3-6, 7-6(7), 7-5.

18 Mar. 2007 – Conquistou o título de Miami, e pela primeira vez derrotou Rafael Nadal. Aos 19 anos e 6 meses, tornou-se o mais jovem campeão na história do torneio prestigiado, o 2º tenista a conquistar o título sem um *set* perdido, e o 5º que, como adolescente, ganhou o torneio da série Masters. Além disso, automaticamente subiu para o 7º lugar na lista da ATP, e com letras douradas escreveu seu nome na história do esporte do seu país. Tornou-se o melhor tenista sérvio de todos os tempos.

6 Maio 2007 – No torneio de Estoril, após a final contra Richard Gasquet, ergueu a 3ª taça desde o início da temporada. Tornou-se o 5º jogador do mundo.

9 Jul. 2007 – Chegou à semifinal de Roland Garros, seu primeiro Grand Slam. Jogou contra Nadal e, tendo em vista a idade de ambos, foi a 3ª mais jovem semifinal na história de Roland Garros na Era Aberta.
Nadal triunfou, mas Djokovic entendeu que podia chegar longe, e jogar de igual para igual contra qualquer jogador.

7 Jul. 2007 – Chegou a Wimbledon como o 5º jogador do mundo. Salvo a primeira partida, na qual derrotou Starace, as próximas rodadas foram muito duras, principalmente as quartas de final, contra Baghdatis, na qual somente depois de cinco horas passou para a semifinal. Lá o esperava Nadal, e a 3ª mais jovem semifinal de Wimbledon na era aberta.
Djokovic entregou a partida por causa de calos, que quase o impediram de andar pela quadra.
O fim da participação em Wimbledon 2007 foi também o fim da cooperação com Marco Vudford.

12 Ago. 2007 – O Masters em Montreal, e uma semana fenomenal no Canadá. Em três dias derrotou os três dos primeiros tenistas do mundo – Roddick, Nadal e Federer –, e chegou ao 3º lugar na lista da ATP, onde permaneceria o recorde de noventa semanas.
Na lista da ATP das façanhas do tênis de 2007, sua sequência de vitórias ocupou o alto 5º lugar.

9 Set. 2007 – Foi até *a última rodada do* Aberto dos EUA, a primeira final Grand Slam na carreira. Jogou contra Federer e perdeu por 3-0. Mas as diferenças no jogo eram mínimas, e somente alguns pontos decidiram quem seguraria a maior taça.
Partiram para Nova York, e o fisioterapeuta Miljan Amanovic entrou para o time.

21-23 Set. 2007 – Jogou a partida da Copa Davis contra a Austrália. A seleção da Sérvia disputou, liderada por um novo técnico, Bogdan Obradovic e seu consultor especialista, Niki Pilic. Jogaram na Arena de Belgrado, na frente de 20 mil torcedores. A Sérvia venceu por decisivos 4-1 e garantiu entrada no grupo mundial da Copa Davis.

14 Out. 2007 – No torneio em Viena, conquistou o 5º título em 2007. Na final, após uma hora e quinze minutos de jogo e aproveitadas 14 (de 18) saídas na rede, Djokovic derrotou Stanislas Wawrinka por 6-4, 6-0.

27 Jan. 2008 – Conquistou o Aberto da Austrália, seu primeiro Grand Slam. Durante o torneio inteiro, perdeu apenas um *set*, na partida final contra Jo Wilfried Tsonga. Tornou-se o 1º tenista sérvio a conquistar um título de Grand Slam na concorrência de simples.

541

BLAZA POPOVIC

23 Mar. 2008 — Conquistou o torneio de Indian Wells. Na final, derrotou Mardy Fish, que antes disso derrotou Roger Federer em 63 minutos, e contra Djokovic conquistou um *set*, o único que perdeu no torneio inteiro. Na chave feminina triunfou também Ana Ivanovic.

11 Maio 2008 — Em Roma conquistou o 10º título, e o 1º Masters no saibro.

7 Jun. 2008 — Chegou até a semifinal de Roland Garros, quando perdeu para Rafael Nadal.

17 Ago. 2008 — Participou dos jogos olímpicos. No caminho à semifinal, ganhou todas as quatro partidas, sempre em dois *sets*. Perdeu a semifinal para Nadal, mas venceu no duelo contra James Blake e conquistou a medalha de bronze.

6 Set. 2008 — No Aberto dos EUA chegou à semifinal e esbarrou em Roger Federer. Perdeu. Se tivesse vencido, se tornaria o 2º tenista do mundo.

19-21 Set. 2008 — Copa Davis contra a Eslováquia em Bratislava. A seleção da Sérvia triunfou por 4-1.

15-16 Nov. 2008 — Conquistou a Copa Masters em Xangai, o torneio final da temporada do qual participam os oitos melhores tenistas do mundo. Juntamente com Davydenko, Tsonga e Del Potro ficou no grupo dourado. No segundo, vermelho, encontravam-se Murray, Roddick, Federer e Simon, que entrou no lugar do contundido Nadal. Djokovic chegou à final e ganhou contra Nikolay Davydenko.

27 Jan. 2009 — No Aberto da Austrália foi campeão. Passou às quartas de final e jogou contra Roddick. Com o resultado 2-1 em *sets* e 2-1 em *games* para o norte-americano, depois de duas horas e quatorze minutos, Djokovic fez a consulta com o médico e entregou a partida por causa da exaustão.

28 Fev. 2009 — Triunfou no torneio em Dubai. Na final derrotou David Ferrer. Esse era o 12º troféu da carreira.

5 Abr. 2009 — Perdeu a final em Miami para Andy Murray.

18 Abr. 2009 — Pela primeira vez na carreira, chegou à final em Monte Carlo. Perdeu de novo para Nadal, apesar de ganhar um *set* e se tornar o único tenista que conseguiu um *set* contra ele no saibro naquela temporada.
O torneio em Monte Carlo trouxe uma novidade. O time de Djokovic foi fortalecido por Gebharda Fila Grica, o então treinador de lendário Thomas Muster.

3 Maio 2009 — Em Roma, Djokovic defendeu o título sem êxito. Começou bem, derrotando Montañes, Robredo, Del Potro, e até Federer, na semifinal, mas, na final, perdeu para Nadal.

10 Maio 2009 — Triunfou no Aberto da Sérvia em Belgrado, que comprou a licença de Amersfort, torneio no qual Djokovic conquistou seu 1º título da ATP. Na final derrotou o *lucky loser* Lukasz Kubot, 179º jogador do mundo. Esse foi o 2º título em 2009.

16 Maio 2009 — Semifinal de Madri contra Rafael Nadal. A partida antológica, quatro horas de jogo, o mais longo duelo na história do tênis, com dois *sets* ganhos desde que foi implementado o *tie break* no *set* decisivo. Carlos Moya disse, no seu depoimento, que essa era "a melhor partida nos dois *sets* ganhos no saibro que jamais assistira". Rafa venceu de novo.

14 Jun. 2009 — Primeira participação no torneio Gerry Weber Open, na cidade alemã Halle. Chegou à final e perdeu para o jogador nove anos mais velho Tomy Haas.

# A BIOGRAFIA DE NOVAK DJOKOVIC

23 Ago. 2009 – Na semifinal do Masters de Cincinnati derrotou Nadal, em somente uma hora e meia, mas na final perdeu para Federer.
Depois do torneio, juntou-se a ele o então 4º tenista do mundo, Todd Martin, para "implementar frescor" ao seu jogo.

13 *Set.* 2009 – Jogou a semifinal do Aberto dos EUA, novamente contra Federer, seu 5º encontro em Grand Slams e o 10º no piso duro. Djokovic chegou perto, mas Federer ganhou – 7-6(3), 7-5, 7-5.

11 Out. 2009 – Conquistou o Aberto da China em Pequim, e no caminho à final perdeu apenas um *set*, na terceira rodada, contra Verdasco. Na final, derrotou o tenista croata Marin Cilic e conquistou o 3º título naquela temporada e o 14º na carreira.

8 Nov. 2009 – Ergueu a taça na Basileia, depois da partida final contra Federer, que triunfava constantemente naquele torneio desde 2006. Aliás, Basileia é sua cidade natal.

15 Nov. 2009 – Conquistou o Masters em Paris. Na semifinal, em somente uma hora e quinze minutos de jogo, derrotou Nadal, e na final, após duas horas e quatorze minutos, Gael Monfils.

27 Fev. 2010 – Em Dubai, pela primeira vez na carreira, conseguiu defender o título. Chegou ao torneio como o 2º jogador do mundo. Na final venceu contra Mikhail Youzhny.

5-7 Mar. 2010 – A Sérvia passou para as quartas de final da Copa Davis.
Djokovic trouxe o ponto da vitória, na quarta rodada, quando, depois de quatro horas e dezesseis minutos, derrotou John Isner.

24 Mar. 2010 – Interrompeu a cooperação com Todd Martin, depois da derrota na primeira rodada em Miami para o tenista belga Olivier Rochus (59º tenista do mundo).

4 Jul. 2010 – Semifinal de Wimbledon, pela segunda vez na carreira. Perdeu para o tenista tcheco Thomas Berdych.

9-11 Jul. 2010 – Quartas de final da Copa Davis contra a Croácia. A partida foi muito importante. Djokovic deu sua contribuição, e a Sérvia passou para a semifinal.
Naquela época, o médico Cetojevic começou a trabalhar como seu nutricionista, colocando-o no regime da dieta sem glúten.

12 Set. 2010 – Final do Aberto dos EUA contra Nadal. O espanhol venceu e elevou o placar entre eles para 15-7.

17-19 Set. 2010 – Semifinal da Copa Davis contra a República Tcheca. A Sérvia venceu, e pela primeira vez passou para a final da Copa Davis.

10 Out. 2010 – Djokovic defendeu o título em Pequim com êxito. Na final, derrotou David Ferrer.

3-5 Dez. 2010 – Final da Copa Davis, contra a França, em Belgrado. Djokovic jogou duas partidas, na segunda e quarta rodadas, e venceu ambas. Quem trouxe o ponto decisivo para a Sérvia foi seu amigo, Viktor Troicki.

30 Jan. 2011 – No Aberto da Austrália, a final contra Andy Murray, e um triunfo decisivo: 6-4, 6-2, 6-3. Começou o "ano dourado" de Djokovic.

26 Fev. 2011 – O triunfo em Dubai, pela 3ª vez. A vitória na final era a 12ª na temporada e a 2ª consecutiva contra Federer.

20 Mar. 2011 – Indian Wells, e um novo título. Após cinco tentativas, conseguiu a primeira vitória nas finais contra Nadal.

BLAZA POPOVIC

3 Abr. 2011 — Final em Mimai, e a nova vitória contra o até então difícil rival, Rafael Nadal. Djokovic se tornou o 4º jogador na história que, em seguida, venceu o Aberto da Austrália, Indian Wells e Miami (depois de Sampras, Agassi e Federer).

1º Maio 2011 — Nova vitória no Aberto da Sérvia, em Belgrado. Na final, por 7-6(4), 6-2, derrotou Feliciano Lopez. O número dos títulos conquistados na temporada subiu para cinco, e a sequência das vitórias para 27, derrubando o recorde de Ivan Lendl, de 1986.

8 Maio 2011 — Derrotou Nadal no saibro pela primeira vez na carreira, em Madri! E quebrou sua sequência de 37 vitórias consecutivas nesse piso. Djokovic o superou desde o primeiro ao último ponto (7-5, 6-4), conquistando a 32ª vitória consecutiva.

15 Maio 2011 — Conquistou também Roma, e pela 4ª vez seguida derrotou Nadal. Esse foi o 7º título em 2011. Tornou-se o 1º tenista, após Federer e Nadal, que numa temporada conquistou os quatro troféus nos Masters da série 1000 e faturou também a 37ª vitória consecutiva, aproximando-se do recorde de John McEenroe dos 42 triunfos durante 1984.

5 Jun. 2011 — Na semifinal de Roland Garros, perdeu para Federer por 3-1 em *sets* e interrompeu a sequência de 41 vitórias consecutivas.

3 Jul. 2011 — Final de Wimbledon, contra Nadal, o 5º encontro deles nos torneios oficiais em 2011. Djokovic ganhou o primeiro *set* por 6-4, continuou com a dominação, e ganhou o segundo – 6-1. Nadal ganhou o terceiro *set* e diminuiu o resultado, mas Djokovic voltou e venceu o quarto *set* por 6-3. Ganhou a taça de Wimbledon, e assumiu a 1ª posição.
Durante julho aconteceu uma nova mudança no seu time. Acabou a cooperação com o doutor Cetojevic.

14 Ago. 2011 — Conquistou também a Copa Rogers e o Masters 1000 do Canadá depois do triunfo na final contra Mardy Fish. Tornou-se o 1º jogador a conquistar os cinco torneios Masters durante o mesmo ano, e o 2º, depois de Pete Sampras, que, depois de ocupar a 1ª posição na lista da ATP, logo comprovou sua dominação, no primeiro torneio que se seguiu.

11 Set. 2011 — No Aberto dos EUA, a semifinal contra Federer, e depois a final contra Nadal. O suíço chegou rápido aos 2-0, Djokovic empatou, e no quinto *set* Federer chegou a duas bolas para fechar a partida. Djokovic salvou, e depois triunfou.
Na final contra Nadal, teve menos trabalho, superou o rival em todos os sentidos, e merecidamente triunfou por 3-1.
Pela primeira vez na carreira conquistou o troféu de Nova York, sua 3ª medalha de Grand Slam durante 2011.

29 Jan. 2012 — Triunfo no Aberto da Austrália. Na semifinal, depois de quatro horas e quarenta e oiro minutos, derrotou Andy Murray. Seguiu a partida antológica contra Nadal, quase seis horas de tênis magnífico de ambos os lados da rede. Não somente foi disputada a partida mais longa do Aberto da Austrália, mas também a mais longa final de Grand Slam na história do tênis. Djokovic venceu por 5-7, 6-4, 6-2, 6-7(5), 7-5.

1º Abr. 2012 — Final de Miami, defesa do título, sem um *set* perdido. Na final, depois de duas horas e dezessete minutos, derrotou Andy Murray e conquistou seu 11º título Masters, o 30º troféu na carreira, e o 3º em Miami.

## A BIOGRAFIA DE NOVAK DJOKOVIC

22 Abr. 2012 – Primeira final de Roland Garros. A vitória podia incluí-lo na história como o 3º tenista dono dos quatro títulos dos maiores torneios (depois de Rod Lever de 1969 e Don Budge de 1938). Mas o impediu Rafael Nadal, conquistando o recorde de sete títulos de Roland Garros, derrubando a marca de Bjorn Borg.

3 Jul. 2012 – Wimbledon, depois de 365 dias na posição número 1 da lista da ATP. Foi derrotado na semifinal por Federer, que na final derrotou Andy Murray e empatou com Pete Sampras em total de conquistas em Wimbledon e voltou à posição número 1.

5 Ago. 2012 – Jogos Olímpicos em Londres. Na semifinal, perdeu para Murray, e na partida pelo bronze, para Del Potro.
"Tentei, me esforcei, mas simplesmente não deu. Essa é uma das mais pesadas derrotas da minha carreira", disse Djokovic na ocasião.

12 Ago. 2012 – Triunfo na Copa Rogers. Extremamente focado, principalmente nos pontos-chave e na final contra Richard Gasquet.
Esse foi o 12º título nos torneios de série Masters 1000, e o 3º na Copa Rogers, com o que empatou o recorde de Agassi e Lendl.

9 Set. 2012 – Final do Aberto dos EUA contra Andy Murray, uma partida difícil, com fortes trocas de golpes da linha de base. Murray conseguiu a vantagem de 2-0 em *sets*. Depois, Djokovic acordou, empatou, e chegou ao quinto *set*. Após quase cinco horas de partida, Murray venceu, e chegou ao seu 1º troféu de Grand Slam: 7-6(10), 7-5, 2-6, 3-6, 6-2.
Djokovic o felicitou calorosamente: "Murray é um grande jogador, e essa é com certeza uma grande satisfação para ele. Estou feliz pela sua conquista...".
"O que precisa agora para superar essa derrota?", perguntaram-lhe os jornalistas.
"O que estou precisando? Eu preciso de alguns dias de descanso do tênis", ele respondeu.

27 Jan. 2013 – O adversário foi o mesmo da final do US Open, porém o resultado, diferente. Pela primeira vez, na chamada "Era Aberta", um tenista conquistava o Australian Open pela terceira vez consecutiva. A partida durara praticamente cinco horas e fora diretamente influenciada pela ação dos fortes ventos, desta vez tudo correu como manda o figurino e Djokovic venceu por 3 *sets* a 1, com parciais de 6x7 (2), 7x6 (3), 6x3 e 6x2. A disputa foi intensa, porém Djokovic controlou o jogo, após o *tiebreak* do segundo *set* e impôs seu estilo.

21 Abr. 2013 – Djokovic chegou a Monte Carlo, a cidade em que atualmente reside, sem saber se jogaria. Treinou, participou de eventos, porém seu tornozelo direito ainda o incomodava muito após a vitória sobre Sam Querrey pela Copa Davis, quando a Sérvia derrotou os Estados Unidos na casa do adversário. Em pouco mais de uma semana, lá estava ele novamente em quadra. Confirmou sua participação somente um dia antes. O torneio começou difícil, porém ele avançou até a final. Encontrou nada mais, nada menos do que Rafael Nadal. Octacampeão consecutivo! Não perdia uma partida em um mês de abril desde 2005. Mesmo assim, em condições desfavoráveis, sejam clínicas ou de piso, Djokovic fez, talvez, sua maior exibição no saibro. Os cinco primeiros *games* foram um primor. Ao final, 6x2 e 7x6 (1). O mito da invencibilidade de Nadal no saibro lento foi derrubado. Oito anos e quarenta e seis partidas depois, Nadal tinha de aceitar um outro campeão em Monte Carlo. Será esse o início de uma nova era?

Este livro foi impresso pela
gráfica Assahi em papel *pólen bold* 70 g